高等学校教材

无 机 化 学

（第三版）

下　册

武汉大学　吉林大学　等校　编

曹锡章　王杏乔　宋天佑　修订

高等教育出版社

图书在版编目(CIP)数据

无机化学 下册/武汉大学编 . —3 版 . —北京:高等教
育出版社,1994.10(2008 重印)
高等学校教材
ISBN 978-7-04-004880-3

Ⅰ.无… Ⅱ.武… Ⅲ.无机化学 - 高等学校 - 教材Ⅳ.O61

中国版本图书馆 CIP 数据核字(95)第 20238 号

出版发行	高等教育出版社	购书热线	010-58581118
社　　址	北京市西城区德外大街 4 号	免费咨询	800-810-0598
邮政编码	100120	网　　址	http://www.hep.edu.cn
总　　机	010-58581000		http://www.hep.com.cn
		网上订购	http://www.landraco.com
经　　销	蓝色畅想图书发行有限公司		http://www.landraco.com.cn
印　　刷	北京宏信印刷厂	畅想教育	http://www.widedu.com
开　　本	850×1168　1/32	版　　次	1978 年 9 月第 1 版
印　　张	21.375		1994 年 10 月第 3 版
字　　数	520 000	印　　次	2008 年 12 月第 21 次印刷
		定　　价	26.50 元

目　　录

第十二章　卤　　素

　　周期表中第 VIIA 族包括氟、氯、溴、碘和砹 5 种元素,统称为卤素。这族元素表现了典型的非金属性质。由于它们的外层电子结构类似,所以元素的性质十分相似,并呈规律性的变化。卤素中的砹属于放射性元素,在自然界中仅以微量而短暂地存在于镭、锕或钍的蜕变产物中。对它的性质研究得不多,但已经知道它与碘十分相似。

§12-1　卤素的通性

　　卤素的一些基本性质列于表 12-1 中。

　　卤素原子最外层电子结构是 $ns^2 np^5$,与稀有气体原子外层的八电子稳定结构相比仅缺少 1 个电子。因此卤素原子都有获得 1 个电子成为卤离子 X^- 的强烈倾向。卤素中氯的电子亲合能最大,按氯、溴、碘顺序依次减小。氟的电子亲合能有些反常,其原因在本书第三章中已经讨论论过。卤素的原子半径随原子序数增加而依次增大,但与同周期元素相比较,则原子半径较小,因此卤素都有比较大的电负性。从表 12-1 中可以看出,氟的电负性最大,因此氟具有最强的氧化性,易获得 1 个电子而形成稳定结构。卤素的第一电离能都比较大,说明它们失去电子的倾向比较小。氯、溴、碘的第一电离能比氢的电离能(1312 kJ·mol^{-1})低,但为什么有 H^+ 存在却没有简单的 X^+ 生成呢? 这是因为 H^+ 体积很小,在水溶液中生成水合离子时可以释放出较多的热量;因而氢所需电离

表 12 − 1　卤素的性质

性　　质	氟	氯	溴	碘
元素符号	F	Cl	Br	I
原子序数	9	17	35	53
相对原子质量	18.998	35.453	79.904	126.905
价电子层结构	$2s^2 2p^5$	$3s^2 3p^5$	$4s^2 4p^5$	$5s^2 5p^5$
主要氧化数	−1,0	−1,0,+1, +3,+4,+5,+7	−1,0,+1,+3, +5,+7	−1,0,+1,+3, +5,+7
共价半径 pm	71	99	114	133
X^- 离子半径 pm	136	181	195	216
电子亲和能 $kJ \cdot mol^{-1}$	322	348.7	324.5	295
第一电离能 $kJ \cdot mol^{-1}$	1 681	1 251	1 140	1 008
X^- 水合热 $kJ \cdot mol^{-1}$	−515	−381	−347	−305
分子离解能 $kJ \cdot mol^{-1}$	155	240	190	149
电负性 (Pauling)	3.98	3.16	2.96	2.66

能可以从这些能量中得到补偿。而 X^+ 的体积较大,在生成水合离子时释放的热量较小。因此,相比之下卤素原子失去电子成为 +1 价的离子只有碘可能性大些,因为它的电负性较小而原子半径较大。I^+ 在配合物中是比较稳定的:

$$I_2 + AgNO_3 + 2C_5H_5N \Longrightarrow [I(NC_5H_5)_2]^+ + NO_3^- + AgI$$

　　氯、溴和碘的原子最外层电子结构中都存在着 nd 空轨道。因此,当这些元素与电负性更大的元素相化合时,它们的 nd 空轨道都可以参与成键。原来成对的 s 电子和 p 电子拆开进入 nd 空轨道,故这些元素可以表现出更高的氧化态。

　　卤素分子是双原子分子。根据分子轨道理论,在卤素分子的成键轨道 σ_{np} 和 2 个 π_{np} 上共有 6 个电子,反键轨道 2 个 π_{np}^* 上有 4 个电子。例如氟分子的成键情况如图 12 − 1 所示。卤素分子中原子之间的结合力相当于一个单键,随着卤素原子序数和原子半径

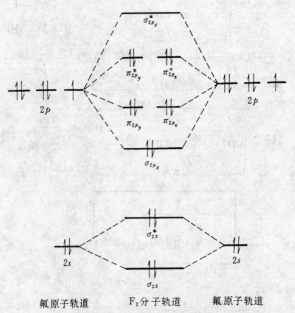

图 12-1　氟分子轨道能级图

的增大,原子轨道的有效重叠程度减小,因此卤素分子的离解能依次降低。但反常的是氟分子具有较低的离解能,其原因主要是氟的原子半径过小,孤对电子之间有较大的排斥作用。在第二周期其它元素中,也有类似的情况,例如氧分子的离解能小于硫双原子分子的离解能。

卤素的单质及其化合物在水溶液中的氧化还原能力的大小可以用标准电极电势数值表示。图 12-2 列出卤素在酸性溶液和碱性溶液中的标准电极电势图。图 12-3 和图 12-4 是卤素在酸性溶液和碱性溶液中的氧化态-吉布斯自由能图。从图 12-3 看出,卤素在酸性溶液中最高氧化态和最低氧化态之间的各点几乎处于同一条直线上,这说明除了 -1 氧化态外都可以作为氧化剂,而且除 +1 和 +7 氧化态外都可以发生歧化反应(I_2 不易歧化)。

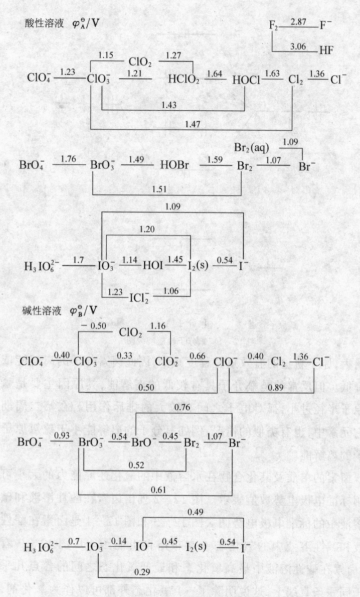

酸性溶液 $\varphi_A^{\ominus}/V$

$$F_2 \xrightarrow{2.87} F^-$$
$$\text{（F}_2\text{）} \xrightarrow{3.06} HF$$

$$ClO_4^- \xrightarrow{1.23} ClO_3^- \xrightarrow{1.15} ClO_2 \xrightarrow{1.27} \quad$$
$$ClO_3^- \xrightarrow{1.21} HClO_2 \xrightarrow{1.64} HOCl \xrightarrow{1.63} Cl_2 \xrightarrow{1.36} Cl^-$$
$$\xrightarrow{1.43}$$
$$\xrightarrow{1.47}$$

$$BrO_4^- \xrightarrow{1.76} BrO_3^- \xrightarrow{1.49} HOBr \xrightarrow{1.59} Br_2 \xrightarrow{1.07} Br^-$$
$$Br_2(aq) \xrightarrow{1.09} Br^-$$
$$\xrightarrow{1.51}$$

$$\xrightarrow{1.09}$$
$$\xrightarrow{1.20}$$
$$H_3IO_6^{2-} \xrightarrow{1.7} IO_3^- \xrightarrow{1.14} HOI \xrightarrow{1.45} I_2(s) \xrightarrow{0.54} I^-$$
$$IO_3^- \xrightarrow{1.23} ICl_2^- \xrightarrow{1.06}$$

碱性溶液 $\varphi_B^{\ominus}/V$

$$ClO_4^- \xrightarrow{0.40} ClO_3^- \xrightarrow{-0.50} ClO_2 \xrightarrow{1.16} \quad$$
$$ClO_3^- \xrightarrow{0.33} ClO_2^- \xrightarrow{0.66} ClO^- \xrightarrow{0.40} Cl_2 \xrightarrow{1.36} Cl^-$$
$$\xrightarrow{0.50}$$
$$\xrightarrow{0.89}$$

$$\xrightarrow{0.76}$$
$$BrO_4^- \xrightarrow{0.93} BrO_3^- \xrightarrow{0.54} BrO^- \xrightarrow{0.45} Br_2 \xrightarrow{1.07} Br^-$$
$$\xrightarrow{0.52}$$
$$\xrightarrow{0.61}$$

$$\xrightarrow{0.49}$$
$$H_3IO_6^{2-} \xrightarrow{0.7} IO_3^- \xrightarrow{0.14} IO^- \xrightarrow{0.45} I_2(s) \xrightarrow{0.54} I^-$$
$$\xrightarrow{0.29}$$

图 12-2 卤族元素电势图

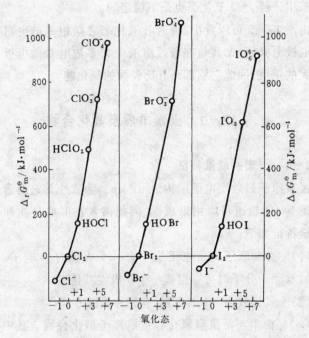

图 12－3 卤素在酸性溶液中(pH＝0)氧化态－吉布斯自由能图

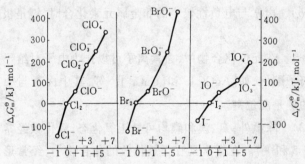

图 12－4 卤素在碱性溶液中(pH＝14)氧化态－吉布斯自由能图

图 12－4 表示卤素在碱性溶液中曲线的斜率较小,各氧化态的氧化性一般比酸性中弱些,氯和溴单质易歧化,IO_3^- 较稳定。和酸

性溶液中一样，+3 氧化态也是不稳定的。

由图 12-2 可以看出，卤素各氧化态之间组成的电对都具有正的电极电势值，尤其是在酸性溶液中大多数电对的电极电势具有较大的正值，因此它们都具有比较强的氧化能力。

§12-2　卤素单质及其化合物

2-1　卤素的成键特征

卤素原子最外层电子结构为 $ns^2 np^5$，除氟外其它卤素原子最外层还有 nd 轨道可以用以成键，因此卤素在形成单质和化合物时价键特征如下：

（1）　卤素原子的价电子层中有一个成单的 p 电子，在形成单质的双原子分子时可以组成一个非极性共价键。

（2）　氧化数为 -1 的卤素，有三种成键方式。

（a）　卤素与活泼金属化合生成离子型化合物。其中卤素以 X^- 形式存在，键是离子键。

（b）　卤素与电负性较小的非金属元素化合时，键是极性共价键。

（c）　在配位化合物中，卤素离子可以作为电子对给予体而与中心离子配位，如 $[AgCl_2]^-$ 和 $[CuCl_4]^{2-}$ 等，其中卤素与中心离子之间的键是配位键。

（3）　除氟外，氯、溴和碘均可显正氧化态，氧化数经常是 +1，+3，+5 和 +7。在卤素具有正氧化数的化合物中，经常形成共价键。卤素的含氧化合物和卤素的互化物基本属于这类化合物。在形成这类化合物时，卤素的原子轨道通常要发生杂化。在卤素的含氧化合物中卤素原子一般发生 sp^3 杂化。卤素原子中的成单电子与氧原子之间形成单键，卤素原子中的成对电子与氧原子之间形成双键。在卤素互化物中，往往是原子半径较大的卤素原子显正氧化态。显 +1 价的半径较大的卤素原子与显 -1 价的半径较小的卤素原子通过成单 p 电子的成对而以共价键结合。显正氧化态的卤素原子与显负氧化态的另一种卤素原子结合时，将拆开本来成对的 np 电子、ns 电子，使一些电子以平行自旋的方式占据部分 d 轨道，采取有 d 轨道参加的杂化方式与负氧化态的另一种卤素原子形成极性共价键。每拆开一对成对电子时，将增加 2 个单电子，因此在 +1 价的基础上，将出现 +3，+5 和 +7 的奇数价态。

2-2　卤素在自然界中的分布

卤素单质具有较高的化学活性，因此在自然界中卤素不可能以单质形式存在。大多数卤素以氢卤酸盐形式存在于自然界。碘是一个例外，碘的存在形式还有碘酸盐。

卤素在地壳中的质量百分含量，氟大约为 0.015%，氯为 0.031%，溴为 1.6×10^{-4} %，而碘为 3×10^{-5} %。在陆地上氟多半以难溶的化合物形式存在，如萤石 CaF_2，冰晶石 Na_3AlF_6 和氟磷灰石 $Ca_5F(PO_4)_3$。其次在动物的骨骼、牙齿、毛发、鳞、羽毛等组织内部也含有氟的成分。氯、溴和碘一般以溶解状态同时存在于海洋中。海水中大约含氯 1.9%，溴 0.0065% 和碘 5×10^{-8} %。氯与溴在海水中总质量之比约为 300:1。氯也存在于某些盐湖、盐井和盐床(钾石盐 KCl 和光卤石 $KCl \cdot MgCl_2 \cdot 6H_2O$)中。溴与氯相似，多半以与锂、钠及镁形成的化合物形式存在，只是数量比氯要少得多。溴也存在于一些盐湖和盐井中。碘在海水中含量很少，有几种水藻能够从海水中吸收碘而富集在自己体内。碘也存在于某些盐井的卤水中。碘以矿石形式存在的数量很少，在南美洲的智利硝石 $NaNO_3$ 中含少量的碘酸钠 $NaIO_3$，它可以作为提取碘的原料。

2-3 单质

(1) 物理化学性质

随着卤素原子半径的增大,卤素分子之间的色散力也逐渐增大。因此,卤素单质的一些物理性质也呈规律性变化。表12-2中列出了卤素单质的一些重要物理性质。

表12-2　卤素单质的物理性质

性　质	氟	氯	溴	碘
常温、常压下聚集状态	气	气	液	固
颜　色	浅黄	黄绿	棕红	紫黑
密度/$g \cdot cm^{-3}$	1.108(1)	1.57(1)	3.12(1)	4.93(s)
熔点/K	53.38	172.02	265.92	386.5
沸点/K	84.86	238.95	331.76	457.35
汽化热/$kJ \cdot mol^{-1}$	6.32	20.41	30.71	46.61
在水中溶解度/$g \cdot (100g$ 水$)^{-1}$ (293K)	分解水	0.732	3.58	0.029

在常温常压下氟和氯呈气态,溴呈液态,碘呈固态。氯容易液化,在293 K超过6.7×10^5 Pa压强时,气态氯即可转变为液态氯。固态碘具有高的蒸气压,在加热时固态碘可直接升华为气态碘。人们常利用这种性质对碘进行纯制。

气态卤素单质氟呈浅黄色,氯呈黄绿色,溴呈棕红色,碘呈紫色。固态碘呈紫黑色并带有金属光泽。卤素单质颜色的变化规律可以用分子轨道能级图加以解释。我们知道当可见光照射到物体上时,其中一部分光被物体吸收,物体所显示的颜色就是未被吸收的那部分光的复合颜色。对气态卤素单质的吸收光谱的研究表明,其颜色变化规律与从反键轨道π_{np}^*激发一个电子到反键空轨道σ_{np}^*上所需要的能量的变化规律是一致的(见图12-1)。

$$(\sigma_{np})^2 (\pi_{np})^4 (\pi_{np}^*)^4 \longrightarrow (\sigma_{np})^2 (\pi_{np})^4 (\pi_{np}^*)^3 (\sigma_{np}^*)^1$$

随着卤素原子序数的增加,分子中这种激发所需要的能量依次降低。对氟来说主要吸收可见光中能量较高、波长较短的那部分光,而显示出波长较长的那部分光的复合颜色——黄色;碘则主要吸收可见光中能量较低、波长较长的那部分光,而显示出波长较短的那部分光的复合颜色——紫色。同样可以说明氯和溴的颜色。这些颜色都是指气态物质的颜色。当物质的聚集态由气态向液态和固态转化时,显示的颜色会不断加深,所以固态的碘显紫黑色。

卤素单质较难溶于水。常温下 $1\ m^3$ 水可溶解约 $2.5\ m^3$ 的氯气,这种溶液叫氯水。在水中溴的溶解度较大,碘的溶解度最小。氟不溶解于水,但它可使水剧烈地分解放出氧气,同时可生成少量的臭氧;

$$2F_2 + 2H_2O \Longrightarrow 4HF + O_2$$

溴和碘易溶于许多有机溶剂中。溴在乙醇、乙醚、氯仿、四氯化碳和二硫化碳中生成的溶液随着浓度的不同而显现从黄到棕红的颜色。碘在乙醇和乙醚中生成的溶液显棕色,这是由于生成了溶剂合物的结果。碘在介电常数较小的溶剂如二硫化碳、四氯化碳中生成紫色溶液,这是因为在这些溶液中碘以分子状态存在。可以利用卤素单质在有机溶剂中的易溶性,把它从溶液中分离出来。

碘在水中溶解度虽然小,但在碘化钾或其它碘化物溶液中溶解度却明显增大。碘盐的浓度越大,溶解的碘越多,生成的溶液的颜色越深。这是由于当 I^- 靠近 I_2 时,使后者产生诱导偶极,进一步形成了离子 I_3^-:

$$I_2 + I^- \Longrightarrow I_3^-$$

在这个平衡中,溶液里总有碘单质存在,因此多碘化钾溶液的性质实际上与碘溶液相同。此外,已知的多卤离子还有 Br_3^-,Cl_3^-,但远不及 I_3^- 稳定。

卤素单质具有强的化学活性。在化学反应中卤素原子显著地表现出结合电子的能力,这种能力是它们最典型的化学性质。卤素单质是很强的氧化剂,随着原子半径的增大,卤素的氧化能力依次减弱。尽管在同族中氯的电子亲合能最高,但最强的氧化剂却是氟。一种氧化剂在常温下,在水溶液中的氧化能力的强弱,可用其标准电极电势 $\varphi^{\ominus}$ 值来表示,$\varphi^{\ominus}$ 值的大小和下列过程有关:

$$\frac{1}{2}X_2(s)\xrightarrow{\Delta H_1^{\ominus}}\frac{1}{2}X_2(l)\xrightarrow{\Delta H_2^{\ominus}}\frac{1}{2}X_2(g)\xrightarrow{\Delta H_3^{\ominus}}X(g)$$

$$\downarrow \Delta H_4^{\ominus}$$

$$X^-(aq)\xleftarrow{\Delta H_5^{\ominus}}X^-(g)$$

其中 $\Delta H_1^{\ominus}$ 为熔化热,$\Delta H_2^{\ominus}$ 为蒸发热,$\Delta H_3^{\ominus}$ 为离解能,$\Delta H_4^{\ominus}$ 为电子亲合能,$\Delta H_5^{\ominus}$ 为水合热。过程总的热效应 $\Delta H_m^{\ominus}=\Delta H_1^{\ominus}+\Delta H_2^{\ominus}+\Delta H_3^{\ominus}+\Delta H_4^{\ominus}+\Delta H_5^{\ominus}$。这些热效应的数据如表 12-3 所示。总的热效应 $\Delta H_m^{\ominus}$ 所体现的过程是:

$$\frac{1}{2}X_2\longrightarrow X^-(aq)$$

表 12-3 $\frac{1}{2}X_2(s)\longrightarrow X^-$(水合)的 $\Delta_r H_m^{\ominus}$

卤素	1/2 熔化热 kJ·mol^{-1}	1/2 蒸发热 kJ·mol^{-1}	1/2 离解能 kJ·mol^{-1}	电子亲合能 kJ·mol^{-1}	水合热 kJ·mol^{-1}	总 $\Delta H_m^{\ominus}$ kJ·mol^{-1}
F$_2$	—	—	155/2	−322	−515	−757.5
Cl$_2$	—	—	243/2	−348.7	−381	−608.2
Br$_2$	—	31/2	193/2	−324.5	−347	−559.5
I$_2$	15/2	44/2	151/2	−295	−305	−493.5

这一过程进行的自发程度体现着卤素单质与卤离子电对的电极电势的大小。$\Delta G_m^{\ominus}=\Delta H_m^{\ominus}-T\Delta S_m^{\ominus}$,$\Delta G_m^{\ominus}$ 主要由 $\Delta H_m^{\ominus}$ 决定。从表 12-3 看出氟的 $\Delta H_m^{\ominus}$ 具有最大的负值,故

$$\frac{1}{2}F_2(g)\longrightarrow F^-(aq)$$

进行的自发程度最大,体现到氧化能力上即是它的 $\varphi^{\ominus}$ 值最大。从表 12-3 中清楚地看到,之所以氟的 $\Delta H_m^{\ominus}$ 负值最高,是因为氟分

子解离时需要的能量少，以及氟离子水合时放出的能量多。

卤素单质的化学性质可以概括为以下几个方面。

（a）与金属作用 氟在低温或高温下都可以和所有金属直接作用，生成高价氟化物。氟与铜、镍、镁作用时，由于在金属表面生成薄层氟化物而阻止了反应的进行，因此氟可以贮存在铜、镍、镁或它们的合金制成的容器中。

氯也可以与各种金属作用，反应也比较剧烈。氯在干燥的情况下不与铁作用，因此可将氯贮存于铁罐中。

溴和碘在常温下可以和活泼金属直接作用，与其它金属的反应需要在加热的条件下进行。

（b）与非金属作用 氟几乎与所有非金属元素（氧、氮除外）都能直接化合，甚至在低温下氟仍可以与硫、磷、硅、碳等猛烈反应产生火焰。氟与非金属元素的作用通常是剧烈的，这是因为生成的氟化物具有挥发性，它们的生成并不妨碍非金属表面与氟的进一步作用。

氯可与大多数非金属单质直接化合，作用程度不如氟猛烈。溴和碘的化学活性又较氯差些。

氯气与硫化合生成一氯化硫。它是一种液态的橡胶硫化剂：

$$2S(s) + Cl_2(g) = S_2Cl_2(l)$$

当氯气过量时，硫被氧化成二氯化硫：

$$S(s) + Cl_2(g, 过量) = SCl_2(l)$$

在氯与磷的反应中，若磷过量时将生成三氯化磷，而氯气过量时则生成五氯化磷：

$$2P(过量) + 3Cl_2 = 2PCl_3$$

$$2P + 5Cl_2(过量) = 2PCl_5$$

溴和碘同样与磷作用，由于氧化能力较弱，只生成三溴化磷和三碘化磷：

$$2P + 3Br_2 \longrightarrow 2PBr_3$$

$$2P + 3I_2 \longrightarrow 2PI_3$$

（c）与氢作用　氟在低温和黑暗中即可和氢直接化合放出大量热并引起爆炸。氯和氢的反应在常温及散射光线照射时进行的非常慢,但在加热或强烈光线如日光和镁焰照射时会发生爆炸反应

$$H_2(g) + Cl_2(g) \longrightarrow 2HCl(g) \quad \Delta_r H_m^{\ominus} = -184.1 \text{ kJ} \cdot \text{mol}^{-1}$$

这类由光引起的化学反应叫光化学反应。反应机理是:首先一个氯分子在光的能量作用下离解成两个活化氯原子 Cl^*,

$$Cl_2 \xrightarrow{h\nu} 2Cl^*$$

活化氯原子与氢分子作用生成氯化氢分子和活化氢原子 H^*,

$$Cl^* + H_2 \longrightarrow HCl + H^*$$

活化氢原子又与氯分子作用生成氯化氢分子和活化氯原子。

$$H^* + Cl_2 \longrightarrow HCl + Cl^*$$

如此循环往复,如同形成一个连续反应的链,这种类型的反应叫链锁反应。

溴和氢在加热时才能相互作用,碘和氢则在更高的温度下才能作用而且反应不完全,因为高温下生成的碘化氢又开始分解。

（d）与水的作用　卤素与水发生氧化还原反应而放出氧气,反应式为

$$4X_2 + 2H_2O \longrightarrow 4H^+ + 4X^- + O_2$$

这一反应可以由两个电极反应组成:

$$X_2 + 2e^- \longrightarrow 2X^-$$

$$4H^+ + O_2 + 4e^- \longrightarrow 2H_2O \quad \varphi = 0.816V(pH = 7)$$

由于卤素单质的氧化能力随着原子序数的增加依次减弱,卤素对水的氧化反应的电动势数值也依次降低,氟为 2.05 V,氯为 0.54 V 溴为 0.25 V,碘与水按上面方程式反应则不能自发进行。

氟与水的反应,其吉布斯自由能改变量具有最大的负值,是很强的自发反应和放热反应,反应程度剧烈。碘与水按上面方程反应,其吉布斯自由能改变量是正值,这表明其逆反应是可以自发进行的。将氧气通入碘化氢溶液中,有碘析出,因此碘的水溶液是稳定的。

氯与溴对水的上述反应从热力学角度看是可以进行的,但由于这种反应的活化能较高而实际上速度很慢。事实上进行的是另一类反应,即氯和溴的歧化反应:

$$X_2 + 2H_2O =\!=\!= H_3O^+ + X^- + HXO$$

这类反应进行的程度与溶液的 pH 值有很大关系,在碱性条件下主要生成卤化物和卤素含氧酸盐。

(2) 卤素单质的制备和用途

在自然界中卤素通常以 -1 价离子存在,因此制备卤素单质应采用氧化法。由于卤素单质与 -1 价态之间电极电势 $\varphi^{\ominus}$ 值从氟到碘依次降低,因此卤素 -1 价态的还原能力的顺序是:

$$I^- > Br^- > Cl^- > F^-$$

由于卤素 -1 价态的还原能力差别较大,因此单质制备方法各异,现分述如下。

(a) 氟的制备   氟的制备采用中温(373 K)的电解氧化法。由于无水氟化氢是电的不良导体,所以电解时使用的电解质是三份氟氢化钾 KHF_2 和两份无水氟化氢 HF(含水量低于 0.02%)的混合物(熔点 345 K)。用铜制容器作电解槽,用压实的无定形炭或渗铜的炭片作阳极,电解反应为:

阳极(无定形炭) $2F^- =\!=\!= F_2 \uparrow + 2e^-$

阴极(电解槽) $2HF_2^- + 2e^- =\!=\!= H_2 \uparrow + 4F^-$

在电解槽中有一隔膜将阳极生成的氟和阴极生成的氢分开,防止两种气体相混合而发生爆炸。在电解过程只要不断添加无水氟化氢,反应就能继续进行。把电解生产的氟冷却到 203 K 并通过氟化钠洗涤器吸收掉 HF,以高压装入镍制的特别钢瓶中。盛氟的钢瓶必须放在隔离的、通风良好的混凝土仓库中。

实验室中,可用含氟化合物的分解反应制取少量的氟:

$$K_2PbF_6 \xrightarrow{\triangle} K_2PbF_4 + F_2$$

$$BrF_5(g) \xrightarrow{\triangle} BrF_3(g) + F_2(g)$$

但这种方法不能认为是化学方法制取氟,因为 K_2PbF_6 和 BrF_5 的制备过程中要以氟为原料,因此只能认为是氟的储存和释放。

1986 年,也就是用电解法第一次制得单质氟后的整 100 年,人们成功地用化学方法制得了氟。首先制备 K_2MnF_6 和 SbF_5:

$$2KMnO_4 + 2KF + 10HF + 3H_2O = 2K_2MnF_6 + 8H_2O + 3O_2$$

$$SbCl_5 + 5HF = SbF_5 + 5HCl$$

再以 K_2MnF_6 和 SbF_5 为原料制得 MnF_4,MnF_4 不稳定,可分解出 F_2:

$$K_2MnF_6 + 2SbF_5 \xrightarrow{423K} 2KSbF_6 + MnF_4$$

$$\longrightarrow MnF_3 + \frac{1}{2}F_2$$

这组制备反应的出发点是 HF 和 KF,可以认为是化学方法制氟。

(b) 氯的制备　氯的制备可采取水溶液电解法、熔盐电解法和氧化法。

工业上制氯采用电解饱和食盐水溶液的方法。石墨作阳极,铁网作阴极,用石棉隔膜把阳极区和阴极区分开,如图 12-5 所示。当电流通过食盐水溶液时,阴极上发生的反应是:

$$2H_2O + 2e^- = H_2 \uparrow + 2OH^-$$

放出氢气,同时产生 OH^-;在阳极上,从热力学上看 OH^- 和 Cl^- 均可被氧化,但由于 OH^- 的超电势大,致使其分解电压比 Cl^- 的高,因此在阳极上发生的反应是 Cl^- 的氧化:

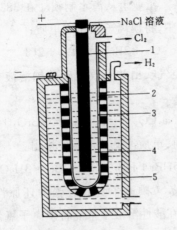

图 12-5 电解制氯的示意图
1—石墨作阳极,2—铁网作阴极,
3—石棉隔膜,2—NaCl 溶液,
5—NaOH 溶液。

$$2Cl^- \Longrightarrow Cl_2 + 2e^-$$

产生氯气。

电解反应的总结果为:

$$2NaCl + 2H_2O \xrightarrow{通电} H_2 + Cl_2 + 2NaOH$$

氯在常温下,加不大的压力即可液化,装入钢瓶中贮存使用。

氯也可在电解氯化钠熔盐制取金属钠的反应中作为副产物得到:

$$2NaCl(熔态) \xrightarrow{通电} 2Na(l) + Cl_2(g)$$

在实验室中可以用二氧化锰和高锰酸钾等强氧化剂与浓盐酸反应制取氯气。反应式为:

$$MnO_2 + 4HCl \Longrightarrow MnCl_2 + Cl_2 + 2H_2O$$

$$2KMnO_4 + 16HCl \Longrightarrow 2MnCl_2 + 2KCl + 5Cl_2 + 8H_2O$$

（c）溴的制备　　工业上从海水制溴。在 383K 时,将氯气通入 pH 为 3.5 的海水中,将溴离子氧化成单质:

$$Cl_2 + 2Br^- =\!=\!= Br_2 + 2Cl^-$$

得到的单质溴用空气吹出并吸收在碳酸钠溶液中,单质溴发生歧化反应;

$$3Br_2 + 3Na_2CO_3 =\!=\!= 5NaBr + NaBrO_3 + 3CO_2 \uparrow$$

用硫酸酸化溶液时,单质溴又从溶液中析出:

$$5HBr + HBrO_3 =\!=\!= 3Br_2 + 3H_2O$$

（d）碘的制备　　碘离子具有较强的还原性,很多氧化剂如 Cl_2、Br_2、MnO_2 等在酸性溶液中都能将碘离子氧化为碘单质;

$$Cl_2 + 2NaI =\!=\!= 2NaCl + I_2$$

$$2NaI + 3H_2SO_4 + MnO_2 =\!=\!= 2NaHSO_4 + I_2 + 2H_2O + MnSO_4$$

析出的碘可用有机溶剂如 CS_2 和 CCl_4 来萃取分离。在上述反应中要避免使用过量的氧化剂,以免单质碘进一步被氧化成高价碘的化合物:

$$I_2 + 5Cl_2 + 6H_2O =\!=\!= 2IO_3^- + 10Cl^- + 12H^+$$

大量的碘是由碘酸钠制取的。经浓缩的碘酸盐溶液用亚硫酸氢钠还原而析出碘:

$$2IO_3^- + 5HSO_3^- =\!=\!= 3HSO_4^- + 2SO_4^{2-} + H_2O + I_2$$

卤素在生产、生活和科学研究中有着广泛的用途。元素氟的直接利用和原子能工业的发展有着最密切的关系。自从发现 U^{235} 的原子核具有裂变性质之后,科学家们立即研究分离 U^{235} 和 U^{238} 两种同位素的方法。在铀的化合物中 UF_6 具有挥发性,因此可以用 F_2 将 UF_4 氧化成 UF_6,然后用气体扩散法将两种铀的同位素分离。SF_6 是很稳定的气体,在高温下也不分解,因此可作为理想的气体绝缘材料。大量的氟用于制取氟的有机化合物,如氟里昂－12(CCl_2F_2)可用作致冷剂,

CCl_3F 可用作杀虫剂，CBr_2F_2 可用作高效灭火剂。液态氟也是火箭、导弹和发射人造卫星方面所用的高能燃料。

氯可用于纸浆和棉布的漂白，也可用于饮水的消毒。大量的氯用于制取盐酸、农药、染料以及对碳氢化合物的氯化，用来制取氯仿和聚氯乙烯等聚合物。

大量的溴用于制造染料，生产照像用的光敏物质溴化银，医药中用作镇静剂和安眠药的溴化钠、溴化钾以及无机溴酸盐。溴的另一个主要用途是制取二溴乙烷（$C_2H_4Br_2$），它可作为抗震汽油的添加剂，提高发动机的工作效率。

碘和碘化钾的酒精溶液即碘酒用作消毒剂，碘仿 CHI_3 用作防腐剂。碘是维持甲状腺正常功能所必须的元素，因此碘化物可以防止和治疗甲状腺肿大。碘化银用于制造照像软片并可作为人工降雨时的造云的"晶种"。

2-4 卤化氢和氢卤酸

（1） 卤化氢的物理化学性质

卤化氢都是具有强烈刺激性嗅味的无色气体。卤化氢分子的极性随着卤素电负性的不同而变化，HF 分子极性最大，HI 分子的极性最小。卤化氢的一些物理性质列于表 12-4 中。

卤化氢分子有极性，在水中有很大的溶解度。273K 时 1 m^3 的水可溶解 500 m^3 的氯化氢，氟化氢则可无限制地溶于水中。卤化氢的水溶液是氢卤酸。除氢氟酸外，其余的氢卤酸都是强酸，在稀的水溶液中全部离解为氢离子和卤离子。卤化氢极容易液化，液态卤化氢不导电。

在常压下蒸馏氢卤酸（不论是稀酸或浓酸），溶液的沸点和组成都将不断改变，但最后都会达到溶液的组成和沸点恒定不变状态，此时的溶液叫做恒沸溶液。各种氢卤酸恒沸溶液的沸点和组成可见表 12-4。

性　　　质	HF	HCl	HBr	HI
熔　点/K	189.61	158.94	186.28	222.36
沸　点/K	292.67	188.11	206.43	237.80
生成热/kJ·mol^{-1}	－271	－92	－36	＋26
在 1 273K 时分解百分数/%		0.014	0.5	33
气态分子核间距/pm	92	127.6	141.0	162
气态分子偶极距/D	1.91	1.07	0.828	0.448
H—X 键能/kJ·mol^{-1}	569.0	431	369	297.1
沸点时密度/g·cm^{-3}	0.991	1.187	2.160	2.799
溶解度(293K,101kPa)/%	35.3	42	49	57
表观电离度(0.1 mol·dm^{-3},291 K)/%	10	92.6	93.5	95
恒沸溶液(101kPa) 沸点/K	393	383	399	400
恒沸溶液(101kPa) 密度/g·cm^{-3}	1.138	1.096	1.482	1.708
恒沸溶液(101kPa) 质量分数/%	35.35	20.24	47	57

卤化氢对热的稳定性按着由 HF 到 HI 的顺序急剧下降。HF 在很高温度下并不显著地离解,而 HI 在 573K 时就大量分解为碘和氢。

卤化氢的物理性质按 HI,HBr,HCl 的顺序呈规律性的变化,但 HF 却有一个突变。HF 生成时放热相当多,键能很大,难于离解。更值得注意的是其熔点和沸点在卤化氢中是反常的,反常的原因是 HF 分子间存在氢键,存其它卤化氢所没有的缔合作用。卤化氢的沸点和气化热随周期数的变化见图 12－6。

HF 分子是靠氢键结合在一起的,蒸气密度的测定表明 HF 气体在常温下的主要存在形式应是(HF)$_2$ 和(HF)$_3$;在 359K 时蒸气密度才与化学式 HF 所表示的一致。在 359K 以上 HF 气体才以单分子状态存在。在固态时,氟化氢是由无限的曲折长链所构成,如图 12－7 所示。

氢卤酸在水溶液中可以电离出氢离子和卤离子,因此酸性和卤离子的还原性是卤化氢的主要化学性质。

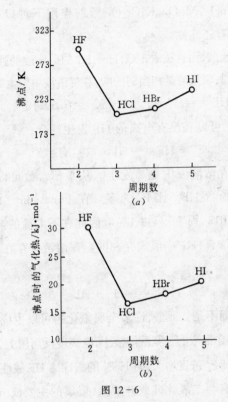

图 12-6

(a) 卤化氢沸点与周期数的关系

(b) 卤化氢在沸点时的气化热与周期数的关系

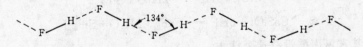

图 12-7 固态氟化氢的无限长链

卤化氢和氢卤酸的还原能力按 HF, HCl, HBr, HF 的顺序增强。氢碘酸在常温时可以被空气中氧气所氧化：

$$4H^+ + 4I^- + O_2 \Longrightarrow 2I_2 + 2H_2O$$

氢溴酸和氧的反应进行得很慢。盐酸不能被氧气所氧化，但在强

氧化剂如 $KMnO_4$，MnO_2，$K_2Cr_2O_7$ 等的作用下可以表现出还原性。氢氟酸没有还原性。

氢卤酸是强酸，而且按着 HCl，HBr，HI 的顺序酸的强度增大。与其它氢卤酸不同，氢氟酸是相当弱的酸，在稀溶液中发生部分电离：

$$HF \Longrightarrow H^+ + F^- \qquad K_a^{\ominus} = 6.6 \times 10^{-4}$$

电离产生的 F^- 可以和没有电离的 HF 发生缔合：

$$F^- + HF \Longrightarrow HF_2^- \qquad K^{\ominus} = 5$$

这种缔合作用在浓溶液中更易发生。从平衡常数可以看出，在浓氢氟酸溶液中所含 HF_2^- 比 F^- 为多。在 $1\ mol \cdot dm^{-3}$ 的氢氟酸溶液中 HF_2^- 占 10%，而 F^- 只占 1%。因此在不太稀的溶液中，氢氟酸是以二分子缔合 $(HF)_2$ 形式存在的。在溶液中存在着如下的电离平衡：

$$H_2F_2 \Longrightarrow H^+ + HF_2^-$$

H_2F_2 是一元酸而不是二元酸，许多金属氟化物可以生成稳定的氢氟酸盐如 KHF_2。在很浓的氢氟酸溶液中，电离度反而增大，这是因为在浓的氢氟酸中 H_2F_2 浓度增大，而 H_2F_2 的酸性比 HF 酸性强。

氢氟酸具有与二氧化硅或硅酸盐（玻璃的主要成分）反应生成气态 SiF_4 的特殊性质，反应式为：

$$SiO_2 + 4HF \Longrightarrow 2H_2O + SiF_4 \uparrow$$

$$CaSiO_3 + 6HF \Longrightarrow CaF_2 + 3H_2O + SiF_4 \uparrow$$

其它氢卤酸没有这个性质。

（2）氢卤酸的制法

氢卤酸的制取主要采用单质还原和卤化物置换两种方法。由于卤离子之间还原能力有明显差别，在制取方法上有所不同。

（a）直接合成　由单质直接合成

$$H_2 + X_2 \Longrightarrow 2HX$$

卤素单质的化学活性从 F_2 到 I_2 明显降低。氟和氢虽可直接化合,但反应太猛烈且 F_2 成本高,这个方法没有实用价值。溴与碘和氢反应很不完全而且反应速度缓慢,也无工业生产价值。实际上只有氢气和氯气直接合成氯化氢是工业上生产盐酸的重要步骤之一,它是使氢气在氯气流中平静燃烧直接化合生成氯化氢的。

(b)浓硫酸与金属卤化物作用　实验室中制取卤化氢的方法是:

$$2MX + H_2SO_4 = M_2SO_4 + 2HX\uparrow$$

采用这种方法,以萤石为原料可制取氟化氢,反应在铅或铂蒸馏釜中进行:

$$CaF_2 + H_2SO_4 = CaSO_4 + 2HF\uparrow$$

氟化氢用水吸收得氢氟酸,应当把它保存在铅、石蜡或塑料瓶中。

在较低温度下,食盐和浓硫酸作用生成氯化氢和硫酸氢钠:

$$NaCl + H_2SO_4(浓) = NaHSO_4 + HCl\uparrow$$

如反应温度高,硫酸氢钠可与氯化钠进一步作用生成氯化氢和硫酸钠:

$$NaHSO_4 + NaCl \xrightarrow{\triangle} Na_2SO_4 + HCl\uparrow$$

用这种方法不能制取溴化氢和碘化氢,因为热浓硫酸具有氧化性,它能把生成的溴化氢和碘化氢进一步氧化,使生成的卤化氢不纯。

$$NaBr + H_2SO_4(浓) = NaHSO_4 + HBr\uparrow$$

$$2HBr + H_2SO_4(浓) = SO_2\uparrow + Br_2 + 2H_2O$$

$$NaI + H_2SO_4(浓) = NaHSO_4 + HI\uparrow$$

$$8HI + H_2SO_4(浓) = H_2S\uparrow + 4I_2 + 4H_2O$$

如果采用无氧化性,高沸点的浓磷酸代替浓硫酸,用这种方法也可以制取溴化氢和碘化氢。

(c)非金属卤化物的水解　这类反应比较剧烈,适宜于溴化氢和碘化氢的制取：

$$PBr_3 + 3H_2O \Longrightarrow H_3PO_3 + 3HBr \uparrow$$

$$PI_3 + 3H_2O \Longrightarrow H_3PO_3 + 3HI \uparrow$$

实际上不一定先制成卤化磷，把溴逐滴加在磷和少许水的混合物上或把水逐滴加在磷和碘的混合物上，即可连续地产生溴化氢和碘化氢：

$$2P + 3Br_2 + 6H_2O \Longrightarrow 2H_3PO_3 + 6HBr \uparrow$$

$$2P + 3I_2 + 6H_2O \Longrightarrow 2H_3PO_3 + 6HI \uparrow$$

（d）碳氢化合物的卤代反应　氟、氯和溴与饱和烃或芳烃反应的产物之一是卤化氢，常把它看成是反应的副产物。例如氯气与乙烷作用：

$$C_2H_6(g) + Cl_2(g) \Longrightarrow C_2H_5Cl(g) + HCl(g)$$

近年来在农药生产中用这种方法生产了大量的盐酸。

2-5　卤化物和卤素互化物

（1）卤化物

所有的元素除了氦、氖和氩之外都能生成卤化物。由于单质氟有很强的氧化性，元素形成氟化物时往往可以表现最高氧化态，如 SF_6，IF_7，OsF_8 等。卤素单质的氧化性依氟、氯、溴、碘的顺序减弱，所以元素在形成碘化物时，往往表现出较低的氧化态，例如 CuI。有的元素甚至不生成碘化物。

大多数金属卤化物可以由元素的单质直接化合生成：

$$nX_2 + 2M \Longrightarrow 2MX_n$$

金属卤化物的性质因金属电负性的高低，离子半径的大小，电荷的多寡以及卤离子变形性的大小等因素的不同，而有很大的差异。若金属有低的电负性和较大的离子半径，例如碱金属和碱土金属（铍除外），它们的卤化物是离子型化合物。金属的氧化数越高，半径越小,电离能越大时,其卤化物的共价性就越显著,例如,比较 KCl、$CaCl_2$、$ScCl_3$ 和 $TiCl_4$ 的性质就可以看出,由高熔点的离子结构的氯化钾,到常温下为液体的共价结构的四氯化钛的逐步过渡。不同价态的同一金属,它的高价卤化物与其低价卤化物相比较,在离子性方面前者要小得多。例如四氯化锡常温下为液体,而二氯化锡则为晶体并且熔融时具有导电性。金属元素的氟化物主要为离子型化合物,其它卤化物则不一定。因此氟化物的熔点比其它卤化物都高。例如 CaF_2 在 1573 K 以上才熔化,而 $CaCl_2$、$CaBr_2$ 和 CaI_2 的熔点皆在 873 K 以下。

在溶解度上,氟化物常表现得与其它卤化物不一致。氯化银、溴化银和碘化银皆不溶于水,而氟化银则溶解度很大,并且在湿空气中潮解。另一方面,碱土金属氟化物,特别是氟化钙不溶于水,而其它卤化物则溶于水,易潮解。其原因是由于氟离子很小,锂和碱土以及镧系元素等多价金属氟化物的晶格能远较其它卤化物为高,故难溶解。极化作用较强的重金属离子如银(I)和汞(I)的氟化物中,氟离子几乎不变形,而表现为离子化合物,在水中溶解度大。氯离子、溴离子、尤其是碘离子在极化作用强的金属离子作用下可发生不同程度的变形,因而化合物产生相应的共价性质。故一般说来重金属的卤化物的溶解度次序为 $MF_n > MCl_n > MBr_n > MI_n$。

非金属的卤化物将在非金属各章中分别讲述。

(2) 卤素互化物

由两种卤素组成的化合物叫卤素互化物。它们的分子由一个较重的卤原子和奇数个较轻的卤原子所构成。较常见的卤素互化物列在表 12-5 中。

因为较重的卤原子位于分子中心,轻轻的卤原子与其键合,所以每个分子中含有的较轻卤原子数是随半径比 $r_{较大}/r_{较小}$ 的增大而增大的。从表 12-5 中可以看出:中心卤素原子的氧化数决定于两种互相化合的卤原子的电负性差,当电负性差相当大时,中心卤原子的氧化数可以很高。例如碘能够形成 IF_7,溴最高只能形成 BrF_5,而氯在相同条件下只生成 ClF_3。这类化合物中绝大多数是不稳定的,具有极强的化学活性。卤素互化物与大多数金属和非金属作用生成相应的卤化物,它们都容易发生水解:

表 12 - 5　卤素互化物聚集态(室温)及其键能

电负性之差	XY 键能 $kJ \cdot mol^{-1}$		XY_3 键能 $kJ \cdot mol^{-1}$		XY_5 键能 $kJ \cdot mol^{-1}$		XY_7 键能 $kJ \cdot mol^{-1}$	
1.38	IF(g)	278	$IF_3(s)$	272	$IF_5(l)$	268	$IF_7(l)$	231
1.28	BrF(g)	249	$BrF_3(l)$	201	$BrF_5(l)$	187		
0.95	ClF(g)	247	$ClF_3(g)$	172	$ClF_5(g)$	142		
0.43	ICl(s)	208	ICl_3	—				
0.33	BrCl(g)	216						
0.10	IBr(s)	175						

$$XX' + H_2O \longrightarrow H^+ + X^- + HXO$$

$$IF_5 + 3H_2O \longrightarrow H^+ + IO_3^- + 5HF$$

卤素互化物一般都可以由卤素单质直接化合制得:

$$Cl_2 + F_2 \xrightarrow{470K} 2ClF$$

在卤素互化物中以卤氟化物的氧化性最强。近年来已制得 ClF_5,它的氧化性仅次于 ClF_3,并已正式用作火箭推进剂的高能氧化剂。

图 12 - 8 中给出了几种互卤化物离子和分子的结构。这些结构完全符合价层电子对互斥理论的推导结果。

半径较大的碱金属可以形成多卤化物,如 KI_3、$KICl_2$、$KICl_4$、$CsIBr_2$ 等。它们在结构和性质方面与卤素互化物近似。多卤化物不稳定,受热易分解:

$$CsBr_3 \xrightarrow{\triangle} CsBr + Br_2$$

$$CsICl_2 \xrightarrow{\triangle} CsCl + ICl$$

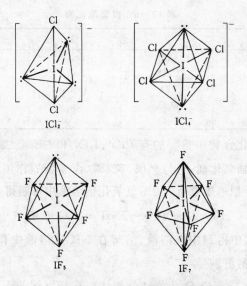

图 12-8 碘的互卤化物某些离子和分子的结构

多卤化物分解倾向于生成晶格更稳定的物质,例如 $CsICl_2$ 分解后生成 $CsCl$,而不是 CsI。由于氟化物的晶格相当稳定,若有 $RbFCl_2$,势必易分解成 RbF,故碱金属的多卤化物中一般没有氟。

2-6 卤素的氧化物

卤素的氧化物大多数是不稳定的,受到撞击或受光照即可爆炸分解。在已知的卤素氧化物中,碘的氧化物是最稳定的,氯和溴的氧化物在室温下明显分解。高价态的卤素氧化物比低价态的卤素氧化物稳定。由于氟的电负性大于氧,氟和氧的二元化合物是氧的氟化物而不是氟的氧化物。已知的卤素氧化物列在表 12-6 中,它们都是间接制成的。

氟	氯	溴	碘
OF_2	Cl_2O	Br_2O	I_2O_4
O_2F_2	Cl_2O_3	BrO_2	I_4O_9
O_4F_2	ClO_2	Br_3O_8	I_2O_5
	Cl_2O_6		
	Cl_2O_7		

在这些化合物中重要的有 ClO_2，I_2O_5 和 OF_2。二氟化氧是无色气体，是强氧化剂，它与金属、硫、磷、卤素剧烈作用生成氟化物和氧化物。把单质氟通入 2％氢氧化钠溶液中可制得 OF_2：

$$2F_2 + 2NaOH =\!=\!= 2NaF + H_2O + OF_2\uparrow$$

OF_2 溶于水中得到中性溶液，溶解在 NaOH 溶液中得到 F^- 和氧气，它不是酸酐。

一氧化二氯 Cl_2O 是黄红色气体。在新沉淀的干燥氧化汞上通氯气可以制得 Cl_2O：

$$2Cl_2 + 2HgO \xrightarrow{573K} HgCl_2 \cdot HgO + Cl_2O$$

在有还原剂存在或加热时可以发生爆炸。Cl_2O 溶于水生成次氯酸，因此 Cl_2O 是次氯酸的酸酐。

$$Cl_2O + H_2O =\!=\!= 2HClO$$

在 OF_2 和 Cl_2O 的分子中，氧原子采取 sp^3 杂化，有两对孤对电子。它们的分子结构如下：

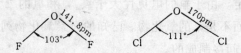

二氧化氯是黄色气体，冷凝时为红色液体，沸点为 284K。当 ClO_2 气体分压为 666Pa 以上时容易发生爆炸，大量制取的方法是：

$$2NaClO_3 + SO_2 + H_2SO_4 \xrightarrow{\text{痕量 NaCl}} 2ClO_2 + 2NaHSO_4$$

ClO_2 气体与碱作用生成亚氯酸盐和氯酸盐,因此它是混合酸的酸酐。

$$2ClO_2 + 2NaOH = NaClO_2 + NaClO_3 + H_2O$$

ClO_2 气体分子中含有成单电子,因此具有顺磁性。含有奇数电子的分子通常具有高的化学活性,ClO_2 是强氧化剂和氯化剂,当与还原性物质接触时可发生爆炸。它可用于对水的净化和对纸张、纤维、纺织品的漂白。

ClO_2 分子具有 V 形结构,O—Cl—O 键角为 116.5°,Cl—O 键长为 149 pm,比单键短些。

七氧化二氯是无色液体,受热或撞击立即爆炸。它是高氯酸的酸酐,用 P_4O_{10} 使高氯酸脱水可以制取 Cl_2O_7。

$$2HClO_4 + P_2O_5 = 2HPO_3 + Cl_2O_7$$

五氧化二碘是白色固体,它是所有卤素氧化物中最稳定的。I_2O_5 可以由碘酸加热至 443 K 脱水生成:

$$2HIO_3 = I_2O_5 + H_2O$$

I_2O_5 是碘酸的酸酐,作为氧化剂,它可以氧化 NO,C_2H_4,H_2S,CO 等。在合成氨工业中用 I_2O_5 来定量测定 CO 的含量:

$$I_2O_5 + 5CO = 5CO_2 + I_2$$

I_2O_5 在 573 K 时分解为单质。I_2O_5 的分子结构是:

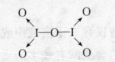

I_2O_4 和 I_4O_9 是离子化合物,可以看成是碘酸盐,即 $IO^+ IO_3^-$ 和 $I^{3+}(IO_3^-)_3$。

2-7 卤素的含氧酸及其盐

氯、溴和碘均应有四种类型的含氧酸,分子式为:HXO,HXO$_2$,HXO$_3$ 和 HXO$_4$,其中卤素氧化态分别为 +1,+3,+5 和 +7。它们的含氧酸根离子结构见图 12-9。

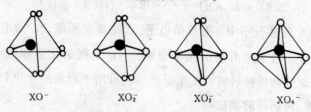

$$XO^- \qquad XO_2^- \qquad XO_3^- \qquad XO_4^-$$

图 12-9 卤素含氧酸或酸根离子结构

在这些离子结构中,卤素原子均采取 sp^3 杂化方式。卤素原子和氧原子之间除有 sp^3 杂化轨道参与成键外,还有氧原子中充满电子的 $2p$ 轨道与卤素原子空 d 轨道间所成的 $d-p\pi$ 键。氟原子没有 d 轨道因此不能形成 $d-p\pi$ 键。近年来曾有报导,将氟通过冰的表面在低温下收集产物得到无色化合物 HOF,它的熔点是 156 K,在室温下易分解,与水作用放出氧气。对它的结构和性质尚需作进一步的研究。表 12-7 列出卤素不同价态的含氧酸。

表 12-7 卤素含氧酸

氯	溴	碘
HOCl*	HOBr*	HOI*
HClO$_2^*$	HBrO$_2^*$	
HClO$_3^*$	HBrO$_3^*$	HIO$_3$
HClO$_4$	HBrO$_4^*$	HIO$_4$,H$_5$IO$_6$

* 表示仅存在于溶液中

很多卤素的含氧酸仅存在于溶液中或仅存在含氧酸盐。在卤素的含氧酸中只有氯的含氧酸有较多的实际用途。HBrO$_2$ 和 HIO 的存在是短暂的,往往只是化学反应的中间生成物。

(1)次卤酸 HXO 及其盐

次卤酸 HClO,HBrO 和 HIO 都是很弱的酸,酸的强度随卤素原子序数的增大而减小:

$$\begin{array}{cccc} & \text{HClO} & \text{HBrO} & \text{HIO} \\ K_a^{\ominus} & 3.4\times10^{-8} & 2\times10^{-9} & 1\times10^{-11} \end{array}$$

因此碱金属的次卤酸盐都容易水解,溶液显碱性:

$$XO^- + H_2O \Longrightarrow HXO + OH^-$$

卤素单质与水作用生成次卤酸和氢卤酸:

$$X_2 + H_2O \Longrightarrow H^+ + X^- + HXO$$

这是一种水解反应,也是一种自身氧化还原反应,可以看作卤素的一部分使另一部分氧化而自身被还原。这个反应的平衡常数 $K^{\ominus}$ 对 Cl_2,Br_2 和 I_2 来说分别为 4.2×10^{-4},7.2×10^{-9} 和 2.0×10^{-13}。可见卤素单质与水反应的进行程度是按 Cl,Br,I 次序递减的。从平衡常数 $K^{\ominus}$ 值可以算出 298 K 时卤素饱和溶液中次卤酸的浓度。

表 12 - 8 298 K 时卤素饱和溶液中平衡浓度

	Cl_2	Br_2	I_2
总浓度/mol·dm^{-3}	0.091	0.21	0.0013
$[X_2]$/mol·dm^{-3}	0.061	0.21	0.0013
$[H^+] = [X^-] = [HOX]$/mol·dm^{-3}	0.030	1.15×10^{-3}	6.4×10^{-6}

可以看出在氯的饱和溶液中有 33% 的 Cl_2 发生了水解反应。这样所得的次卤酸浓度很低,卤素与水反应时除生成次卤酸外还有氢卤酸,如能设法除去生成的氢卤酸,则反应向右进行的程度增大。如,在 Cl_2 的水溶液中加入新生成的 HgO 或碳酸盐:

$$2HgO + H_2O + Cl_2 \Longrightarrow HgO\cdot HgCl_2 + 2HClO$$

$$CaCO_3 + H_2O + 2Cl_2 \Longrightarrow CaCl_2 + CO_2 + 2HClO$$

将反应混合物蒸馏,在接收器中得到次氯酸溶液。使水解作用完全的另一方法是加入碱,如 KOH,其反应为:

$$X_2 + 2KOH \Longrightarrow KX + KXO + H_2O$$

加入硫酸进行蒸馏亦可得次卤酸。

次卤酸都很不稳定,仅存在于水溶液中,其稳定程度依 HClO, HBrO,HIO 次序迅速减小。次卤酸的分解方式基本有两种:

$$2HXO \Longrightarrow 2HX + O_2 \qquad\qquad (a)$$

$$3HXO \Longrightarrow 2HX + HXO_3 \qquad\qquad (b)$$

在阳光直接作用下,次卤酸分解几乎全按照(a)式进行,当有容易与氧化合的物质或者有催化剂如氧化钴或镍存在时,这种分解作用加速进行。因此次卤酸都是强氧化剂。

加热则促进(b)式进行,这是次卤酸的歧化反应。由卤素的元素电势图和氧化态-吉布斯自由能图可知,在酸性介质中仅次氯酸会发生歧化反应,而在碱性介质中所有次卤酸根的歧化反应都可以发生。实验证明,XO^- 的歧化速率与温度有关。对氯来说,在室温或低于室温时,ClO^- 歧化速率极慢;在 348 K 左右的热溶液中,ClO^- 歧化反应速率相当快,产物是 Cl^- 和 ClO_3^-。因此,氯气与碱溶液作用,在室温和低于室温时产物是次氯酸盐;在高于 348 K 时产物是氯酸盐。

BrO^- 在室温时歧化速率已相当快,只有在 273 K 左右低温时才可能得到次溴酸盐,在 323 K—353 K 时产物全部是溴酸盐。

IO^- 的歧化速度很快,溶液中不存在次碘酸盐。因此,碘和碱溶液的反应能定量地得到碘酸盐:

$$3I_2 + 6OH^- \Longrightarrow 5I^- + IO_3^- + 3H_2O$$

工业上生产次氯酸钠采取电解冷的稀食盐溶液的方法。在阴极放出氢气,从而使溶液中的 OH^- 浓度增大。阳极上生成的氯气在它逸出之前可与 OH^- 作用生成次氯酸盐。

阳极反应:　　　　　$2Cl^- - 2e^- \Longrightarrow Cl_2$

$$Cl_2 + 2OH^- \Longrightarrow ClO^- + Cl^- + H_2O$$

阴极反应：$\qquad 2H^+ + 2e^- \mathrm{\rule[0.5ex]{1.5em}{0.4pt}} H_2$

（2）亚卤酸 HXO_2 及其盐

已知的亚卤酸仅有亚氯酸，它存在于水溶液中，酸性比次氯酸强。

ClO_2 和碱反应得到亚氯酸盐，同时有氯酸盐生成。若用过氧化钠或过氧化氢的碱溶液与 ClO_2 作用，可得到不混有氯酸盐的纯 $NaClO_2$：

$$2ClO_2 + Na_2O_2 \mathrm{\rule[0.5ex]{1.5em}{0.4pt}} 2NaClO_2 + O_2$$

亚氯酸盐在溶液中较为稳定，有强氧化性，用作漂白剂。在固态时加热或撞击亚氯酸盐，则其迅速分解发生爆炸，在溶液中受热可转化为氯酸盐和氯化物：

$$3NaClO_2 \mathrm{\rule[0.5ex]{1.5em}{0.4pt}} 2NaClO_3 + NaCl$$

纯的亚氯酸溶液可由硫酸和亚氯酸钡作用制取：

$$H_2SO_4 + Ba(ClO_2)_2 \mathrm{\rule[0.5ex]{1.5em}{0.4pt}} BaSO_4 + 2HClO_2$$

过滤分离出 $BaSO_4$，可得到稀的亚氯酸溶液。亚氯酸的热稳定性差，制得的 $HClO_2$ 溶液不久将发生分解：

$$8HClO_2 \mathrm{\rule[0.5ex]{1.5em}{0.4pt}} 6ClO_2 + Cl_2 + 4H_2O$$

（3）卤酸 HXO_3 及其盐

将氯酸钡或溴酸钡与硫酸作用可生成氯酸或溴酸溶液：

$$Ba(XO_3)_2 + H_2SO_4 \mathrm{\rule[0.5ex]{1.5em}{0.4pt}} BaSO_4 \downarrow + 2HXO_3$$

碘酸则可方便地用碘与浓硝酸作用制取：

$$I_2 + 10HNO_3 \mathrm{\rule[0.5ex]{1.5em}{0.4pt}} 2HIO_3 + 10NO_2 \uparrow + 4H_2O$$

氯酸和溴酸存在于水溶液中，稀溶液加热至沸点时分解，但冷的溶液在减压下可以浓缩至粘稠状态。溴酸的分解反应为：

$$4HBrO_3 \mathrm{\rule[0.5ex]{1.5em}{0.4pt}} 2Br_2 + 5O_2^\uparrow + 2H_2O$$

氯酸则发生歧化反应，实际上发生剧烈的爆炸：

$$8HClO_3 \underline{\hspace{1cm}} 4HClO_4 + 2Cl_2 + 3O_2 + 2H_2O$$

氯酸可以存在的最大质量百分比是 40%,溴酸是 50%,碘酸则以白色固体存在。固体碘酸在受热时可脱水生成 I_2O_5。可见卤酸的稳定性依 $HClO_3$,$HBrO_3$,HIO_3 次序增大。

氯酸和溴酸是强酸,碘酸是中强酸,其浓溶液都是强氧化剂。

卤酸盐的制备可以采用两种方法:卤素单质在浓碱液中歧化法和卤素单质或卤离子用化学方法氧化或用电解方法氧化。

氯酸盐可以用氯与热的碱溶液作用制取,也可以用电解热氯化物溶液得到。

碘酸盐可以用单质碘与热的碱溶液作用制取:

$$3I_2 + 6NaOH \underline{\hspace{1cm}} NaIO_3 + 5NaI + 3H_2O$$

也可以用氯气在碱介质中氧化碘化物得到:

$$KI + 6KOH + 3Cl_2 \underline{\hspace{1cm}} KIO_3 + 6KCl + 3H_2O$$

卤酸盐在酸性溶液中都是强氧化剂,在反应中通常还原为相应的卤离子。从 XO_3^- 的标准电极电势来看,它们氧化能力的次序是溴酸盐 > 氯酸盐 > 碘酸盐。

卤酸盐在水中的溶解度随卤素原子序数增加而减小。氯酸盐比溴酸盐和碘酸盐易溶于水。

卤酸盐的热分解反应比较复杂,氯酸钾在加热到 629 K 时熔化,668 K 时开始按下式分解:

$$4KClO_3 \underline{\hspace{1cm}} 3KClO_4 + KCl$$

同时有少量氧气和氯化物生成:

$$2KClO_3 \underline{\hspace{1cm}} 2KCl + 3O_2$$

众所周知该反应正是有 MnO_2 作为催化剂时,$KClO_3$ 的分解反应。

氯酸锌的热分解产物则为氧化锌、氧气和氯气:

$$2Zn(ClO_3)_2 \underline{\hspace{1cm}} 2ZnO + 2Cl_2 + 5O_2$$

氯酸盐在加热或与易被氧化的物质如有机物质或硫酸接触时能发生爆炸。氯酸钾通常用于制造火柴、信号弹与礼花,氯酸钠用作除草剂,溴酸盐和碘酸盐用作分析试剂。

(4) 高卤酸 HXO_4 及其盐

用浓硫酸与高氯酸钾作用制取高氯酸:

$$KClO_4 + H_2SO_4 =\!\!=\!\!= KHSO_4 + HClO_4$$

用减压蒸馏方法可以把 $HClO_4$ 从反应混合物中分离出来,温度要低于 365 K,否则会爆炸。

工业上采用电解氧化盐酸的方法制取高氧酸。电解时用铂作阳极,用银或铜作阴极。在阳极区可得到质量分数达 20% 的高氯酸:

$$4H_2O + Cl^- =\!\!=\!\!= ClO_4^- + 8H^+ + 8e^-$$

经减压蒸馏可得质量分数为 70% 的市售 $HClO_4$。

无水高氯酸是无色液体,不稳定,在贮藏时会发生爆炸,但高氯酸水溶液是稳定的。质量分数低于 60% 的 $HClO_4$ 溶液加热时不分解。含质量分数 72.4% 的 $HClO_4$ 溶液是恒沸混合物,沸点 476 K,在沸点时分解。

冷和稀的 $HClO_4$ 水溶液的氧化能力低于 $HClO_3$,没有明显的氧化性,但浓热的高氯酸是强氧化剂,与有机物质接触可发生猛烈作用。

高氯酸是无机酸中最强的酸,在水中完全电离为 H^+ 和 ClO_4^-。ClO_4^- 为正四面体结构,对称性高。ClO_4^- 比 ClO_3^- 结构稳定得多,SO_2,S,HI 以及 Zn,Al 等均不能使稀溶液中的 ClO_4^- 还原,而氯酸却很容易将上述还原剂氧化。在浓溶液中,高氯酸以分子形式存在,只有一个氧原子与质子结合形成对称性较低的不稳定的高氯酸分子,因此表现出很强的氧化性。

高氯酸是常用的分析试剂。高氯酸盐易溶于水,但钾盐的溶解度很小,因此在定性分析中常用高氯酸鉴定钾离子。高氯酸镁吸湿性很强,可用作干燥剂。

对高溴酸的制备近些年才获得成功。用溴酸盐与强氧化剂 F_2 或 XeF_2 作用,或将溴酸盐电解氧化可得到高溴酸盐:

$$BrO_3^- + F_2 + 2OH^- \Longrightarrow BrO_4^- + 2F^- + H_2O$$

$$BrO_3^- + XeF_2 + H_2O \Longrightarrow BrO_4^- + Xe + 2HF$$

质量分数为 55% ($6\ mol \cdot dm^{-3}$)的高溴酸溶液很稳定,甚至在 373 K 也不分解,但高于此浓度时高溴酸不稳定。纯高溴酸已经制得。

高碘酸的普通形式是 H_5IO_6 或 HIO_4,可以把它看成是 I_2O_7 的水合物即 $I_2O_7 \cdot 5H_2O$。HIO_4 称为偏高碘酸,在强酸溶液中以 H_5IO_6 形式存在的称为正高碘酸。

正高碘酸 H_5IO_6 是无色单斜晶体,熔点 413K,分子是八面体结构,如图 12-10 所示:其中 I 原子采用了 sp^3d^2 杂化态,I—O 键长 193 pm。由于碘原子半径较大,周围可容纳六个氧原子。

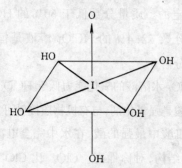

图 12-10 高碘酸 H_5IO_6 的分子结构

高碘酸的酸性比高氯酸弱很多,$K_1^\ominus = 2 \times 10^{-2}$。由于电离度较低和分子中有较多的 OH 基团,高碘酸在真空下加热可逐步失水转化为偏高碘酸,偏高碘酸加热可进一步分解为碘酸。

$$2H_5IO_6 \xrightarrow[-3H_2O]{353K} H_4I_2O_9 \xrightarrow[-H_2O]{373\ K} 2HIO_4 \xrightarrow{413K} 2HIO_3 + O_2$$

焦高碘酸 　　　　偏高碘酸

高碘酸的氧化能力比高氯酸强,与一些试剂作用时反应平稳而又迅速,因此在分析化学中得到应用。例如高碘酸可以将 Mn^{2+} 氧化成 MnO_4^-：

$$2Mn^{2+} + 5IO_4^- + 3H_2O = 2MnO_4^- + 5IO_3^- + 6H^+$$

高碘酸盐一般难溶于水。通常将氯通入碘酸盐的碱性溶液中可以得到高碘酸盐：

$$Cl_2 + IO_3^- + 6OH^- = IO_6^{5-} + 2Cl^- + 3H_2O$$

将碘酸盐溶液电解氧化也可以得到高碘酸盐。

用硫酸与高碘酸钡作用可以制取高碘酸：

$$Ba_5(IO_6)_2 + 5H_2SO_4 = 5BaSO_4 \downarrow + 2H_5IO_6$$

IO_4^- 离子结构为四面体,其中 I—O 键长为 179 pm。

卤素含氧酸和含氧酸盐的许多重要性质,如酸性、氧化性、热稳定性、阴离子碱的强度等,都随分子中氧原子数的改变而呈规律性的变化。以氯的含氧酸和含氧酸盐为代表,将这些规律总结在表 12 - 9 中。

表 12 - 9　氯的含氧酸和它们的钠盐的性质变化规律

氧化态	酸	热稳定性和酸强度	氧化性	盐	热稳定性	氧化性和阴离子碱强度
+1	HOCl	增↓大	↑增大	NaClO	增↓大	增↑大
+3	HClO$_2$			NaClO$_2$		
+5	HClO$_3$			NaClO$_3$		
+7	HClO$_4$			NaClO$_4$		

热稳定性增高 →

氧化性增强 →

2-8　拟卤素和拟卤化物

某些负一价的阴离子在形成离子化合物和共价化合物时,表现出与卤离子相似的性质。在自由状态时,其性质与卤素单质很相似,所以我们称之为拟卤素。

拟卤素主要包括氰$(CN)_2$、硫氰$(SCN)_2$和氧氰$(OCN)_2$。它们的阴离子有氰离子CN^-,氰酸根离子OCN^-,硫氰酸根离子SCN^-。

拟卤素与卤素的相似性质主要表现在以下几个方面:

① 游离状态皆有挥发性。

② 与氢形成酸,除氢氰酸外多数酸性较强。

③ 与金属化合成盐。与卤素相似,它们的银、汞(I)、铅(II)盐均难溶于水。

④ 与碱、水作用也和卤素相似,如:

$$Cl_2 + 2OH^- \rightleftharpoons Cl^- + ClO^- + H_2O$$

$$(CN)_2 + 2OH^- \rightleftharpoons CN^- + OCN^- + H_2O$$

$$Cl_2 + H_2O \rightleftharpoons HCl + HClO$$

$$(CN)_2 + H_2O \rightleftharpoons HCN + HOCN$$

⑤ 形成与卤素类似的络合物,例如:$K_2[HgI_4]$和$K_2[Hg(SCN)_4]$,$H[AuCl_4]$和$H[Au(CN)_4]$。

⑥ 拟卤离子与卤离子一样也具有还原性,如:

$$4H^+ + 2Cl^- + MnO_2 \rightleftharpoons Mn^{2+} + Cl_2 + 2H_2O$$

$$4H^+ + 2SCN^- + MnO_2 \rightleftharpoons Mn^{2+} + (SCN)_2 + 2H_2O$$

拟卤离子和卤离子按还原性由小到大可以共同组成一个序列:F^-,OCN^-,Cl^-,Br^-,CN^-,SCN^-,I^-。

此外还有一些类似的地方,就不一一列举了。

(1) 氰和氰化物

氰$(CN)_2$可以由加热$AgCN$或使$Hg(CN)_2$与$HgCl_2$共热而制得:

$$2AgCN \rightleftharpoons 2Ag + (CN)_2$$

$$Hg(CN)_2 + HgCl_2 =\!=\!= Hg_2Cl_2 + (CN)_2$$

氰是无色气体,有苦杏仁臭味,极毒。在 273 K 时 1 dm^3 水可溶解 4 dm^3 氰。氰与水的作用和氯与水的作用相似。

氰分子的结构式为:

$$:N\!\equiv\!C\!-\!C\!\equiv\!N:$$

氰化物和酸作用生成氰化氢 HCN:

$$NaCN + HCl =\!=\!= NaCl + HCN$$

氰化氢是无色气体,液态氰化氢沸点是 298.8 K,凝固点是 260 K,可以和水以任何比例混合,其水溶液为氢氰酸。氢氰酸是弱酸,$K_a = 6.2 \times 10^{-10}$。

重金属氰化物不溶于水,而碱金属氰化物溶解度很大,在水溶液中强烈水解而显碱性,并有氢氰酸气味。CN^- 最重要的化学性质是它极易与过渡金属及 Zn, Hg, Ag, Cd 形成稳定的离子,如 $Ag(CN)_2^-$, $Hg(CN)_4^{2-}$, $Fe(CN)_6^{4-}$。不溶于水的重金属氰化物在 NaCN 或 KCN 溶液中由于生成氰络离子而变为可溶的。

所有氰化物都有剧毒,毫克量的 KCN 或 NaCN 就可使人致死。使用氰化物时要严格注意安全操作。

(2) 硫氰和硫氰化合物

硫氰$(SCN)_2$ 的制取采用 AgSCN 悬浮在乙醚中与碘或溴作用的方法:

$$2AgSCN + Br_2 =\!=\!= 2AgBr + (SCN)_2$$

常温下它是黄色液体,凝固点是 270 K。$(SCN)_2$ 不稳定,可逐渐聚合为不溶性的砖红色固体$(SCN)_x$。硫氰易被水分解,在溶液中硫氰的氧化性与溴相似。

$$(SCN)_2 + H_2S =\!=\!= 2H^+ + 2SCN^- + S$$

$$(SCN)_2 + 2I^- =\!=\!= 2SCN^- + I_2$$

$$(SCN)_2 + 2S_2O_3^{2-} \Longrightarrow 2SCN^- + S_4O_6^{2-}$$

硫氰酸盐很易制取,硫与碱金属氰化物共熔即得:

$$KCN + S \Longrightarrow KSCN$$

工业上生产的硫氰酸盐主要是硫氰酸铵,由氨水与二硫化碳反应生成:

$$4NH_3 + CS_2 \Longrightarrow NH_4SCN + (NH_4)_2S$$

大多数硫氰酸盐溶于水,而重金属的盐,如 Ag,Hg(II)盐不溶于水,硫氰酸根离子 SCN^- 也是良好的配位体,与铁(III)离子可生成深红色的硫氰根络离子:

$$Fe^{3+} + nSCN^- \Longrightarrow Fe(SCN)_n^{3-n} \qquad n = 1,2,\cdots 6$$

因此,硫氰酸盐可用作检验铁(III)的试剂。

§12-3 含氧酸的氧化还原性

含氧酸(包括酸酐及其盐)的氧化还原性是一种重要的化学性质。各种含氧酸的氧化还原性的相对强弱规律及其原因比较复杂,有的还涉及反应机理。因此,在此我们仅从无机含氧酸的结构和热力学观点加以讨论。通常采用标准电极电势 $\varphi^{\ominus}$ 作为氧化还原能力强弱的量度标志。$\varphi^{\ominus}$ 值愈正,表示电对氧化态氧化性愈强。

含氧酸的氧化还原性是比较复杂的,表现在同一种元素具有不同氧化态的含氧酸,同一氧化态的含氧酸可以还原成不同的产物,即使同一种含氧酸,在不同的条件下其氧化还原性强弱也不尽相同。因此,为了便于比较,我们以各元素最高氧化态的含氧酸在酸性介质(pH=0)中还原为单质时的标准电极电势 $\varphi^{\ominus}$ 值的大小,来讨论它们的氧化性强弱规律。

3-1 含氧酸氧化还原性的周期性

如果以各元素最高氧化态的含氧酸(包括酸酐)在 pH = 0 条件下,还原为单质时的标准电极电势 $\varphi^{\ominus}$ 值为纵坐标,以原子序数 Z 为横坐标作图,可得 $\varphi^{\ominus}$ 值随原子序数 Z 递增而呈周期性变化的关系图。

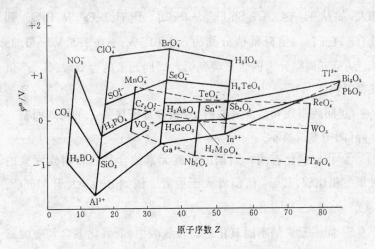

图 12-11　各元素含氧酸(包括酸酐)氧化还原性的周期性

从图 12-11 可以看出如下的规律:

① 同一周期主族元素和同一周期过渡元素最高氧化态含氧酸的氧化性随原子序数递增而增强。例如:

$H_2SiO_4 < H_3PO_4 < H_2SO_4 < HClO_4$ 和 $VO_2^+ < Cr_2O_7^{2-} < MnO_4^-$。主族元素最高氧化态含氧酸的 $\varphi^{\ominus}$ 值随原子序数 Z 的递增而升高。

② 同族主族元素最高氧化态含氧酸氧化性随原子序数增加呈现锯齿形变化(图中实线所示)。第三周期元素含氧酸的 $\varphi^{\ominus}$ 值有下降趋势,而第四周期元素含氧酸的 $\varphi^{\ominus}$ 值有升高趋势。不过随含氧酸中心原子氧化数增大 $\varphi^{\ominus}$ 值升高幅度逐渐减小,如从

H_3PO_4 到 H_3AsO_4 $\varphi^\ominus$ 值升高 0.78 V,而从 $HClO_4$ 到 $HBrO_4$ 其 $\varphi^\ominus$ 值只升高 0.17 伏。从第四周期元素的含氧酸到第五周期元素的含氧酸,$\varphi^\ominus$ 值的变化比较复杂,第三、四两主族的 $\varphi^\ominus$ 值随原子序数 Z 的增加而升高;而第五、六和七主族其 $\varphi^\ominus$ 值随原子序数 Z 的增加而下降,且其下降的数值随含氧酸中心原子氧化数的升高而加大,如从 H_3AsO_4 到 Sb_2O_5,从 SeO_4^{2-} 到 H_6TeO_6,从 BrO_4^- 到 H_5IO_6,它们 $\varphi^\ominus$ 值降低值分别为 -0.013 V,-0.185 V,-0.28 V。从第五周期元素的含氧酸到第六周期元素的含氧酸,其 $\varphi^\ominus$ 值又都升高。

③ 同族副族元素含氧酸的 $\varphi^\ominus$ 值随原子序数 Z 的增加而略有下降(图中虚线所示)。

④ 相应氧化态同一周期的主族元素的含氧酸和副族元素的含氧酸相比较,其 $\varphi^\ominus$ 值前者大于后者。例如 BrO_4^- 大于 MnO_4^-;SeO_4^{2-} 大于 $Cr_2O_7^{2-}$。

⑤ 同一元素的不同氧化态的含氧酸中,低氧化态含氧酸的氧化性较强。例如,$HClO > HClO_2$;$HNO_2 > HNO_3$(稀)。

对于上述规律,目前还没有一个统一的解释。下边只简单介绍影响含氧酸氧化能力的几个主要因素,以供参考。

3-2 影响含氧酸氧化能力强弱的因素

一种含氧酸被还原的难易程度主要取决于三方面因素:

(1) 中心原子(即成酸元素的原子,用 R 表示)结合电子的能力

含氧酸的还原是中心原子获得电子的过程。因此,中心原子结合电子的能力愈强,酸愈容易被还原,即酸的氧化性愈强($\varphi^\ominus$ 值愈正)。原子结合电子的能力可用电负性大小来表示。显然,含氧酸中心原子电负性愈大,愈容易获得电子而被还原,因而氧化性

愈强。

图 12 - 12 表明了主族元素电负性随原子序数的递变情况。可以看出,电负性随原子序数的变化规律,与其最高氧化态含氧酸氧化性变化规律基本上相符合(见图 12 - 11)。

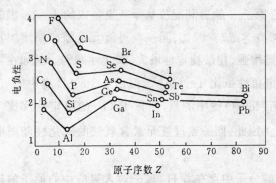

图 12 - 12 主族元素电负性和原子序数的关系

副族元素的情况有些特殊,表现在它们虽然有比较大的电负性,但它们的含氧酸或酸酐的 $\varphi^{\ominus}$ 值一般偏低。例如第六周期的 Ta,W,Re 的电负性依次为 1.33,1.40 和 1.46。但 Ta_2O_5,WO_3 和 ReO_4^- 的 $\varphi^{\ominus}$ 值却很低,依次只是 -0.81 V,-0.09 V 和 $+0.36$ V。这样高的电负性,如系主族元素,$\varphi^{\ominus}$ 值应在 $+0.8 \sim 1.3$ V 之间。同族的副族元素随周期变化电负性一般增大,但它们含氧酸的 $\varphi^{\ominus}$ 值却随周期数的增加而略有下降(图 12 - 11)。这些都说明在判断过渡元素含氧酸的氧化还原性时还须考虑其它因素。

(2) 中心原子和氧原子之间键(R—O 键)的强度

含氧酸还原为低氧化态或单质的过程包括 R—O 键的断裂。因此,R—O 键愈强和必须断裂的 R—O 键愈多,则酸愈稳定,氧化性愈弱。

影响 R—O 键强度的因素有中心原子的电子层结构、成键情况,H^+ 离子反极化作用和温度等。

含氧酸根实际上就是一个以氧负离子作为配位基的络离子。近代化学键理论认为,中心原子和氧原子之间存在着配位键和 $d-p\pi$ 键,相当于一个双键。根据组成分子轨道的能量近似原则,用中心原子 d 轨道和配位基 p 轨道生成的 $d-p\pi$ 键的倾向顺序是 $3d<4d<5d$。因此,同一族过渡元素随周期增加其含氧酸的 R—O 键增强,使酸稳定性增大,氧化性减弱。例如在第七副族中,Re 的电负性虽比 Tc、Mn 大,但由于 Re—O 键中的 $d-p\pi$ 键比 Tc—O,Mn—O 键中的强,所以 ReO_4^- 的稳定性反比 TcO_4^- 和 MnO_4^- 大。因此,同一族过渡元素含氧酸的氧化性随周期增加而略有变弱。

在弱酸分子中存在着 H^+ 离子对含氧酸中心原子的反极化作用,使 R—O 键易断裂。所以对于同一元素来说,一般是弱酸(低氧化态)的氧化性强于稀的强酸(高氧化态)。例如 HNO_2 强于稀 HNO_3;H_2SO_3 强于稀 H_2SO_4。但在浓酸溶液中,由于强酸溶液中也存在着自由的酸分子,因此也表现出强氧化性,尤其是浓热的强酸氧化性更强,例如 H_2SO_4 和 $HClO_4$。

同一元素不同氧化态的含氧酸,通常是高氧化态酸的氧化能力弱(指还原为同一低氧化态而言)。例如 $HClO_4<HClO_3$;H_2SO_4(稀)$<H_2SO_3$;HNO_3(稀)$<HNO_2$。其原因可能也是因为在还原过程中氧化态愈高的含氧酸需要断裂的 R—O 键愈多的缘故。酸根离子愈稳定,氧化性愈弱。

(3) 在含氧酸还原过程中伴随发生的其它过程的能量效应

在实际的反应中常伴随有一些非氧化还原过程的发生,如水的生成、溶剂化和去溶剂化作用、离解、沉淀的生成、缔合等。这些过程的能量效应有时在总的能量效应中占有很大比重。如果这些过程放出的净能量愈多,或更确切的说是降低自由能愈多,则总反应进行趋势愈大,即含氧酸的氧化性愈强。

水总是含氧酸还原过程的产物之一。生成水的过程中能量效应对含氧酸的标准电极电势 $\varphi^{\ominus}$ 值有影响。我们知道一种含氧酸作同样氧化态的变化时,在酸性溶液中的氧化性比在碱性溶液中强。例如:

(i) $ClO_4^- + 8H^+ + 8e^- \Longrightarrow Cl^- + 4H_2O$ $\qquad \varphi^{\ominus} = 1.34$ V

(ii) $ClO_4^- + 4H_2O + 8e^- \Longrightarrow Cl^- + 8OH^-$ $\qquad \varphi^{\ominus} = 0.51$ V

为了说明这两个反应差别的实质,将两式相减得到:

(iii) $\qquad 8H^+ + 8OH^- \Longrightarrow 8H_2O$

我们用 $\Delta_r G_{m1}^{\ominus}$,$\Delta_r G_{m2}^{\ominus}$ 和 $\Delta_r G_{m3}^{\ominus}$ 分别代表式(i),(ii)和(iii)标准吉布斯自由能变化。根据热力学原理有如下的关系;

$$\Delta G_{m3}^{\ominus} = \Delta_r G_{m1}^{\ominus} - \Delta_r G_{m2}^{\ominus}$$

根据关系式:

$$\Delta_r G_m^{\ominus} = -zFE^{\ominus}$$

于是可以计算:

$$\begin{aligned}
\Delta_r G_{m3}^{\ominus} &= -zF(\varphi_1^{\ominus} - \varphi_2^{\ominus}) \\
&= -8 \times 96\ 500(1.34 - 0.51) \\
&= -6.40 \times 10^2 (kJ \cdot mol^{-1})
\end{aligned}$$

这一数值表明式(i)和式(ii)两个半反应的标准电极电势之差所对应的标准吉布斯自由能变化。式(iii)表示了由 H^+ 离子和 OH^- 离子生成 8 mol H_2O 的反应。式(iii)反应的标准吉布斯自由能变化为:

$$\begin{aligned}
\Delta_r G_{m3}^{\ominus} &= 8\Delta_f G_m^{\ominus}(H_2O, l) - 8\Delta_f G_m^{\ominus}(H^+, aq) - 8\Delta_f G_m^{\ominus}(OH^-, aq) \\
&= 8(-149.33) - 8(0) - 8(-157.30) \\
&= -6.40 \times 10^2 (kJ \cdot mol^{-1})
\end{aligned}$$

这一结果与上面计算是相符的。这说明 ClO_4^- 离子在酸性溶液中比在碱性溶液中所以有较高的 $\varphi^\ominus$ 值,表现出强的氧化性,是因为前者伴随发生了由 H^+ 离子和 OH^- 离子结合生成 $8\ mol\ H_2O$ 的反应。

在某一氧化还原反应中究竟伴随发生哪些过程以及由此所产生的能量效应,要根据具体条件来确定。

习 题

1. 卤素中哪种元素最活泼?为什么由氟至氯活泼性的变化有一个突变?

2. 举例说明卤素单质氧化性和卤离子 X^- 还原性递变规律,并说明原因。

3. 写出氯气与钛、铝、氢、磷、水和碳酸钾作用的反应式,并注明必要的反应条件。

4. 试解释下列现象:

(1) I_2 溶解在 CCl_4 中得到紫色溶液,而 I_2 在乙醚中却是红棕色。

(2) I_2 难溶于水却易溶于 KI 溶液中。

5. 溴能从含碘离子的溶液中取代出碘,碘又能从溴酸钾溶液中取代出溴,这两者有无矛盾?为什么?

6. 为什么 AlF_3 的熔点高达 1 563 K,而 $AlCl_3$ 的熔点却只有 463 K?

7. 从下面元素电势图说明将氯气通入消石灰中可得漂白粉,而在漂白粉溶液中加入盐酸可产生氯气的原因。

$$\varphi_A^\ominus \quad HClO \xrightarrow{+1.63\ V} Cl_2 \xrightarrow{+1.36\ V} Cl^-$$

$$\varphi_B^\ominus \quad ClO^- \xrightarrow{+0.40\ V} Cl_2 \xrightarrow{+1.36\ V} Cl^-$$

8. 写出下列制备过程的反应式,并注明条件:

(1) 从盐酸制氯气;

(2) 从盐酸制次氯酸;

(3) 从氯酸钾制高氯酸;

(4) 由海水制溴酸。

9. 三瓶白色固体失去标签,它们分别是 KClO,KClO$_3$ 和 KClO$_4$,用什么方法加以鉴别?

10. 卤化氢可以通过哪些方法得到? 每种方法在实际应用中的意义是什么?

11. 有一白色固体,可能是 KI、CaI$_2$、KIO$_3$、BaCl$_2$ 中的一种或两种的混合物,试根据下述实验判别白色固体的组成。

(1) 将白色固体溶于水得无色溶液;(2) 向此溶液中加入少量的稀 H$_2$SO$_4$ 后,溶液变黄并有白色沉淀,遇淀粉立即变蓝;(3) 向蓝色溶液中加入 NaOH 到碱性后,蓝色消失而白色沉淀并未消失。

12. 卤素互化物中两种卤素的原子个数、氧化数有哪些基本规律? 试举例说明。

13. 多卤化物的热分解规律怎样? 为什么氟一般不易存在于多卤化物中?

14. 何谓拟卤素? 试举出几种重要的拟卤素。

15. 通过 (CN)$_2$ 和 Cl$_2$ 的性质的比较,说明拟卤素的基本性质。

16. 今以一种纯净可溶的碘化物 332 mg 溶于稀 H$_2$SO$_4$ 中,加入准确称量 0.002 mol KIO$_3$ 于溶液内,煮沸除去反应生成的碘,然后加入足量的 KI 于溶液内,使之与过量的 KIO$_3$ 作用,然后用硫代硫酸钠滴定形成的 I$_3^-$ 离子,计算用去硫代硫酸钠 0.009 6 mol,问原来的化合物是什么?

17. 利用热力学数据(查阅有关书籍),计算按照下列反应方程式制取 HCl 的反应能够开始进行的近似温度。

$$2Cl_2(g) + 2H_2O(g) \longrightarrow 4HCl(g) + O_2(g)$$

18. 以反应式表示下列反应过程并注明反应条件:

(1) 用过量 HClO$_3$ 处理 I$_2$;

(2) 氯气长时间通入 KI 溶液中;

(3) 氯水滴入 KBr、KI 混合液中。

19. 试述氯的各种氧化态含氧酸的存在形式。并说明酸性,热稳定性和氧化性的递变规律,并说明原因。

第十三章 氧族元素

§13-1 氧族元素的通性

第 VIA 族包括氧、硫、硒、碲和钋 5 种元素,统称氧族元素。硫、硒和碲又常称为硫族元素。其中钋(Po)是 1 种稀有放射性元素,本章不准备对它进行讨论。本族元素的一些基本性质列于表 13-1 中。

表 13-1 氧族元素的性质

性　质	氧	硫	硒	碲
元素符号	O	S	Se	Te
原子序数	8	16	34	52
相对原子质量	16.00	32.06	78.96	127.6
价电子层结构	$2s^2 2p^4$	$3s^2 3p^4$	$4s^2 4p^4$	$5s^2 5p^4$
主要氧化数	$-2, -1, 0$	$-2, 0, +2,$ $+4, +6$	$-2, 0, +2,$ $+4, +6$	$-2, 0, +2,$ $+4, +6$
原子共价半径/pm	73	102	117	135
M^{-2}离子半径/pm	140	184	198	221
M^{+6}离子半径/pm	9	29	42	56
第一电离能 $\dfrac{}{kJ \cdot mol^{-1}}$	1 314	1 000	941	869
第一电子亲合能 $\dfrac{}{kJ \cdot mol^{-1}}$	141	200	195	190
第二电子亲合能 $\dfrac{}{kJ \cdot mol^{-1}}$	-780	-590	-420	
单键的离解能 $\dfrac{}{kJ \cdot mol^{-1}}$	142	268	172	126
电负性(pauling)	3.44	2.58	2.55	2.1

氧族元素的 $ns^2 np^4$ 价电子层中有 6 个价电子,所以它们都能结合两个电子形成氧化数为 -2 的阴离子,而表现出非金属元素特征。

与卤素原子相比,它们结合两个电子当然不像卤素原子结合一个电子那么容易(因结合第二电子需要吸收能量),因而本族元素的非金属活泼性弱于卤素。另一方面,由氧向硫过渡,在原子性质上表现出电离势和电负性有一个突然降低。所以硫、硒、碲等原子同电负性较大的元素结合时,常失去电子而显正氧化态。氧以下的元素,在价电子层中都存在空的 d 轨道,当同电负性大的元素结合时,它们也参加成键,所以硫、硒、碲可显 $+2, +4, +6$ 氧化态。

本族元素的原子半径、离子半径、电离势和电负性的变化趋势和卤素相似。随着电离能的降低,本族元素从非金属过渡到金属:氧和硫是典型的非金属;硒和碲是半金属;而钋为金属。

本族元素的第一电子亲合能都是正值,而第二电子亲合能却是很大的负值,这说明引进第二个电子时强烈吸热。然而离子型的氧化物是很普遍的,碱金属、碱土金属的硫化物也都是离子型的。这是因为晶体的巨大晶格能补偿了第二电子亲合能所需能量的缘故。

从表 13-1 可见,本族元素单键的键能,随原子半径的增大而依次降低。氧具有较低键能的原因是因为:① 氧的原子半径很小,孤电子对之间有较大的排斥作用。② 氧原子没有空的 d 轨道,它不能形成 $d\pi - p\pi$ 键,所以 O—O 单键较弱。

氧族元素在酸性溶液和碱性溶液中的标准电极电势如图 13-1 所示。

$$O_2 - H_2O_2 - H_2O \text{ 系统}$$

酸性溶液 $\qquad\qquad\qquad\qquad \varphi_A^\ominus/V$

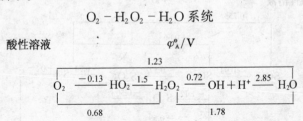

碱性溶液 $\qquad \varphi_B^\ominus/V$

$$O_2 \xrightarrow{-0.56} O_2^- \xrightarrow{-0.41} HO_2^- \xrightarrow{-0.25} OH + OH^- \xrightarrow{2.0} 2OH^-$$

$O_2 \xrightarrow{-0.08} HO_2^-$

$HO_2^- \xrightarrow{0.87} 2OH^-$

$O_3 - O_2 - H_2O$ 系统

酸性溶液 $\qquad \varphi_A^\ominus/V$

$$O_3 \xrightarrow{1.34} HO + O_2 \xrightarrow{2.8} H_2O + O_2$$

$O_3 \xrightarrow{2.07} H_2O + O_2$

碱性溶液 $\qquad \varphi_B^\ominus/V$

$$2O_2 \xrightarrow{-0.13} HO_2 + O_2 \xrightarrow{0.89} O_3 + H_2O$$

$2O_2 \xrightarrow{0.38} O_3 + H_2O$

S 系统

酸性溶液 $\qquad \varphi_A^\ominus/V$

$$S_2O_8^{2-} \xrightarrow{2.01} SO_4^{2-} \xrightarrow{-0.22} S_2O_6^{2-} \xrightarrow{0.57} H_2SO_3 \xrightarrow{0.08} HS_2O_4^- \xrightarrow{0.88} S_2O_3^{2-} \xrightarrow{0.50} S \xrightarrow{0.14} H_2S$$

$SO_4^{2-} \xrightarrow{0.17} H_2SO_3$

$H_2SO_3 \xrightarrow{0.41} S_5O_6^{2-} \xrightarrow{0.49} S$

$H_2SO_3 \xrightarrow{0.51} S_4O_6^{2-} \xrightarrow{0.08} S_2O_3^{2-}$

$H_2SO_3 \xrightarrow{0.40} S_2O_3^{2-}$

$S_2O_3^{2-} \xrightarrow{0.45} S$ (实际标注为 0.45)

$SO_4^{2-} \xrightarrow{0.36} S$

碱性溶液 $\qquad \varphi_B^\ominus/V$

$$SO_4^{2-} \xrightarrow{-0.93} SO_3^{2-} \xrightarrow{-0.57} S_2O_3^{2-} \xrightarrow{-0.74} S \xrightarrow{-0.5} S^{2-}$$

$SO_4^{2-} \xrightarrow{0.75} S$

$SO_3^{2-} \xrightarrow{-0.66} S$

$SO_3^{2-} \xrightarrow{-1.12} S_2O_4^{2-} \xrightarrow{-0.50} S_2O_3^{2-}$

$SO_3^{2-} \xrightarrow{-0.59} S^{2-}$

Se、Te 系统

酸性溶液　　　　　　　　　$\varphi_A^\ominus /V$

$$SeO_4^{2-} \xrightarrow{1.15} H_2SeO_3 \xrightarrow{0.74} Se \xrightarrow{-0.40} H_2Se$$

$$H_6TeO_6 \xrightarrow{1.02} TeO_2 \xrightarrow{0.53} Te \xrightarrow{-0.72} H_2Te$$

碱性溶液　　　　　　　　　$\varphi_B^\ominus /V$

$$SeO_4^{2-} \xrightarrow{0.05} SeO_3^{2-} \xrightarrow{-0.37} Se \xrightarrow{-0.92} Se^{2-}$$

$$TeO_4^{2-} \xrightarrow{>0.4} TeO_3^{2-} \xrightarrow{-0.57} Te \xrightarrow{-1.14} Te^{2-}$$

图 13-1　氧族元素的电势图

§13-2　氧、臭氧

2-1　氧在自然界中的分布

氧是地壳中分布最广和含量最多的元素。它遍及岩石层、水层和大气层,氧约占地壳总质量的 48%。在岩石层中,氧主要以二氧化硅、硅酸盐以及其它氧化物和含氧酸盐等形式存在。在海水中,氧占海水质量的 89%。在大气层中,氧以单质状态存在,以质量分数计约占 23%,以体积分数计约占 21%。单质氧有两种同素异形体即 O_2 和 O_3,在高空约 25 km 高度处有一臭氧层,它是由氧吸收了太阳的紫外光生成的,这一臭氧层阻止了太阳的强辐射而使生命体免遭侵害。可以想象一下,如果大气中的还原性气体污染物如 SO_2,H_2S,CO 和氟利昂等越来越多而同大气高层中的 O_3 发生反应,导致 O_3 浓度的降低,那将对地球上的生命产生严重的影响,可见防止大气污染势在必行。

自然界中的氧含有三种同位素,即 O^{16},O^{17} 和 O^{18}。在普通氧中,O^{16} 的含量占 99.76%;O^{17} 占 0.04%;O^{18} 占 0.2%。通过分馏水能够以重氧水(H_2O^{18})的形式富集 O^{18}。O^{18} 是一种稳定同位素,

常作为示踪原子用于化学反应机理的研究中。

2−2　氧的制备和空气液化

利用空气或某些含氧化合物可制备氧气。空气和水是制取氧气的主要原料,大约有 97% 的氧是从空气中提取的,3% 的氧来自电解水。

由于在氧化物或含氧酸盐中氧的氧化数为 −2,所以在实验室中制备氧的基本途径之一是用化学法把 O^{2-} 氧化成 O_2,如加热分解金属氧化物或含氧酸盐,其反应为:

$$2HgO \xmapsto{\triangle} 2Hg + O_2$$

$$2BaO_2 \xmapsto{\triangle} 2BaO + O_2$$

$$2NaNO_3 \xmapsto{\triangle} 2NaNO_2 + O_2$$

其中最常用的方法是以二氧化锰为催化剂加热使 $KClO_3$ 分解,分解温度约 473 K 左右。

工业上主要是通过物理法液化空气,然后分馏制氧。把这个方法所生产的氧压入高压钢瓶中储存,这样便于运输和使用。现在不论在工业上还是在实验室中均用此法生产氧气。此法可以得到纯度高达 99.5% 的液态氧。

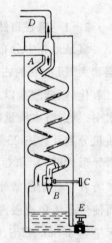

图 13−2　空气液化装置示意图

欲使空气液化。必须先将空气降温到临界温度以下,并加大压力才可以实现。空气的临界温度约为 133 K,用一般的冷冻剂难以达到这样低的温度,工业上常采用绝热膨胀法来获得低温。当空气被压缩时其体积减小,同时会放出热量。反之,当被压缩的空气膨胀时(即压强减小)其体积增大,温度会剧烈的降低。压强每减小 101.3 kPa,温度可降低 0.25 K。若将 2×10^5 kPa 的气体减压到 101.3 kPa 时，温度可降低 50 K 之多，经多次压缩、膨胀，就能使空气达到液化的温度。图 13-2 为空气液化装置示意图。

将除去灰尘，水蒸气和二氧化碳的空气压缩到 2×10^5 kPa，经内管 A 到达管端，通过减压活塞 C 并在 B 内膨胀到 101.3 kPa，温度较原来可降低 50 K。冷却的空气经外管 D 逸出，同时冷却了高压空气，这种冷却了的高压空气再膨胀到 101.3 kPa，就可使空气再进一步降温，如此压缩和膨胀重复多次，空气即可液化。

2-3 氧的结构、性质和用途

（1）氧的分子结构

基态氧原子的价层电子结构为 $2s^2 2p^4$，根据核外电子排布之原则，在 $2p$ 能级中有二个电子成对，另二个电子分别占据一个 p 轨道，即 $2s^2 2p_x^2 2p_y^1 2p_z^1$，它们的排布可用下图表示：

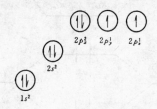

图 13-3　氧原子的电子排布

氧分子的分子结构可以利用价键法（VB 法）和分子轨道法（MO）来处理，两种处理方法所得结果有所不同。

VB 法：根据"电子配对成键并符合稀有气体结构"的原则，两个氧原子间以双键结合成氧分子。

$$:\ddot{O}:\overset{\times}{\underset{\times}{\overset{\times}{O}}}\times \quad 即 \quad O = O$$

按此方式成键，氧分子中没有成单电子，这与氧分子有明显顺磁性的实验事实相矛盾，因顺磁性表明分子中有成单电子，由此可见,O_2 分子键合方式不能用 VB 法来判断。

MO法:图 13-4 是 O_2 分子的分子轨道能级图。在 O_2 的分子轨道中,成键的 $(\sigma_{2s})^2$ 和反键的 $(\sigma_{2s}^*)^2$ 对键的贡献抵销,实际对成键有贡献的是 $(\sigma_{2p_x})^2$,$(\pi_{2p_y})^2$,$(\pi_{2p_y}^*)^1$,$(\pi_{2p_z})^2$ 和 $(\pi_{2p_z}^*)^1$。$(\sigma_{2p_x})^2$ 构成 O_2 分子中的 σ 键,而 $(\pi_{2p_x})^2$,$(\pi_{2p_y}^*)^1$ 和 $(\pi_{2p_z})^2$ $(\pi_{2p_z}^*)^1$ 分别构成两个 3 电子 π 键。因此在 O_2 分子中共有一个 σ 键和二个 3 电子 π 键。其分子轨道表示式为:

$(\sigma_{1s})^2(\sigma_{1s}^*)^2(\sigma_{2s})^2(\sigma_{2s}^*)^2(\sigma_{2p_x})^2(\pi_{2p_y})^2(\pi_{2p_z})^2(\pi_{2p_y}^*)^1(\pi_{2p_z}^*)^1$。

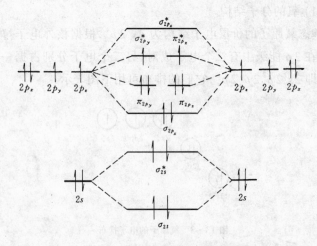

图 13-4　O_2 分子的分子轨道能级图(略去 σ_{1s},σ_{1s}^*)

O_2 分子结构的电子式可按下图方式书写:

每个 3 电子 π 键中有两个电子在成键轨道,一个电子在反键轨道,从键能看相当于半个正常 π 键,两个 3 电子 π 键合在一起,键能相当于

一个正常 π 键,因此 O_2 分子总键能相当于 O=O 双键的键能(494 kJ·mol^{-1})。它比 N≡N 键能(942 kJ·mol^{-1})要小得多,因为 N_2 分子的 π 反键轨道中没有电子存在,是名符其实的三重键。

(2)氧的性质和用途

常况下,氧是一种无色、无臭的气体,在 90 K 时凝聚成淡蓝色的液体,进一步冷却到 54 K 时凝成淡蓝色的固体,液态和固态氧有明显的顺磁性。在室温和加压下,分子光谱实验证明氧中含有抗磁性的物质 O_4,在固态氧中存在更多的 O_4,这也同 O_2 分子中存在单电子有关。两个氧分子间的键能弱于一个电子对的键能,却比范德华力强,O_4 的结构可能是:

但不能肯定。氧是非极性分子,不易溶于极性溶剂——水中,在 293 K 时 1 dm^3 水中只能溶解 30 cm^3 氧气。光学实验证明在溶有氧气的水中存在氧的水合物 $O_2 \cdot H_2O$ 和 $O_2 \cdot 2H_2O$,第二个水合物不稳定。它们的结构可能如图 13-5 所示。

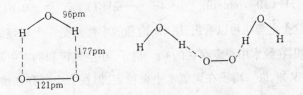

图 13-5 O_2 的水合物

氧在水中的溶解度虽小但它却是水生动植物在水中赖以生存的基础。我国有些江河湖泊的水系日益污染严重,水中的溶氧量明显减少,水质下降,鱼类产量明显下降甚至绝迹,防治水系污染已是我国的一项迫在眉睫的任务。

由图 13-6 氧的氧化数-吉布斯自由能图可以看出:氧主要

表现氧化性。在对质子惰性的溶剂如二甲亚砜、吡啶中，O_2 获得一个电子变成超氧离子：

$$O_2 + e^- \Longrightarrow O_2^-$$

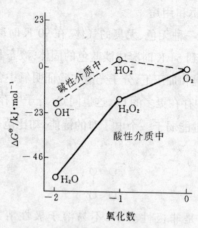

图 13 - 6　氧的氧化数 - 吉布斯自由能图

相反在水溶液中获得二个电子得到 HO_2^- 阴离子：

$$O_2 + 2e^- + H_2O \Longrightarrow HO_2^- + OH^-$$

$$O_2 + 4H^+ (10^{-7}\,mol \cdot dm^{-3}) + 4e^- \Longrightarrow 2H_2O \quad \varphi^\ominus = +0.815\ V$$

从这个电势也可以看出，用 O_2 饱和的中性水是一个较好的氧化剂。例如，在纯水中稳定存在的 Cr^{2+} 离子，在空气饱和的水中却迅速被氧化；又如，Fe^{2+} 离子在无氧水中很稳定，但在有空气存在情况下，Fe^{2+} 极易被氧化成 Fe^{3+}（在酸中氧化缓慢，在碱中氧化迅速）。

氧很易溶解在有机溶剂中，因此在有机试剂中测定对空气敏感物质的反应性时，应考虑到这一点。

光照下乙醇、乙醚、苯、甚至饱和的碳氢化合物也可与 O_2 形成弱键配合物。例如，N，N - 二甲基苯胺在空气或 O_2 中显黄色，当氧被除掉后，黄色随之消失。

某些过渡金属配合物能与 O_2 形成加合物,这种加合物有时是可逆的,加合物中的氧是以 O_2,O_2^- 或 O_2^{2-} 离子的形式与金属配位或形成桥式配位基。

　　有些在温和条件下不能直接与氧发生反应的物质,在含 O_2 配合物存在下却能够发生反应,这表明配位的 O_2 分子比游离的 O_2 分子更活泼。

　　依据分子轨道理论可知,O_2 分子中应有两个电子填充在两个简并的反键 π 轨道上,这二个分子轨道的 m 值分别为 $+1$ 和 -1,由于保利原理的限制,这两个电子在这两个轨道中的排布方式有三种,分布形式用分子光谱项表示于表 $13-2$ 中。

表 13-2　O_2 分子 π^* 轨道中电子构型

状　态	π_a^*	π_b^*	能　　量
第二激发单重态 $^1\Sigma_g^+$	↓	↑	$155 \ kJ \cdot mol^{-1}$
第一激发单重态 $^1\Delta_g$		↑↓	$94.6 \ kJ \cdot mol^{-1}$
基态三重态 $^3\Sigma_g^-$	↑	↑	0

　　表中 $^1\Sigma_g^+$ 表示自旋方向相反的二个电子分别填充到二个 π^* 轨道中的分子光谱项。这二个电子轨道角动量在 z 轴上的投影分别为 $+1$ 和 -1,因此,总的轨道角动量在 z 轴上的投影 $M = \Sigma_m = 0$。自旋角动量分别为 $+\dfrac{1}{2}$, $-\dfrac{1}{2}$,总的自旋角动量 $M_s = \Sigma m_s = 0$;$^1\Delta_g$ 代表自旋方向相反的二个电子填充到一个 π^* 轨道中的光谱项,这种情况下,$M = 2$、$M_s = 0$;$^3\Sigma_g^-$ 代表自旋方向相同的二个电子填充在二个 π^* 轨道上的光谱项,此时,$M = 0$,$M_s = -1$。

---

　　* 光谱项的含意:原子光谱中的任何一条谱线都可以写成两项之差,每一项对应一个能级,其大小相当于能级的能量除以 hc,即 E_n / hc,我们称 $-E_n / hc$ 为光谱项。

从表 13-2 可以看出,处于受激发单一态(单线态)的 O_2 由于能量较高而有较强的化学活性,而且 $O_2(^1\Sigma_g^+)$ 较 $O_2(^1\Delta_g)$ 更活泼。实验证实,处于 Δ_g 状态的氧分子可以同各种不饱和的有机物反应,发生有限而特殊的氧化过程。最典型的反应是 Diels-Alder 型的 1,3 丁二烯的 1,4 加成反应:

$$\text{\huge[}\!\!\!\text{/\!\!\!/}\,] + O_2\,(单一态) \xrightarrow[\text{敏化剂}]{h\upsilon} \text{(O-O)}$$

在这种情况下,单一态 O_2 的反应实际上就是光氧化反应,在有敏化剂(光照反应催化剂)存在的条件下,也称做光敏化的氧化反应。在光敏化反应中,常用的光敏剂有:玫瑰本格(Rose Bengal),氧杂蒽酮染料(xanthene dye),四碘荧光素(erythrosin),荧光黄(fluorescein)等。

在高温下,O_2 分子不仅能氧化许多金属和非金属单质(直接化合成氧化物),还可氧化一些具有还原性的化合物,如 H_2S,CH_4,CO 等能在氧中燃烧。氧作为氧化剂有着广泛的应用,如炼钢工业中的吹氧、切割焊接中的氢氧焰、氧炔焰、航天器中的高能燃料氧化剂、医疗中的急救等。[18]O 常作为示踪原子用于反应机理的研究中,如将 H_2O^{18} 用于酯的水解反应机理的研究中。酯的水解有两种可能的途径,即:

$$(a)\ RCOO\!-\!R' + HO^{18}H \longrightarrow HO^{18}R' + RCOOH$$
$$(b)\ RCO\!-\!OR' + HO^{18}H \longrightarrow HOR' + RCOO^{18}H$$
$$\qquad\qquad 酯 \qquad\qquad\qquad 醇 \quad 酸$$

实验证明酯的水解反应是按 (b) 式进行的,因为重氧 [18]O 都从水里转移到酸中去了。

2-4 臭氧

(1)臭氧的分子结构

实验证明臭氧分子(O_3)中三个氧原子呈等腰三角形配置,键角为116.8°,键长为127.8 pm,如图13-7所示:

根据 VB 法 O_3 分子的结构是角顶氧原子与另两个氧原子之间分别存在着双键和单键。为了解释实际上键的等同性,又假定了两种结构间的共振:

图 13-7 臭氧分子的结构

即

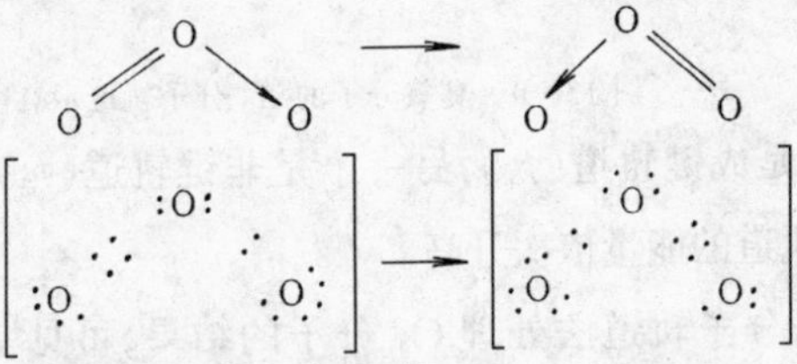

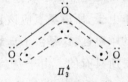

"共振"一词应理解为真正的分子结构介乎此两者之间,而不是两种结构之间的不断变动。

根据 MO 法 O_3 分子中除氧原子间均存在 σ 键外,在三个氧原子之间还存在一种 4 个电子的不定域[*](或称离域)大 π 键,以 Π_3^4 来表示。在讨论 O_2 分子时所提到过的 3 电子 π 键,是一种两个氧原子之间的 3 个电子的 π 键,称之为小 π 键,以区别于两个以上原子之间所存在的多电子的不定域 π 键。

图 13-8 臭氧分子的电子排布

MO 法处理 O_3 分子结构时的具体考虑是这样的:与两个氧原子键合的角顶氧原子采取 sp^2 杂化,它和与之键合的另外两个氧原子还存在着一组平行的 p 轨道,这组 p 轨道进行线性组合成分子轨道。

---

[*] "不定域"系指电子不固定在两个原子之间成键。大 Π 键以 π_n^m 来表示,m 为电子数,n 为原子数。

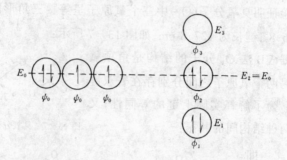

图 13-9 臭氧分子的 Π_3^4 分子轨道示意图

其中一个是成键轨道(ϕ_1),另一个是非键轨道(ϕ_2),第三个是反键轨道(ϕ_3),轨道的能量依次升高。

根据分子轨道法处理 O_3 分子的结果,可见 Π_3^4 键的键级为 1,而在每两个氧原子之间的键级为 $1\frac{1}{2}$,不足一个双键。所以臭氧分子的键长(127.8 pm)要比氧分子(120.8 pm)长一些,臭氧分子的键能也应低于氧分子而不够稳定。由于分子轨道中已不出现成单电子,所以臭氧应该是逆磁性的。有的资料中提到臭氧有微弱的顺磁性,这是由于臭氧部分转变成氧分子的缘故而不是臭氧本身所具有的。由于臭氧分子的顶端氧原子采取 sp^2 杂化轨道成键,所以臭氧分子是三角形配置,键角应接近 $120°$,而实测值为 $116.8°$,基本上相符。

(2)臭氧的性质和用途

臭氧因其具有一种特殊的腥臭味而得名。液态臭氧具有很深的蓝紫色,间隔 1 mm 的液态臭氧层时就观察不到电灯泡的灼热灯丝。在 80 K 时,液态臭氧凝成黑色晶体。臭氧比氧易液化(161 K),但难固化。由于 O_3 分子的色散力大于 O_2 分子,因而臭氧的沸点高于氧是可以理解的。

臭氧的特征化学性质是不稳定性和氧化性。臭氧相对于氧的

不稳定性已从分子结构上作过分析。臭氧在常温下就可分解,是一种放热过程:

$$2O_3 \rightleftharpoons 3O_3 \qquad \Delta H^{\ominus} = -284 \text{ kJ} \cdot \text{mol}^{-1}$$

若无催化剂存在或紫外线照射时,它分解得很慢,当加热或有 MnO_2 存在时可显著加速,但若有水蒸气存在时则减慢。

就氧化能力而言,它介于氧原子和氧分子之间,它能氧化一些只具弱还原性的单质或化合物,并且有时可把某些元素氧化到不稳定的高价状态。例如:

$$2Ag + 2O_3 = Ag_2O_2 + 2O_2$$
$$O_3 + XeO_3 + 2H_2O = H_4XeO_6 + O_2$$

臭氧能迅速且定量地氧化 I^- 离子成 I_2,此反应被用来测定 O_3 的含量:

$$O_3 + 2I^- + H_2O = I_2 + O_2 + 2OH^-$$

臭氧能氧化有机物,特别令人感兴趣的是对烯烃的氧化,此反应可用来确定不饱和双键的位置,如:

$$CH_3CH_2CH = CH \xrightarrow{O_3} CH_3CH_2CHO + HCHO$$
丁烯-1

$$CH_3CH = CHCH_3 \xrightarrow{O_3} 2CH_3CHO$$

丁烯-2

臭氧能氧化 CN^-,故常被用来治理电镀工业中的含氰废水:

$$O_3 + CN^- = OCN^- + O_2$$
$$OCN^- + O_3 = CO_2 + N_2 + O_2$$

臭氧能杀死细菌(基于氧化性),可用作消毒杀菌剂。

(3) 臭氧的生成和制备

臭氧分解成氧既是放热反应,那末由氧变成臭氧必然是吸热反应。因此,从能量的观点来看,只要给氧以足够的能量(光、电、热)即可转变成臭氧。在雷雨天,由于大气中放电而生成臭氧。在电动机和复印机旁边也经常可以闻到臭氧的特殊腥味。在有些物质如潮湿的磷,松节油,树脂等受空气氧化的过程中也同时伴生臭氧。针叶树林中存在臭氧就是树脂被氧化的结果。

在实验室里制备臭氧主要靠紫外光(<185 nm)照射氧或使氧通过静电放电装置而获得臭氧与氧的混合物,含臭氧可达 10%。臭氧发生器的示意图见图 13－10。它是两根玻璃套管所组成的,中间玻璃管内壁镶有锡箔,外管外壁绕有铜线,当锡箔与铜线间接上高电压时,两管的管壁之间发生无声放电(没有火花的放电),O_2就部分转变成了 O_3。

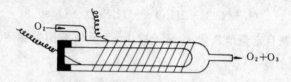

图 13－10　臭氧发生器示意图

2－5　氧的成键特征

前已述及,原子氧和分子氧中都有成单电子,臭氧分子中有离域大 π 键。所以,当元素氧同其它元素结合时,氧原子、氧分子和臭氧分子都可以作为形成化合物的基础。

(1) 以氧原子作为结构基础的成键情况

(a) 氧原子可以从电负性很小的原子中夺取电子,形成 O^{2-} 离子,构成离子型氧化物,如碱金属和大部分碱土金属的氧化物。

(b) 氧原子可以同电负性与其相近的原子共用电子,形成共价键,构成分子型化合物。

这里,就氧的氧化态而言,可有两种情况:①当同电负性比它大的氟化合时,氧可呈 $+2$ 氧化态,如在 OF_2 中;②当同电负性值比它小的其它元素化合时,氧常呈 -2 氧化态。

就氧形成的共价键而言,可有六种情况:① 氧原子提供两个成单电子形成两个共价单键 —Ö—,这时氧原子常采取 sp^3 杂化,如在 Cl_2O 和 OF_2 中;②氧原子提供两个成单电子形成一个共价双键:Ö=,如在 H_2CO(甲醛)和 $COCl_2$(光气)中;③氧原子提供两个成单电子形成两个共价单键,同时提供一对孤电子对形成一个配位键 —Ö—↑,即形成三个共价单键,这时氧原子常采取 sp^3 杂化,如在 H_3O^+ 中;④氧原子提供两个成单电子形成一个共价双键,同时提供一对孤电子对形成一个配位键:O≡,即形成一个共价叁键,这时氧原子常采取 sp 杂化,如在 CO 和 NO 中;⑤氧原子可以提供一个空的 $2p$ 轨道,接受外来配位电子对而成键,如在有机胺的氧化物 $R_3N→Ö$ 中;⑥氧原子既可以提供一个空的 $2p$ 轨道,接受外来配位电子对而成键,也可以同时提供二对孤电子对反馈给原配位原子的空轨道而形成所谓的反馈键,如在 H_3PO_4 中:

$$
\begin{array}{c}
\text{H} \\
| \\
\text{HO—P} \rightleftarrows \text{O} \\
| \\
\text{OH}
\end{array}
$$

其中的反馈键叫做 $d-p\pi$ 配键,而 P⇄O 键仍具有双键的性质。

(2) 以氧分子作为结构基础的成键情况

(a) 氧分子可以结合一个电子,形成 O_2^- 离子,构成超氧化物(如 KO_2 等)。

(b) 氧分子可以结合两个电子,形成 O_2^{2-} 离子或共价的过氧链 —O—O—,构成离子型过氧化物(如 Na_2O_2,BaO_2 等)或共价型过氧化物(如 H_2O_2,$H_2S_2O_3$,$K_2S_2O_8$ 等)。

(c) 氧分子可以失去一个电子,生成二氧基阳离子 O_2^+ 的化合物,如 $O_2^+[PtF_6]^-$ 等。

(d) 氧分子中因每个氧原子上有一对孤电子对,可以成为电子对给予体向具有空轨道的金属离子配位。例如,血液中的血红素是由中心离子 Fe^{2+} 同卟啉衍生物形成的配合物,而 Fe^{2+} 离子 $3d$ 轨道上仍有一个空的配位位置,能够可逆地同氧分子配位结合:

$$[HmFe] + O_2 \Longrightarrow [HmFe \leftarrow O_2]$$

表 13 – 3　氧在化合物中的成键特征

电子提供物	成 键 情 况	实 例
O 原子	O^{2-}　离子型	Na_2O,CaO
	$-\ddot{O}-$ 或 $-\ddot{O}-$,sp^3杂化	$\underset{H\quad\quad H}{\overset{O}{\diagup\,\diagdown}}$,$H_3O^+$
	$\ddot{O}=$,	$\underset{R}{\overset{R}{\diagdown\!\diagup}}C=O$
	$:O\equiv$,sp 杂化	$:C\equiv O:$,NO
	$\rightarrow\ddot{O}:$	$R_3N\rightarrow O$
	$\equiv O:(d\sim p\pi$配键$)$	H_3PO_4
O_2 分子	O_2^-　离子	KO_2 超氧化钾
	O_2^{2-}　离子	K_2O_2 过氧化钾
	$-O-O-$过氧链	$\underset{H\quad\quad\quad H}{\overset{O-O}{\diagup\quad\diagdown}}$
	O_2^+　离子	$O_2^+[PtF_6]^-$
	$O_2 \longrightarrow$	$H_mFe \leftarrow O_2$
O_3 分子	O_3^-　离子	KO_3 臭氧化钾
	$-O_3-$臭氧链	O_3F_2

式中 Hm 代表卟啉衍生物。这样,动物体内的血红素便起到了载

输氧气的作用,从而成为载氧体。

(3) 以臭氧分子为结构基础的成键情况

臭氧分子可以结合一个电子,形成 O_3^- 离子或共价的臭氧链 —O—O—O— ,构成离子型臭氧化物(如 KO_3 和 NH_4O_3)或共价型臭氧化物(如 O_3F_2)。

现将上述所分析的各种成键情况归纳于表 13-3 中。

2-6 氧化物

所有的元素除了大部分稀有气体之外都能生成二元氧化物(目前已知氙可以制得氧化物)。过氧化物、臭氧化物将在以后的章节中介绍。

(1) 氧化物的制备方法

(a) 单质在空气中或纯氧中直接化合(甚至燃烧),可以得到常见氧化态的氧化物,在有限氧气条件下,则得低价氧化物,例如 P_4O_{10} 和 P_4O_6 的生成。

(b) 氢氧化物或含氧酸盐的热分解,例如

$$Cu(OH)_2 \stackrel{\triangle}{=\!=\!=} CuO + H_2O$$

$$CaCO_3 \stackrel{\triangle}{=\!=\!=} CaO + CO_2 \uparrow$$

$$2Pb(NO_3)_2 \stackrel{\triangle}{=\!=\!=} 2PbO + 4NO_2 \uparrow + O_2 \uparrow$$

(c) 高价氧化物的热分解或通氢还原,可以得到低价氧化物,例如:

$$PbO_2 \xrightarrow{563-593K} Pb_2O_3 \xrightarrow{663-693K} Pb_3O_4 \xrightarrow{803-823K} PbO$$

$$V_2O_5 + 2H_2 \stackrel{973K}{=\!=\!=} V_2O_3 + 2H_2O$$
$$H_2 \downarrow 1\,973K$$
$$VO$$

(d) 单质被硝酸氧化可得到某些元素的氧化物,这种方法不

像上述三种方法具有普遍性。例如

$$3Sn + 4HNO_3 =\!=\!= 3SnO_2 + 4NO\uparrow + 2H_2O$$

(2) 氧化物的键型

氧化物的键型基本上可分为离子型和共价型两类,现分别列于表 13-4 和表 13-5 中。

表 13-4 离子型氧化物

氧化物通式	氧 化 物 举 例
M_2O	$Li_2O, Na_2O, K_2O, Rb_2O, Cs_2O$
MO	$BeO, MgO, CaO, SrO, BaO, ZnO, CaO, MnO, CoO, NiO$
M_2O_3	$Al_2O_3, Sc_2O_3, Y_2O_3, Ln_2O_3$(镧系氧化物)
MO_2	$CeO_2, TbO_2, UO_2, SnO_2, PbO_2, TiO_2, VO_2, WO_2, MnO_2, RuO_2$
M_3O_4	$Pb_3O_4, Mn_3O_4, Fe_3O_4$

表 13-5 共价型氧化物

结 构 类 型		氧 化 物 举 例
非金属元素	简单分子氧化物	H, F, Cl, Br, I, S, Se, Te, N, P, C 的氧化物
	巨型分子氧化物	B, Si 的氧化物
金属元素	18 电子外壳的氧化物	Ag_2O, Cu_2O
	18+2 电子外壳的氧化物	PbO, SnO
	8 电子外壳而高电荷的氧化物	Mn_2O_7

(3) 氧化物的熔点

在元素的特征氧化物中,它们之间熔点的差别是很大的。

一般说来,多数离子型氧化物的熔点是很高的,其中 BeO (2 803 K),MgO(3 073 K),CaO(2 853 K),ZrO$_2$(2 988 K),HfO$_2$ (3 083 K)等是最难熔的;其次,那些巨型分子共价型氧化物的熔点也是比较高的,如 SiO$_2$ 在 1 986 K 时熔化。

然而,多数共价型氧化物和少数离子型氧化物的熔点是比较低的。其中主要的有:CO$_2$(194.5 K 升华),Cl$_2$O$_7$(181.5 K 熔化),SO$_3$(289.8 K 熔化,317.8 K 气化),N$_2$O$_5$(303 K 熔化,320 K 分解),RuO$_4$(298.5 K 熔化,373 K 分解)和 OsO$_4$(322.5 K 熔化,

403 K 气化)等。

氧化物在熔点上的巨大差异,显然是由它们晶体结构上的显著差别造成的。

(4) 氧化物对水的作用

氧化物对水的作用也存在着显著的差异。大体说来,可以分成四类:

(a) 溶于水但无显著化学作用的氧化物,如 RuO_4 和 OsO_4 等;

(b) 同水作用生成可溶性氢氧化合物的氧化物,如 Na_2O, BaO, B_2O_2, CO_2, P_2O_5 和 SO_3 等;

(c) 同水作用生成不溶性氢氧化合物的氧化物,如 BeO, MgO, Sc_2O_3 和 Sb_2O_3 等;

(d) 既难溶于水又不同水作用的氧化物,如 Fe_2O_3 和 MnO_2 等。

(5) 氧化物的酸碱性

按酸碱性划分,氧化物可以分成五类:

(a) 酸性氧化物。它们与碱作用生成盐和水,例如:CO_2, SO_3, P_2O_5, SiO_2 和 B_2O_3 等。

(b) 碱性氧化物。它们与酸作用生成盐和水,例如 K_2O, CaO 和 MgO 等。

(c) 两性氧化物。它们既与酸作用,又与碱作用,分别生成相应的盐和水,例如 BeO, Al_2O_3, ZnO 和 Cr_2O_3 等。

(d) 中性氧化物。它们既不与酸也不与碱作用,例如 CO 和 N_2O 等。

(e) 复杂氧化物。例如 Fe_3O_4, Pb_2O_3 和 Pr_6O_{11} 等,它们分别由其低价氧化物和高价氧化物混合组成,而同一元素的低价氧化物较高价氧化物的碱性为强,因此,高、低价氧化物对酸或碱的作用也不相同。像 Pb_2O_3 实质上是由 PbO 和 PbO_2 组成的,前者显碱性,后者基本上显中性,若加 HNO_3 于 Pb_2O_3 上,则 PbO 溶解成 $Pb(NO_3)_2$,而 PbO_2 不溶。

§13-3 水

3-1 水在自然界中的分布

水是地球上分布得最广的物质,它几乎占去了地球表面的四分之三,充满了所有的天然贮水池——低地及山谷而形成了海洋、河川和湖泊。不仅地面上有水,地壳中也有水,它浸润着土壤和岩层,成为地下水的泉源。许多岩石和矿石中还含有水。天空中的云即是水的微小液滴,大气中约含有 1.3×10^4 km^3 的水蒸气。大量的水,还以冰块和积雪的形式终年存在于高山巅峰及两极地区。

由于自然界中的氢存在着两种同位素——^1H 和 ^2H,而自然界中的氧又存在着三种同位素——^{16}O,^{17}O 和 ^{18}O。因此自然水中应该存在着 9 种不同的水,它们之间有着一定的比例,分子式如下:

$$\begin{bmatrix} H_2^{16}O & H_2^{17}O & H_2^{18}O \\ HD^{16}O & HD^{17}O & HD^{18}O \\ D_2^{16}O & D_2^{17}O & D_2^{18}O \end{bmatrix}$$

在这 9 种不同形式的水中,以 $H_2^{16}O$ 最多,所以普通水的性质即为 $H_2^{16}O$ 的性质,平时就用 H_2O 这一分子式来表示水分子。除 H_2O 外,以 $D_2^{16}O$ 和 $H_2^{18}O$ 最为有用,前者叫重水,平时就用 D_2O 这一分子式来表示,后者叫重氧水。重水是核能工业中最常用的中子减速剂,重氧水是研究化学反应特别是水解反应机理的示踪物。重水不能维持动植物体的生命。

在电解水时，H_2O 优先分解而 D_2O 聚集在残留液中，经长时间电解后蒸馏其残留液可得纯度为 99% 的重水 D_2O。

3-2 水的结构

(1) 水的结构

根据从 1781 年普列斯特利(Priestley)和卡文迪许(Cavendish)的工作开始一直到 1895 年摩莱(Morley)等人的精确测定为止，最终极准确地确定了水的化学式为 H_2O，中间经历了一百来年。

我们知道，水分子中的氧同氢原子成键时，首先氧原子的 $2s^2$，$2p_z^2$，$2p_y^1$，$2p_x^1$ 四个轨道采取不等性杂化形成四个 sp^3 杂化轨道，这些 sp^3 杂化轨道的能量和成分不尽相同(图 13-11)，其中两个 sp^3 轨道具有 α 的 s 成分而另外两个则具有 $\frac{1}{2} - \alpha$ 的 s 成分，α 为 $0 - \frac{1}{4}$ 之间的某一数值。其次含有单电子的 sp^3 杂化轨道，同氢原子的 $1s$ 轨道重叠成键。这时生成两个 σ 键，同时还有两对孤电子对。由于氧原子采用 sp^3 杂化成键，键角理应为 $109.5°$，但是因为孤电子对对成键电子对有斥力，所以键角被压缩为 $104.5°$。水分子结构如图 13-12。

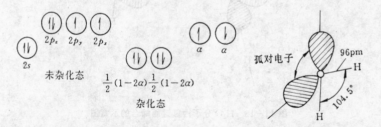

图 13-11 氧原子的未杂化和 sp^3 不等性杂化
态中各轨道中的 s 成分(总和为 1)

图 13-12 水分子的结构

根据价层电子对互斥理论，我们也可以得到同样的构型。

(2) 液态水的结构

按原子量计算，水的相对分子质量应为 18.02，但实测水在沸点时蒸气的相对分子质量是 18.64,表明此时的水蒸气是由 96.5% 单分子水——H_2O 和 3.5% 双分子水——$(H_2O)_2$ 所组成的。液态水的相对分子质量更大,这是因为水分子通过氢键形成缔合分子——$(H_2O)_x$,x 可以是 2,3,4…。这种水的缔合是由水分子间的氢键所引起的,图 13-13 是 $(H_2O)_x$ 的缔合示意图。从图中可见,每个氧原子的周围有两个近的和两个远的氢原子,与近的那个氢原子相距 96 pm 即为 O—H 键长,与远的那个氢原子相距 180 pm。有人建议液态水是由 $(H_2O)_x$ 构成的不完全网状结构,其中充填有 H_2O 分子,这种液态水的模型虽从 X-射线的研究得到支持,但未获公认。

水分子的缔合是一种放热过程:

$$x H_2O \underset{\text{离解}}{\overset{\text{缔合}}{\rightleftharpoons}} (H_2O)_x$$

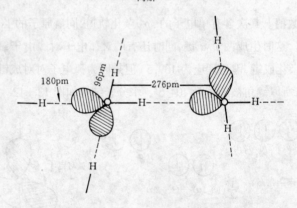

图 13-13　H_2O 分子因氢键而缔合的示意图

所以温度升高,水的缔合程度下降(x 值变小),高温时水主要以单分子状态存在;温度降低,水的缔合程度增大(x 值变大),273 K 时水凝结成冰,全部水分子缔合在一起成为一个巨大的缔合分子。

(3) 冰的晶体结构

从图 13-14 和图 13-15 中可以看到冰中每一个水分子都为相邻的四个水分子包围着,每个水分子位于四面体的顶点,冰是由无限个这样的四面体通过氢键把水分子互相连结成一个庞大的分子晶体。水分子之间的结合力约为 $51.1 \text{ kJ} \cdot \text{mol}^{-1}$,其中氢键的贡献为 $37.6 \text{ kJ} \cdot \text{mol}^{-1}$,余下的 $12.5 \text{ kJ} \cdot \text{mol}^{-1}$ 为分子间力的贡献,后者包括取向、诱导、色散三个部分。

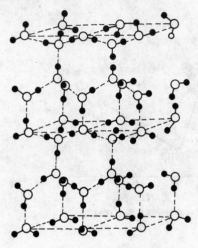 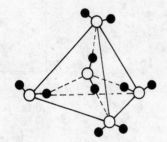

图 13-14　冰的结构示意图　　　　图 13-15　冰中水分子的四面体形排列情况

o:O 原子　●:H 原子

应当指出,由于结晶条件不同,实际上存在多种冰的晶体结构,图 13-14 所示冰的晶体结构,只是最常见的一种。

3-3　水的物理性质

纯水是一种无色、无臭的透明液体。深层的天然水呈蓝绿色。如海水,湖水。泉水稍有甘甜味。

水具有一些异常的物理性质,例如:

(1) 水的偶极矩为 1.87 D,表现了很大的极性。

(2) 水的比热容为 4.1868×10^3 J·kg^{-1}·K^{-1},在所有液态和固态物质中水的比热容最大。

(3) 同第六主族其它元素的氢化物(H_2S,H_2Se 和 H_2Te)比较,H_2O 的熔沸点、熔化热和蒸发热都异常地高,见图 13-16 和图 13-17。图中虚线表示按直线外推时,H_2O 的熔沸点估计值。

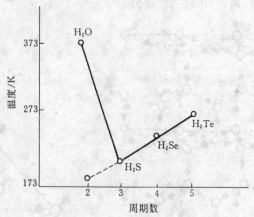

图 13-16 第六族氢化物的沸点比较图

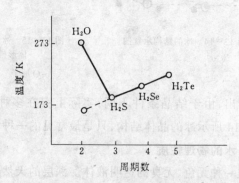

图 13-17 第六族氢化物的熔点比较图

(4) 绝大多数物质有热胀冷缩的现象,温度越低体积越小,密度越大。但水却在 227 K 时密度最大,其值为 1.0 g·cm^{-3}。图 13-18

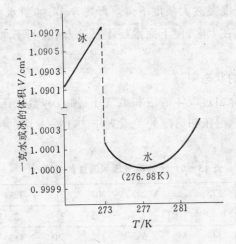

图 13-18 冰、水的体积与温度关系图

是冰和水的体积与温度的关系,从图中可以看到 277 K 时(严格讲是
276.98 K),单位质量的水体积最小、密度最大。277 K 以下时水的
密度反而降低,到 273 K 结冰时,密度突然变小,(273 K 时水的密度
为 0.999 g·cm^{-3},而冰的密度为 0.916 8 g·cm^{-3})。

水所以具有这些异常的物理性质,无一不与水的缔合有关。
由于水受热时要额外消耗一部分能量才能使缔合分子离解,所以
水的比热容、熔化热、蒸发热、熔沸点就异常的高。水有较大比热
容这一特性,对自然界的气温起着巨大的调节作用,另外在工业生
产上可用作传热介质。水的密度反常问题可以这样理解,接近沸
点的水,主要以单分子存在,冷却时分子热运动减缓,分子间距离
缩小,另一方面缔合度增大,分子间排列紧密,这两种因素使水的
密度增大,温度降到 277 K 时,密度最大。温度继续降低时,出现
较多的 $(H_2O)_3$ 三聚水分子以及具有类似于冰结构的更大缔合分
子,它们结构疏松,所以 277 K 以下,水的密度反而降低。到冰点
时,全部水分子缔合成一个巨大的缔合分子,冰的结构中具有较大

的空隙,因而密度突然大幅度下降。严冬季节,冰封水面时,由于冰比水轻,它浮在上面,使下面水层不易冷却,有利于水生动植物的越冬生存。

3-4　水的状态图

第二章曾介绍过液体的饱和蒸气压、沸点和蒸气压曲线等概念。现将水的蒸气压和温度的关系列于表 13-6 中、并绘制于图 13-19 中。

表 13-6　水的蒸气压和温度的关系

温度/K	273	283	293	303	313	323	333
蒸气压/kPa	0.61	1.23	2.34	4.24	7.38	12.33	19.92
温度/K	343	353	363	373	393	413	453
蒸气压/kPa	31.16	47.34	70.10	101.3	197.87	361.43	1002.6

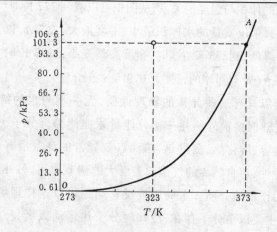

图 13-19　水的蒸气压曲线图

OA 线上各点的横、纵坐标值表示气、液两相共存的温度和对应的压强条件。A 点为临界点($T_c = 647$ K,$p_c = 2.21 \times 10^4$ kPa)从曲线可知处于 101.3 kPa,323 K 时的水蒸气是不稳定态,因为这个坐标点不在曲线上而在曲线上方的液相区域内,只有将它加热到 373 K 或水蒸气因凝聚而压强下降到相应的数值时才能达到两相成动态平衡状态。由此可知，OA 线上方区是水的稳定存在区，曲线下方是水蒸气的稳定存在区。

冰和水一样也能蒸发，冰的蒸气压和温度的关系列于表 13-7，标绘于图 13-20 中。

表 13-7　冰的蒸气压和温度的关系

温度/K	273	263	253	243	233	223	213	203	193
蒸气压/Pa	610.48	259.98	103.46	38.12	12.88	3.94	1.08	0.26	0.05

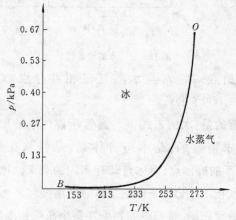

图 13-20　冰的蒸气压曲线图

图 13-20 中 OB 线是冰和水蒸气两相平衡线，它表示冰的蒸气压随温度的变化情况。该曲线上的每一点都代表一定温度和压强下冰和水蒸气两相共存时的平衡状态。

图 13-21 是水的状态图，图中有三个单相区，三条两相平衡线和一个三相点。

三个单相区：冰（COB）、水（COA）、水蒸气（BOA）；

三条两相平衡线：冰与水（OC）、冰与水蒸气（OB）和水与水蒸气（OA）；

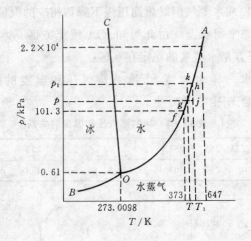

图 13-21 水的状态图

一个三相点:冰、水与水蒸气三相共存点(O)(坐标为 $0.61\ kPa$, $273.009\ 8\ K$)。

值得注意的是:水的三相点与通常所说的水的冰点不同。三相点是对纯水而言的,是单组分体系,是指水在它的蒸气压($610.48\ Pa$)下的凝固点,而冰点却有不同的意义。冰点是指被空气饱和了的水在 $101\ kPa$ 条件下结冰时的温度。

依据水的状态图,我们就能判断在某个压强和温度条件下,哪一相能稳定存在。例如,图中 k 点,水将稳定存在,j 点时,水蒸气将稳定存在。如果改变处于两相平衡的 g 点坐标,使温度保持不变,仍为 T,而将压强加大到 p_1,此时所有的蒸气均将凝聚为水,体系只有一个水相了。若保持压强不变,仍为 p,而升高温度到 T_1,此时所有的水都将气化为水蒸气,体系只有一个气相了。

显然,在单相区内,温度和压强两个变量可在一定范围内自由改变而不影响到相变;在两相平衡曲线上,只能自由改变一个变量而另一变量随之而固定,不能任意变动,否则将会发生相变而不能保持两相平衡(见上段所述);在三相点处,要保持体系的状态温度和压强均不能任意变动,是一个固定的条件。

3-5 水的化学性质

一般来说,水的化学性质是比较稳定的,只有在特殊条件下,水才能表现出一定的化学活性。

(1) 热分解作用

水具有很高的热稳定性,即使加热到 2 000 K 也只有 0.588% 的水分解成氢和氧。

$$2H_2O(g)\xrightarrow{\triangle}2H_2(g)+O_2(g) \qquad \Delta H^{\ominus}=483.6 \ kJ \cdot mol^{-1}$$

根据 H_2O,H_2,O_2 的键能数值,我们可以算得此反应的反应热为 $477.6 \ kJ \cdot mol^{-1}$,两值十分接近。

(2) 水合作用

水分子是一个强极性分子,所以它是许多盐类和一些极性共价化合物的良好溶剂。例如 HCl,$FeSO_4$,$ZnCl_2$ 等溶解于水后分别产生 H^+,Cl^-,Fe^{2+},SO_4^{2-},Zn^{2+},Cl^- 离子。这些离子与水分子发生水合作用,生成水合离子,如 H_3O^+,$Fe(H_2O)_6^{2+}$ 和 $Zn(H_2O)_4^{2+}$ 等。其中的 H_2O 分子是通过"←O"配位键与其它质点结合的。当这些化合物从水溶液中结晶析出时往往带配位水,成为水合晶体,如 $H_3O^+Cl^-$(即 $HCl \cdot H_2O$),$H_5O_2^+Cl^-$(即 $HCl \cdot 2 H_2O$),$Fe(H_2O)_6 \cdot SO_4 \cdot H_2O$(即 $FeSO_4 \cdot 7H_2O$)等等。

目前已知 H_3O^+ 的结构是较扁平的棱锥体,其中 HOH 角约为 115°。$H_5O_2^+$ 是在 H_3O^+ 的基础上再结合一个水分子,已知它有顺式、反式和旁式三种构型,中心氢原子为一氢桥,是否在中心,尚不能肯定,两个氧原子间的距离为 242—257 pm:

为了简化起见,书写水合离子时不必把水分子写上,除非有特殊需要。在书写水溶液中的反应方程式时,写出 H^+,Fe^{2+},Zn^{2+}

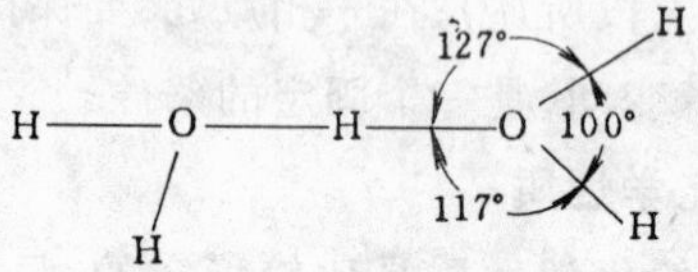

图 13-22　反式 $H_5O_2^+$ 离子的构象(两个水分子,

一在 O—H—O 轴前方,另一在后方)

即暗示它们是水合的。

　　水合是一种放热过程,水合热可以从与离子结构有关的经验公式或从热化学数据出发求得。雅齐米尔斯基(Яцимирский)在这方面取得了很多数据,他著有络合物热化学一书,其中载有水合热的大量数据。

　　(3) 水解作用

　　我们可以广义地看一下水解作用,不要局限在一些盐类或二元化合物的非氧化还原性的分解水这一点上,而着眼在水被分解(包括氧化还原反应)这一点上,那末活泼金属单质或非金属单质对水的作用以及一些氧化物对水的作用都可统一在水解作用的概念之下:

　　狭义的,如

$$Mg_3N_2 + 6H_2O = 3Mg(OH)_2\downarrow + 2NH_3$$

$$PCl_5 + 4H_2O = H_3PO_4 + 5HCl$$

$$SbOl_3 + H_2O = SbOCl\downarrow + 2HCl$$

　　广义的,如

$$SO_3 + H_2O = H_2SO_4$$

$$Na_2O + H_2O = 2NaOH$$

$$Ca + 2H_2O = Ca(OH)_2 + H_2\uparrow$$

$$Cl_2 + H_2O = HCl + HOCl$$

$$C + H_2O \overset{\triangle}{=\!=\!=} CO + H_2$$

· 590 ·

（4）自离解作用

众所周知,水本身可微弱电离:

$$H_2O \Longrightarrow H^+ + OH^-$$

即

$$H_2O + H_2O \Longrightarrow H_3O^+ + OH^-$$

一个水分子把来自另一个水分子的质子水合了。

298 K 时,水中的 H_3O^+ 和 OH^- 的浓度乘积等于 1×10^{-14},此值称之为水在 298 K 时的离子积,它明显地随温度而变化。

自离解作用在纯硫酸、冰醋酸、液氨中也存在。

3-6 水的污染与净化

自然水中不仅含有天然杂质,人们也把许多工农业生产的废料以及其它废物排放到天然水中,造成了水质的严重污染。就水质的污染而言,大体有如下几种情况:

（1）有毒物,包括:含汞、镉、铬的化合物以及氰化物等工业废料;杀虫剂、除草剂等农药。它们对人体以及水生动植物体都带来严重的危害。

（2）非毒的营养物质,包括:洗涤剂中的磷酸盐,化肥中的磷酸盐与硝酸盐,某些有机物等等。这些富有营养化的物质会使水生藻类、根茎植物和细菌不正常地大量增殖,从而充塞水体并耗用水中大量的氧,以致使鱼类等水生动物无法生存。

（3）热污染。某些工业排放物会提高水温。这样,一方面会降低氧气的溶解度,另一方面又会促进藻类和微生物的增殖,而这两方面都会影响到鱼类等水生动物的生存,从而破坏了生态平衡。

鉴于用途不同,对水的纯度也会有不同之要求,因此净化的方法自然也不尽相同。下面介绍几种常用的净化方法。

（a）食用水的净化

通常,食用水多取自江河湖泊之水。自来水厂通过自然沉降先除去泥沙,然后借助于 $Al(OH)_3$ 或 $Fe(OH)_3$ 胶状沉淀除去悬浮物。所得的水再通入氯气以除去臭气、杀死细菌,这样处理过的水就可供人们食用。

(b) 硬水软化

自然水中往往含较多过量的 Ca^{2+}、Mg^{2+}、Fe^{2+}、Cl^-、SO_4^{2-} 和 HCO_3^- 等离子,不利于工业应用(生成锅垢)和家庭使用(浪费肥皂),必须除去它们。软化方法有化学沉降法和离子交换法两种。

① 化学沉降法

利用石灰乳和纯碱除去 Mg^{2+} 和 Ca^{2+} 等离子:

$$Mg^{2+} + Ca(OH)_2 \!=\!=\!=\! Mg(OH)_2 \downarrow + Ca^{2+}$$

$$Ca^{2+} + Na_2CO_3 \!=\!=\!=\! CaCO_3 \downarrow + 2Na^+$$

滤去沉淀后,水即可使用。

也可用 Na_3PO_4 或 Na_2HPO_4 作沉淀剂,使之生成 $Ca_3(PO_4)_2$ 和 $Mg_3(PO_4)_2$,不必过滤,因沉淀疏松且稳定,不会生成锅垢,所以带有磷酸盐沉淀的水即可送入锅炉使用。

② 离子交换法

早期,人们使用自然界中存在的泡沸石(一种铝硅酸钠),利用其中的 Na^+ 离子来交换水中的 Ca^{2+}、Mg^{2+} 离子而使硬水软化。今日许多新型的合成树脂被用作离子交换剂,交换出的软水可以满足工业要求。

(c) 实验室中所需高纯水的制备

① 蒸馏水

先将水加热蒸发,然后冷凝蒸出的水蒸气即成蒸馏水。能满足于一般实验要求,可用来配制化学试剂或作反应介质。

② 电导水

若在普通蒸馏水中加入少量高锰酸钾 $KMnO_4$ 和氢氧化钡 $Ba(OH)_2$,并且进行蒸馏,则可除去水中微量的有机杂质和挥发性的酸性氧化物(如 CO_2)。这种水的纯度比普通蒸馏水还要高,已不能用一般化学方法来检验,而常用电导仪测量其电导率来衡量,所以经这种处理方法所得到的水叫做电导水。它通常被保存于石英器皿中,因为玻璃中所含的钠盐及其它杂质会慢慢溶于水中而降低电导水的纯度。

③ 离子交换水

若既交换了水中除 H^+ 外的阳离子,又交换了水中除 OH^- 外的阴离子,则水的纯度一定更高。具有这种交换性能的离子交换树脂,通常是由人工合成的有机高分子化合物。这种化合物的分子包括两个部分,一部分是交联成网状的立体高分子骨架,另一部分是联在骨架上的可电离的活性基团,如作为阳离子交换剂使用的 $RSO_3^- H^+$ 和作为阴离子交换剂使用的 $RNH_3^+ OH^-$。经过阳、阴两种离子交换剂的连接使用,比较彻底地除去了水中的金属离子,但不能除去水中所含的微量有机物质,或甚至水中溶有交换树脂中某些可溶部分,所以离子交换水的纯度要差一些,不过制取离子交换水的速度很快,这一点是其它方法所不及的。

§13-4 过氧化氢

4-1 过氧化氢的分子结构

对过氧化氢分子结构的研究表明,过氧化氢分子中有一个过氧链 —O—O— ,每个氧原子上连着一个氢原子。这个分子不是直线形的,过氧链近似于在一本展开书本的夹缝位置,而两个氢原子在两页纸平面上,两种角度(O—O—H 键角和两面角)均接近 $100°$, O—O 键长为 149 pm, O—H 键长为 97 pm。

H_2O_2 分子中的成键作用和 H_2O 分子一样,其中的氧原子也是采取不等性的 sp^3 杂化,两个 sp^3 杂化轨道中的单电子一个同

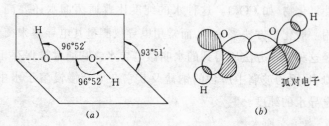

图 13 − 23 H₂O₂ 的分子结构

氢原子的 $1s$ 轨道重叠形成 H—O σ 键,另一个则同第二个氧原子的 sp^3 杂化轨道头对头重叠形成 O—O σ 键,其它两个 sp^3 杂化轨道中的电子是孤电子对,每个氧原子上的两个孤电子对间的排斥作用,使得 O—H 键向 O—O 键靠拢,所以键角∠HOO 小于四面体的值(109.5°),同时也使 O—O 键长比计算的单键值大。

4−2　过氧化氢的性质和用途

纯过氧化氢是一种淡蓝色的粘稠液体。它的分子结构决定着它的极性甚至比水还强(偶极矩为 2.26 D),所以它原则上也应是一个很好的极性溶剂,但由于它的不稳定性,没有实用价值。H_2O_2 分子之间也发生强烈的缔合作用,比水缔合程度还大,所以它的沸点(423 K)远比水高。但其熔点(272 K)与水接近,其密度随温度的变化正常。由于 H_2O_2 和 H_2O 皆为强极性物质,可以任何比例互溶,常用的 H_2O_2 水溶液有含 H_2O_2 质量分数为 3% 和 35% 两种。前者在医药上称为双氧水,有消毒杀菌的作用,这基于过氧化氢的氧化性。

H_2O_2 中氧的氧化数为 −1,因此,过氧化氢的特征化学性质是氧化性和不稳定性,在一定条件下它也可以表现出还原性,H_2O_2 还是一种稍比水强的弱酸。

H_2O_2 在较低温度和高纯度时还是比较稳定的,若受热到 426

K(153℃)以上便猛烈依下式分解:

$$2H_2O_2 =\!=\!= 2H_2O + O_2 \qquad \Delta H^\ominus = -196.4 \text{ kJ}\cdot\text{mol}^{-1}$$

H_2O_2 在碱性介质中的分解速度远比在酸性介质中快,杂质的存在,如重金属离子 Fe^{2+},Mn^{2+}、Cu^{2+} 和 Cr^{3+} 等都大大加速 H_2O_2 的分解。波长为320—380 nm的光也促使 H_2O_2 的分解。为了阻止 H_2O_2 的分解,必须针对热、光、介质、重金属离子四因素采取措施。现在,一般在实验室里常把过氧化氢装在棕色瓶内存放在阴凉处。有时加入一些稳定剂,如微量的锡酸钠 Na_2SnO_3、焦磷酸钠 $Na_4P_2O_7$ 或 8 - 羟基喹啉

等来抑制所含杂质的催化作用。

H_2O_2 在溶液中氧化能力的大小可以用标准电极电势数值表示

酸性溶液中 $\varphi_A^\ominus / V$

$$O_2 \underset{+0.6824V}{\overset{+1.495V}{\text{———}}} HO_2 \text{———} H_2O_2 \underset{1.776V}{\overset{+0.71V}{\text{———}}} H_2O$$

碱性介质中 $\varphi_B^\ominus$

$$O_2 \underset{-0.076V}{\overset{+0.413V}{\text{———}}} O_2^- \text{———} HO_2^- \underset{+0.878V}{\overset{-0.245V}{\text{———}}} OH^-$$

由电极电势可知,H_2O_2 在酸性溶液中是一种强氧化剂,而在碱性溶液中是一种中等还原剂。H_2O_2 最常用作氧化剂,因为它不给反应溶液带来可能作为不利杂质的产物。下述反应是定性检出和定量测定 H_2O_2 或过氧化物的常用反应:

$$H_2O_2 + 2I^- + 2H^+ =\!=\!= I_2 + 2H_2O$$

在酸性溶液中，H_2O_2 虽是强氧化剂，但遇强氧化剂（如 $KMnO_4$）时，也是一个还原剂。

表现 H_2O_2 氧化还原性的反应还有：

$$H_2O_2 + H_2SO_3 = SO_4^{2-} + 2H^+ + H_2O$$
$$H_2O_2 + 2Fe^{2+} + 2H^+ = 2Fe^{3+} + 2H_2O$$
$$H_2O_2 + Mn(OH)_2 \downarrow = MnO_2 \downarrow + 2H_2O$$
$$3H_2O_2 + 2NaCrO_2 + 2NaOH = 2Na_2CrO_4 + 4H_2O$$
$$5H_2O_2 + 2MnO_4^- + 6H^+ = 2Mn^{2+} + 5O_2 \uparrow + 8H_2O$$
$$3H_2O_2 + 2MnO_4^- = 2MnO_2 \downarrow + 3O_2 \uparrow + 2OH^- + 2H_2O$$

利用 H_2O_2 的氧化性，可漂白毛、丝织物和油画，双氧水也可作为消毒杀菌剂。

纯 H_2O_2 还可用作火箭燃料的氧化剂。在工业上利用 H_2O_2 的还原性除氯，不会给反应体系带来杂质：

$$H_2O_2 + Cl_2 = 2Cl^- + O_2 \uparrow + 2H^+$$

要注意质量百分比大于 30% 以上的 H_2O_2 水溶液会灼伤皮肤。

4-3 过氧化氢的制备

在实验室中，可以将过氧化钠加到冷的稀硫酸或稀盐酸中来制备过氧化氢：

$$Na_2O_2 + H_2SO_4 + 10H_2O \xrightarrow{\text{低温}} Na_2SO_4 \cdot 10H_2O + H_2O_2$$

在工业上，最早（十九世纪中叶）生产过氧化氢的方法是基于硫酸钡的难溶性与过氧化氢的弱酸性通过硫酸作用于过氧化钡而实现的：

$$BaO_2 + H_2SO_4 = BaSO_4 \downarrow + H_2O_2$$

另外，通二氧化碳于 BaO_2 溶液中也可得到过氧化氢：

$$BaO_2 + CO_2 + H_2O = BaCO_3 \downarrow + H_2O_2$$

后来，在 1908 年又发展起来了电解－水解法制取过氧化氢。该法的步骤是：首先以铂片作电极，通直流电于硫酸氢铵饱和溶液中得到过二硫酸铵：

$$2NH_4HSO_4 \xrightarrow{\text{电解}} (NH_4)_2S_2O_8 + H_2 \uparrow$$

$$\text{（阳极）} \qquad\qquad \text{（阴极）}$$

然后加入适量硫酸以水解过二硫酸铵即得过氧化氢：

$$(NH_4)_2S_2O_8 + 2H_2SO_4 =\!=\!= H_2S_2O_8 + 2NH_4HSO_4$$

$$H_2S_2O_8 + H_2O =\!=\!= H_2SO_5 + H_2SO_4$$

$$H_2SO_5 + H_2O =\!=\!= H_2SO_4 + H_2O_2$$

相加得：

$$(NH_4)_2S_2O_8 + 2H_2O \xrightarrow{H_2SO_4} 2NH_4HSO_4 + H_2O_2$$

生成的硫酸氢铵可循环使用。

1945 年以后发展起来的生产过氧化氢的方法是乙基蒽醌法。此法系以 2 - 乙基蒽醌和钯（或镍）为催化剂，由氢和氧直接化合成过氧化氢：

$$H_2 + O_2 \xrightarrow{2-\text{乙基蒽醌}\cdot\text{钯}} H_2O_2$$

在此过程中，2 - 乙基蒽醌在钯的催化下被氢气还原为 2 - 乙基蒽醇：

而 2 - 乙基蒽醇同氧反应即得过氧化氢：

同时，2—乙基蒽醌复出，可循环反应。

上述各法所得过氧化氢仅为其稀溶液。若减压蒸馏,可得质量百分比为 20~30% 的过氧化氢溶液;在减压下进一步分级蒸馏,H_2O_2 质量百分比可达 98%;再冷冻进行分级结晶,可得纯过氧化氢晶体。

§13－5　硫和它的化合物

5－1　单质硫

硫在地壳中的原子百分含量为 0.03% ,是一种分布较广的元素。它在自然界中以两种形态出现——单质硫和化合态硫。天然的硫化合物包括金属元素的硫化物和硫酸盐两大类。最重要的硫化物矿是黄铁矿 FeS_2 ,它是制造硫酸的一种重要原料。其次是有色金属元素(Cu,Pb,Zn 等)的硫化物矿。在天然的硫酸盐中以石膏 $CaSO_4 \cdot 2H_2O$ 和芒硝 $Na_2SO_4 \cdot 10H_2O$ 为最丰富。

在火山地区常蕴藏有天然单质硫的矿床,这可能是由地下的硫化物矿床与高温水蒸气作用生成硫化氢,它受氧化或与二氧化硫作用而形成了单质硫的沉积矿床:

$$2H_2S + SO_2 \mathbin{=\!=\!=} 3S + 2H_2O$$

$$2H_2S + O_2 \mathbin{=\!=\!=} 2S + 2H_2O$$

工业上也利用这两个反应从工业废气中回收单质硫。

在常压下,已知至少有四种稳定存在的单质硫,其中最常见的是斜方硫和单斜硫。

常温下,稳定的斜方硫的结构单元是环 S_8 分子(皇冠构型)在此构型中键长是 206 pm,内键角为 108°,二面角为 98°。斜方硫密度为 2.06 $g \cdot cm^{-3}$ 熔点为 385.8 K。在 368.4 K 时,斜方的 $\alpha - S_8$ 转变成密度为 1.99 $g \cdot cm^{-3}$,熔点为 392 K 的单斜硫,常温下又迅速回复成斜方硫。

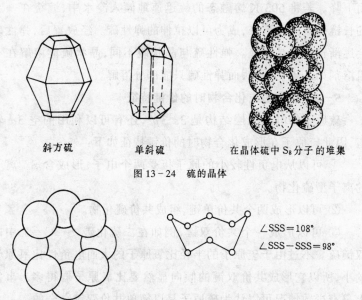

斜方硫　　　　　　单斜硫　　　　　　在晶体硫中 S_8 分子的堆集

图 13-24　硫的晶体

$\angle SSS = 108°$

$\angle SSS-SSS = 98°$

图 13-25　S_8 分子

单质硫的 S_8 环状结构中,每个硫原子采取 sp^3 杂化态形成两个共价单键。把单质硫加热到 433 K 时,S_8 环开始破裂变成开链状的线型分子,并且聚合成更长的链。进一步加热到 563 K 以上,长硫链就会断裂成较小的分子如 S_6,S_3,S_2 等。在压强为 13 Pa,温度在 1 473 K 以上,硫蒸气离解成 S 原子。若压强在 13—133 Pa、温度为 773 K 时,硫蒸气中含有 S_2 分子。在液态氮表面上,硫蒸气冷凝成为紫色固体,此固体温热时又转变成晶体和无定形硫的混合物。这种形式的硫有顺磁性,表明有 S_2 分子存在。在 473 K~637 K 液态硫蒸发得到的蒸气能够冷凝成绿色固体;从固态硫升华得到的蒸气再冷凝成可得黄色固态硫。

熔融态的环 S_8 分子具有很高的粘滞性,432 K 粘性迅速增加,比热容也突然上升,468 K 附近粘性最大,超过此温度粘性反而下降。若将 503 K 熔融态的硫迅速地倾入冷水中,缠绕在一起的长链硫被固定下来,成为可以拉伸的弹性硫。经放置后,弹性硫会逐渐转变成晶状硫。弹性硫与晶状硫不同,晶状硫能溶解在有机溶剂如二硫化碳中,而弹性硫只能部分溶解。

5-2 硫在形成化合物时的价键特征

硫原子的电子壳层结构是 $3s^2 3p^4$,还有可以利用的空 $3d$ 轨道,因此硫原子在形成化合物时的价键特征如下:

① 可以从电负性较小的原子接受两个电子,形成含 S^{2-} 离子的离子型硫化物。

② 可以形成两个共价单键,组成共价硫化物。

③ 可以形成一个共价双键,例如在二硫化碳 S=C=S 中的双键硫。不过由于硫原子的半径比氧原子的大而电负性比氧原子的小,所以它形成共价双键的倾向显然要比氧原子弱得多。事实上只有少数情况可以认为硫原子是以简单共价双键结合的。

④ 硫原子有可以利用的 $3d$ 轨道,$3s$ 和 $3p$ 中的成对电子可以经跃迁拆开而成单地进入 $3d$ 轨道,然后参加成键,这样可以形成氧化数高于 2 的正氧化态。在其中,硫的最高氧化数可以达到 +6。此外硫也可以有条件地生成较多的复键。

⑤ 从单质硫的结构特征来看,它能形成 —S_n— 长硫链。长硫链也可以成为形成化合物的结构基础,例如多硫化氢 H_2S_n(硫烷)、多硫化物 MS_n 和连多硫酸 $H_2S_nO_6$。这个特点是本族其它元素所少见的。

硫离子 S^{2-} 的半径比氧离子 O^{2-} 大,从而有较大的变形性,能在氧化剂作用下丢失电子,即 S^{2-} 有较强的还原性。这样,就使得具有多种氧化态的元素在硫化物中往往显较低氧化态,而在氧化物中相应元素却可以表现出最高氧化态。例如锇的氧化物可以有最高氧化态的 OsO_4,但它的硫化物却是 OsS_2。

根据上面的分析可以看出,硫在所形成的化合物中的成键特征和价键结构是多种多样的。现把硫的成键特征和价键结构归纳在表 13-8 中。

表 13-8　硫原子的成键特征和价键结构

结构基础	杂化态	结构图式	σ键数	π键数	孤电子对	分子形状	化合物举例
S 原子	sp^2	:S=	1	1	2	直线形	S=C=S ,
		:S⟨	2	2	1	V 形	SO_2
		=S⟨	3	3	0	平面三角形	SO_3(气态)
	sp^3	:S⟨	2	0	2	V 形	H_2S,SCl_2
		—S̈⟨	3	1	1	三角锥形	$SOCl_2$
		—S⟨	4	2	0	四面体形	H_2SO_4 SO_2Cl_2
	sp^3l	:S	4	0	1	变形四面体	SF_4,SCl_4
	sp^3d^2	S	6	0	0	正八面体	SF_6,S_2F_{10}
S 原子	离子键	:S:$^{2-}$					Na_2S,CaS

多硫链 —S_n—	链长	化合物举例		备　注
	$n=2$(离子键)	FeS_2,Na_2S_2		
	$n=2$(共价键)	Cl—S—S—Cl		类似于过氧化物
		H—S—S—H		
	$n=x$	H_2S_x 多硫化氢和多硫化物		
	$n=2-6$	$H_2S_nO_6$ 连多硫酸和盐		

5-3　硫的氧化态-吉布斯自由能图

　　硫可以表现出多种氧化态,不同氧化态的稳定性和反应的吉布斯自由能 $\Delta G^{\ominus}$ 有密切的关系,不同氧化态的自由能 $\Delta G^{\ominus}$ 绘于图 13-26 中。

　　由图可见,氧化数为零的硫从热力学上看是比较稳定的。

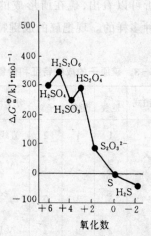

图 13-26 在 pH=0 时,以单质为基准,硫的
各种不同氧化态的吉布斯自由能

H_2SO_3,$S_2O_3^{2-}$ 等化合物都位于 H_2SO_4 和 S 的连线上方,因此它们
在热力学上是不稳定的,能发生歧化反应。

5-4 单质硫的制备、性质和用途

单质硫是从它的天然矿床或硫化物中制得的。把含有天然硫
的矿石隔绝空气加热,可把硫熔化而和砂石等杂质分开。要分离
出更纯净的硫,也可以进行蒸馏,硫蒸气冷却后形成微细结晶的粉
状硫,叫做硫华。从黄铁矿提取硫磺时,是将矿石和焦炭的混合物
放在炼硫炉中,在有限空气中燃烧,也可以分离出硫来。

$$3FeS_2 + 12C + 8O_2 = Fe_3O_4 + 12CO + 6S$$

生产中常把融化的硫铸成块状作为成品。

纯粹的单质硫是黄色晶状固体,密度约是水的二倍,熔点
385.8 K,沸点 717.6 K。它的导热性和导电性都很差,性松脆,不
溶于水,它能溶于二硫化碳 CS_2 中。从 CS_2 中再结晶,可以得到纯
度很高的晶状(斜方)硫。

世界上每年消耗大量的单质硫,其中大部分用于制造硫酸。在橡胶制品工业、造纸工业、火柴、焰火、硫酸盐、亚硫酸盐、硫化物等产品的生产中也要用掉可观数量的硫磺。还有一部分硫用于漂染工业、农药和医药工业中。

5-5 硫化氢和硫化物

（1）硫化氢

硫蒸气能和氢气直接化合生成硫化氢。但在实验室中 H_2S 是由金属硫化物同酸作用来制备的:

$$FeS(s) + H_2SO_4(aq) =\!=\!=\!= H_2S(g) + FeSO_4(aq)$$

$$Na_2S(aq) + H_2SO_4(aq) =\!=\!=\!= H_2S(g) + Na_2SO_4(aq)$$

前一反应,是以较小的量用启普发生器作为反应器来制备的,而后一反应适用于制备较大量的 H_2S,使用体积较大的反应容器。

硫化氢是一种无色有毒的气体,使用这种气体时必须在有效通风处进行。空气中含有体积分数为 0.1% 的 H_2S 会迅速引起头疼晕眩等症状,吸入大量 H_2S 会造成昏迷或死亡。经常与 H_2S 接触能引起嗅觉变迟钝、消瘦、头痛等慢性中毒。空气中 H_2S 的允许含量不得超过 $0.01\ \mathrm{mg \cdot dm^{-3}}$。

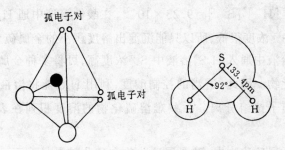

图 13-27 硫化氢分子的结构

硫化氢在 213 K 时凝聚成液体,187 K 时凝固。通常情况下

1 dm^{3}的水溶解 2.6 dm^3 的 H$_2$S 气体,浓度约为 0.1 mol·dm^{-3}。这种溶液叫做硫化氢水或氢硫酸。

H$_2$S 在水中有如下的电离作用。

$$H_2S \Longrightarrow H^+ + HS^- \qquad K_1 = 1.3 \times 10^{-8}$$

$$HS^- \Longrightarrow H^+ + S^{2-} \qquad K_2 = 7.1 \times 10^{-15}$$

在硫化氢和硫化物中的硫处于最低氧化态-2,所以硫化氢和硫化物都有还原性,能被氧化成单质硫或到更高的氧化态,有关的氧化还原电势如下:

$$S + 2H^+ + 2e^- \Longrightarrow H_2S \qquad \varphi_A^\ominus = 0.14 \text{ V}$$

$$S + 2e^- \Longrightarrow S^{2-} \qquad \varphi_B^\ominus = -0.45 \text{ V}$$

碘能将 H$_2$S 氧化成单质硫。更强的氧化剂,如单质溴可以把 H$_2$S 氧化成硫酸:

$$H_2S + I_2 \Longrightarrow 2HI + S\downarrow$$

$$2H_2S + O_2 \Longrightarrow 2H_2O + 2S\downarrow$$

$$H_2S + 4Br_2 + 4H_2O \Longrightarrow H_2SO_4 + 8HBr$$

(2) 硫化物和多硫化物

许多金属离子在溶液中与硫化氢或硫离子作用,生成溶解度很小的硫化物。饱和的 H$_2$S 水溶液中氢离子和硫离子浓度之间的关系是 $[H^+]^2[S^{2-}] = 9.23 \times 10^{-22}$,在酸性溶液中通 H$_2$S,溶液中自由 S^{2-} 浓度很低,所以只能沉淀出溶度积小的金属硫化物;而在碱性溶液中通入 H$_2$S,溶液中 S^{2-} 浓度高,可将多种金属离子沉淀成硫化物。因此,适当的控制酸度,利用 H$_2$S 能将溶液中的不同金属离子按组分离。一些难溶硫化物的溶度积列在表 13－9 中。

在金属硫化物中,碱金属硫化物和硫化铵是易溶于水的。但 8 电子外壳电荷较高的阳离子(碱土金属元素,钪族元素和镧系元素)的硫化物较为难溶,并有水解作用。电荷进一步增高时,由于离子水解作用加强以及硫离子自身的还原性,因而不易生成稳定的硫化物。如果阳离子的电子构型是 18 电子外壳、18＋2 电子外壳或不规则外壳的,则由于这些离子和硫离子间有强烈的相互极化作用,因而生成难溶的有色硫化物。可生成这些硫化物的元素在周期系中占有一个集中的区域,如表 13－10 所示。

表 13－9　重金属硫化物的溶度积

化 合 物	K_{sp}	色	化 合 物	K_{sp}	色
Ag_2S	2×10^{-49}	黑	Hg_2S	1×10^{-47}	黑
Bi_2S_3	1×10^{-87}	黑	HgS	4×10^{-53}	红
CdS	8×10^{-27}	黄	MnS(晶形)	2×10^{-13}	肉色
$\beta-CoS$	2×10^{-25}	黑	$\beta-NiS$	1×10^{-24}	黑
Cu_2S	2×10^{-48}	黑	PbS	1×10^{-28}	黑
CuS	6×10^{-36}	黑	SnS	1×10^{-25}	灰色
FeS	6×10^{-18}	黑	$\beta-ZnS$	2×10^{-22}	白

表 13－10　在水溶液中形成的难溶硫化物

VIB	VIIB	VIII			IB	IIB	IIIA	IVA	VA
			FeS		CuS	ZnS		GeS_2	As_2S_5
	MnS		Fe_2S_3	CoS NiS	Cu_2S			GeS	As_2S_3
MoS_3	Te_2S_7	RuS_2		RhS_2 PdS	Ag_2S	CdS	In_2S_3	SnS_2	Sb_2S_5
						HgS		SnS	Sb_2S_3
WS_3	Re_2S_7	OsS_2		IrS_2 PtS	Au_2S	Hg_2S	Tl_2S	PbS	Bi_2S_3

注:虚线的右上方是常见的难溶硫化物。

Na_2S 是工业上有较多用途的一种水溶性硫化物,它是一种白色晶状固体,熔点 1 453 K,在空气中易潮解。常见的商品是它的水合晶体 $Na_2S\cdot9H_2O$。在工业上它广泛地用于涂料、食品、漂染、制革,荧光材料等。它是通过还原天然芒硝来进行大规模的工业生产的,工艺原理如下:

（A）用煤粉高温还原 Na_2SO_4:

$$Na_2SO_4 + 4C \xrightarrow[\text{1 373 K}]{\text{高温转炉}} Na_2S + 4CO$$

（B）用氢气还原 Na_2SO_4：

$$Na_2SO_4 + 4H_2 \xrightarrow[\text{1273 K}]{\text{沸腾炉}} Na_2S + 4H_2O$$

$(NH_4)_2S$ 是一种常用的水溶性硫化物试剂，它是将 H_2S 通入氨水中而制备的。硫化铵为黄色晶体。

$$2NH_3 \cdot H_2O + H_2S =\!=\!= (NH_4)_2S + 2H_2O$$

硫化钠或硫化铵溶液能够溶解单质硫，就好象碘化钾溶液可以溶解单质碘一样，在溶液中生成多硫化物：

$$Na_2S + (x-1)S =\!=\!= Na_2S_x$$

$$(NH_4)_2S + (x-1)S =\!=\!= (NH_4)_2S_x$$

碱金属和碱土金属多硫化物可以制成晶状盐，只有 M_2S_4 和 M_2S_5（M 为碱金属元素或铵）可以形成稳定的水溶液。多硫化物溶液一般显黄色，其颜色可随着溶解的硫的增多而加深，最深为红色。多硫化物是一种硫化试剂，在反应中它向其它反应物提供活性硫，例如：

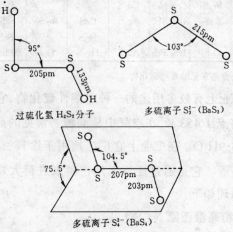

图 13-28 过硫化氢分子和多硫离子的结构

$$SnS + (NH_4)_2 S_2 \Longrightarrow (NH_4)_2 SnS_3$$

上述反应中 Sn(II) 的硫化物能同多硫化铵〔如以 $(NH_4)_2 S_2$ 代表〕反应,生成 Sn(IV) 的硫代酸盐而溶解。这里 Sn(II) 转化成 Sn(IV) 的氧化作用,就是通过多硫化铵中的活性硫的作用而实现的。当多硫化物 $M_2 S_x$ 中的 $x = 2$ 时,$Na_2 S_2$ 或 $(NH_4)_2 S_2$ 可叫做过硫化物,实际上它们是过氧化物的同类化合物。向过硫化钠溶液中加酸,可以得到不稳定的化合物过硫化氢 $H_2 S_2$,过硫化物 $Na_2 S_2$ 是过硫化氢 $H_2 S_2$ 的盐。

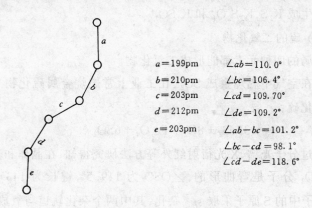

$a = 199pm$ $\angle ab = 110.0°$
$b = 210pm$ $\angle bc = 106.4°$
$c = 203pm$ $\angle cd = 109.70°$
$d = 212pm$ $\angle de = 109.2°$
$e = 203pm$ $\angle ab - bc = 101.2°$
$\angle bc - cd = 98.1°$
$\angle cd - de = 118.6°$

图 13-29 多硫离子,S_6^{2-} 的结构

5-6 硫属元素的氧化物

(1) 硫的氧化物

除了熟知的 SO_2,SO_3 以外,还有一些不稳定的氧化物,如 SO,SO_4,$S_2 O$,$S_2 O_2$ 及环氧簇氧化物 $S_5 O$,$S_6 O$,$S_7 O$,$S_7 O_2$,$S_8 O$。其中 $S_5 O$ 可存在于溶液中,$S_6 O$ 和 $S_7 O$ 是通过 $SF_3 CO_3 H$ 氧化 S 得到的。$SOCl_2$ 和 $H_2 S_n$ 之间反应可制得 $S_8 O$。从结构上看,$S_n O$ 和 $S_2 O$ 分子内有一个 O 原子与环上的 S 原子相连,S—O 键长约为 220 pm。SO 通常是指等物质的量的 $S_2 O$ 和 SO_2 的混合物。SO 是短寿命的原子团。它可通过放电产生的氧与固态硫化合而得

到。用微波光谱测得 SO 分子中 S—O 键长为 148 pm,偶极矩 (μ)等于 1.55 D。

一氧化二硫 S_2O 是将 S 与 SO_2 的混合物在 420—470 K 的温度下进行放电,或将某种重金属氧化物在低压下与硫蒸气加热制得。其结构用 SSO 表示,S—S 键长为 188 pm, S—O 键长为 146 pm,$\angle SSO$ 为 118°。S_2O 具有游离基的性质,在低压下可保存数日,与 Hg,Fe,Cu 接触时可立即反应。KOH 的乙醇溶液与 S_2O 反应则生成 $K_2S,K_2S_2O_4$ 和 K_2SO_3。

(2) 硫的二氧化物

硫属的四种元素都能形成二氧化物。

硫在空气中燃烧生成 SO_2,在工业上常燃烧金属硫化物来制备二氧化硫:

$$3FeS_2 + 8O_2 = Fe_3O_4 + 6SO_2 \uparrow$$

通过分子光谱、X 光衍射红外等方法研究得知,在晶体和蒸气中的 SO_2 分子是弯曲形的,$\angle OSO$ 为 119.5°,键长为 143 pm。SO_2 分子中的 S 原子采取 sp^2 杂化,其中两个杂化轨道与氧成键,另一杂化轨道中有一对孤电子对。

SO_2 是一种无色有刺激臭味的气体,它也是一种大气污染物。SO_2 的职业性慢性中毒会引起丧失食欲,大便不通和气管炎症。空气中 SO_2 含量不得超过 0.02 mg·dm^{-3}。由于 SO_2 是极性分子,常压下,263 K 就能液化,而且易溶于水,在常况下每 dm^3 水能溶解 40 dm^3 的 SO_2,相当于质量分数为 10% 的溶液。

SO_2 可做配体以不同的方式与过渡金属形成配合物。SO_2 中 S 的氧化数为 +4,所以 SO_2 即有氧化性又有还原性,但还原性是主要的。只有遇到强还原剂时,SO_2 才表现出氧化性。典型的氧化还原反应如下:

$$2SO_2 + O_2 \xrightarrow{\text{催化剂}} 2SO_3$$

$$2H_2S + SO_2 \Longrightarrow 3S + 2H_2O$$

$$SO_2 + 2CO \xrightarrow[\text{铝矾土}]{773\ K} S + 2CO_2$$

SO_2 常用作消毒杀菌剂和漂白剂。

将 Se 在空气中燃烧便得 SeO_2，它是无色的晶体，在 588 K 时升华，加压下融化变为橙色的液体，冷却时颜色消失。根据 X 射线衍射分析，晶体是由无限长的链状分子组成。

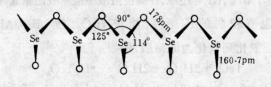

对蒸气态 SeO_2 分子量研究得知，Se—O 键长 160.7 pm，O—Se—O 键角 114°。蒸气中也存在二聚态 SeO_2，红外研究表明它是桥状结构。

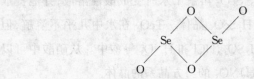

在有机化学中，SeO_2 被用来将含 —CH$_2$—CO— 原子团的醛或酮氧化成为 —CO—CO— ，此时 SeO_2 被还原为 Se。

SeO_2 是中强的氧化剂。NH_3，NH_2OH 和 N_2H_4 很容易将它还原成硒，H_2S，SO_2 水溶液或液态 SO_2 的吡啶溶液也有类似的作用。例如：

$$3SeO_2 + 4NH_3 \longrightarrow 3Se + 2N_2 + 6H_2O$$

$$SeO_2 + N_2H_4 \longrightarrow Se + N_2 + 2H_2O$$

$$SeO_2 + 2SO_2 + 2H_2O \longrightarrow Se + 2H_2SO_4$$

$$SeO_2 + 2SO_2 + 2Py \longrightarrow Se + 2Py \cdot SO_3$$

碲在空气中燃烧或将碲溶于热的 HNO_3 并将所得溶液蒸发至干,再于 433—673 K 下使碱式硝酸碲 $2TeO_2 \cdot HNO_3$ 热分解,均可制得 TeO_2。

TeO_2 是白色固体,加热变黄,并在 100.5 K 时熔化成深红色液体,挥发性比 SeO_2 低得多。TeO_2 有两种晶型:四方晶系的 α 型和正交晶系的 β 型。

二氧化碲也是中强氧化剂(氧化性比 SeO_2 稍弱)。在高温下能被 Al,Zn,Cd,Bi,Ag 等金属及 C,P 等非金属还原为碲。在酸性溶液中可被 SO_2,$SnCl_2$,N_2H_4,KI 等还原,在碱性溶液中被草酸还原成碲。

TeO_2 也有较弱的还原性,能被 H_2O_2,Cl_2,Br_2,MnO_4^- 和 $Cr_2O_7^{2-}$ 等强氧化剂氧化为原碲酸,例如:

$$TeO_2 + 2H_2O_2 + 2H_2O \longrightarrow H_6TeO_6$$
$$3TeO_2 + Cr_2O_7^{2-} + 8H^+ + 5H_2O \longrightarrow 3H_6TeO_6 + 2Cr^{3+}$$

SO_2,SeO_2,TeO_2 与水的反应是很有趣的。气态的 SO_2 溶解于水时不能析出 H_2SO_3,液态的 SO_2 在水中只能溶解一部分,却能以任何比例与苯混合。SeO_2 溶解于水时变成酸性溶液,并能提取出无色的六方晶系的 H_2SeO_3 晶体。TeO_2 在水中几乎不溶解,但它既溶于碱,又溶于 H_2SO_4,HCl 和 HNO_3 等酸中。从硝酸中可以析出组成为 $Te_2O_3(OH)NO_3$ 的斜方晶系的晶体。

PoO_2 可由金属钋与 O_2(或空气)在 523—573 K 下直接化合,或由 Po(IV)的碱式硫酸盐 $2PoO_2 \cdot SO_3$ 或碱式硒酸盐 $2PoO \cdot SeO_3$ 分别在 823 K 和 673 K 的热分解来制备。

PoO_2 有两种晶型:黄色的低温型是面心立方晶系;红色的高温型属四方晶系(只稳定几天)。

PoO_2 基本上是碱性氧化物,在浓酸中可生成正盐,如 $Po(NO_3)_4$ 和 $Po(SO_4)_2$。它几乎不溶于水及稀碱,在与 KOH 熔融形成的熔体中,可能含有 K_2PoO_3。PoO_2 不与液态 SO_2 作用,但可在 523 K 被 NH_3 或 H_2S 及在 473 K 被 H_2 缓慢还原成单质。

(3) 硫的三氧化物

三氧化硫 SO_3 是通过二氧化硫的催化氧化来制备的,在工业上通常采用五氧化二钒 V_2O_5 来作催化剂:

$$2SO_2 + O_2 \xrightarrow[\text{723 K}]{V_2O_5} 2SO_3$$

纯净的 SO_3 是无色易挥发的固体,熔点 289.8 K、沸点 317.8 K。263 K 时密度为 2.29 $g \cdot cm^{-3}$,293 K 时为 1.92 $g \cdot cm^{-3}$。气态 SO_3,分子构型为平面三角形,键角120°,S—O 键长143 pm,显然具有双键的特征(S—O 单键长约为 155 pm)。固态的 SO_3 主要以两种形式存在。一种是石棉形的,它是由 SO_4 四面体连成一个无限长链分子(图13-30(b)),在链中 S—O 键长为161 pm,未共享的 O 与 S 的键长为141 pm。另一种固态 SO_3 是斜方修饰的三聚体$(SO_3)_3$,在环内(1)键长为162 pm,轴长(2)为137 pm,与轴垂直的键长(3)(赤道链长)为143 pm,∠SOS 键角是 121.5°。

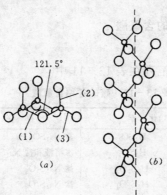

图 13-30

(a) 在斜方 SO_3 中环状的 S_3O_9 分子

(b) 石棉状的无限长链分子

三氧化硫溶于液态的 SO_2 中,在 SO_3 与 SO_2 间发生氧的交换。这可认为在溶液中存在下列平衡关系:

$$SO_2 + SO_3 \rightleftharpoons SO^{2+} + SO_4^{2-}$$

或

$$SO_2 + 2SO_3 \rightleftharpoons SO^{2+} + S_2O_7^{2-}$$

将 SO_3 溶于水便生成硫酸。

加热 K_2SeO_4 与 SO_3 得到 SeO_3 和 SO_3 的液态混合物,蒸馏除去 SO_3 可得到纯的 SeO_3。SeO_3 是无色易潮解的固体,它是硒酸酐。TeO_3 是橙色固体。将 H_6TeO_6 在氧气氛下用浓硫酸脱水,所形成的 TeO_3 是一种比较惰性的物质,它不与冷水或稀碱作用,只有与热盐酸反应时,才能表现出它的氧化性。在加压下形成的晶体 TeO_3 表现更强的惰性。

硫属中只有硫能形成聚过氧化物。将干燥的 SO_2 与 O_2 通过臭氧发生器时,便制得实验式为 $SO_{3\sim4}$ 白色的固态聚合体。这种物质是强氧化剂,能将苯胺氧化到硝基苯,水解后生成 H_2SO_5 和 H_2SO_4 的混合物。

5-7 硫属元素的含氧酸

(1)硫的含氧酸

硫的各种含氧酸汇列在表 13-11 中。

表 13-11 硫的各种含氧酸

名 称	化 学 式	存 在 形 式
次 硫 酸	H_2SO_2	盐 Na_2SO_2
亚 硫 酸	H_2SO_3	水溶液和盐 Na_2SO_3,$NaHSO_3$
一缩二亚硫酸	$H_2S_2O_5$	盐 $Na_2S_2O_5$
连二亚硫酸	$H_2S_2O_4$	盐 $Na_2S_2O_4$
硫 酸	H_2SO_4	纯酸,盐和水溶液
焦 硫 酸	$H_2S_2O_7$	纯酸(熔点 35℃),盐
硫 代 硫 酸	$H_2S_2O_3$	盐 $Na_2S_2O_3$
连 多 硫 酸	$H_2S_xO_6$	$x=2\sim5$,盐和水溶液

（a）亚硫酸　亚硫酸不能从水溶液中分离出来，它的水溶液依下式电离：

$$H_2O + H_2SO_3 \Longrightarrow H_3O^+ + HSO_3^- \qquad pK_a = 1.77$$

其氧化还原电位为：

$$SO_4^{2-} + 4H^+ + 2e^- \Longrightarrow H_2SO_3 + H_2O \qquad \varphi^\ominus = +0.17 \text{ V}$$

$$H_2SO_3 + 4H^+ + 4e^- \Longrightarrow S + 3H_2O \qquad \varphi^\ominus = +0.45 \text{ V}$$

因此，亚硫酸是相当强的还原剂，但由于亚硫酸中硫处于中间价态（氧化数为 +4），所以它也能被其它更强的还原剂（如 H_2S 等）还原成单质硫。典型反应如下：

$$H_2O + SO_3^{2-} + Cl_2 \Longrightarrow SO_4^{2-} + 2Cl^- + 2H^+$$

$$2H^+ + SO_3^{2-} + 2H_2S \Longrightarrow 3S + 3H_2O$$

亚硫酸是二元酸，所以存在酸式盐 $MHSO_3$ 和正盐 M_2SO_3（M 代表一价金属元素）。加热 $MHSO_3$ 产生一缩二亚硫酸盐 $M_2S_2O_5$：

$$2NaHSO_3 \overset{\Delta}{\Longrightarrow} Na_2S_2O_5 + H_2O$$

亚硫酸盐受热容易发生歧化反应而分解：

$$4Na_2SO_3 \Longrightarrow 3Na_2SO_4 + Na_2S$$

亚硫酸盐容易被空气中的氧所氧化，所以保存亚硫酸盐要避免与氧接触。

用锌粉还原酸式亚硫酸钠，或用钠汞齐与干燥的二氧化硫作用，可以得到连二亚硫酸钠：

$$2NaHSO_3 + Zn \Longrightarrow Na_2S_2O_4 + Zn(OH)_2$$

$$2Na[Hg] + 2SO_2 \Longrightarrow Na_2S_2O_4 + 2Hg$$

上面的反应在无氧条件下进行，可得到白色粉末状的 $Na_2S_2O_4$ 存在形式为 $Na_2S_2O_4 \cdot 2H_2O$，它在热水中分解。

$Na_2S_2O_4$ 在碱性介质中是一种强还原剂：

$$2SO_3^{2-} + 2H_2O + 2e^- \Longrightarrow S_2O_4^{2-} + 4OH^- \qquad \varphi_B^\ominus = -1.12 \text{ V}$$

它能把有机硝基化合物还原成胺。在工业上这个化合物叫做保险粉。X光衍射分析表明,在保险粉中的 $S_2O_4^{2-}$ 离子是由两个 SO_2 原子团通过 S—S 键(键长为239 pm)结合而成的。

从图 13-26 可见连二亚硫酸位于亚硫酸和硫代硫酸连线的上方,因此溶液极不稳定,容易发生歧化反应:

$$2S_2O_4^{2-} + H_2O \Longrightarrow S_2O_3^{2-} + 2HSO_3^-$$

（b）硫酸　　纯硫酸是无色油状液体,凝固点为283.36 K,沸点为 611 K(质量分数98.3%),密度为 1.854 g·cm^{-3},相当于浓度为 18 mol·dm^{-3}。浓硫酸溶于水产生大量的热,若不小心将水倾入浓硫酸中,将会因为产生剧热而导致爆炸。因此在稀释硫酸时,只能把浓硫酸在搅拌下缓慢地倾入水中,绝不能反之!

由于硫酸的强氧化性和脱水性,它对于动植物组织有很强的腐蚀性,如果在工作中不小心将浓硫酸滴落在皮肤上,应该立即用大量水冲洗(勿用力摩擦!),然后用稀氨水浸润伤处,最后再用水冲洗,这样才不至于造成严重的灼伤。

浓硫酸是工业上和实验室中最常用的干燥剂,用以干燥氯气、氢气和二氧化碳等气体。

浓硫酸不但能吸水,而且还能从一些有机化合物(即碳水化合物如,蔗糖、布、纸等)中,夺取与水分子组成相当的氢和氧,使这些有机物碳化。例如:

$$C_{12}H_{22}O_{11} \xrightarrow{\text{浓硫酸}} 12C + 11H_2O$$

（蔗糖）

硫酸是强二元酸,在稀硫酸溶液中,第一步电离是完全的:

$$H_2SO_4 \Longrightarrow H^+ + HSO_4^-$$

第二步电离程度则较低:

$$HSO_4^- \Longrightarrow H^+ + SO_4^{2-} \qquad K_2 = 1.2 \times 10^{-2}$$

稀硫酸与电位序在氢以前的金属如 Mg,Zn,Fe 等作用而放出氢气:

$$Fe + H_2SO_4 \Longrightarrow FeSO_4 + H_2 \uparrow$$

当硫酸浓度增高时,就显示出氧化性,热的浓硫酸具有强氧化性;可以氧化许多金属和非金属,例如:

$$C + 2H_2SO_4 \Longrightarrow CO_2 + 2SO_2 + 2H_2O$$

$$Cu + 2H_2SO_4 \Longrightarrow CuSO_4 + SO_2 + 2H_2O$$

冷的浓硫酸不与铁、铝等金属作用,这是因为在冷的浓硫酸中铁、铝表面生成一层致密的保护膜保护了金属,使之不与硫酸继续反应,这种现象称为钝化。所以可用铁、铝制的器皿盛放浓硫酸。

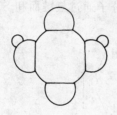

(a)硫酸分子的结构

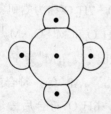
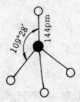

(b)硫酸根离子的结构

$a = 155\text{pm}$ $\angle ab = 116°$
$b = 142\text{pm}$ $\angle ac = 104°$
$c = 152\text{pm}$ $\angle ad = 112°$
$d = 143\text{pm}$ $\angle bc = 98°$
               $\angle bd = 117°$
               $\angle cd = 109°$

图 13-31 硫酸和硫酸根离子的结构

硫酸能生成两类盐:正盐和酸式盐。硫酸盐一般较易溶于水,在普通硫酸盐中 $CaSO_4$,$BaSO_4$ 和 $PbSO_4$ 的溶解度较小:

$$Ba^{2+} + SO_4^{2-} =\!=\!= BaSO_4 \downarrow \qquad K_{sp} = 1.1 \times 10^{-10}$$

$$Pb^{2+} + SO_4^{2-} =\!=\!= PbSO_4 \downarrow \qquad K_{sp} = 1.6 \times 10^{-5}$$

X 光衍射结构分析表明,SO_4^{2-} 离子是正四面体结构的,这个离子中的键长(S—O $= 144$ pm)表明 S—O 键有很大程度的双键的性质。

在固体盐中,这个离子往往携带"阴离子结晶水",例如 $CuSO_4$ · $5H_2O$ 和 $FeSO_4$ · $7H_2O$,它们的组成可以分别写成为 $[Cu(H_2O)_4^{2+}][SO_4(H_2O)^{2-}]$ 和 $[Fe(H_2O)_6^{2+}][SO_4(H_2O)^{2-}]$,这个水合阴离子的结构一般认为是水分子通过氢键而和 SO_4^{2-} 离子中的氧原子相联结:

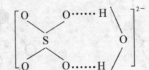

这类带结晶水的盐通常也称为矾,如 $CuSO_4 \cdot 5H_2O$ 称为胆矾或蓝矾,$FeSO_4 \cdot 7H_2O$ 称为绿矾,$ZnSO_4 \cdot 7H_2O$ 称为皓矾等。化学上真正属于矾的是:$M_2^I SO_4 \cdot M^{II}SO_4 \cdot 6H_2O$ 和 $M_2^I SO_4 \cdot M_2^{III}(SO_4)_3 \cdot 24H_2O$,式中 M^I 为 NH_4^+,Na^+,K^+,Rb^+,Cs^+;M^{II} 为 Fa^{2+},Co^{2+},Ni^{2+},Zn^{2+},Cu^{2+},Hg^{2+};M^{III} 为 Fe^{3+},Cr^{3+},Al^{3+} 等。符合前一通式的有著名的摩尔盐 $(NH_4)_2SO_4 \cdot FeSO_4 \cdot 6H_2O$,符合后一通式的有大家所熟悉的明矾 $K_2SO_4 \cdot Al_2(SO_4)_3 \cdot 24H_2O$。

在酸式盐中,只有碱金属元素(Na,K)能形成稳定的固态盐。酸式盐易溶于水,受热易熔化,强烈时分解为正盐和三氧化硫。

硫酸是一种重要的基本化工原料,往往用硫酸的年产量来衡量一个国家的化工生产能力。硫酸大部分消耗在肥料工业(磷肥、氮肥)中,其它在石油、冶金等许多工业部门,都要消费大量硫酸。

许多硫酸盐有很重要的用途,例如 $Al_2(SO_4)_3$ 是净水剂,造纸充填剂和媒染剂。$CuSO_4 \cdot 5H_2O$ 是消毒剂和农药,$FeSO_4 \cdot 7H_2O$ 是农药和治疗贫血的药剂,也是制造蓝黑墨水的原料。芒硝 $Na_2SO_4 \cdot 10H_2O$ 是重要化工原料等。

(c)焦硫酸　将 SO_3 溶于浓硫酸时得到组成为 $H_2SO_4 \cdot xSO_3$ 的发烟硫酸,当 $x=1$,就形成焦硫酸 $H_2S_2O_7$。它是一种无色的晶状固体,熔点 308 K,结构式为:

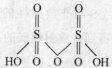

焦硫酸具有比浓硫酸更强的氧化性,它是良好的磺化剂,用于制造某些染料、炸药和其它有机磺酸化合物。它同水作用生成硫酸。

将硫酸氢钠加强热能制得焦硫酸钠:

$$2NaHSO_4 \xrightarrow{\Delta} H_2O + Na_2S_2O_7$$

焦硫酸钠被水解后生成 HSO_4^- 离子。

焦硫酸盐与某些难溶的碱性,两性氧化物共熔时,生成可溶性硫酸盐

$$Fe_2O_3 + K_2S_2O_7 \rule[0.5ex]{2em}{0.4pt} Fe_2(SO_4)_3 + 3K_2SO_4$$

$$Al_2O_3 + 3K_2S_2O_7 \rule[0.5ex]{2em}{0.4pt} Al_2(SO_4)_3 + 3K_2SO_4$$

(d)硫代硫酸及其盐　硫代硫酸非常不稳定。若想直接制取它,需在 195 K 使 H_2S 同 SO_3 在二氯二氟甲烷溶液中进行反应,或使 H_2S 在同样温度下与氯磺酸 HSO_3Cl 反应制得。

市售 $Na_2S_2O_3 \cdot 5H_2O$ 俗名海波或大苏打。它是无色透明的晶体,易溶于水,溶于水后呈碱性,遇酸立即分解,生成单质硫,放出 SO_2 气体:

$$Na_2S_2O_3 + 2HCl \Longrightarrow 2NaCl + S\downarrow + H_2O + SO_2\uparrow$$

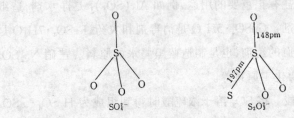

用此反应可鉴定 $S_2O_3^{2-}$ 的存在。$S_2O_3^{2-}$ 从结构上看与 SO_4^{2-} 类似,可以看成是 SO_4^{2-} 中一个非羟基 O 原子被 S 原子取代后的产物。

将放射性的同位素 ^{35}S 与非放射性的 Na_2SO_3 一起加热煮沸制成 $Na_2S_2O_3$,酸化时,得到含放射性硫的沉淀,溶液中的 SO_3^{2-} 没有放射性:

$$^{35}S + {}^{32}SO_3^{2-} \xrightarrow{\text{沸腾}} {}^{35}S{}^{32}SO_3^{2-} \xrightarrow{\text{酸性}} {}^{35}S\downarrow + {}^{32}SO_3^{2-}$$

这表明在两种硫之间并没有发生交换作用,因此,分子内两个原子是不等价的。用 $H_2{}^{35}S$ 进行如下反应:

$$4SO_2 + 2H_2S + 6NaOH \longrightarrow 3Na_2S_2O_3 + 5H_2O$$

当将生成的盐酸化时,也得到同样的结果,即 $S_2O_3^{2-}$ 的中心硫原子都是 SO_2 提供的,而配位的 S 原子是由 SO_2 和 H_2S 双方提供的。

制备硫代硫酸钠的方法是:将 Na_2S 和 Na_2CO_3 以 2:1 的物质的量(n)比配成溶液,然后通入 SO_2,反应大致可分三步进行:

1)Na_2CO_3 和 SO_2 中和生成 Na_2SO_3:

$$Na_2CO_3 + SO_2 \Longrightarrow Na_2SO_3 + CO_2$$

2)Na_2S 与 SO_2 作用生成 Na_2SO_3 和 H_2S:

$$Na_2S + SO_2 + H_2O \Longrightarrow Na_2SO_3 + H_2S$$

H_2S 是一个强还原剂,遇到 SO_2 时析出硫:

$$2H_2S + SO_2 \Longrightarrow 3S + 2H_2O$$

3）Na_2SO_3 与 S 作用生成 $Na_2S_2O_3$：

$$Na_2SO_3 + S =\!=\!= Na_2S_2O_3$$

将上面三个反应合并,得到以下的总反应：

$$2Na_2S + Na_2CO_3 + 4SO_2 =\!=\!= 3Na_2S_2O_3 + CO_2$$

溶液蒸浓后,冷却至 293—303 K 时即析出 $Na_2S_2O_3$ 晶体。利用上述方法制得的硫代硫酸钠常含一些硫酸钠和亚硫酸钠等杂质。

制备硫代硫酸钠的另一种方法是,在沸腾的温度下使亚硫酸钠溶液同硫粉反应：

$$Na_2SO_3 + S =\!=\!= Na_2S_2O_3$$

与此类似的,硒也能同亚硫酸盐反应生成相应的硒代硫酸盐：

$$SO_3^{2-} + Se \longrightarrow SSeO_3^{2-}$$

硫代硫酸盐在 pH 小于 4.6 的溶液中不稳定,因此在制备时,溶液必须控制在碱性范围内,否则将有硫析出而使产品变黄。

硫代硫酸钠是一个中等强度的还原剂：

$$S_4O_6^{2-} + 2e^- =\!=\!= 2S_2O_3^{2-} \qquad \varphi^{\ominus} = 0.09\ V$$

碘可将硫代硫酸钠氧化成连四硫酸钠：

$$2Na_2S_2O_3 + I_2 =\!=\!= Na_2S_4O_6 + 2NaI$$

从结构上看,这个反应按下式进行

上述反应很重要,在分析化学中用来定量测定碘。较强的氧化剂如氯、溴等可将硫代硫酸钠氧化为硫酸钠：

$$Na_2S_2O_3 + 4Cl_2 + 5H_2O =\!=\!= Na_2SO_4 + H_2SO_4 + 8HCl$$

因此在纺织和造纸工业上用硫代硫酸钠作脱氯剂。

硫代硫酸钠的另一个重要性质是配合性,它可与一些金属离子形成稳定的配离子,最重要的是硫代硫酸银配离子。例如不溶于水的 $AgBr$,可以溶解在 $Na_2S_2O_3$ 溶液中,就是基于此种性质。

$$AgBr + 2Na_2S_2O_3 \!=\!\!=\!\!= Na_3[Ag(S_2O_3)_2] + NaBr$$

硫代硫酸钠用作定影液,就是利用这个反应以溶去胶片上未感光的溴化银。

(e) 过硫酸及其盐　　过硫酸可以看成是过氧化氢中氢原子被 HSO_3^- 取代的产物。若 $HO\!-\!OH$ 中一个 H 被 HSO_3^- 取代后得 $HO\!-\!OSO_3H$,即过一硫酸;另一个 H 也被 HSO_3^- 取代后,则得 $HSO_3O\!-\!OSO_3H$,即过二硫酸。它的结构式如下:

$$
\begin{array}{ccc}
& O & \qquad O \\
& \uparrow & \qquad \uparrow \\
H\!-\!O\!-\!\!\!\!\! & S & \!\!\!\!\!-\!O\!-\!O\!-\!\!\!\!\! \quad S \quad \!\!\!\!\!-\!O\!-\!H \\
& \downarrow & \qquad \downarrow \\
& O & \qquad O
\end{array}
$$

在这个化合物中应该认为过氧键中氧原子的氧化数是 -1 而不同于其它氧原子(-2),其中硫原子的氧化数仍然是 $+6$。通常按 $H_2S_2O_8$ 形式上 S 的氧化数为 $+7$。

电解硫酸和硫酸铵的混合溶液,可制得过二硫酸盐:

阳极　　　　　　　$2SO_4^{2-} \!=\!\!=\!\!= S_2O_8^{2-} + 2e^-$

阴极　　　　　　　$2H^+ + 2e^- \!=\!\!=\!\!= H_2$

总的反应　　　　$2HSO_4^- \xrightarrow{\text{电解}} S_2O_8^{2-} + H_2\uparrow$

过二硫酸是无色晶体,在 338 K 时熔化并分解,具有极强的氧化性,它不仅能使纸炭化,还能烧焦石蜡。

所有的过硫酸都是强氧化剂,其标准电极电势为:

$$2SO_4^{2-} \!=\!\!=\!\!= S_2O_8^{2-} + 2e^- \qquad \varphi_A^\ominus = 2.01 \text{ V}$$

例如:过二硫酸钾和铜的反应:

$$Cu + K_2S_2O_8 \!=\!\!=\!\!= CuSO_4 + K_2SO_4$$

过硫酸盐在 Ag^+ 离子的催化作用下能将 Mn^{2+} 氧化成 MnO_4^- 离子:

$$2Mn^{2+} + 5S_2O_8^{2-} + 8H_2O \xrightarrow{Ag^+} 2MnO_4^- + 10SO_4^{2-} + 16H^+$$

过二硫酸及其盐均不稳定,加热时容易分解,例如 $K_2S_2O_8$ 受热会放出 SO_3 和 O_2

$$2K_2S_2O_8 \xrightarrow{\Delta} 2K_2SO_4 + 2SO_3 + O_2$$

(f)连硫酸及其盐　连硫酸的通式是 $H_2S_xO_6$, $x = 2$—5。在这些化合物中硫以长链硫的结构存在。

连二硫酸是用粉末状的 MnO_2 氧化亚硫酸制得的。向得到的溶液中加入氢氧化钡时,除连二硫酸以外,一切含硫的阴离子都沉淀了,然后用硫酸沉淀过剩的 Ba^{2+},最后 $H_2S_2O_6$ 残留在溶液中。据摩尔电导率测定得知,这种酸是二元酸。连二硫酸盐易溶于水,不被亚硫酸盐和硫化物所分解。这一点与更高级的多硫酸盐不同。

连三硫酸钾是将 SO_2 通入 $K_2S_2O_3$ 溶液中制得的。放置一段时间便析出连三硫酸钾结晶,副产物 $K_2S_4O_6$ 和 $K_2S_5O_6$ 便残留在溶液中。把 $K_2S_3O_6$ 的水溶液酸化,便发生如下的反应:

$$H_2S_3O_6 \longrightarrow H_2SO_4 + SO_2 + S$$

连四硫酸钠是用碘氧化 $Na_2S_2O_3$ 时生成的。这种盐和其它连四硫酸盐都能以晶体形式析出。一般说来,连四硫酸盐对热不稳定,酸化后生成连四硫酸,浓缩连四硫酸溶液则分解析出单质硫,放出 SO_2 气体

$$H_2S_4O_6 \longrightarrow H_2SO_4 + SO_2 + 2S$$

263 K,在 As_4O_6 存在下,用很稀的 HCl 处理 $Na_2S_2O_3$ 的浓溶液时,生成连五硫酸钠 $Na_2S_5O_6$:

$$5S_2O_3^{2-} + 6H^+ \longrightarrow 2S_5O_6^{2-} + 3H_2O$$

溶液静置后析出 $Na_2S_5O_6$ 晶体。连五硫酸的浓度较大时仍很

稳定,但浓缩到更高浓度时发生分解:

$$H_2S_5O_6 \longrightarrow H_2SO_4 + SO_2 + 3S$$

据 X 光衍射结构分析,连二硫酸离子是一个具有公共顶点的两个三角锥;连三硫酸离子的第三个硫原子介于另外两硫原子之间,∠SSS 为 103°;在连四硫酸和连五硫酸离子中,进一步增加的硫原子左右交替地结合,构成折线的链。

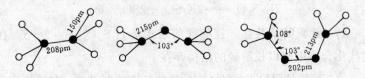

图 13-32 连二硫酸,连三硫酸和连四硫酸根的结构(●为硫,○为氧)

(2) 硒和碲的含氧酸

硒与硫不同,它只有两种含氧酸:

亚硒酸 H_2SeO_3 无色的固体和硒酸 H_2SeO_4 无色的固体,熔点 332 K。

当把 SeO_2 的溶液蒸发时,亚硒酸 H_2SeO_3 成六方棱柱体析出。根据亚硒酸水溶液的拉曼光谱确定,它在水溶液中几乎不分解。亚硒酸盐有正盐和酸式盐。它能同钒酸、钼酸和铀酸等形成杂多酸。在亚硒酸中,硒的氧化数虽然也是 +4,但是和亚硫酸不同,亚硒酸及其盐均为中等强度的氧化剂,其还原产物为单质硒。

$$H_2SeO_3 + 4H^+ + 4e^- \Longrightarrow Se + 3H_2O \qquad \varphi_A^\ominus = 0.74 \text{ V}$$

它们能氧化 SO_2,HI 和 H_2S 等物质。

将亚硒酸与 30% 的 H_2O_2 在回流装置中加热,可制得硒酸。把它在真空中干燥便得到 97.4% 的酸,冷却时析出纯硒酸的晶体。硒酸在以下几方面与硫酸很相似:① 强烈的离子化;② 生成与硫酸同晶形的盐类;③ 生成含亚硝基的酸 $(NO)HSeO_4$。硒酸与硫酸不同的地方在于:当把它加热到 470 K 时放出氧气;它能把氯化物氧化成氯。

$$SeO_4^{2-} + 4H^+ + 2e^- \Longrightarrow H_2SeO_3 + H_2O \qquad \varphi_A^\ominus = +1.15 \text{ V}$$

$$SO_4^{2-} + 4H^+ + 2e^- \Longrightarrow H_2SO_3 + H_2O \qquad \varphi_A^\ominus = +0.17 \text{ V}$$

二氧化碲不溶于水。纯粹的亚碲酸制不出来,但却可以将 TeO_2 溶解于碱金属的氢氧化物中制得亚碲酸盐。

碲酸 H_6TeO_6 是无色的晶体。将 Te 溶于王水中,然后加入氯酸盐在真空中蒸发,再用 HNO_3 使碲酸沉淀下来,用水重结晶一次便得到了碲酸晶体。

碲酸是一种弱酸($K \approx 10^{-7}$),它能生成 $NaTeO(OH)_5$ 和 $Na_2TeO_2(OH)_4$ 等盐。从前一直认为碲酸是 H_2TeO_4 的二水合物,但后来发现在晶体中存在着组成相当于 $Te(OH)_6$ 的稍微变形的八面体结构,以及它能形成组成为 $Te(OMe)_6$ 烷氧基化合物,这都说明这种酸具有六元酸的性质,但是它是一种很弱的酸。碲酸的氧化性比硫酸强:

$$H_6TeO_6 + 2H^+ + 2e^- \Longrightarrow TeO_2 + 4H_2O \qquad \varphi^\ominus = 1.02 \text{ V}$$

加热时碲酸能侵蚀许多金属。在稀 H_2SO_4 介质中,碲酸可使 HBr 和 HI 氧化成 Br_2、I_2,而自身被还原成 TeO_2 和 Te 的混合物,例如:

$$8HI + 2H_6TeO_6 \xrightarrow{H^+} TeO_2 + Te + 4I_2 + 10H_2O$$

原碲酸与热浓 HCl 反应可游离出 Cl_2,本身被还原为 TeO_2,故原碲酸与浓盐酸的混合溶液也能溶解铂和金。

H_2S 可将 H_6TeO_6 缓慢地还原为 Te,TeS 和 TeS_2 的混合物,SO_2 或 N_2H_4 则将它还原成 Te。

(3) 硒和碲的氧化态-吉布斯自由能图

在 pH=0 的水溶液中,硒和碲不同氧化态的吉布斯自由能的变化情况绘列于图 13-33 中:

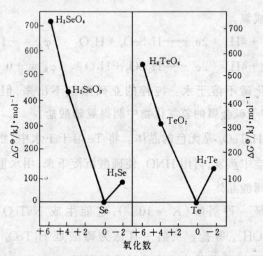

图 13 – 33 在 pH = 0 时, 以单质为基准, 硒和碲各种不同氧化态的吉布斯自由能

由图 13 – 33 我们可以看出: ① H_2SeO_4 很不稳定, 具有较强的氧化性。事实上 H_2SeO_4 是硫属中氧化性最强的含氧酸。② Se 和 Te 的 + 4 价化合物都不发生歧化反应。③ 和 H_2S 相比, 硒和碲的氢化物不稳定。事实上它们甚至能把水还原而放出 H_2。

(4) 硫的含氧酸的卤素衍生物

含氧酸中的氢氧根被卤素取代后的衍生物叫硫酰卤或者是亚硫酰卤, 或卤化亚硫酰。例如

O ══ S 亚硫酰基

O ══ S — Cl / Cl 亚硫酰氯或氯化亚硫酰

S 硫酰基

S — Cl / Cl 硫酰氯或氯化硫酰

部分氢氧根被卤素取代的产物叫做卤磺酸, 例如氯磺酸 $SO_2(OH)Cl$。硫含氧酸的酰卤列在表 13 – 12 中。

表 13 - 12 硫含氧酸的酰卤

亚 硫 酰 卤	硫 酰 卤	卤 磺 酸
SOF_2 氟化亚硫酰	SO_2F_2 氟化硫酰	HSO_3F 氟磺酸
(沸点 243 K)	(沸点 221 K)	(沸点 436 K)
$SOCl_2$ 氯化亚硫酰	SO_2Cl_2 氯化硫酰	HSO_3Cl 氯磺酸
(沸点 351 K)	(沸点 342 K)	(沸点 424 K)
$SOBr_2$ 溴化亚硫酰		
(沸点 332 K,5.3 kPa)		

在这些化合物中以氯衍生物较为重要,主要用在有机合成中。氯化亚硫酰是用 SO_2 和 PCl_5 的反应来制备的:

$$SO_2 + PCl_5 = SOCl_2 + POCl_3$$

将产物分馏就可以得到白色透明液体 $SOCl_2$。这个化合物的构型是三角锥形的。

将 SO_2 和 Cl_2 通过催化剂(樟脑或活性炭),它们就化合成氯化硫酰,它是一种无色发烟液体:

$$SO_2 + Cl_2 \xrightarrow{\text{活性炭}} SO_2Cl_2$$

这个分子是四面体型的。在 $SOCl_2$ 和 SO_2Cl_2 分子中硫原子结构都是 sp^3 杂化,不同的是在 $SOCl_2$ 中硫原子还保留了一对孤对电子。这两个化合物都猛烈地水解:

$$SOCl_2 + H_2O = SO_2 + 2HCl$$
$$SO_2Cl_2 + 2H_2O = H_2SO_4 + 2HCl$$

用干燥的 HCl 气与发烟硫酸作用,生成了氯磺酸,它也是一种无色的液体:

$$HCl + SO_3 = HSO_3Cl$$

氯磺酸、氯化硫酰和硫酸在结构上的关系如下:

氯磺酸遇水发生爆炸性水解:

$$(HO)SO_2Cl + H_2O = H_2SO_4 + HCl$$

它主要用于有机化合物的磺化反应中。

5-8 硫的卤化物

硫和卤素可以直接化合生成许多种硫卤化物(或卤化硫)。从这些化合物中可以充分地看出硫的成键特征。在这些化合物中的硫原子显正氧化态,最低是 +1(S_2F_2,S_2Cl_2),最高是 +6(SF_6),显 +4 和 +6 氧化态时硫原子需要用 $3d$ 轨道参加杂化而成键,所以这些化合物是含有 d 轨道的杂化结构。它们的重要化合物和性质列在表 13-13 中。

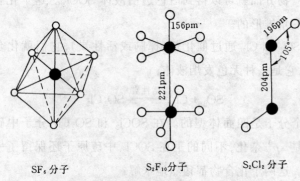

SF₆分子　　　S₂F₁₀分子　　　S₂Cl₂分子

图 13-34　一些卤化硫分子的立体结构

表 13-13　硫的卤化物和性质

性　　质	SF_6	S_2F_{10}	SF_4	SF_2	S_2F_2	SCl_4	SCl_2	S_2Cl_2	S_2Br_2
存在状态	液	液	气	气	气	不稳定	液	液	液
颜　　色	无色	无色	无色	无色	无色	淡黄	红	无色	红
沸点/K	337	302	233	—	243	258	332	411	427 (0.027 kPa)
熔点/K	222.5	181	149		145	242	195	193	227

由上表可见,硫的各种卤化物均属低熔、沸点的共价化合物。其中 SF_6 用于变压器油中作为高绝缘性介质,它可以增强变压器油的电绝缘性,在高压装置中也可作优良的绝缘性气体。S_2Cl_2 用

于橡胶工业作为硫化剂。S_2Cl_2 是具有恶臭气味的无色液体,遇水很易水解。它的结构是 Cl—S—S—Cl ,其中每个硫原子具有二个共价单键,其氧化数为 $+1$。

§13－6　无机酸强度的变化规律

6－1　影响无机酸强度的直接因素

在基础化学中所接触的无机酸大致有两种:一种是中心原子与质子直接相连的氢化物(X—H);另一种是中心原子与氧直接相连的含氧酸。这两种酸的强度大小意味着它们释放质子(H^+)的难易程度。

影响酸性大小的因素很多,但是,归根到底,反映在与质子直接相连的原子对它的束缚力的强弱上。这种束缚力的强弱又与该原子的电子密度的大小有着直接的关系。

电子密度是最近国外一些无机化学教科书中经常引用的一个概念,目前只给出一个定性的含意,它的大小与原子所带负电荷数以及原子体积(原子半径)有关。某原子的电子密度的大小,就其本身意义来讲,可与某金属阳离子的电场强度相类比,不过它表明某原子吸引带正电荷的原子或原子团的能力。因此,可以这么说,与质子直接相连的原子的电子密度,是决定无机酸强度的直接因素。譬如,将水合质子、水以及氢氧根加以比较,其酸性强度的次序为:$H_3O^+ > H_2O > OH^-$。

如果从静电引力的角度加以考虑的话,那么这三种物质释放质子的能力依次减弱是不难理解的。因为不论物质原来的极性如何,在外界电场的作用下,它已经完全被离子化了,当它将要释放质子的一瞬间,此时质子所要摆脱的束缚力,就是与其直接相连的原子的库仑引力。因此,这个原子的电子密度的大小,就必然决定了质子被释放的难易程度。在水合质子中,因为有三个质子同时吸引一个氧原子上的电子,使其电子密度大幅度地降低,导致它对质子吸引力的减弱。容易释放出质子。在氢氧根中,只有一个质子吸引氧原子上的电子,使氧原子的电子密度降低的程度,相当于前者的三分之一。这就是说,在 OH^- 中氧原子的电子密度比它在 H_3O^+ 中高得多,因此它对质子的引力也比它在 H_3O^+ 中强得多,以致不但不能释放质子,反而吸引质子而呈现碱性。

由此可见与质子直接相连的原子的电子密度,是决定无机酸强度的直接因素。这个原子的电子密度越低,它对质子的引力越弱,因而酸性也就越高,反之亦然。下面我们就从这个观点出发,来进一步探讨无机酸强度大小的规律问题。

6-2 氢化物酸性强弱的规律

现将 V—VII 族的氢化物的 pK_a 值(计算值)列于下表:

表 13-14 第 V、VI、VII 族氢化物的 pK_a 值(计算值)

第 V 族	第 VI 族	第 VII 族
NH_3 35	H_2O 16	HF 3.2
PH_3 27	H_2S 7	HCl -7
	H_2Se 4	HBr -9
	H_2Te 3	HI -10

由表中的 pK_a 值可见,无论同一周期还是同一族中,氢化物的酸性都是随着原子序数的增加而增强的。

对于氢化物的酸性强度的变化规律,可以从热力学和物质结构两个角度来加以解释。从热力学观点来看,氢卤酸的酸性强度变化规律可以用 HX(水合)→H^+(水合) + X^-(水合) 的倾向大小来加以说明,而这种倾向又是依据 $\Delta G^\ominus = \Delta H^\ominus - T\Delta S^\ominus$ 来判别,其中总焓变 $\Delta H^\ominus$ 的计算可从热力学循环来完成:

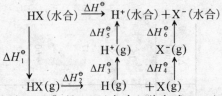

各分步焓变中,$\Delta H_1^\ominus$ 是 HX(水合)脱水成 HX(g)吸收之热;$\Delta H_2^\ominus$ 是 HX 的离解能(D);$\Delta H_3^\ominus$ 是 H 的电离能(I);$\Delta H_4^\ominus$ 是 X 的电子亲合能(A);$\Delta H_5^\ominus$ 和 $\Delta H_6^\ominus$ 分别是 H^+ 和 X^- 的水合热。氢卤酸电离反应的总焓变 $\Delta H^\ominus$,应等于上面能量循环中所有能量项之和:

$$\Delta H^\ominus = \Delta H_1^\ominus + \Delta H_2^\ominus + \Delta H_3^\ominus + \Delta H_4^\ominus + \Delta H_5^\ominus + \Delta H_6^\ominus$$

表 13-15 列出氢卤酸的焓变、熵变以及由此求出的 $\Delta G^\ominus$。

从表 13-15 所列数据可以看出,氢卤酸的电离反应热效应 $\Delta H^\ominus$ 都是负值,即全是放热过程,但是氢氟酸的 $\Delta H^\ominus$ 值比其它氢卤酸要小得多。

从总的热焓 $\Delta H^\ominus$ 扣除 $T\Delta S^\ominus$ 之后,得到相应的 $\Delta G^\ominus$ 值,并通过关系式 $\Delta G^\ominus = -RT\ln K$ 求得氢卤酸的电离常数为:HF 的 $K = 10^{-3}$,HCl 的 $K = 10^8$,HBr 的 $K = 10^{10}$ 和 HI 的 $K = 10^{11}$。由此可以说明 HF 酸是一个弱酸,而其它氢卤酸是强酸,酸强度按照 HCl,HBr,HI 的顺序依次增大。

如何从物质结构的观点来解释氢化物的酸性递变规律呢?

考虑这个问题,应从与质子直接相连的原子的电子密度的角度出发来解释氢化物的酸性变化规律。

在同一周期的氢化物中(如在 NH_3,H_2O,HF 的系列中)由于直接同质子相连的原子的氧化数逐渐降低(因而所带的负电荷也依次减少),从而使这些原子的电子密度越来越小,所以相应氢化物的酸性依次增强。在同一族的氢化物中,由于同氢结合的原子

表 13 – 15　卤化氢的 $\Delta H^{\ominus}$ $\Delta S^{\ominus}$ 和 $\Delta G^{\ominus}$

氢卤酸	$\dfrac{\Delta H_1^{\ominus}}{\text{kJ·mol}^{-1}}$	$\dfrac{\Delta H_2^{\ominus}}{\text{kJ·mol}^{-1}}$	$\dfrac{\Delta H_3^{\ominus}}{\text{kJ·mol}^{-1}}$	$\dfrac{\Delta H_4^{\ominus}}{\text{kJ·mol}^{-1}}$	$\dfrac{\Delta H_5^{\ominus}}{\text{kJ·mol}^{-1}}$	$\dfrac{\Delta H_6^{\ominus}}{\text{kJ·mol}^{-1}}$	$\dfrac{\Delta H}{\text{kJ·mol}^{-1}}$	$\dfrac{T\Delta S^{\ominus}}{\text{kJ·mol}^{-1}}$	$\dfrac{\Delta G^{\ominus}}{\text{kJ·mol}^{-1}}$
HF	48	566	1311	–333	–1091	–515	–14	–29	15
HCl	18	431	1311	–348	–1091	–381	–60	–13	–47
HBr	21	366	1311	–324	–1091	–347	–64	–4	–60
HI	23	299	1311	–295	–1091	–305	–58	4	–62

所带电荷相同,但它们的原子半径随着原子序数的增加而增大,使这些原子的电子密度逐渐变小,因而其相应的氢化物的酸性依次增强,如 $HF < HCl < HBr < HI$,同理,$H_2O < H_2S < H_2Se < H_2Te$。

6-3 含氧酸的酸性强弱的规律

(1) 含氧酸的强度

含氧酸的强度是由中心原子的电负性,原子半径以及氧化数等因素决定的。这些因素对于酸性强度的影响,是通过它们对 X—O—H 键中的氧原子的电子密度的影响来实现的。

当中心原子的电负性较大,半径较小,氧化数较高时,则它同与之相连的氧原子争夺电子的能力较强,能够有效地降低氧原子上的电子密度,使 O—H 键变弱,容易释放出质子,而表现出较强的酸性。

现以第三周期的高价含氧酸($H_n XO_4$)为例说明之。在 H_4SiO_4、H_3PO_4、H_2SO_4 和 $HClO_4$ 系列中,H_4SiO_4 是弱酸,H_3PO_4 是中等强度的酸,而 H_2SO_4 和 $HClO_4$ 则是强酸。这种情况可以作如下解释:

由于氧的电负性比 X 大,因此 XO_4^{n-} 中的负电荷偏向于氧原子一侧。为考虑问题简便起见,可近似地认为 XO_4^{n-} 离子所带的 n 个负电荷分布在四个氧原子上,每个氧原子的平均负电荷数为 $n/4$,在 SiO_4^{4-},PO_4^{3-},SO_4^{2-} 和 ClO_4^- 各离子中,每个氧原子的电荷数分别为:$-1, -\frac{3}{4}, -\frac{1}{2}$ 和 $-\frac{1}{4}$。由于氧原子上的电子密度依次降低的结果,将导致 $H_n XO_4$ 中的 O—H 键逐渐变弱,因而其酸性依次增强。

应该说明的是,这种计算方法是极其粗糙的。事实上在 XO_4^{n-} 离子中,其负电荷是不可能完全集中在氧原子上的。因此上述的数据并不可靠。但是,基于以上理由,在 X—O—H 键中的氧原子的电子密度逐渐减小,从而引起酸性依次增强的趋势是确定无疑的。这是因为:① 从 SiO_4^{4-} 到 ClO_4^- 酸根内中心离子氧化数从 $+4 \rightarrow +7$ 依次增高,离子半径按 $Si^{4+}(42\ pm)$,$P^{5+}(35\ pm)$,$S^{6+}(30\ pm)$,$Cl^{7+}(27\ pm)$ 顺序逐渐减小,电负性依次递增 $[Si(1.9),P(2.1),S(2.6),Cl(3.1)]$导致 X—O 键中电子向氧原子偏移程度逐渐减弱,加之酸根内中心离子对 O—H 基团上 H^+ 离子排斥力增大,使 O—H 键逐渐减弱,因而酸性依次增强。这个结论对同一周期同种类型的含氧酸都是适用的,即在同一周期中随着中心原子的原子序数的增加,其酸性依次增强。

那么,在同一族中同种类型的含氧酸,其酸性变化的规律如何呢?

现以 HOCl、HOBr 和 HOI 为例说明之。在 XO^- 中由于 X 原子的电负性 Cl→I 依次减弱,所以 XO^- 中的氧原子的电子密度逐渐增高,致使 O—H 键逐渐增强,因此其酸性强弱的次序为 HOCl>HOBr>HOI。

这个结论对其它各族的同种类型的含氧酸也是适用的,即在同一族中同种类型的含氧酸的强度,随着原子序数的增加而减弱。

最后,讨论一下同一元素不同氧化数的含氧酸的酸性强弱的问题。

现以 HOCl、$HClO_3$ 和 $HClO_4$ 为例说明之。在这些酸中随着中心原子的氧化数的增加,与它相结合的氧原子的个数也增加,受这些电负性较大的氧原子的影响,氯原子的电子密度更进一步降低。以致使氯所带有的正电荷也进一步升高。这样一来,氯原子反过来对所有氧原子的外层电子的吸引力也随之增加,于是每个氧原子的电子密度也相应地降低了。这就是说,在氯的一系列的含氧酸中,中心原子氯的氧化数越高,与它相结合的氧原子的电子密度越低,O—H 键越弱,因而酸性也就越强。

这个结论适用于比较一切中心原子相同但其氧化数不同的含氧酸的酸性强弱，如 $H_2SO_4 > H_2SO_3$；$HNO_3 > HNO_2$ 等等。

（2）含氧酸的强度的定量表示

前一节从 O—H 键中氧原子的电子密度出发，粗略地讨论了含氧酸的酸性变化的规律。应该说明的是虽然含氧酸的强度直接由 O—H 键中的氧原子的电子密度决定的，但氧原子的电子密度又依赖于中心原子所处的状态。所以归根结底，含氧酸的强度是由其中唯一可变的因素中心原子决定的。鲍林(Pauling)针对中心原子对含氧酸强度的影响情况，提出了两条半定量的规律：

其一是，含氧酸的各级电离常数 K_1，K_2，K_3… 之比为：$K_1 : K_2 : K_3 : \cdots = 1 : 10^{-5} : 10^{-10} : \cdots$。

其二是，在 $XO_m(OH)_n$ 类型的含氧酸中，一级电离常数的数值对应于某一化学式有一定的范围：

m	化学式	K_1	pK_1
0	$X(OH)_n$	$\leqslant 10^{-7}$	> 7
1	$XO(OH)_n$	约 10^{-2}	约 2
2	$XO_2(OH)_n$	约 10^3	约 -3
3	$XO_3(OH)_n$	约 10^8	约 -8

例如，硫酸可写成 $SO_2(OH)_2$ 的形式，根据第二条规则，可以推测其 pK_1 值约为 -3，由于酸性过强不易测量，我们暂且从这个推测值出发，运用第一条规则，推算出其 pK_2 约为 2，而实测值为 1.99，可见两者是相当接近的。当运用第二条规则估算 H_3PO_2 等酸类的 pK 值时，应将与中心原子直接相连的 H 原子同 O—H 键中的 H 原子区别开来，即分别将 H_3PO_3 和 H_3PO_2 写成 $PHO(OH)_2$ 和 $PH_2O(OH)$ 的形式。

第一条规则是很容易理解的。因为随着电离的逐步进行，整个酸的负电荷越来越大,从而使 O—H 键中的氧原子上的电子密度越来越大,因此酸性逐渐减弱。

第二条规则表明,从 $XO_m(OH)_n$ 离解出 H^+ 时,使 H^+ 摆脱的引力不是 $XO_{m+1}(OH)_{n-1}$ 离子所带的负电荷(-1),而是在 O—H 键中直接吸引 H^+ 的氧原子所带的负电荷。如果考虑一下 XOH,XO_2H,XO_3H 和 XO_4H 的话,那么,$XO^-,XO_2^-,XO_3^-,XO_4^-$ 的负电荷(-1)分散到氧原子的名下可近似地认为:$X(O^{1-})$,$X(O^{0.5-})_2 X(O^{0.33-})_3$ 和 $X(O^{0.25-})_4$。由于氧原子上的电子密度依次降低,所以酸性也就依次增高。

关于定量计算含氧酸 K_a 值或 pK_a 值的公式,今日已愈来愈多,可参考有关文献。

值得说明的是,由于无机酸强度是个异常复杂的问题,它不仅和物质的组成与结构有关,而且还与溶解过程中的溶剂的作用有关。从与质子直接相连的氧原子上的电子密度出发,来定性说明酸性强弱的问题,这只是一种用简化的方法解决复杂问题的尝试。

习　题

1. 试用分子轨道理论描述下列各物种中的键、键级和磁性(顺磁性、逆磁性)和相对稳定性。

(1) O_2^+(二氧基阳离子)

(2) O_2

(3) O_2^-(超氧离子)

(4) O_2^{2-}(过氧离子)

2. 重水和重氧水有何差别?写出它们的分子式。它们有何用途?如何制备?

3. 解释为什么 O_2 分子具有顺磁性,O_3 具有反磁性?

4. 在实验室怎样制备 O_3?它有什么重要性?

5. 油画放置久后为什么会发暗、发黑? 为什么可用 H_2O_2 来处理? 写出反应方程式。

6. 比较氧族元素和卤族元素氢化物在酸性、还原性、热稳定性方面的递变规律。

7. 比较硫和氯的含氧酸在酸性、氧化性、热稳定性等方面的递变规律。

8. 为什么 $SOCl_2$ 既可做 Lewis 酸又可做 Lewis 碱?

9. 叙述 SO_3，H_2SO_4，和发烟硫酸的相互关系，写出固态、气态 SO_3 的结构式。

10. 写出下面阴离子的名称和结构：$S_2O_3^{2-}$，$S_2O_4^{2-}$，$S_2O_6^{2-}$ 和 $S_2O_8^{2-}$。

11. 简述 OSF_2，$OSCl_2$ 和 $OSBr_2$ 分子中 S—O 键强度的变化规律，并解释原因。

12. 以 Na_2CO_3 和硫磺为原料，怎样制取 $Na_2S_2O_3$，写出有关反应方程式。

13. 有四种试剂：Na_2SO_4，Na_2SO_3，$Na_2S_2O_3$，$Na_2S_2O_6$ 其标签已脱落，设计一简便方法鉴别它们。

14. 由 H_2S 的制备过程来分析它的某些性质。

15. 一种盐 A 溶于水后，加入稀 HCl，有刺激性气体 B 产生。同时有黄色沉淀 C 析出，气体 B 能使 $KMnO_4$ 溶液退色。若通 Cl_2 于 A 溶液中，Cl_2 即消失并得到溶液 D，D 与钡盐作用，即产生不溶于稀硝酸的白色沉淀 E。试确定 A，B，C，D，E 各为何物? 写出各步反应方程式。

16. 完成并配平下列反应式：

(1) $H_2S + H_2O_2 \longrightarrow$

(2) $H_2S + Br_2 \longrightarrow$

(3) $H_2S + I_2 \longrightarrow$

(4) $H_2S + O_2 \longrightarrow$

(5) $H_2S + ClO_3^- + H^+ \longrightarrow$

(6) $Na_2S + Na_2SO_3 + H^+ \longrightarrow$

(7) $Na_2S_2O_3 + I_2 \longrightarrow$

(8) $Na_2S_2O_3 + Cl_2 \longrightarrow$

(9) $SO_2 + H_2O + Cl_2 \longrightarrow$

(10) $H_2O_2 + KMnO_4 + H^+ \longrightarrow$

(11) $Na_2O_2 + CO_2 \longrightarrow$

(12) $KO_2 + H_2O \longrightarrow$

(13) $Fe(OH)_2 + O_2 + OH^- \longrightarrow$

(14) $K_2S_2O_8 + Mn^{2+} + H^+ + NO_3^- \longrightarrow$

(15) $H_2SeO_3 + H_2O_2 \longrightarrow$

17. 在标准状况下,50 cm³ 含有 O_3 的氧气,若其中所含 O_3 完全分解后,体积增到 52 cm³。如将分解前的混合气体通入 KI 溶液中,能析出多少克碘?分解前的混合气体中 O_3 的体积分数是多少? (45.68 mg、8.1%)

18. 每升含 12.41 克 $Na_2S_2O_3 \cdot 5H_2O$ 的溶液 35.00 cm³,恰好使 50.00 cm³ 的 I_3^- 溶液退色,求碘溶液的浓度?

$$(1.75 \times 10^{-2} \text{ mol} \cdot \text{dm}^{-3})$$

19. 下述反应在 298 K 时的 $\Delta H_m^\ominus$ 为 284.5 kJ·mol⁻¹

$$3O_2 \Longrightarrow 2O_3$$

已知此反应的平衡常数为 10^{-54},试计算该反应的 $\Delta G_m^\ominus$ 和 $\Delta S_m^\ominus$。

$$(307.97 \text{ kJ} \cdot \text{mol}^{-1}, -78.76 \text{ K}^{-1} \cdot \text{J} \cdot \text{mol}^{-1})$$

20. 利用电极电势解释在 H_2O_2 中加入少量的 Mn^{2+},可以促进 H_2O_2 分解反应的原因。

第十四章　氮族元素

§14-1　氮族元素的通性

周期系第 VA 族包括氮、磷、砷、锑和铋 5 种元素,统称为氮族元素。本族元素的基本性质列在表 14-1 中。

表 14-1　氮族元素的性质

性质 \ 元素	氮	磷	砷	锑	铋
元素符号	N	P	As	Sb	Bi
原子序数	7	15	33	51	83
相对原子质量	14.01	30.97	74.92	121.8	20.90
价电子层结构	$2s^2 2p^3$	$3s^2 3p^3$	$4s^2 4p^3$	$5s^2 5p^3$	$6s^2 6p^3$
主要氧化数	$-3, -2, -1$ $+1, +2, +3$ $+4, +5,$	$-3, +1, +3$ $+5$	$-3, +3, +5$	$+3, +5$	$+3, +5$
共价半径/pm	75	110	122	143	152
离子半径/pm					
M^{3-}	171	212	222	245	—
M^{3+}	—	—	69	92	108
M^{5+}	11	34	47	62	74
第一电离能 $kJ \cdot mol^{-1}$	1 402.3	1 011.8	944	831.6	703.3
第二电离能 $kJ \cdot mol^{-1}$	2 856.1	1 903.2	1 797.8	1 595	1 610
第三电离能 $kJ \cdot mol^{-1}$	4 578.1	2 912	2 735.5	2 440	2 466
第四电离能 $kJ \cdot mol^{-1}$	7 475.1	4 957	4 837	4 260	4 370
第五电离能 $kJ \cdot mol^{-1}$	9 444.9	6 273.0	6 043	5 400	5 400
电负性 (pauling)	3.04	2.19	2.18	2.05	2.02

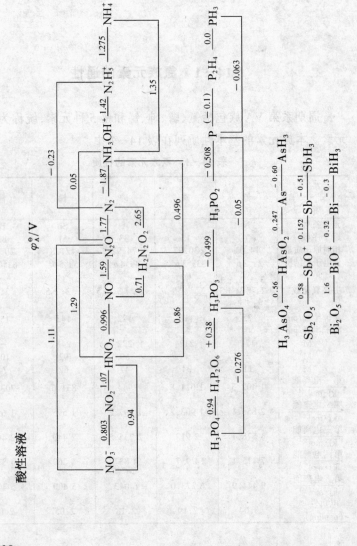

酸性溶液

$\varphi_A^\ominus/V$

碱性溶液

$\varphi_B^\ominus / V$

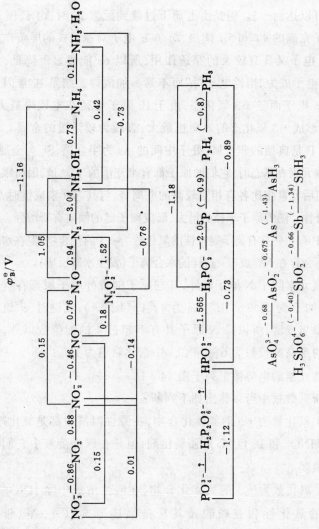

图 14-1 氮族元素的电势图

从表 14-1 中可见本族元素在结构上的共同特点是基态原子的最外电子壳层中有 5 个价电子,即 $ns^2 np^3$。同电负性很大的氟或氧形成化合物时,用了全部 5 个价电子,所以本族元素的最高氧化态都可以达到 +5。但是由上而下过渡到元素 Bi 时,由于 Bi 原子出现了充满的 $4f$ 和 $5d$ 能级,而 f、d 电子对原子核的屏蔽作用较小,$6s$ 电子又具有较大的穿透作用,所以 $6s$ 能级显著降低,从而使 $6s$ 电子成为"惰性电子对"而不易参加成键。结果 Bi 常因失去 3 个 p 电子而显 +3 氧化态,由于 Bi 原子半径在本族中最大,因此,它形成 +3 氧化态的倾向也最大,表现为较活泼的金属。相反,N 和 P 是典型的非金属,处于中间的 As 为半金属,Sb 为金属。

本族元素在基态时,它们的原子都有半充满的 p 轨道,因而跟同周期中前后元素相比各有相对较高的电离势,与其它元素成键时,较强的共价性。随着原子半径的增大,形成离子键的倾向有所增强。虽然 N 和 P 有一些具有离子键特征的氧化数为 -3 的化合物,但在水溶液中却不会存在 N^{3-} 或 P^{3-} 这样的水合离子(发生水解反应)。

本族元素除了 N 原子以外,其它原子的最外电子层都有空的 d 轨道(如 P 为 $3s^2 3p^3 3d^0$,As 为 $4s^2 4p^3 4d^0 \cdots$),成键时,d 轨道也可能参与成键,所以除 N 原子具有不超过 4 的配位数以外,其它原子的最高配位数为 6,如 PCl_6^- 中杂化轨道为 $sp^3 d^2$。

氮族元素的电势图汇列于图 14-1。

从所列数据中可以作出如下判断:

(a) 氧化数为 +5 的氮族化合物,在酸性溶液中都是氧化剂,特别是 HNO_3 和 Bi_2O_5 都是强氧化剂,但是在碱性溶液中它们的氧化性很弱。

(b) 氧化数为 +3 的氮族化合物,在酸性溶液中除 HNO_2 具有明显的氧化性和亚磷酸及其盐是强还原剂以外,As(Ⅲ),Sb(Ⅲ),Bi(Ⅲ) 都是很弱的还原剂。

(c) 除单质磷在酸性或碱性溶液中都能发生歧化反应之外，其它单质都不易歧化。

(d) 氧化数为 -3 的氮族化合物，除 NH_3 和 NH_4^+ 是弱还原剂以外，其它都是很强的还原剂。

§14－2　氮和它的化合物

2－1　氮的成键特征和价键结构

由于单质氮 N_2 在常态下异常稳定，人们常误认为氮是一种化学性质不活泼的元素。实际上相反，元素氮有很高的化学活性。它的电负性(3.04)仅次于 F 和 O，使它能和其它元素形成较强的键。单质 N_2 分子的稳定性恰好说明氮原子的活泼性。两个 N 原子通过它们各自的 3 个成单电子互相结合形成很强的价键(叁键)，N_2 的离解能为 941.69 kJ·mol^{-1}。另一方面，N_2 分子的高度稳定性也是相对的，因为在目前人们还没有找到在常温下能使 N_2 分子活化的最优条件，因此用大气氮合成氮化合物时还需在高能量的条件下进行，例如合成氨需要在高温和高压条件，并要在催化剂的帮助下进行。但在自然界中，例如植物根瘤上生活的一些细菌，能够在常温常压的低能量条件下把空气中的 N_2 转化成氮化物，作为肥料供作物生长使用。现在化学家们正在进行这样的模拟工作并已经取得了一定的进展。

N 原子价电子层结构为 $2s^2 2p^3$，即有 3 个成单电子和一个孤电子对，以此为基础，在形成化合物时，其成键特征如下：

(1) 形成离子键

N 原子有较高的电负性，它同电负性较低的金属(如：Li，Ca，Mg 等)形成一些二元氮化物时，能够获得部分负电荷而形成 N^{3-}

离子。这个离子的负电荷较高、半径较大(171pm),遇到水分子会引起强烈的水解。因此 N^{3-} 的离子型化合物只能存于干态,遇水迅即反应生成 NH_3 和金属氢氧化物,不会有 N^{3-} 的水合离子。

(2) 形成共价键

N 原子同电负性较高的非金属形成化合物时,它总是以不同的共价键同其他原子相结合,这些共价键一般有以下几种:

(a) 形成三个共价单键,N 原子采取 sp^3 杂化态,保留一对孤电子对,例如 NH_3,NCl_3,N_2H_4 等。

(b) 形成一个共价双键和一个共价单键,N 原子采取 sp^2 杂化态,有的保留一对孤电子对,结构式为 —N=O ,例如 Cl—N=O 。

(c) 形成一个共价叁键,N 原子采取 sp 杂化,保留一对孤电子对,例如 N_2 和 CN^- 中 N 原子结构式是:N≡ 。

(d) N 原子还可以有氧化数为 +5 的氧化态。虽然 N 原子的第二电子层中没有空轨道可以利用,但一对 $2s$ 电子仍然可以参与价键的形成(参加定域的 π 键形成),从而决定了 N 的 +5 氧化态,例如象 —N $\big\langle$ 和 =N $\big\langle$ 这样的较复杂共价结构。具体实例如

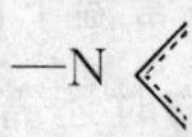

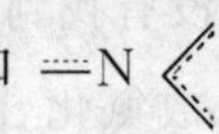

$$HO—N \big\langle {}^O_O \text{(硝酸)和} \left[O=N \big\langle {}^O_O \right]^- \text{(硝酸根)等。}$$

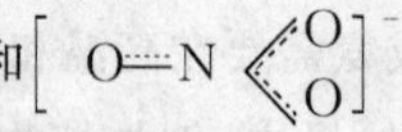

(3) 形成配位键

N 原子在形成单质或化合物时,常留有孤电子对,因此,这样的单质或化合物可作为电子对给予体,以分子中的孤电子对向金属离子配位,例如 $Cu(NH_3)_4^{2+}$,$Pt(NH_3)_2(N_2H_4)_2^{2+}$。此外还有已经成功地制备出的许多过渡金属的氮分子配合物,例如 $[(NH_3)_5RuN_2Ru(NH_3)_5]^{4+}$ 和 $[Os(NH_3)_5(N_2)]^{2+}$ 配离子。对这类配合物的进一步研究,有可能解决 N_2 分子在低能量条件下的活化问题。

氮的成键特征和价键结构总结在表 14-2 中。

表 14-2　N原子的成键特征和价键结构

结构基础	杂化态	σ键	π键	孤电子对	分子形态	化 合 物 举 例
共价键	sp^3	4	0	0	正四面体	NH_4^+
		3	0	1	三角锥	NH_3、NF_3
	sp^2	3	1	0	三角形	$Cl-N\langle{}^O_O$　$[O-N\langle{}^O_O]^-$
		2	1	1	角形	$\overset{N=O}{\underset{Cl}{}}$
	sp	2	2	0	直线形	$[O=N=O]^+$
		1	2	1	直线形	$:N=N:[:C=N:]^-$
离子键 N^{3-}					离子型氮化物　Li_3N, Ca_3N_2, Mg_3N_2 等	
配位键 $-\overset{\mid}{\underset{\mid}{N}}:\to$ 　$\equiv N:\to$					配位化合物:氨合物、胺合物、过渡金属氮分子配位化合物	

2-2　氮元素的氧化态－吉布斯自由能图

为了更深刻的理解化学反应实质,不仅要掌握物质的结构特点,还要了解它们的热力学特性,为此我们将在 $pH=0$ 的溶液中氮元素不同氧化态的吉布斯自由能 $\Delta G^\ominus$ 绘于图 14-2 中。

从图 14-2 可见,除 NH_4^+ 外氧化数为 0 的 N_2 分子在最低点,它表示相对于其它氧化数的化合物来讲,N_2 是热力学稳定状态。氧化数为 0 到 +5 之间各种氮的化合物的 $\Delta G^\ominus$ 都位于 HNO_3 和 N_2 两点的连线(图中的虚线)的上方。因此,这些化合物在热力学上是不稳定的,容易发生歧化反应。在图中唯一的一个比 N_2 分子吉布斯自由能低的是 NH_4^+ 离子:

$$N_2 + 8H^+ + 6e^- \longrightarrow 2NH_4^+ \qquad \Delta G^\ominus = -158 \ kJ \cdot mol^{-1}$$

关于这些化合物详细情况将在以下各节中叙述。

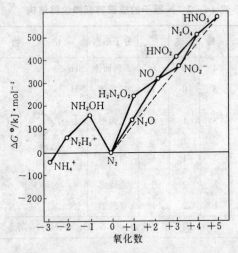

图 14-2 pH＝0 时氮元素的氧化态－吉布斯自由能图

2-3　氮在自然界中的分布和单质氮

氮在地壳中的质量分数是 0.004 6%。绝大部分的氮是以单质分子 N_2 的形式存在于大气中,总量约达到 4×10^{15} 吨。动植物体中的蛋白质都含氮,土壤中含有硝酸盐,例如 KNO_3。自然界最大硝酸盐矿是南美洲智利的硝石($NaNO_3$)矿,也是世界上唯一这种矿藏,它可能是原始动植物蛋白质分解的产物。

单质氮 N_2 在常况下是一种无色无臭的气体,在标准情况下的气体密度是 1.25 g·dm^{-3}。它的熔点为 63K,沸点 75K。氮分子的模型如图 14-3 所示。过去认为它的双原子分子中的叁键是

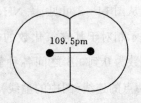

图 14-3　N_2 分子的模型

由纯的 p 电子结合成的。后来的研究表明,由于 N 原子的 $2s$ 和 $2p$ 能级只差 12.6 eV(1 215.69 kJ·mol^{-1}),N_2 分子中的键长又很短(109.5 pm),所以对称性允许的两个 N 原子的 $2s$,$2p_x$ 原子轨

道可以杂化形成一个新的 σ 键。而 p_y 和 p_z 电子则形成两个方向互相垂直的 π 键,组成了沿着键轴呈圆柱状对称的电子云分布。N_2 分子的结构绘示在图 14-4 中。

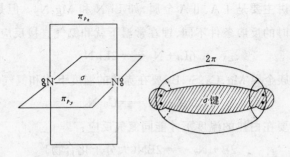

图 14-4　N_2 分子的电子云分布

氮分子的轨道式为:$[KK(\sigma_{2s})^2(\sigma_{2s}^*)^2(\pi_{2p_y})^2(\pi_{2p_z})^2(\sigma_{2p})^2]$,由于氮原子的 $2s$ 和 $2p$ 轨道能量比较接近,在形成分子时,$2s$ 和 $2p$ 轨道相互作用的结果,影响了轨道的能量,因此强成键的 $(\sigma_{2s})^2$,$(\pi_{2p_y})^2$ 和 $(\pi_{2p_z})^2$ 构成了 N_2 分子中的三重键,弱成键 $(\sigma_{2p})^2$ 和弱反键 $(\sigma_{2s}^*)^2$ 近似抵消,它们相当于孤电子对,$(\sigma_{2p})^2$ 是 N_2 分子中填有电子的最高能级,它的电子云大部分集中在分子的两端。由于 N_2 分子具有 3 个强的成键轨道所以它有很大稳定性,将它分解为原子需要吸收 941.69 kJ·mol^{-1} 的能量。N_2 分子是已知的双原子分子中最稳定的。

在高温高压并有催化剂存在的条件下,氮气可以和氢气反应生成氨,这个反应曾被详细研究过并已应用于生产:

$$N_2 + 3H_2 \xrightarrow[\text{催化剂}]{\text{高温高压}} 2NH_3$$

氮气在放电条件下也可以直接和氧化合成一氧化氮:

$$N_2 + O_2 \xrightarrow{\text{放电}} 2NO$$

在水力发电很发达的国家,这个反应已应用于生产硝酸。

N 原子可以获得 3 个电子而达到惰性气体的结构,但获得 3 个电子需要吸收 2 148 kJ·mol^{-1}的能量,因此,生成离子型氮化物的元素只能是那些电离势小而且其氮化物具有高晶格能的金属,一般来讲主要是 ⅠA,ⅡA 金属,如 Li$_3$N 和 Mg$_3$N$_2$。但是它们同 N 作用时的反应条件不同,锂在常温下就和氮气直接反应:

$$6Li + N_2 \!=\!=\!=\! 2Li_3N$$

而 ⅡA 族金属 Mg,Ca,Sr,Ba 要在赤热的温度下才和氮气作用:

$$3Ca + N_2 \!=\!=\!=\! Ca_3N_2$$

硼和铝要在白热的温度下才能同氮气反应:

$$2B + N_2 \!=\!=\!=\! 2BN(大分子化合物)$$

硅和其他族元素的单质一般要在高于 1473K 的温度下才能和氮气反应。第ⅠA 族的金属除锂外都不直接和氮气作用,但可用间接的方法得到这些金属元素的氮化物。

单质氮一般是由液态空气的分馏而制得的,常以 1.52×10^7 Pa 的压力把氮气装在气体钢瓶中运输和使用,一般钢瓶中的氮其纯度约 99.7%,此外约含 0.1% 的氧气。特别纯的氮,其中含有少于 0.000 5% 的氧和氢,少于 0.005% Ar 和少于 0.000 1% 的水。氮气中少量的氧,可由让气体通过加热到 673K 的装有钢丝的管子或者通过含有 CrCl$_2$ 溶液的洗瓶而除去,痕量的水分可以用 Mg(ClO$_4$)$_2$ 或 P$_2$O$_5$ 吸收,也可以用液体氮加以冷凝而除去。

在化肥工业中是用半水煤气的转换而取得 N$_2$ + H$_2$ 混合气的。

实验室中制备少量氮气的基本原理是用适当的氧化剂将氨或铵盐氧化。最常用的是加热亚硝酸铵的溶液:

$$NH_4NO_2(aq) \xrightarrow{煮沸} N_2 \uparrow + 2H_2O$$
$$(\Delta H^{\ominus}_{298} = -334.72 \text{ kJ·mol}^{-1})$$

在实际工作中是使用亚硝酸钠和氯化铵的饱和溶液相互作用来制

备,即：

$$NH_4Cl + NaNO_2 \xrightarrow{\quad\quad} NaCl + 2H_2O + N_2\uparrow$$

这样制得的氮气可能含有少量氮的氧化物，它们可以用适当的吸收剂除去。此外可以用来制取 N_2 的反应还有：

$$(NH_4)_2Cr_2O_7(s) \xrightarrow{\text{加热}} N_2\uparrow + Cr_2O_3 + 4H_2O$$

$$8NH_3 + 3Br_2(aq) \xrightarrow{\quad\quad} N_2\uparrow + 6NH_4Br$$

$$2NH_3 + 3CuO \xrightarrow{\quad\quad} N_2\uparrow + 3H_2O + 3Cu$$

2-4 氮的氢化物

氮的氢化物一般有氨（NH_3）、联氨（N_2H_4）、叠氮酸（HN_3）以及羟氨（NH_2OH），其中最重要的是 NH_3。

(1) 氨

(a) 氨的制备　工业上氨的制备是利用氢和氮直接反应：

$$\frac{1}{2}N_2 + \frac{3}{2}H_2 \xrightarrow{\quad\quad} NH_3$$

这是一放热反应，其 $\Delta H^{\ominus} = -46.19 \text{ kJ·mol}^{-1}$

$\Delta G_{298}^{\ominus} = -16.636 \text{ kJ·mol}^{-1}$。由此可算得该反应的平衡常数 K_p：

$$\Delta G^{\ominus} = -RT\ln K_p$$

$$-16.636 = -0.008\,31 \times 298 \times 2.303\,\lg K_p$$

$$K_p = 8.23 \times 10^2$$

这个反应同温度和压力的关系如表 14-3 所示。由表可见低温高压虽然可以达到较高的转化率，但是温度低于 673 时，反应速度很

表 14-3　反应 $N_2 + 3H_2 \xrightarrow{\quad\quad} 2NH_3$ 在不同温度和压力下

氨的平衡浓度（体积分数）

压力/Pa	温度/K					
	473	573	673	773	873	973
1.013×10^5	15.3	2.18	0.44	0.129	0.05	0.012
1.013×10^7	80.6	52.1	25.1	10.4	4.47	1.15
2.026×10^7	85.8	63.8	36.3	17.6	8.25	2.24
1.013×10^8		92.5	80.0	57.5	31.5	-

慢,而温度过高 NH_3 会发生分解,实际上的反应条件是在 300～700×10^5Pa,773K 时使用铁触媒加速反应。

在实验室中通常利用铵盐和强碱的反应来制备少量氨气:

$$(NH_4)_2SO_4(s) + CaO(s) \xrightarrow{\Delta} CaSO_4(s) + 2NH_3\uparrow + H_2O$$

由于有些铵盐(如 NH_4NO_3、$(NH_4)_2Cr_2O_7$ 等)受热分解可能产生氮气或氮的氧化物,所以通常是用非氧化性酸的铵盐(如 NH_4Cl),实验室中有时也可用氮化物同水作用制备氨气:

$$Mg_3N_2 + 6H_2O \xrightarrow{\quad\quad} 3Mg(OH)_2 + 2NH_3$$

(b)氨分子的结构 在氨分子中,氮原子是采取不等性 sp^3 杂化的,有一对孤电子对和由 3 个 σ 电子与 H 原子的 1s 电子结合成的 3 个共价单键。由于孤电子对对成键电子对的排斥作用,使 N—H 键之间的键角∠HNH 不是 109°28′,而是 107°,分子的形状是三角锥状的(图 14-5)。这种结构使得 NH_3 分子有相当大的极性(偶极矩为 1.66D)。

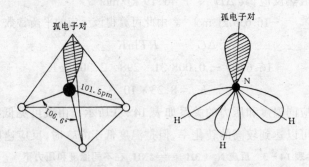

图 14-5 NH_3 分子的结构及电子云分布

NH_3 分子在结构上的这些特点(强极性且易形成氢键;N 原子具有最低的氧化数(-3);有一对 σ 孤电子对等)决定了 NH_3 分子的许多物理性质和化学性质。

（c）物理性质　NH_3 的一些物理性质列在表 14 - 4 中。

表 14 - 4　氨和水的物理性质

	NH_3	H_2O
熔点/K	195.26	273
沸点/K	239.58	373
熔解热/$kJ \cdot mol^{-1}$	5.657	6.024
蒸发热/$kJ \cdot mol^{-1}$	23.351	40.668
临界温度/K	405.9	647.0
临界压力/Pa	1.14×10^7	2.21×10^7
介电常数	26.7(-213K)	87.7(273K)
密度/$g \cdot cm^{-3}$	0.7253	1.00
生成热(298K)/$kJ \cdot mol^{-1}$	-46.11	-241.82
偶极矩/D	1.49	1.84
生成吉布斯自由能(298K)/$kJ \cdot mol^{-1}$	-16.48	-228.59
熵，$S^{\ominus}$/$J \cdot K^{-1} \cdot mol^{-1}$	192.34	188.715

在本族诸元素的 MH_3 型氢化物中，NH_3 具有相对最高的凝固点、熔解热、蒸发热、溶解度和介电常数。这种反常性质是因为 NH_3 分子有较大的极性，同时，在液态和固态的 NH_3 分子之间还存在着氢键的缘故。

氨极易溶于水，在水中的溶解度比所有其它气体都大。273K 时 $1 dm^3$ 水能溶解 $1\ 200 dm^3$ 的氨，在 293K 时可溶解 700 dm^3 氨。通常把溶有氨的水溶液叫做氨水，氨水的密度小于 1 $g \cdot cm^{-3}$，氨含量越多，密度越小，一般市售浓氨水的密度是 0.91 $g \cdot cm^{-3}$，含 NH_3 约 28%。

液态氨是一个很好的溶剂，由于分子的极性和氢键，液氨在许多物理性质方面同水非常相似（见表 14 - 4）。根据介电常数可知液氨也是一种良好的电离介质，但稍逊于水。它作为有机物的溶剂来说则比水优越。

象水一样，纯液氨也是电的极不良导体，但却有微弱的电离作用：

$$2NH_3 \Longleftrightarrow NH_4^+ + NH_2^-$$

$$K_{223}^\ominus = [NH_4^+][NH_2^-] = 1.9 \times 10^{-33}$$

$$2H_2O \Longleftrightarrow H_3O^+ + OH^-$$

$$K_{298}^\ominus = [H_3O^+][OH^-] = 10^{-14}$$

NH_3 和 H_2O 相比,它们的差异性在于:①NH_3 是比 H_2O 更强的亲质子试剂,或更好的电子对给予体;② NH_3 放出质子 H^+ 的倾向弱于水分子。一些较活泼的金属(如碱金属,Ca,Sr,Ba 等)可以从水中置换氢和生成氢氧化物,在液氨中就不那么容易置换氢,但是它却可以溶解这些金属生成一种蓝色溶液。这种金属液氨溶液能够象盐的水溶液那样导电,一般来讲是比较稳定的,而且通常作为一种强还原剂。将这个溶液蒸干,就得到原来的碱金属。另一方面,将金属的液氨溶液放置时,缓慢地分解放出氢气。如钠的液氨溶液:

$$2Na + 2NH_3 \Longleftrightarrow 2Na^+ + 2NH_2^- + H_2$$

不过如果加入金属铁作为催化剂,这个反应会迅速地进行。

金属液氨溶液的特性可以认为是产生了"氨合电子"的缘故。如金属钠溶解在液氨中时似乎失去了它的价电子而变成正离子:

$$Na \Longleftrightarrow Na^+ + e^-$$

然后氨分子同离子和电子发生可逆的溶剂加合作用:

$$Na^+ + xNH_3 \Longleftrightarrow Na(NH_3)_x^+$$

$$e^- + yNH_3 \Longleftrightarrow (NH_3)_y^-$$

"氨合电子"是金属液氨溶液显蓝色的原因,也是金属液氨溶液显强还原性和导电的根据。

(d) 化学性质 氨在一般情况下很稳定。它能参加的化学反应可归纳成三类:① 加合反应:氨以分子中的孤电子对和其他反应物加成,又叫做氨合反应(类似于水合反应);②取代反应:常叫做氨解反应,类似于水解反应;③ 还原反应:NH_3 中氮原子处于最低氧化态(-3),因而能参加一定的还原反应生成较高氧化态氮的化合物。现将这三类反应分别讨论如下。

① 加合反应 氨分子中的孤电子对倾向于和别的分子或离子形成配位键,结果形成了各种形式的氨合物。氨能和许多金属离子形成氨配合物,例如:$Ag(NH_3)_2^+$,$Cu(NH_3)_4^{2+}$,$Cr(NH_3)_6^{3+}$,$Pt(NH_3)_4^{2+}$ 等。这样会使一些不溶于水的化合物如 $AgCl$ 和 $Cu(OH)_2$ 等能溶解在氨水溶液中。

氨分子是路易士碱,它容易和分子中有空轨道的化合物(路易士酸)直接加合,形成加成化合物。三氟化硼和氨分子的反应可作为这类反应的例子:

$$\begin{array}{ccccc}
\text{F} & \text{H} & & \text{F} & \text{H} \\
| & | & & | & | \\
\text{F—B} & + & \text{:N—H} & \longrightarrow & \text{F—B:N—H} \\
| & | & & | & | \\
\text{F} & \text{H} & & \text{F} & \text{H}
\end{array}$$

氨极易溶于水,它在水中主要是形成水合分子。这已被实验所证实:在低温可从氨的溶液中分离出两种水合物,$NH_3 \cdot H_2O$(m. p. 194.15K)和 $2NH_3 \cdot H_2O$(m. p. 194.32K)。在这些化合物中既不存在 NH_4^+ 和 OH^- 离子,也不存在 NH_4OH 分子,它们是 NH_3 分子通过氢键(键长为 276pm)同 H_2O 分子相连结的。另一方面,在水中只有一小部分水合氨分子(如 $NH_3 \cdot H_2O$)发生电离作用。在 298K 时,$0.1 mol \cdot dm^{-3}$ 氨水溶液中只有 1.34% 发生电离作用:

$$NH_3 + H_2O \Longrightarrow NH_4^+ + OH^-$$

上述反应的平衡常数表示式是:

$$K^{\ominus} = \frac{[NH_4^+][OH^-]}{[NH_3]} = 1.8 \times 10^{-5}$$

所以氨水表现为弱碱。

氨和氯化氢在气态或水溶液中直接化合生成氯化铵：

$$NH_3 + HCl \mathrel{=\!\!=\!\!=} NH_4Cl \quad \Delta H^{\ominus} = -175.73 \text{ kJ} \cdot \text{mol}^{-1}$$

氨和其它酸作用也同样得到相应的铵盐。

② 取代反应 取代反应可以从两方面来考虑。一种情况是把 NH_3 可以看作是一种三元酸，其中的氢可以依次地被取代，生成氨基 $—NH_2$，亚氨基 $\diagdown NH$ 和氮化物 $N—$ 的衍生物。取代氢的原子可以是金属元素，也可以是非金属元素，甚至也可以是原子团。例如：

$$2Na + 2NH_3 \overset{623K}{\mathrel{=\!\!=\!\!=}} 2NaNH_2 + H_2 \uparrow$$
$$\text{氨基钠}$$

$$NH_4Cl + 3Cl_2 \mathrel{=\!\!=\!\!=} 4HCl + NCl_3$$
$$\text{三氯化氮}$$

$$NH_3 + NH_2Cl + OH^- \mathrel{=\!\!=\!\!=} N_2H_4 + Cl^- + H_2O$$
$$\text{联氨}$$

取代反应的另一种情况是以氨基 $—NH_2$ 或亚氨基 $\diagdown NH$ 取代其他化合物中的原子或基团，反应的例子如下：

$$\underset{\text{光气}}{COCl_2} + 4NH_3 \mathrel{=\!\!=\!\!=} \underset{\text{尿素}}{CO(NH_2)_2} + 2NH_4Cl$$

$$SOCl_2 + 4NH_3 \mathrel{=\!\!=\!\!=} \underset{\text{亚硫胺}}{SO(NH_2)_2} + 2NH_4Cl$$

$$HgCl_2 + 2NH_3 \mathrel{=\!\!=\!\!=} \underset{\text{氨基氯化汞}}{Hg(NH_2)Cl} \downarrow + NH_4Cl$$

这种反应实际上是 NH_3 参与的复分解反应，类似于水解反应。所以这种反应常简称氨解反应。

③ 还原反应 NH_3 分子和 NH_4^+ 离子中 N 的氧化数为 -3，因此它们在一定条件下只能有失去电子的倾向而显还原性。

氨在空气中不能燃烧，却能在纯氧中以黄色火焰燃烧：

$$4NH_3 + 3O_2 \mathrel{=\!\!=\!\!=} 6H_2O + 2N_2 \quad \Delta H^{\ominus} = -1267.75 \text{ kJ} \cdot \text{mol}^{-1}$$

在催化剂(铂网)的作用下氨可被氧化成一氧化氮：

$$4NH_3 + 5O_2 \xrightarrow{\text{Pt}} 4NO + 6H_2O \quad \Delta H^\ominus = -903.74 \text{ kJ·mol}^{-1}$$

这个反应是工业合成硝酸的基础。

氯或溴也能在气态或溶液中把氨氧化成单质：

$$2NH_3 + 3Cl_2 =\!=\!= 6HCl + N_2$$

在常温下氨对于其他氧化剂来说是稳定的。但在高温却可以被一些氧化剂氧化，如氨气通过受热的 CuO 可被氧化成单质氮气：

$$2NH_3 + 3CuO =\!=\!= N_2 + 3Cu + 3H_2O$$

和 NH_3 分子相比 NH_4^+ 离子的还原性更为明显，许多有氧化性含氧酸的铵盐，受热往往发生激烈的反应。其中的 N^{3-} 被氧化成 N_2 或其它氮的氧化物。如：

$$NH_4NO_2 \xrightarrow{\triangle} N_2 + 2H_2O$$

$$NH_4NO_3 \xrightarrow{\triangle} N_2O + 2H_2O$$

热的硝酸和盐酸的混合物可以将溶液中的铵离子完全氧化成氮或氮的氧化物。当为了消除溶液中的铵离子时，这个反应是非常有用的。

(e) 铵盐　氨和酸作用可得到相应的铵盐。铵盐一般是无色的晶状化合物，易溶于水，而且是强电解质。铵离子 NH_4^+ 和钠离子 Na^+ 是等电子体，因此 NH_4^+ 离子具有 +1 价金属离子的性质。不过由于 Na^+ 离子的核电荷(+11)是集中在原子核上，而在 NH_4^+ 离子中，只有 +7 电荷集中在氮核上，另外由 4 个氢原子来的 +4 电荷则分布在氮原子周围，所以 NH_4^+ 离子(148 pm)比 Na^+ 离子(95 pm)有较大的半径而近似于钾离子 K^+(133 pm)和铷离子 Rb^+(148 pm)。结果使许多的同类铵盐与钾或铷盐类质同晶，并且有近似的溶解度。钾和铷的沉淀试剂也是铵的沉淀试剂。

由于氨是一个弱碱，所以铵盐都有一定程度的水解，由强酸组成的铵盐其水溶液显酸性。

$$NH_4^+ + H_2O \Longrightarrow NH_3 \cdot H_2O + H^+$$

铵盐另一个重要性质就是它的热稳定性差。固态铵盐加热时极易分解,一般分解为氨和相应的酸。

$$NH_4HCO_3 \xrightarrow{\text{常温}} NH_3 \uparrow + CO_2 \uparrow + H_2O$$

$$NH_4Cl \xrightarrow{\triangle} NH_3 + HCl$$

如果酸是不挥发性的,则只有氨挥发逸出,而酸或酸式盐则残留在容器中。

$$(NH_4)_2SO_4 \xrightarrow{\triangle} 2NH_3 \uparrow + NHHSO$$

$$(NH_4)_3PO_4 \xrightarrow{\triangle} 3NH_3 \uparrow + H_3PO_4$$

如果相应的酸有氧化性,则分解出来的 NH_3 会立即被氧化,例如,NH_4NO_3,NH_4NO_2,$(NH_4)_2Cr_2O_7$,NH_4ClO_4 等,由于这些化合物分解时产生大量的热,分解产物是气体,如:

$$NH_4NO_3(s) \Longrightarrow N_2O(g) + 2H_2O(g)$$

$$\Delta H^\ominus = -118.41 \text{ kJ} \cdot \text{mol}^{-1}$$

$$NH_4NO_3(s) \xrightarrow{>573 \text{ K}} N_2(g) + 2H_2O(g) + \frac{1}{2}O_2(g)$$

$$\Delta H^\ominus = -36.99 \text{ kJ} \cdot \text{mol}^{-1}$$

所以它们受热往往会发生爆炸。

(f) 氨的用途 氨在工业中有广泛的应用,生产量很大,其中包括其他含氮化合物的生产,特别是硝酸和铵盐(化肥),常生产的铵盐有硝酸铵 NH_4NO_3、硫酸铵 $(NH_4)_2SO_4$、氯化铵 NH_4Cl 和碳酸氢铵 NH_4HCO_3 等。氨在有机合成工业中也是有用的,例如用于尿素、染料、医药品和塑料的生产。由于氨水的微碱性,因而可用作洗涤剂。氨有很高的气化热,很容易加压液化,所以常作为冷冻机和制冰机中的循环致冷剂。

(2) 联氨、羟胺、氢叠氮酸

联氨又叫做"肼",是氮的另一种重要化合物。它是用 NaClO 溶液氧化过量的 NH_3 而制取的,总的反应是

$$2NH_3 + ClO^- \xrightarrow{\quad\quad} N_2H_4 + Cl^- + H_2O$$

这个反应是相当复杂的,主要可分为两步:首先 NH_3 同 NaClO 反应生成氯胺 NH_2Cl;接着 NH_2Cl 同 NH_3 反应生成联氨 N_2H_4。其反应如下:

$$NH_3 + ClO^- \xrightarrow{\quad\quad} OH^- + NH_2Cl \quad (快)$$

$$NH_3 + NH_2Cl + OH^- \xrightarrow{\quad\quad} N_2H_4 + Cl^- + H_2O \quad (慢)$$

除上述反应以外,生成的 N_2H_4 还可能同 NH_2Cl 产生副反应:

$$2NH_2Cl + N_2H_4 \xrightarrow{\quad\quad} N_2 + 2NH_4^+ + 2Cl^-$$

痕量过渡金属离子的存在会加速 N_2H_4 的分解。因此,实验中常常加入明胶(或兽胶)吸附或螯合金属离子(如 Cu^{2+} 或 $Cu(NH_3)_4^{2+}$ 离子)以防止副反应的发生。

联氨的分子结构如图 14-6 所示。

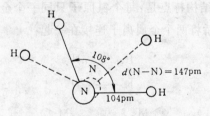

图 14-6　联氨的分子结构

根据联氨分子具有很大的极性($\mu = 1.85$ D)这一事实,说明它是顺式结构,在 N_2H_4 中每个 N 原子上有一对 σ 孤电子对,N 的氧化数为 -2。

联氨是一种无色的高度吸湿性的液体,沸点 386.5 K,凝固点

275 K,在 288 K 时的密度为 1.0144 g·cm^{-3}。这种化合物具有特别高的介电常数(53)。所以它是一种良好的电离溶剂,许多盐能溶解在液态联氨中,所得溶液能很好地导电。在室温下纯的联氨和它的水溶液,在动力学上是稳定的,但是从图 14-2 中可见它在热力学上是不稳定的,在有催化剂如 Pb 或 Ni 存在时,会按下式分解:

$$N_2H_4 \Longrightarrow N_2 + 2H_2$$

$$3N_2H_4 \Longrightarrow N_2 + 4NH_3$$

N_2H_4 中 N 原子上的孤电子对,可以同 H$^+$ 结合而显碱性,但是 N_2H_4 中 N 的氧化数为 -2,所以其碱性不如 NH_3 强,N_2H_4 是一种二元弱碱:

$$N_2H_4(aq) + H_2O \Longrightarrow N_2H_5^+(aq) + OH^- \qquad K_{298}^{\ominus} = 3.0 \times 10^{-6}$$

$$N_2H_5^+(aq) + H_2O \Longrightarrow N_2H_6^{2+}(aq) + OH^- \qquad K_{298}^{\ominus} = 7.0 \times 10^{-15}$$

联氨常以它的硫酸盐 $N_2H_4 \cdot H_2SO_4$ 或盐酸盐 $N_2H_4 \cdot 2HCl$ 的形式出现。

另一方面 N_2H_4 和 NH_3 一样也能生成一些配合物如

$$[Pt(NH_3)_2(N_2H_4)_2]Cl_2 、 [(NO_2)_2Pt(N_2H_4)_2Pt(NO_2)_2]$$

这些配合物的结构特点是:每个氮原子只同一个金属离子配位或通过 N_2H_4 为桥将两个金属离子连接在一起:

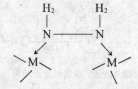

联氨是一种还原剂,在空气中可燃烧并放出大量的热:

$$N_2H_4(l) + O_2(g) = N_2(g) + 2H_2O(l)$$

$$\Delta H^{\ominus} = -621.74 \text{ kJ·mol}^{-1}$$

联氨的水溶液和 H_2O_2 很相似,既有还原性又有氧化性,有关半反

应的 $\varphi^\ominus$ 为:

酸性溶液:$3H^+ + N_2H_5^+ + 2e^- \Longrightarrow 2NH_4^+$ $\qquad \varphi^\ominus = 1.27\ V$

$\qquad\qquad N_2 + 5H^+ + 4e^- \Longrightarrow N_2H_5^+$ $\qquad \varphi^\ominus = -0.23\ V$

碱性溶液:$N_2 + 4H_2O + 4e^- \Longrightarrow N_2H_4 + 4OH^-$ $\qquad \varphi^\ominus = -1.15\ V$

$\qquad\qquad N_2H_4 + 2H_2O + 2e^- \Longrightarrow 2NH_3 + 2OH^-$ $\quad \varphi^\ominus = 0.1\ V$

可见它在酸性溶液中主要表现为氧化性,而在碱性溶液中却是一个强还原剂,但是它的大多数氧化反应速度都很慢,因此,通常总是把联氨看成是一个强还原剂。它能将 $AgNO_3$ 还原成单质银。

它也可以被卤素(X)氧化:

$$N_2H_4(aq) + 2X_2 \Longrightarrow 4HX + N_2$$

无水联氨同过氧化氢反应,生成 N_2 和 H_2O,并放出大量热:

$$N_2H_4(1) + 2H_2O_2(1) \Longrightarrow N_2(g) + 4H_2O(g)$$

$$\Delta H^\ominus = -642.24\ kJ\cdot mol^{-1}$$

所以联氨和它的衍生物,例如偏二甲肼 $(CH_3)_2NNH_2$ 用作燃料,作为火箭推进剂。

联氨被亚硝酸氧化时,生成氢叠氮酸 $H\overset{1}{-}N\overset{2}{=}N\overset{3}{=}N$:

$$N_2H_4 + HNO_2 \Longrightarrow 2H_2O + NH_3$$

在这个化合物中三个 N 原子以直线相联,H—N 键和 N—N—N 键间的夹角是 $110°$,显然靠近 H 原子的第 1 个 N 原子是 sp^2 杂化的,第 2 和第 3 个 N 原子都是 sp 杂化的,在三个 N 原子间必然存在着离域的大 π 键。HN_3 中 N 原子的平均氧化数为 $-\frac{1}{3}$。氢叠氮酸的酸性类似于醋酸,$K_a = 1.8 \times 10^{-5}$。在它的盐中含有 $N\overset{\displaystyle=}{=}N\overset{\displaystyle\equiv}{=}N^-$ 离子,它是一个拟卤离子,即反应性能类似于卤离子,例如它的银盐 AgN_3 是难溶于水的。

纯的氢叠氮酸 HN_3(图 $14-7$)是一种无色液体,凝固点

193K,沸点310K,一些叠氮化物如$Pb(N_3)_2$受热或受撞击就爆炸,可以用作引爆剂。

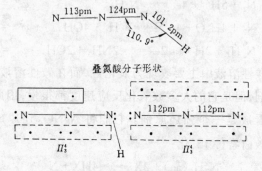

叠氮酸分子形状

图14-7 叠氮酸和叠氮离子的结构

联氨可看成是NH_3分子中的一个H被NH_2取代的衍生物,因此,羟基胺NH_2OH就可以看成是NH_3中的H被OH基取代的衍生物,它的分子结构如图14-8。分子中N原子的氧化数为-1,除用sp^3杂化轨道成键以外还有一对孤电子

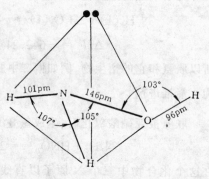

图14-8 羟胺分子结构

对。和肼一样羟胺是一个比肼还弱的碱:

$$NH_2OH(aq) + H_2O \Longrightarrow NH_3OH^+ + OH^- \qquad K_{298}^{\ominus} = 9.1 \times 10^{-9}$$

由于孤电子对的存在,它可以作为配位体,如$Zn(NH_2OH)_2Cl_2$。从热力学上看(图14-2)纯羟胺是一种不稳定的白色固体,在约288K时即发生热分解产生NH_3、水和氮与一氧化氮的混合物,但羟胺的水溶液或它的盐(如$[NH_3OH]Cl$,$[NH_3OH]NO_3$和$[NH_3OH]_2SO_4$)却是比较稳定的。羟胺在酸性和碱性溶液中的标

准电极电势如下：

酸性溶液：

$$N_2 + 2H_2O + 2H^+ + 2e^- \Longrightarrow 2NH_2OH \qquad \varphi^\ominus = -1.87 \text{ V}$$

$$NH_3OH^+ + 2H^+ + 2e^- \Longrightarrow NH_4^+ + H_2O \qquad \varphi^\ominus = -1.35 \text{ V}$$

碱性溶液：

$$N_2 + 4H_2O + 2e^- \Longrightarrow 2NH_2OH + 2OH^- \qquad \varphi^\ominus = -3.04 \text{ V}$$

$$NH_2OH + 2H_2O + 2e^- \Longrightarrow NH_3 \cdot H_2O + 2OH^- \qquad \varphi^\ominus = 0.42 \text{ V}$$

由上列数据可见,羟胺在酸性溶液或碱性溶液中既可显氧化性又可显还原性,但是作为氧化剂来讲,其反应速度很慢,通常总是作为还原剂,尤其在碱性溶液中 NH_2OH 是较强的还原剂。例如它能把金属盐(如银盐)还原成金属:

$$2NH_2OH + 2AgBr \Longrightarrow 2Ag + N_2 + 2HBr + 2H_2O$$

$$2NH_2OH + 4AgBr \Longrightarrow 4Ag + N_2O + 4HBr + H_2O$$

用联氨或羟胺作还原剂的优点,一方面是由于它们有强的还原性,另一方面是它们的氧化产物可以脱离反应系统,不会给反应溶液里带来杂质。

2-5 氮的含氧化合物

(1) 氮的氧化物

氮原子和氧原子可以有多种形式结合,在这些结合形式中,N的氧化数可以从 +1 变到 +5。即常见的有五种氮的氧化物:一氧化二氮 N_2O、一氧化氮 NO、三氧化二氮 N_2O_3、二氧化氮 NO_2 和五氧化二氮(硝酸酐)N_2O_5。其中除了 N_2O_5 外,其他氮的氧化物在室温下都是气体。这些氧化物的性质对比在表 14-5 中。

(2) 亚硝酸及其盐

当将 NO_2 和 NO 的混合物溶解在冰冻的水中时,生成了亚硝酸的水溶液:

$$NO_2 + NO + H_2O \Longrightarrow 2HNO_2$$

表 14 – 5 氮的氧化物

化学式	制 备 反 应	性 质	结 构 式
N_2O	$NH_4NO_3 \xrightarrow{463 \sim 573\ K} N_2O + 2H_2O$ $\Delta H^{\ominus} = -125.52\ kJ \cdot mol^{-1}$	熔点 170.6 K,沸点 184.5 K,无色气体,有甜味,能溶于水,但不与水作用,能助燃,是一种氧化剂。不助呼吸。曾作为牙科麻醉剂。	$:N \overset{118pm}{—} N \overset{119pm}{—} O:$ Π_3^4
NO	$3Cu + 8HNO_3(稀) \longrightarrow$ $3Cu(NO_3)_2 + 2NO + 4H_2O$	熔点 109.4 K,沸点 121.2 K,无色气体,不助燃,结构上不饱和,故有加合反应,例如:$2NO + Cl_2 \longrightarrow 2HOCl, 2NO + O_2 \longrightarrow 2NO_2$ 也可以作为配合剂,参加配合物组成。	$:N \overset{\Pi_3^4}{—} O:$

化学式	制 备 反 应	性 质	结 构 式
N_2O_3	$NO + NO_2 \longrightarrow N_2O_3$ $\Delta H^{\ominus} = -41.84\ \text{kJ·mol}^{-1}$	熔点 170.8 K,沸点 276.5 K(分解),不稳定,常压下即分解为 NO 和 NO_2。 $N_2O_3 \longrightarrow NO + NO_2$ 蓝色　无色　红棕色	（105.1°，112.7°，114.2pm，186.4pm）
NO_2	$2NO + O_2 \longrightarrow 2NO_2$ $Cu + 4HNO_3 \longrightarrow Cu(NO_3)_2$ $\quad + 2NO_2 + 2H_2O$	红棕色气体,熔点 181 K,沸点 294.3 K(分解),易压缩成无色液体,低温下聚合成 N_2O_4:$2NO_2 \Longrightarrow N_2O_4$ 溶于水时生成硝酸: $2NO_2 + H_2O \longrightarrow HNO_3 + HNO_2$	（118.8pm，134°）
N_2O_5	$2NO_2 + O_3 \longrightarrow N_2O_5 + O_2$ $\Delta H^{\ominus} = -267.78\ \text{kJ·mol}^{-1}$	白色固体,熔点 303K(分解),沸点 320K(分解),易潮解,受热时分解成 NO_2 和 O_2,极不稳定,能爆炸性分解,强氧化剂,溶于水生成硝酸。 $N_2O_5 + H_2O \longrightarrow 2HNO_3$	

亚硝酸是一种弱酸,因此将一强酸加入亚硝酸盐溶液中时,就可以得到亚硝酸的溶液:

$$NaNO_2 + HCl \rightleftharpoons NaCl + HNO_2$$

亚硝酸的水溶液是一种弱酸,但比醋酸略强:

$$HNO_2 \rightleftharpoons H^+ + NO_2^-$$

$$K_a^\ominus = \frac{[H^+][NO_2^-]}{[HNO_2]} = 5 \times 10^{-4}(18℃)$$

在酸性溶液中,HNO_2 可能存在如下反应:

$$H^+ + HNO_2 \rightleftharpoons NO^+ + H_2O \quad K^\ominus = 2 \times 10^{-7}(20℃)$$

NO^+ 离子的存在对 HNO_2 的性质有很大影响。有关 HNO_2 的标准电极电势如下:

酸性溶液:

$$HNO_2 + H^+ + e^- \rightleftharpoons NO + H_2O \qquad \varphi^\ominus = 0.99 \text{ V}$$

$$N_2O_4 + 2H^+ + 2e^- \rightleftharpoons 2HNO_2 \qquad \varphi^\ominus = 1.07 \text{ V}$$

$$NO_3^- + 3H^+ + 2e^- \rightleftharpoons HNO_2 + H_2O \qquad \varphi^\ominus = 0.94 \text{ V}$$

碱性溶液:

$$NO_3^- + H_2O + 2e^- \rightleftharpoons NO_2^- + 2OH^- \qquad \varphi^\ominus = 0.01 \text{ V}$$

$$NO_2^- + H_2O + e^- \rightleftharpoons NO + 2OH^- \qquad \varphi^\ominus = -0.46 \text{ V}$$

从图 14-2 可见,亚硝酸的自由能值位于 HNO_3 和 NO 自由能联接线的上方,所以从热力学上看它是不稳定的,事实上亚硝酸仅存在于水溶液中,而且容易歧化分解:

$$3HNO_2 \rightleftharpoons HNO_3 + 2NO + H_2O$$

但是在碱性溶液中却不会发生如下反应:

$$3NO_2^- + H_2O \rightleftharpoons 2NO + NO_3^- + 2OH^-$$

这是因为该反应的 $\Delta E = -0.47 \text{ V} < 0$ 的缘故。可见它的盐是相当稳定的。第 ⅠA 和 ⅡA 族元素的亚硝酸盐都有颇高的热稳定性。用金属在高温下还原硝酸盐来制备亚硝酸盐:

$$Pb(粉) + NaNO_3 \Longrightarrow PbO + NaNO_2$$

产物 PbO 不溶于水,将反应混合物溶于热水中,过滤后重结晶,得到白色晶状的亚硝酸钠,它大量用于染料工业和有机合成工业中。

大多数亚硝酸盐是稳定的,除浅黄色的不溶盐 $AgNO_2$ 外,一般易溶于水。亚硝酸盐一般有毒,并且是致癌物质。

亚硝酸有两种结构:顺式和反式(如图 14-9),一般来讲,反式亚硝酸比顺式亚硝酸稳定。

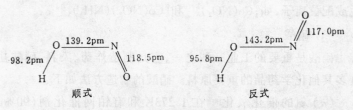

图 14-9 亚硝酸的结构

根据电子对互斥理论很容易推测出 NO_2^+,NO_2 和 NO_2^- 的分子结构,如图 14-10 所示:

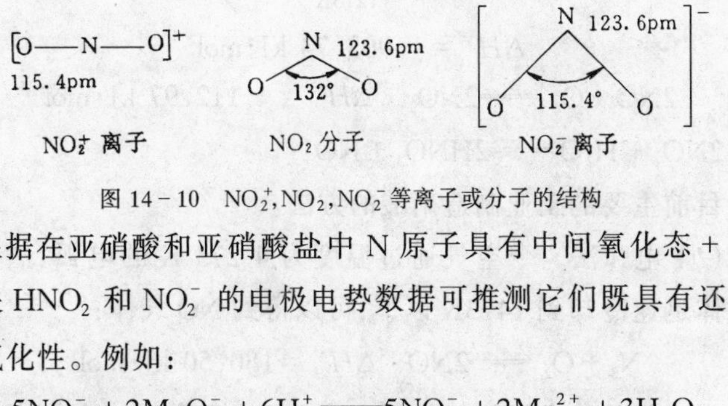

图 14-10 NO_2^+,NO_2,NO_2^- 等离子或分子的结构

根据在亚硝酸和亚硝酸盐中 N 原子具有中间氧化态 +3,以及有关 HNO_2 和 NO_2^- 的电极电势数据可推测它们既具有还原性又有氧化性。例如:

$$5NO_2^- + 2MnO_4^- + 6H^+ \Longrightarrow 5NO_3^- + 2Mn^{2+} + 3H_2O$$

$$2HNO_2 + 2I^- + 2H^+ \Longrightarrow 2NO + I_2 + 2H_2O$$

这两个反应都可以定量地进行,所以这两个反应都可以用于测定亚硝酸盐。亚硝酸作为还原剂时,其被氧化的产物总是 NO_3^-,但

是它作氧化剂时,它被还原的产物,却依所用还原剂的不同,可能是 NO,N_2O,NH_2OH,N_2 或 NH_3,但是以 NO 为最常见。应当指出,HNO_2 虽然兼有氧化性和还原性,但却以氧化性为主,而且它的氧化能力在稀溶液时,比 NO_3^- 离子还强。如稀溶液中 NO_2^- 可将 I_3^- 离子氧化,稀溶液中的 NO_3^- 却不能氧化 I^- 离子,这是 NO_2^- 和 NO_3^- 离子重要区别之一。

NO_2^- 离子也是一个很好的配位体,它能同许多过渡金属离子生成配位离子,如:$Co(NO_2)_6^{3-}$ 和 $[Co(NO_2)(NH_3)_5]^{2+}$。

(3) 硝酸

硝酸是重要的工业三酸之一,它是制造炸药、染料、硝酸盐和许多其他化学药品的重要原料。硝酸的制造方法如下:

(a) 氨的催化氧化   在 1 273K 和有铂网催化剂(90% Pt,10% Rh 合金网)时氨可以被大气中的氧氧化成 NO,接着 NO 和氧气进一步反应生成 NO_2,它被水吸收就成为硝酸:

$$4NH_3 + 5O_2 \xrightarrow[1273K]{Pt网} 4NO + 6H_2O$$

$$\Delta H^\ominus = -903.74 \text{ kJ·mol}^{-1}$$

$$2NO + O_2 \Longrightarrow 2NO_2 \quad \Delta H^\ominus = -112.97 \text{ kJ·mol}^{-1}$$

$$2NO_2 + H_2O \Longrightarrow 2HNO_3 + NO$$

这是目前主要的工业制造硝酸的方法。

(b) 电弧法   令空气通过温度为 4 273 K 的电弧,然后将混合气体迅速冷却到 1473K 以下,可以得到 NO 气体:

$$N_2 + O_2 \Longrightarrow 2NO \quad \Delta H^\ominus = 180.50 \text{ kJ·mol}^{-1}$$

进一步冷却并使它同氧气作用变成 NO_2,然后用水吸收制成硝酸。此法受电力资源的限制。但在大雷雨中,空气中的氮气和氧气自然合成氮的氧化物,被雨水吸收成硝酸而淋入土壤中,给土壤自然增加氮素。这种过程对于氮素在自然界的循环是有重要意义的。

（c）硝酸盐与浓硫酸作用　过去工业上曾用这个方法制硝酸,现在只适用于在实验室中制备少量硝酸:

$$NaNO_3 + H_2SO_4 \xrightarrow{393-423K} NaHSO_4 + HNO_3$$

因为 HNO_3 是一个挥发性酸,所以能从反应混合物中蒸馏出来。不过这个反应只能利用 H_2SO_4 中一个氢离子,因为第二步反应

$$NaNO_3 + NaHSO_4 \Longrightarrow Na_2SO_4 + HNO_3$$

需要在 773K 左右反应,这时硝酸会分解反而使产率降低。

硝酸能和水以任何比例混合。一般市售硝酸密度为 1.42 $g\cdot cm^{-3}$,含 HNO_3 $68\% \sim 70\%$,浓度相当于 15 $mol\cdot dm^{-3}$,纯硝酸是一种无色的透明油状液体。溶解了过多 NO_2 的浓硝酸显棕黄色,叫做发烟硝酸。硝酸在沸点 359K 时发生分解作用:

$$4HNO_3 \Longrightarrow 2H_2O + 4NO_2 + O_2 \quad \Delta H^{\ominus} = 259.4 \text{ kJ}\cdot\text{mol}^{-1}$$

平时硝酸受光照时也慢慢地发生分解作用,所以纯硝酸在放置中会慢慢变黄。硝酸的这种不稳定性,从图 14-2 中可见,这是同硝酸具有较高的自由能有关。

硝酸的另一个重要化学性质是它的强氧化性。除了少数金属(如 Au 和 Pt 等)外,许多金属都能溶于硝酸生成硝酸盐。例如:

$$4HNO_3 + Cu \Longrightarrow Cu(NO_3)_2 + 2NO_2 + 2H_2O$$

$$4HNO_3 + Hg \Longrightarrow Hg(NO_3)_2 + 2NO_2 + 2H_2O$$

铁和铝与冷、浓硝酸接触时会钝化,即表面上生成一层致密的氧化物,阻止了金属的进一步氧化。现在一般用铝制容器(槽车)来装盛浓硝酸。有机物或碳能被浓硝酸氧化成 CO_2,表现为硝酸对有机物(衣服、皮肤)的腐蚀性和破坏性。

非金属中除 Cl_2,O_2 稀有气体以外也都能同浓硝酸反应:

$$2HNO_3 + S \Longrightarrow H_2SO_4 + 2NO\uparrow$$

$$2H_2O + 5HNO_3 + 3P \Longrightarrow 3H_3PO_4 + 5NO\uparrow$$

有些有机物遇到浓硝酸甚至可以引起燃烧。

浓硝酸作为氧化剂时,其还原产物多数为 NO_2,但同非金属元素作用时还原产物往往是 NO。

稀硝酸除了强酸性以外,也有强氧化能力。如:

$$3Cu + 8HNO_3 \xlongequal{\quad\quad} 3Cu(NO_3)_2 + 2NO\uparrow + 4H_2O$$

$$6Hg + 8HNO_3 \xlongequal{\quad\quad} 3Hg_2(NO_3)_2 + 2NO\uparrow + 4H_2O$$

作为氧化剂,稀硝酸不同于浓硝酸之处在于稀硝酸的反应速度慢,氧化能力较弱,被氧化的物质不能达到最高氧化态,如 Hg_2^{2+}。此外,由于稀硝酸的浓度不同,它的还原产物可能是 NO,N_2O,N_2 甚至是 NH_4^+。稀硝酸的氧化作用可以认为首先被还原成 NO_2,但是因为反应速度慢,NO_2 的产量不多,所以它来不及逸出反应体系就又被进一步还原成 NO 或 N_2、NH_4^+ 等。

硝酸的强氧化性可以从它的标准电极电势以及反应机理得到解释。有关硝酸的标准电极电势如下:

$$NO_3^- + 2H^+ + e^- \xlongequal{\quad\quad} NO_2 + H_2O \qquad \varphi^\ominus = 0.77 \text{ V}$$

$$NO_3^- + 10H^+ + 8e^- \xlongequal{\quad\quad} NH_4^+ + 3H_2O \qquad \varphi^\ominus = 0.87 \text{ V}$$

$$NO_3^- + 4H^+ + 3e^- \xlongequal{\quad\quad} NO + 2H_2O \qquad \varphi^\ominus = 0.95 \text{ V}$$

从上面的数据可见,NO_3^- 不论还原成 NO_2、NO、还有 NH_4^+,它们都具有较大的 $\varphi^\ominus$。显然硝酸的氧化性是可以理解的。

从反应机理上看,硝酸的氧化性与硝酸中经常会存在由光化分解而来的 NO_2 催化作用有关。NO_2 起着传递电子的作用:

$$NO_2 + e^- \xlongequal{\quad\quad} NO_2^-$$

$$NO_2^- + H^+ \xlongequal{\quad\quad} HNO_2$$

$$HNO_3 + HNO_2 \xlongequal{\quad\quad} H_2O + 2NO_2$$

硝酸通过 NO_2 获得还原剂的电子,反应便被加速。发烟硝酸有很强的氧化性,就是因为在酸中溶解有很多的 NO_2 的缘故。

铜和硝酸反应,最初速度很慢随后逐渐加快,若向溶液中加入$NaNO_2$晶体可加速铜和硝酸的反应,这些事实就是NO_2有催化作用的有力证据。

硝酸的分子是平面型的(图14-11),其中的N原子采取sp^2杂化,它的π轨道上的一对电子和两个氧原子的成单π电子形成一个三中心四电子的不定域π键Π_3^4。这种结构使硝酸中N原子的表观氧化数为$+5$。

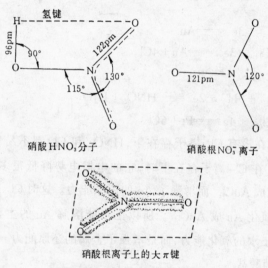

硝酸HNO_3分子　　　　　　硝酸根NO_3^-离子

硝酸根离子上的大π键

图14-11　硝酸和硝酸根离子的结构

当硝酸被中和产生NO_3^-离子时,这个离子的三个O原子和中心N原子之间形成一个Π_4^6键,因而硝酸盐在正常状况下是足够稳定的。

(4) 王水

浓盐酸和浓硝酸体积比约3:1的混合物叫做王水,王水是一种比硝酸更强的氧化剂,能够溶解金和铂:

$$Au + HNO_3 + 3HCl \Longrightarrow AuCl_3 + NO + 2H_2O$$

$$AuCl_3 + HCl \Longrightarrow HAuCl_4$$

$$3Pt + 4HNO_3 + 12HCl =\!=\!= 3PtCl_4 + 4NO + 8H_2O$$

$$PtCl_4 + 2HCl =\!=\!= H_2[PtCl_6]$$

王水能够溶解金和铂的原因,过去曾认为是在王水中产生了原子氯和强氧化性的氯化亚硝基的缘故:

$$HNO_3 + 3HCl =\!=\!= NOCl + 2Cl + 2H_2O$$

现在看来,主要是由于大量 Cl^- 离子的存在,能够形成配位离子:$AuCl_4^-$ 和 $PtCl_6^{2-}$,从而改变了电极电势的结果,它们的电极电势为:

	$\varphi^{\ominus}/V$
$Au^{3+} + 3e^- =\!=\!= Au$	1.498
$AuCl_4^- + 3e^- =\!=\!= Au + 4Cl^-$	1.00
$Cl_2 + 2e^- =\!=\!= 2Cl^-$	1.36
$NO_3^- + 3H^+ + 2e^- =\!=\!= HNO_2 + H_2O$	0.94
$PtCl_6^{2-} + 4e =\!=\!= Pt + 6Cl^-$	0.72

可以看出,在没有 Cl^- 离子存在下,HNO_3 和 Cl_2 都不易氧化 Au,但是当 Au 在 Cl^- 离子存在下时,它的电极电势降低很多,换句话讲,由于形成 $AuCl_4^-$ 而增强了 Au 的还原能力。这时 Cl_2 或甚至浓硝酸也能氧化 Au 成 $AuCl_4^-$。所以王水能溶解 Au 的主要原因不是增强了王水的氧化能力,而是增强了金属的还原能力。

(5) 硝酸盐

硝酸盐的重要性质之一就是它的水溶性,几乎所有的硝酸盐都易溶于水而且容易结晶。另一个重要性质是热稳定性,硝酸盐的热稳定性主要表现在 NO_3^- 离子的不稳定性和氧化性上,硝酸盐热分解情况复杂,主要可分以下几种:碱金属和碱土金属的无水硝酸盐热分解产生亚硝酸盐和氧气:

$$2NaNO_3 \overset{\triangle}{=\!=\!=} 2NaNO_2 + O_2$$

那些电位序在镁与铜之间的金属元素的无水硝酸盐热分解时得到

相应金属的氧化物：

$$2Pb(NO_3)_2 \xrightarrow{\triangle} 2PbO + 4NO_2 + O_2$$

硝酸盐的阳离子如果有氧化能力或还原能力时，它们的无水硝酸盐受热分解时，可能发生阴阳离子之间的氧化还原反应：

$$2AgNO_3 \xrightarrow{\triangle} 2Ag + 2NO_2 + O_2$$

$$Hg_2(NO_3)_2 \xrightarrow[373\ K]{\triangle} 2HgO + 2NO_2$$

$$2HgO \xrightarrow[573\ K]{强热} 2Hg + O_2$$

$$NH_4NO_3 \xrightarrow{\triangle} N_2O + 2H_2O$$

许多硝酸盐常常带有结晶水，由于硝酸盐是一种挥发性酸，所以受热时，可能要发生水解反应：

$$Mg(NO_3)_2 \cdot 6H_2O \xrightarrow{402.5\ K} Mg(OH)NO_3 + HNO_3 + 5H_2O$$

$$Cu(NO_3)_2 \cdot 3H_2O \xrightarrow{443\ K} Cu(OH)NO_3 + HNO_3 + 2H_2O$$

含氧酸盐热分解的规律和原因，将在本章最后一节详细论述。

2-6 氮的卤化物

表 14-6 氮的卤化物

化 学 式	制 备 反 应	性 质	结 构
NF_3	在铜器中电解 NH_4HF_2 熔体	无色气体，沸点 154 K，对热稳定，有较高的化学稳定性，在水和碱溶液中不水解	$\underset{F\ \ F\ \ F}{\overset{..}{N}}$
NCl_3	$NH_3 + Cl_2 = NCl_3 + 3HCl$	黄色液体，沸点 344 K，超过沸点或受振动即爆炸性分解，在碱溶液中水解	$\underset{Cl\ \ Cl\ \ Cl}{\overset{..}{N}}$
$NBr_3 \cdot (NH_3)_6$	$7NH_3 + 3Br_2 = NBr_3 \cdot (NH_3)_6 + 3HBr$	爆炸性固体，紫色	
$NI_3 \cdot (NH_3)_6$	$7NH_3 + 3I_2 = NI_3(NH_3)_6 + 3HI$	爆炸性固体，黑色	

氮的卤化物只有三氟化氮 NF_3 和三氯化氮 NCl_3 ,它们的性质列在表 14-6 中。三溴化氮和三碘化氮仅制得过它们的氨合物 $NBr_3 \cdot 6NH_3$ 和 $NI_3 \cdot 6NH_3$,而没有得到过自由的单分子化合物。

§14-3 磷和它的化合物

3-1 磷原子的成键特征和价键结构

磷原子的价电子壳层结构是 $3s^2 3p^3 3d^0$,即第三电子层除有 5 个价电子外还有空的 $3d$ 轨道,因此磷原子在形成化合物或单质时其特征如下:

(1) 形成离子键

为了达到稳定的结构,磷原子可以从电负性低的原子获得 3 个电子,形成含 P^{3-} 离子型化合物,如 Na_3P 。不过由于 P^{3-} 离子的半径较大而且容易变形,向共价键过渡的倾向很强,所以这种离子型化合物为数不多,这一类磷化物很容易水解,在水溶液中不能得到 P^{3-} 离子。

(2) 形成共价键

磷原子可以同电负性较大的原子形成 3 个共价单键。根据与磷原子相结合元素的电负性高低,在化合物中磷的氧化数可以从 +3 变到 -3 。这时磷原子采取 sp^3 杂化,同时磷原子还有一对孤电子对。磷原子的半径比氮大,形成 π 键的能力较氮弱,所以它和氮不同,磷不易形成 —P=O , P≡ 等类型的共价键。

当磷同电负性高的元素(F,O,Cl)相化合时,磷原子还可以拆开成对的 $3s$ 电子,把多出的 1 个单电子激发进入 $3d$ 能级而参加成键。在这种情况下磷原子的氧化数是 +5 ,形成的化合物是极性共价分子或基团,可以有两种价键结构形式:一种情况是形成五个共价单键,例如五卤化磷,其中磷原子采取 $sp^3 d$ 杂化;另一种情况

是形成 3 个单键和 1 个双键,结构形式是 $—\overset{|}{\underset{|}{P}}{=\!=}$,例如正磷酸

H_3PO_4 中的磷酸根,其中磷原子采取 sp^3 杂化,同时提供空的 d 轨道形成 π 键。

(3) 形成配位键

磷原子在形成配位键时有两种形式,一种是 P(Ⅲ)原子上有一对孤电子对,可以成为电子对给予体向金属离子配位,特别是膦 (PH_3)和它的取代衍生物(PR_3),是非常强的配位体,能形成很多的膦类配位的配合物。另一种情况是 P(Ⅴ)原子有可利用的空 d 轨道,它可以作为配合物的中心原子,成为电子对的接受体从而组成了配位键。这时 P(Ⅴ)的配位数为 $6(sp^3d^2$ 杂化)。

表 14-7 P 原子的成键特征和价键结构

价键	氧化态	杂化态	σ 键	π 键	孤电子对	结构图式	分子形状	化合物举例
共价键	+3、(或 -3)	sp^3	4	0	0	$\overset{|}{\underset{/\,\backslash}{P}}$	正四面体	PH_4^+
		sp^3	3	0	1	$:\overset{/}{\underset{|}{P}}$	三角锥	PCl_3,PH_3
	+5	sp^3d	5	0	0	$—\overset{|}{\underset{|}{P}}$	三角双锥	PCl_5
		sp^3	4	1	0	$—\overset{|}{\underset{|}{P}}{=\!=}$	四面体	H_3PO_4,$POCl_3$
离子键	P^{3-}	离子型磷化物 Na_3P,Mg_3P_2,Zn_3P_2。						
配位键	$—\overset{|}{\underset{|}{P}}{:}{\rightarrow}$	$CuCl \cdot 2PH_3$,$Ni(PCl_3)_4$,$PtCl_2 \cdot 2PR_3$。						
	$P \leftarrow$	PCl_6^-						

根据以上所述,把磷原子在化合物中的成键特征和价键结构列于表 14-7。

组成磷化合物结构基础的还有两个因素:即单质磷的一种变体是白磷,分子式是 P_4,其结构是一个正四面体。结构研究发现,磷的氧化物 P_4O_6 和 P_4O_{10},硫化物 P_4S_3,P_4S_7 和 P_4S_{10} 的结构都是以 P_4 分子为结构基础而衍生出来的。另外,磷的电负性为 2.1,磷是一个亲氧元素,在 P(V)含氧化合物中,P—O 键有颇高的稳定性,P—O 键能为 359.82 $kJ \cdot mol^{-1}$,使磷氧四面体 $[PO_4]^{3-}$ 成为一个很稳定的结构单元。多种结合形式的 P(V)含氧化合物都是以磷氧四面体为结构基础的。

3-2　磷元素的氧化态-吉布斯自由能图

今将在 pH = 0 时溶液中,磷元素不同氧化态的吉布斯自由能 $\Delta G^{\ominus}$ 绘于图 14-12 中。

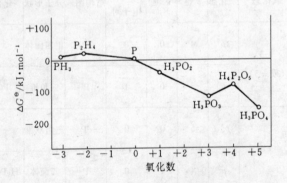

图 14-12　pH=0 时磷元素不同氧化态的吉布斯自由能 $\Delta G^{\ominus}$

从图 14-12 可见,氮元素和磷元素的氧化态-吉布斯自由能图非常不同。磷非常不稳定极易歧化分解。

$$4P + 6H_2O =\!=\!= PH_3 + 3H_3PO_2 \quad \Delta G^{\ominus} = -128 \ kJ \cdot mol^{-1}$$

然而在室温下,这个反应的速率非常缓慢,以致实际上可以忽略。因此可以把磷置于水下以防止磷与空气接触,达到保存磷的目的。

但是在碱性介质中(pH = 14)磷易发生歧化反应:

$$4P + 3OH^- + 3H_2O = 3H_2PO_2^- + PH_3$$

$$\Delta G^\ominus = -336 \ kJ \cdot mol^{-1}$$

加热时,歧化反应更易发生。

事实上产生的 $H_2PO_2^-$ 也是不稳定的:

$$3H_3PO_2 \Longrightarrow 2H_3PO_3 + PH_3 \quad \Delta G^\ominus = -127 \ kJ \cdot mol^{-1}$$

H_3PO_3 歧化分解的吉布斯自由能虽然为正值:

$$4H_3PO_3 \Longrightarrow PH_3 + 3H_3PO_4 \quad \Delta G^\ominus = +4 \ kJ \cdot mol^{-1}$$

但在热溶液中,由于 PH_3 的挥发而使 H_3PO_3 的歧化反应趋于完全。可见单质磷的加热水解歧化反应的产物也可能为 H_3PO_4 和 PH_3,事实上即使较弱的氧化剂也能将磷氧化成稳定的 H_3PO_4。

3-3 磷在自然界的分布和单质磷

磷在自然界以磷酸盐的形式出现,在地壳中的质量分数为 0.118%。矿物有磷酸钙矿 $Ca_3(PO_4)_2 \cdot H_2O$ 和氟磷灰石 $Ca_5F(PO_4)_3$。这两种矿物是制造磷肥和一切磷化合物的原料,所以它们是重要的矿物资源。磷存在于细胞、蛋白质、骨骼和牙齿中,所以对生命体也是重要的元素。在自然界所有的含磷化合物中,磷原子总是毫无例外地通过氧原子同别的原子或基团相联结的。

单质磷是将磷酸钙、石英砂和炭粉的混合物放在电弧炉中熔烧还原而制得,反应如下:

$$2Ca_3(PO_4)_2 + 6SiO_2 + 10C \xrightarrow{1\,373-1\,713K} 6CaSiO_3 + P_4 + 10CO$$

将生成的磷蒸气 P_4(高于 1 073K 时,部分的分解成 P_2)通入水面下冷却,就得到凝固的白磷。

上述反应的本质是碳将高氧化态的磷还原成单质。单纯的碳还原磷酸钙的反应需要很高温度,然而氧化钙和二氧化硅生成硅酸钙的反应是强烈放热反应($\Delta H^{\ominus} = -88,9\ kJ\cdot mol^{-1}$)。因此,反应中加入石英砂可大大降低反应温度。

单质磷有几种同素异形体,磷蒸气迅速冷却时(要隔绝空气),得到的总是白磷。由于它在空气中会迅速氧化而自燃,经常把它保存在水中。白磷经放置或在 673K 密闭加热数小时就转化成红磷。也可以将磷熔于 30 倍质量的熔融 Pb 中,然后慢慢冷却,最后溶去 Pb 即得红磷。红磷是一种稳定变体,在转变过程中有热量放出:

$$白磷 \Longleftrightarrow 红磷 \qquad \Delta H^{\ominus} = -16.74\ kJ\cdot mol^{-1}$$

白磷和红磷的性质对比如下。

表 14-8 白磷和红磷的物理性质

性质 变体	熔点/K	沸点/K	密度/g·cm⁻³	在 CS₂ 中的 溶　　解	燃点/K
白　　磷	317	554	1.8	易溶	313
红　　磷	—	464 升华	2.3	不溶	513

磷和氮不一样,它在低于 673 K 的蒸气中或在二硫化碳溶液中以四面体状的 P_4 分子存在。分子中 P—P—P 键角自然是 60°,比纯 p 轨道 σ 键的键角 90°小了许多。理论研究指出,在这个分子中的 P—P 键 98% 是 p 轨道形成的键(s 和 d 仅占很少成分)。因此可知 P—P 键是受了应力而弯曲的键,P—P 键能很低,仅为 201 $kJ\cdot mol^{-1}$,比 N_2(N≡N 键为 941.7 $kJ\cdot mol^{-1}$; N—N 键为 247 $kJ\cdot mol^{-1}$)小了很多,很容易受外力而张开。这就说明了为什么白磷在常况下有很高反应活性的原因。

晶状固体白磷是由单个的 P_4 分子通过分子间引力堆积而成的,属立方晶系。它的熔、沸点都较低,在 317K 熔化成无色液体。

红磷的结构现在还没有弄清楚,有人认为红磷是由 P_4 分子撕裂开一个键,由许多成对的等边三角形连接起来而形成的长链状的巨大分子所组成(见图 14-13)。

将白磷在高压下或在常压用 Hg 作催化剂和以小量黑磷作为"晶种",在 493~643K 加热 8 天可得到另一种黑色的同素异形体,叫做黑磷。黑磷具有石墨状的片层结构并有导电性,黑磷中的磷原子是以共价键互相连接成网状结构(图 14-13)。

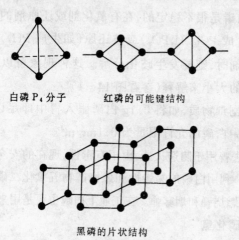

白磷 P_4 分子　　　红磷的可能键结构

黑磷的片状结构

图 14-13　单质磷的结构

白磷最重要的化学性质是它的活泼性,它和空气或潮气接触时发生缓慢氧化作用,部分的反应能量以光能的形式放出,这便是白磷在暗处发光的原因,叫做磷光现象。白磷在空气中缓缓氧化到表面上积聚的热量使温度达到 313K 时,便达到了白磷的燃点,引起自发燃烧。红磷和黑磷要比白磷稳定得多。

白磷以黄色火焰燃烧成氧化物,能猛烈地同单质卤素反应,例如它在氯气中也能自燃。强氧化剂如硝酸能将白磷氧化成磷酸。

白磷溶解在热的浓碱溶液中生成磷化氢和次磷酸盐。

白磷可以将易被还原的金属如金、银、铜和铅从它们的盐中取代出来,有时也可以和取代出来的金属立即反应生成磷化物。例如白磷可以将铜从铜盐中取代出来并与之化合成磷化铜(硫酸铜是白磷中毒的解毒剂。)

$$2P + 5CuSO_4 + 8H_2O \Longrightarrow 5Cu \downarrow + 2H_3PO_4 + 5H_2SO_4$$

$$11P + 15CuSO_4 + 24H_2O \Longrightarrow 5Cu_3P + 6H_3PO_4 + 15H_2SO_4$$

总之,白磷是很不稳定的,在有氧化剂或还原剂的存在下它可被氧化(如生成 PCl_5、H_3PO_4)或被还原(如生成 PH_3)。在没有氧化剂或还原剂时,则要发生歧化分解。这种现象可以用它们的标准电极电位的大小来解释(参看图 14-1)。

白磷是剧毒物质,如将 0.1g 白磷服入胃中即足以使人死亡。在工业空气中白磷的允许限量为 $0.1mg/m^3$。

白磷过去曾用于制造火柴,由于有毒性,现在的安全火柴中已不再使用白磷。利用白磷的易燃性和燃烧产物五氧化二磷能形成烟雾的特性,可制燃烧弹和烟雾弹。在工业上白磷主要是用来制造磷酸。

3-4　磷化氢

磷和氢可组成一系列氢化物:PH_3、P_2H_4 和 $(P_2H)_x$ 等,其中最重要的是 PH_3 称为膦。有多种反应可以制备磷化氢,其中有些类似于产生氨的反应:

(1) 磷化钙的水解(类似于 Mg_3N_2 的水解)

$$Ca_3P_2 + 6H_2O \Longrightarrow 3Ca(OH)_2 + 2PH_3$$

(2) 碘化膦同碱的反应(类似于氯化铵和碱的反应)

$$PH_4I + NaOH \Longrightarrow NaI + H_2O + PH_3$$

(3) 单质磷和氢气的气相反应(类似于 N_2 和 H_2 反应)

$$P_4(g) + 6H_2(g) \Longrightarrow 4PH_3(g)$$

（4）白磷同沸热的碱溶液作用

$$P_4(s) + 3OH^- + 3H_2O =\!=\!= 3H_2PO_2^- + PH_3$$

磷化氢和鏻离子的结构如图 14-14，PH_3 和它的取代衍生物 PR_3（R 代表有机基团）具有三角锥形的结构，PH_3 中的键角 $\angle HPH$ 为 93°，P—H 键长为 142 pm。可见 PH_3 是一个极性分子（$\mu = 0.55D$），但是和 NH_3 分子相比却弱得多。磷化氢常温是一种无色而剧毒的气体，在 183.28K 凝为液体，在 139.25K 凝结为固体，临界温度为 324K，临界压力为 6.48×10^6 Pa。

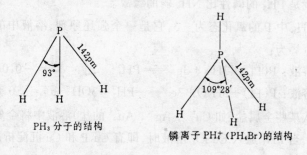

PH₃ 分子的结构

鏻离子 PH₄⁺（PH₄Br）的结构

图 14-14　PH_3 和 PH_4^+ 的结构

磷化氢在水中的溶解度比 NH_3 小得多，在 290K 时，每 $100dm^3$ 水能溶解 $26dm^3$ 的 PH_3。酸或碱溶液对于 PH_3 的溶解度影响很小。已知 PH_3 能生成一种水合物 $PH_3 \cdot H_2O$，相当于 $NH_3 \cdot H_2O$ 的类似物。但是 PH_3 在水中所显的碱性要比 NH_3 弱得多，实验测得其碱常数约为 10^{-25}。虽然 PH_3 同卤化氢可以化合生成相应的化合物如 PH_4Cl，PH_4Br 和 PH_4I，但是由于它们极易水解，所以在水溶液中并不能产生鏻离子 PH_4^+。相反磷化氢却从溶液中逸出，例如：

$$PH_3(g) + HI(g) =\!=\!= PH_4I(s)$$

$$PH_4I + H_2O =\!=\!= PH_3\uparrow + H_3O^+ + I^-$$

磷化氢和它的取代衍生物 PR_3 中的 P 原子都有一对孤电子

对,和 NH_3 一样它能和许多过渡金属离子生成多种配位化合物。不过 PH_3 或 PR_3 的配位能力比 NH_3 或胺强得很多,因为它们向金属配位时,除了 $:PH_3$ 或 $:PR_3$ 是电子对给予体之外,配合物中心离子还可以向磷原子空的 d 轨道反馈电子,从而加强了配合离子的稳定性。已经制得的一些配位化合物有: $CuCl \cdot 2PH_3$, $CuCl \cdot PH_3$, $AgI \cdot PH_3$, $PtCl_2 \cdot 2P(CH_3)_3$, $PtCl_2 \cdot 2P(C_2H_5)_3$ 。当 H^+ 离子同 PH_3 结合时,由于 H^+ 离子没有电子反馈给 P 原子的空 d 轨道,且 P 的半径又比 N 的半径大,所以 PH_3 同 H^+ 的结合较 NH_3 弱,这可能就是 PH_3 的碱性比 NH_3 弱的缘故。

PH_3 中 P 的氧化态为 -3,它是一个强还原剂,溶液中的标准电极电势为:

酸性溶液: $P(白) + 3H^+ + 3e^- \longrightarrow PH_3 \qquad \varphi^\ominus = -0.063V$

碱性溶液: $P(白) + 3H_2O + 3e^- \longrightarrow PH_3 + 3OH^- \quad \varphi^\ominus = -0.89V$

它能从某些金属盐(如 Cu^{2+} , Ag^+ , Au^{3+} 的盐)溶液中将金属置换出来。当 PH_3 通入 $CuSO_4$ 溶液时,即有 Cu_3P 和 Cu 沉淀析出:

$$8CuSO_4 + PH_3 + 4H_2O \longrightarrow H_3PO_4 + 4H_2SO_4 + 4Cu_2SO_4$$

$$3Cu_2SO_4 + 2PH_3 \longrightarrow 3H_2SO_4 + 2Cu_3P$$

$$4Cu_2SO_4 + PH_3 + 4H_2O \longrightarrow H_3PO_4 + 4H_2SO_4 + 8Cu$$

在一定温度(423K)下,PH_3 能同氧燃烧生成 H_3PO_4:

$$PH_3 + 2O_2 \longrightarrow H_3PO_4 \qquad \Delta H^\ominus = -1\,272.35 \text{ kJ} \cdot \text{mol}^{-1}$$

平常制得的磷化氢在空气中能自燃,是因为在这个气体中常常含有更活泼易自燃的联膦 P_2H_4 ,联膦是联氨的类似物。

3-5 磷的含氧化合物

磷的含氧化合物主要包括氧化物、含氧酸及其盐。下面扼要加以讨论。

(1) 氧化物

(a) 三氧化二磷 磷在常温下慢慢氧化,或在不充分的空气

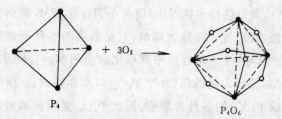

$$P_4 \qquad +3O_2 \longrightarrow \qquad P_4O_6$$

中燃烧,生成 P(Ⅲ)的氧化物,即 P_4O_6,常叫做三氧化二磷。这个氧化物的生成可以看成是由于 P_4 分子中受到弯曲应力的 P—P 键因氧分子的进攻而断开,在每两个 P 原子间嵌入一个氧原子而形成的稠环分子。形成 P_4O_6 分子后 4 个 P 原子的相对位置(正四面体的角顶)并不发生变化。由于这个分子具有似球状的结构而容易滑动,所以三氧化二磷是有滑腻感的白色吸潮性腊状固体,熔点 296.8 K,沸点(在 N_2 气氛中)446.8K。三氧化二磷有很强的毒性,当溶于冷水时缓慢地生成亚磷酸,因而它又叫做亚磷酸酐。P_4O_6 易溶于有机溶剂中,它和冷水、热水的作用如下:

$$P_4O_6 + 6H_2O(冷) \Longleftarrow 4H_3PO_3$$

$$P_4O_6 + 6H_2O(热) \Longleftarrow PH_3 + 3H_3PO_4$$

第二个反应表明 P_4O_6 在热水中不稳定,歧化成 P(Ⅴ)磷酸和 -3 氧化态的 PH_3。

　(b) 五氧化二磷　在 P_4O_6 分子中每个磷原子上还有一对孤电子对,会受到氧分子的进攻,因此,P_4O_6 还可以继续被氧化成 P_4O_{10}。白磷在充分的氧气中燃烧可生成 P_4O_{10},这个化合物简称为五氧化二磷。

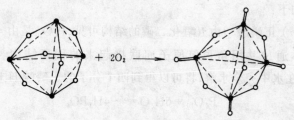

$$\qquad +2O_2 \longrightarrow$$

P_4O_{10} 是白色粉末状固体,熔点 693K,但 573K 时升华,有很强的吸水性,在空气中很快就潮解,它是最强的一种干燥剂。另外,P_4O_{10} 还可以从许多化合物中夺取化合态的水。它同水作用时反应很激烈,放出大量的热(每摩 P_4O_{10} 与水作用放出 284.51 kJ 热量),生成 P(V)的各种含氧酸,因此 P_4O_{10} 又叫做磷酸酐。P_4O_{10} 吸水并不能立即转变成磷酸,事实上这种反应很慢,一般主要生成 $(HPO_3)_n$ 的混合物,只有在 HNO_3 的存在下煮沸 P_4O_{10} 的水溶液才能转变成 H_3PO_4:

$$P_4O_{10} + 6H_2O \xrightarrow[\text{加热}]{HNO_3} 4H_3PO_4$$

(2) 磷的含氧酸

磷能生成多种氧化数的含氧酸,按氧化数分类汇列于表 14-9。其中的磷原子总是采取 sp^3 杂化。

表 14-9　磷的含氧酸

氧化数	分子式	名　　称
+1	H_3PO_2	次磷酸
+3	HPO_2	偏亚磷酸
	$H_4P_2O_5$	焦亚磷酸
	H_3PO_3	正亚磷酸
+4	$H_4P_2O_6$	连二磷酸
+5	HPO_3	偏磷酸
	$H_4P_2O_7$	焦磷酸
	H_3PO_4	正磷酸

在这些含氧酸中,以 P(V)的含氧酸和含氧酸盐最重要,分别讨论如下:

(a) 正磷酸　由五氧化二磷的结构可见,P_4O_{10} 是由 4 个磷氧四面体通过共用角顶氧原子而联接起来的稠环结构。如果令 P_4O_{10} 在水中完全水解,将可以得到四个分子的正磷酸 H_3PO_4:

$$P_4O_{10} + 6H_2O \Longrightarrow 4H_3PO_4$$

正磷酸的分子结构如图 14-15：

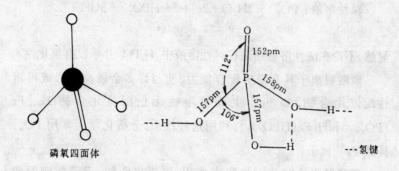

图 14-15 正磷酸的结构

H_3PO_4 是由一个单一的磷氧四面体构成的。磷氧四面体是一切 P(V)含氧酸和盐的基本结构单元。H_3PO_4 中的 P 采取 sp^3 杂化,三个杂化轨道与氧原子之间形成三个 σ 键,另一个 P=O 键是由一个 σ 键和两个 $d\pi - p\pi$ 键组成的多重键,按键能的大小这个多重键近似于双键。所谓 $d\pi - p\pi$ 键,即氧原子的 p 电子对反馈给磷原子的 d 轨道所形成的 π 键(它的生成可参看第 13 章氧的成键特征)。

正磷酸的熔点是 315.3 K,它的半水合物 $H_3PO_4 \cdot \frac{1}{2}H_2O$ 的熔点是 302.35 K。由于加热磷酸会逐渐脱水,因此它没有沸点,它能与水以任何比例混溶。市售磷酸是含 82% H_3PO_4 的粘稠状的浓溶液,磷酸溶液粘度较大的原因可能与浓溶液中存在着氢键有关。磷酸有三个 OH 基,它是一个三元酸,其逐级电离常数是:

$$K_1^{\ominus} = 7.6 \times 10^{-3} \quad K_2^{\ominus} = 6.3 \times 10^{-8} \quad K_3^{\ominus} = 4.4 \times 10^{-13}$$

可见它是一个中强酸。

磷酸的标准电极电势是:

酸性溶液:$H_3PO_4 + 2H^+ + 2e^- \Longrightarrow H_3PO_3 + H_2O$

$$\varphi^{\ominus} = -0.76 \text{ V}$$

碱性溶液：$PO_4^{3-} + 2H_2O + 2e^- \Longrightarrow HPO_3^{2-} + 3OH^-$

$$\varphi^{\ominus} = -1.12 \text{ V}$$

显然,不论在酸性溶液还是在碱性溶液中,H_3PO_4 几乎没有氧化性。

磷酸根离子具有强的配合能力,能与许多金属离子形成可溶性配位化合物,如 Fe^{3+} 生成可溶性无色配位化合物 $H_3[Fe(PO_4)_2]$和$H[Fe(HPO_4)_2]$,利用这种性质,分析化学上常用 PO_4^{3-} 掩蔽 Fe^{3+} 离子。

磷酸经强热时就发生脱水作用,生成焦磷酸、三磷酸或偏磷酸,如：

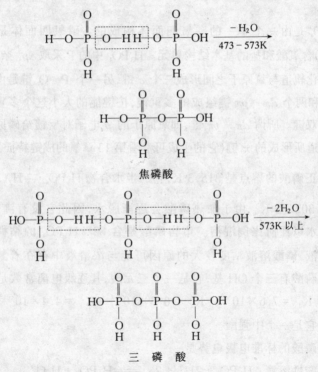

焦磷酸

三　磷　酸

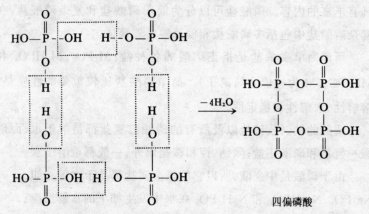

四偏磷酸

制备磷酸最好的实验方法是用密度为 $1.2\mathrm{g\cdot cm^{-3}}$ 的硝酸来氧化白磷。工业上生产的磷酸是用硫酸和磷酸钙相作用而制得：

$$Ca_3(PO_4)_2 + 3H_2SO_4 \Longrightarrow 3CaSO_4 + 2H_3PO_4$$

大量的不纯磷酸用于制造肥料,在钢铁工业上常用于处理钢铁,使它们的表面生成难溶磷酸盐薄膜以保护金属免受腐蚀。工业上也常用磷酸和硝酸的混合酸作为化学抛光剂,经过这种酸处理的金属可使表面光洁。

(b) 焦磷酸 $H_4P_2O_7$ 焦磷酸可用如下方法制取,用 H_2S 处理焦磷酸铜在水中的悬浮液,滤去硫化铜,然后将滤液蒸发结晶。晶状的焦磷酸在 334 K 时熔化。在酸性溶液中它会水解生成磷酸。

$$H_4P_2O_7 + H_2O \Longrightarrow 2H_3PO_4$$

焦磷酸的逐级离解常数是：

$$K_1^\ominus = 3.0 \times 10^{-2} \quad K_2^\ominus = 4.4 \times 10^{-3}$$
$$K_3^\ominus = 2.5 \times 10^{-7} \quad K_4^\ominus = 5.6 \times 10^{-10}$$

常见的焦磷酸盐多数是 $M_2H_2P_2O_7$ 和 $M_4P_2O_7$,少数是 $M_3HP_2O_7$,但很少是 $MH_3P_2O_7$ 型的盐(M 为 +1 价金属离子)。

(c) 磷酸盐 由于 P(Ⅴ) 的各种酸的复杂性,磷酸盐的化学也具有丰富的内容。磷酸盐可以分为简单磷酸盐和复杂磷酸盐,在复杂磷酸盐中包括多磷酸盐和偏磷酸盐玻璃体。

所谓简单磷酸盐是指正磷酸的各种盐:M_3PO_4,M_2HPO_4 和 MH_2PO_4(M 为一价金属离子)。简单磷酸盐比较重要的性质是:溶解性、水解性和稳定性。

磷酸的钠、钾、铵盐以及所有的磷酸二氢盐都易溶于水,而磷酸一氢盐和磷酸正盐,除钠、钾和铵盐以外,一般都难溶于水。

由于磷酸是中强酸,所以它的碱金属盐都易于水解。如 Na_3PO_4,Na_2HPO_4 和 NaH_2PO_4 在水中发生如下的水解反应:

$$PO_4^{3-} + H_2O \Longrightarrow HPO_4^{2-} + OH^- \quad 溶液显碱性$$

$$HPO_4^{2-} + H_2O \Longrightarrow H_2PO_4^- + OH^- \quad 溶液显碱性(pH = 9{-}10)$$

$$H_2PO_4^- + H_2O \Longrightarrow H_3PO_4 + OH^- \quad 溶液显酸性(pH = 4{-}5)$$

值得注意的是:$H_2PO_4^-$ 水解后溶液呈微酸性,这是因为 $H_2PO_4^-$ 离子除了按上述水解反应水解以外,它还可能发生电离作用:

$$H_2PO_4^- \Longrightarrow H^+ + HPO_4^{2-}$$

而且电离程度($K_{电离}^{\ominus} = 6.3 \times 10^{-8}$)比水解程度($K_{水解}^{\ominus} \approx 10^{-11}$)大,因此显酸性反应。

磷酸正盐比较稳定,一般来讲不易分解。但是磷酸一氢盐或磷酸二氢盐受热却容易脱水分解成焦磷酸盐或偏磷酸盐。磷酸盐多用作化肥。

复杂磷酸盐可以包括三类:直链的多磷酸盐、支链状的超磷酸盐和环状的聚偏磷酸盐玻璃体。构成复杂磷酸盐的基本结构单元仍然是磷氧四面体。

直链多磷酸盐的酸根阴离子是两个或两个以上磷氧四面体通过共用角顶氧原子连结成直链结构的离子,例如:

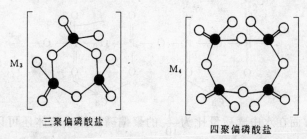

焦磷酸盐 M_4 ●磷原子

○氧原子

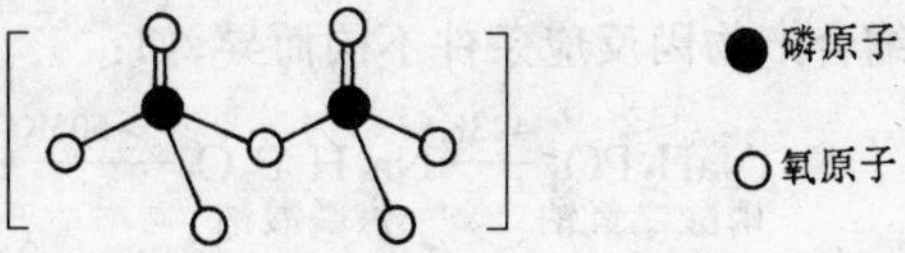

三磷酸盐 M_5

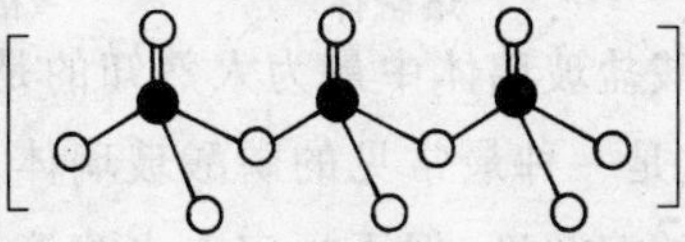

这类磷酸盐的通式是 $M_{n+2}P_nO_{3n+1}$,式中 M 是 +1 价金属离子,n 是多磷酸盐中的磷原子数。当 n 值很大时,多磷酸盐的极限化学式是 $M_nP_nO_{3n}$。

具有支链的多磷酸盐叫做超磷酸盐,因为这类超磷酸盐在水中会迅速水解变成简单磷酸盐和直链磷酸盐,它们的通式也是 $M_{n+2}P_nO_{3n+1}$。

环状的聚偏磷酸盐的酸根阴离子是由 3 个或多于 3 个的磷氧四面体通过共用氧原子而连结成的环状结构。这类化合物的通式是 $(MPO_3)_n$,即当 n 值很大时,直链多磷酸盐和聚偏磷酸盐具有近似的组成。常见的有三聚偏磷酸盐(六元环)和四聚偏磷酸盐(八元环)。

M_3 M_4

三聚偏磷酸盐   四聚偏磷酸盐

含有更多磷原子的多聚偏磷酸盐叫做磷酸盐玻璃体,它们是简单磷酸盐高温缩合的产物。所谓玻璃体是指它们不具备晶状结

构,这和具有层状结构的简单磷酸盐是完全不同的。简单磷酸盐高温缩合产物因反应条件不同而异,如:

$$NaH_2PO_4 \xrightarrow{423K} Na_2H_2P_2O_7 \xrightarrow{>503K} (NaPO_3)_3$$
磷酸二氢钠　　　　焦磷酸钠　　　　三偏磷酸钠

$$\xrightarrow[\text{很慢、冷}]{903\ K} (NaPO_3) \xrightarrow{\text{迅速冷却}} (NaPO_3)_n$$
熔融体　　　　　　格氏盐

　　直链多磷酸盐玻璃体中最为人熟知的是格氏盐(当时叫做六偏磷酸钠)。这是一种最常见的磷酸玻璃体,它没有固定的熔点,在水中有很大的溶解度,但不恒定。水溶液有很大的粘度,pH 在 $5.5\sim6.4$ 之间。这些性质说明它不是一个简单化合物。近来的研究发现,这个"六偏磷酸钠"并不是什么偏磷酸盐,不存在 $(PO_3)_6^{6-}$ 这样一个独立单位,而是一个直链化合物:

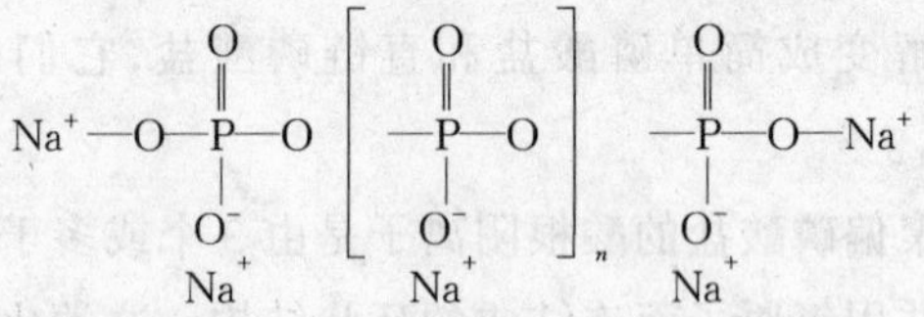

这个化合物的链长约达 $20\sim100$ 个 PO_3^- 单位。

　　这类多磷酸的突出用途是锅炉用水的处理。一方面多磷酸根阴离子是硬水中 Ca^{2-},Mg^{2+},Fe^{2+} 等离子的络合剂,能把这些离子转化成可溶性稳定配合物(实际上是胶体的多阴离子):

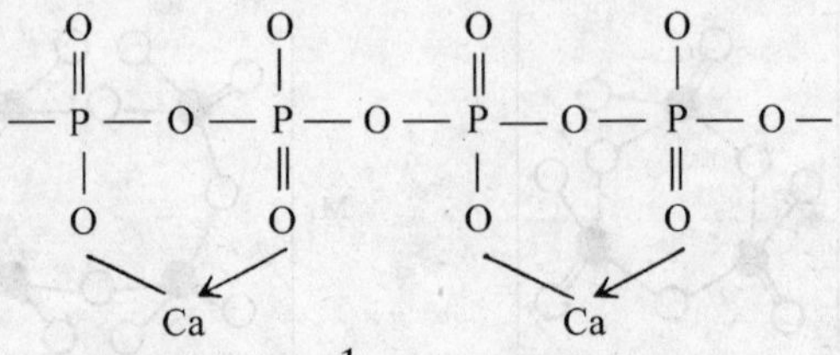

另一方面在水中含质量比为 $\dfrac{1}{10^6}$ 的聚偏磷酸盐玻璃体还可以阻止锅炉水垢磷酸钙和碳酸镁结晶生长,从而防止了水垢的沉积。对

这个作用的一种理论说明是：生长着的 $CaCO_3$ 晶体在其晶面上被吸附的多磷酸根离子遮盖起来而使晶体的生长过程变得缓慢了。当长时间放置时仍能生成 $CaCO_3$ 的大晶体，但这些晶体由于吸附了多磷酸根离子而严重地变形，因而不能聚结成为水垢。严重结垢的锅炉用含有多聚磷酸的水循流煮沸，水垢也可以疏松脱落。但仍以用多聚偏磷酸盐预先处理硬水防止水垢形成是更为有效的。锅炉水中含有少量聚偏磷酸盐玻璃体也能阻止锅炉和铁水管内壁的腐蚀，因为磷酸盐在铁表面上形成了一层保护层。

多聚偏磷酸盐玻璃体的多价阴离子对于微细分散的固体物质还有很强的分散能力，这个性质使它能应用于降低液浆的粘度，例如用于钻井泥浆作为分散剂，也用于油漆作为颜料的分散剂。

（d）次磷酸　单质磷和热浓碱液作用除了产生磷化氢外还生成了次磷酸盐 NaH_2PO_2。如果在反应中所用的碱是氢氧化钡，反应产物就是次磷酸钡 $Ba(H_2PO_2)_2$。用等物质的量的硫酸处理这个盐，除去 $BaSO_4$ 沉淀，在低于 403K 的温度下蒸发浓缩，然后以低于 273K 的低温进行冷冻，可以得到 H_3PO_2 晶体。单质磷和磷酸在 473K 时进行反应，也可以得到次磷酸。

次磷酸是一种无色晶状固体，熔点 299.5K，易潮解。它是中强酸，又是一个一元酸，依下式电离：

$$H_3PO_2 \rightleftharpoons H^+ + H_2PO_2^-$$

在 298K 时的 $K_a^\ominus$ 为 1.0×10^{-2}。它之所以是一元酸，是因为结构中有两个氢原子是不能取代的共价原子，它的结构式如下：

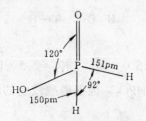

次磷酸和它的盐都是强还原剂,特别是在碱性溶液中,有关的标准电势如下:

酸性溶液中:

$$H_3PO_3 + 2H^+ + 2e^- \Longrightarrow H_3PO_2 + H_2O \qquad \varphi^\ominus = -0.499 \text{ V}$$

碱性溶液中:

$$HPO_3^{2-} + 2H_2O + 2e^- \Longrightarrow H_2PO_2^- + 3OH^- \qquad \varphi^\ominus = -1.565 \text{ V}$$

卤素单质,重金属盐如硝酸根、氯化汞、氯化铜、氯化镍等都能在溶液中被次磷酸或次磷酸盐还原。所以次磷酸盐用于化学镀(用次磷酸盐将金属(如镍)从溶液中还原出来沉积到镀件的表面上)。另一方面,金属镍(粉)能将次磷酸还原成 PH_3,所以次磷酸又是一种弱氧化剂。没有氧化还原剂存在时,在碱性溶液中,次磷酸非常不稳定,容易歧化成 HPO_3^{2-} 和 PH_3。有关电极电势为:

$$H_2PO_2^- + 3H_2O + 4e^- \longrightarrow PH_3 + 5OH^- \qquad \varphi^\ominus = -1.18 \text{ V}$$

$$HPO_3^{2-} + 2H_2O + 2e^- \longrightarrow H_2PO_2^- + 3OH^- \qquad \varphi^\ominus = -1.565 \text{ V}$$

次磷酸盐一般易溶于水,其中碱土金属的次磷酸盐水溶性较小。次磷酸盐也是有毒性的,但毒性低于磷化氢和白磷。

(e) 亚磷酸　　三氧化二磷 P_4O_6 缓慢地同水作用生成亚磷酸:

$$P_4O_6 + 6H_2O \Longrightarrow 4H_3PO_3$$

纯的亚磷酸是一种无色固体,熔点 346K,在水中有很高的溶解度,293K 时每 100g 水约能溶解 82g 亚磷酸。亚磷酸是一个二元酸,结构如下:

$$\text{H—O—P—O—H} \atop \text{(with O double bonded above P and H below P)}$$

它的电离常数 $K_1^\ominus = 5.0 \times 10^{-2}$, $K_2 = 2.5 \times 10^{-7}$。已制得了两类盐,NaH_2PO_3 和 Na_2HPO_3。纯亚磷酸或它的浓溶液被强热时,发

生如下的歧化反应:

$$4H_3PO_3 \xrightarrow{\triangle} 3H_3PO_4 + PH_3$$

亚磷酸和亚磷酸盐在水溶液中都是强还原剂,有关的标准电极电势如下:

酸性溶液:

$$H_3PO_4 + 2H^+ + 2e^- \Longrightarrow H_3PO_3 + H_2O \quad \varphi^{\ominus} = -0.276 \text{ V}$$

碱性溶液:

$$PO_4^{3-} + 2H_2O + 2e^- \Longrightarrow HPO_3^{2-} + 3OH^- \quad \varphi^{\ominus} = -1.12 \text{ V}$$

亚磷酸容易将银离子还原成金属银,能将热浓硫酸还原成二氧化硫。

3-6 磷的硫化物

当磷和硫在一起加热超过 373 K 时,根据反应物相对含量的不同,可得到四种产物,即 P_4S_3, P_4S_5, P_4S_7 和 P_4S_{10}。它们也都是以 P_4 四面体为结构基础的,在这些分子中四个 P 原子仍然保持在

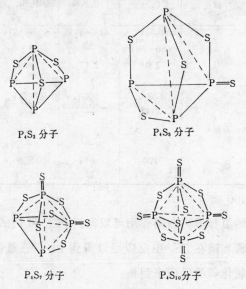

P_4S_3 分子 P_4S_5 分子

P_4S_7 分子 P_4S_{10} 分子

图 14-16 磷的硫化物

P_4 四面体中原来的相对位置(图 14－16)。磷的硫化物的性质见表 14－10。P_4S_3 是制造安全火柴的原料。

硫化磷在室温的干燥空气下比较稳定,冷水和冷的 HCl 对 P_4S_3 作用极慢,但热水可使它分解为 H_2S,PH_3 和 H_3PO_3,冷的 HNO_3 可将它氧化成 H_3PO_4,H_2SO_4 和 S。

3－7 磷的卤化物

所有的单质卤素都能和白磷反应,和红磷的反应则缓慢些,它们都生成 PX_3,P_2X_4 和 PX_5 等类型的卤化物和混合卤化物。究竟生成哪一种产物,可以通过控制反应物的配比和反应条件加以改变。不过在任何情况下产物都必须进行分离和提纯才能得到纯的化合物。

表 14－10 磷的硫化物性质

性质＼硫化磷	P_4S_3	P_4S_5	P_4S_7	P_4S_{10}
熔点/K	444—445.5	443—493	578—583	553—563
沸点/K	680—681	—	796	786—788
密度/g·cm^{-3}	2.03	2.17	2.19	2.09
颜色				
固态	黄	黄	几乎白色	黄
液态	棕黄	—	浅黄	红棕
溶解度/g·(100g 溶剂)				
在水中	—	—	—	—
在 CS_2 中	100	≈10	0.029	0.222
在苯中	25			

(1) 三卤化磷

用气态的氯和溴与白磷作用可以得到 PCl_3 和 PBr_3,根据理论比值混合白磷和碘在 CS_2 中反应可以得到 PI_3。三氟化磷可用三氟化砷与三氯化磷的反应来制备:

$$PCl_3(l) + AsF_3(l) \Longrightarrow PF_3(g) + AsCl_3(l)$$

磷也生成一些混合卤化物如 PF_2Cl 和 $PFBr_2$。除了三碘化磷(红色低熔固体)之外,所有的其他三卤化磷都是无色气体或无色挥发性液体,在三卤化磷分子中磷原子是 sp^3 杂化的,分子形状为三角锥形(图 14-17)。在磷原子上还有一对孤电子对,因此三卤化磷可以向金属离子配位而形成配合物($PtCl_2 \cdot PCl_3$,$PtCl_2 \cdot 2PCl_3$)。一些三卤化磷的性质列在表 14-11 中。

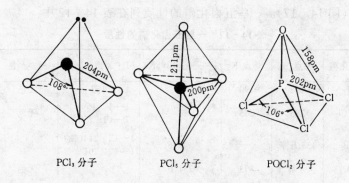

PCl₃ 分子　　　　PCl₅ 分子　　　　POCl₂ 分子

图 14-17　卤化磷和卤氧化磷分子的结构

表 14-11　一些三卤化磷的性质

三卤化物	沸点/K	熔点/K	蒸发热 kJ·mol⁻¹	临界温度 K	生成热 kJ·mol⁻¹	键角 X—P—X	键长/pm P—X
PF_3	171.5	121.5	14.60	271	—	140°	152
PF_2Cl	225.7	108.2	17.57	362.2			
$PFCl_2$	286.85	129	24.89	462.8		102°	{202 155
PCl_3	347.2	161.2	30.46	—	321.75	101°	200
PF_2Br	256.9	135.2	23.93				
PBr_3	448.3	233	—		188.28	100°	223
PI_3		334			45.61	98°	
$PFBr_2$	351.4	158	31.88				

(2) 五卤化磷

单质和卤素直接反应或三卤化物和卤素反应可以得到五卤化

磷:

$$P_4 + 10Cl_2 \xrightarrow{\quad\quad} 4PCl_5$$

$$PF_3 + Cl_2 \xrightarrow{\quad\quad} PF_3Cl_2$$

第二种方法特别适用于制备混合卤化物。

五卤化物在蒸气状态下的分子形状是一个三角双锥,磷原子位于锥体的中央,成键轨道中包括一个 $3d$ 轨道,即磷原子是 sp^3d 杂化(图 14-17)。一些五卤化磷的性质列在表 14-12 中。

表 14-12   一些五卤化磷的性质

五卤化磷	沸点/K	熔点/K	$\dfrac{生成热}{kJ\cdot mol^{-1}}$(298K)	P—X 键长/pm	颜 色
PF_5	198	190	—	157	无色
PF_3Cl_2	283	265		P—F 159 P—Cl 250	无色
PCl_5	433 升华	—	445.6	P—Cl 214(轴) P—Cl 201	
PBr_5	分解	373	251.0		无色
PI_5	未知		—	—	二个变体 红-黄

这些五卤化物在液态下是电的不良导体。五卤化物的热稳定性,随着卤素离子的还原能力的增强而减弱,即热稳定性 $PF_5 > PCl_5 > PBr_5$。PCl_5 在 473K 时会有一半离解成 PCl_3 和 Cl_2,在固态下 PCl_5 和 PBr_5 不再保持双锥结构,在 PCl_5 晶格中含有正四面体的 $[PCl_4]^+$ 和正八面体的 $[PCl_6]^-$ 离子,而在 PBr_5 晶格中含有 PBr_4^+ 和 Br^- 离子。

(3)卤氧化磷

五卤化磷和过量的水接触时会迅速发生水解作用,产生磷酸和氢卤酸:

$$PX_5 + 4H_2O \xrightarrow{\quad\quad} H_3PO_4 + 5HX$$

如果使五卤化磷和有限量的水作用,水解产物是氢卤酸和卤氧化磷(或卤化磷酰)POX$_3$：

$$PX_5 + H_2O \stackrel{}{=\!=\!=} POX_3 + 2HX$$

用氟化剂如 CaF$_2$ 或 SbF$_3$ 处理 POX$_3$，可以得到混合卤氧化物—氟氯氧化磷。卤氧化磷都具有近似的正四面体结构(磷原子 sp^3 杂化结构，有一个 π 键)。

卤氧化磷是许多金属卤化物的非水溶剂，它们也能和许多金属卤化物形成配合物，如 ZrCl$_4 \cdot$2POCl$_3$、HfCl$_4 \cdot$2POCl$_3$，这种配合物应用于分离 Zr 和 Hf。卤氧化磷可以继续水解产生磷酸和氢卤酸。卤氧化磷中，重要的是 POCl$_3$，它在工业上用于合成磷酸酯，例如一些杀虫农药。一些卤氧化磷的性质列在表 14-13 中：

表 14-13　一些卤氧化物的性质

卤氧化磷	沸点/K	熔点/K	生成热 kJ·mol^{-1}	∠XPX	P—X 键长/pm
POF$_3$	233.2	205	—	107°	P—F　152 P—O　156
POCl$_3$	378.3	275	615.05(l)	106°	P—Cl　202 P—O　158
POBr$_3$	462.5	329	443.50(s)	—	—
PSCl$_3$	398	238	—	107°	P—Cl　201 P—S　195

§14-4　砷、锑、铋

砷、锑、铋的最外电子层结构为 ns^2np^3，和氮、磷一样都有 5 个价电子，不同的是它们次外层的结构却为 $(n-1)s^2(n-1)p^6$ $(n-1)d^{10}$，即 18 电子层结构。我们知道 18 电子层或 18＋2 电子结构的离子有较强的极化作用和较大的变形性，所以，它们在性质上同氮、磷相比，常有很大的差异。例如，这些元素都是亲硫元素，在自然界常以硫化物形式存在，而且往往共生在一起。为此我们把它们一并讨论。

4-1　砷、锑、铋的成键特征

虽然它们的价电子层结构为 ns^2np^3，但却和氮、磷不同，它们很难获得电子形成 M^{3-} 离子。它们的主要氧化态为 +3 和 +5。氧化态为 +3 的化合物，有三种类型：①M^{3+} 离子，$As(OH)_3$ 在水溶液中虽然有如下平衡：

$$As(OH)_3 \rightleftharpoons As^{3+} + 3OH^-$$

但是即使在强酸性溶液中，As^{3+} 离子也是极少的。和砷不同，锑特别是铋却有明显的 M^{3+} 离子存在，不论是 Sb^{3+} 和 Bi^{3+} 在水溶液中都可水解成 SbO^+ 和 BiO^+ 离子。②共价化合物，氧化态为 +3 的砷、锑、铋化合物多数都是共价化合物，一般 M 采取 sp^3 杂化，形成三个 σ 键，此外还有一对孤电子对。③配合离子，由于 M^{3+} 是 18+2 电子层结构的离子，而且还有孤电子对，所以 M^{3+} 也容易形成配合离子，如 BiX_4^-，$SbCl_5^{2-}$。

表 14-14　砷、锑、铋的成键特征

氧化数	成键特征		杂化态	σ 键	π 键	孤电子对	形 状	举 例
+3	离子键 M^{3+}							BiF_3、$BiCl_3$，$Bi(NO_3)_3$
	共价键 3 个单键		sp^3	3	0	1	三角锥	AsF_3、$SbCl_3$，$BiBr_3$
	配位键	4 个单键	sp^3	4	0	0	四面体	BiX_4^-
		5 个单键	sp^3d	5	0	1	四方锥	K_2SbF_5
+5	共价键	3 个单键 1 个双键	sp^3	4	1	0	四面体	H_3AsO_4
	5 个单键		sp^3d	5	0	0	三角双锥	AsF_5、$SbCl_5$
	6 个单键		sp^3d^2	6	0	0	八面体	$[AsF_6]^-$ $[SbCl_6]^-$ $[BiCl_6]^-$

氧化态为 +5 的砷、锑、铋化合物都是共价化合物,一般来讲,除 s 和 p 轨道参加成键以外,空的 d 轨道也参加成键:其中 M 一般采取 sp^3d,sp^3d^2 杂化态或形成 $d\pi-p\pi$ 键。值得注意的是:由于铋有明显惰性电子对效应,所以氧化态为 +5 的铋非常不稳定,容易获得电子而还原成 Bi^{3+} 或 BiO^+ 离子。

综上所述,可以把它们在化合物中的成键特征列于表 14 - 14 中。

4 - 2 砷、锑、铋的氧化态 - 吉布斯自由能图

在 pH = 0 的溶液中,砷、锑、铋不同氧化态的吉布斯自由能列入图 14 - 18 中。

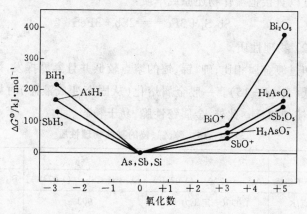

图 14 - 18 pH = 0 时,砷、锑、铋不同氧化态的吉布斯自由能

从图中可见,这三种元素 +3 氧化态的 $HAsO_2$,SbO^+ 和 BiO^+ 是比较稳定的,一般不易歧化成氧化数为 +5 和 0 的化合物,另外 Bi_2O_5 变到 BiO^+ 的吉布斯自由能减少很多,所以 Bi_2O_5 在酸性溶液中是一种强氧化剂。

4 - 3 砷、锑、铋的单质

(1) 存在和冶炼

砷、锑、铋在地壳中含量不大(其质量分数为 As: 5×10^{-4} %、

Sb:1×10^{-4} %,Bi:2×10^{-5} %),在自然界中,它们有时以游离状态存在,但主要是以硫化物矿存在。例如:雌黄(As_2S_3)、雄黄(As_4S_4)、砷硫铁矿(FeAsS)、辉锑矿(Sb_2S_3)、辉铋矿(Bi_2S_3)等。少量的砷还广泛存在于金属硫化物矿中,因此从这些硫化物矿中制取某些金属或硫酸时,其中常含有杂质砷。我国锑的蕴藏量占世界第一位。

单质砷、锑、铋一般是用碳还原它们氧化物来制备的,例如:

$$Bi_2O_3 + 3C \Longrightarrow 2Bi + 3CO$$

工业上将硫化物矿先煅烧成氧化物,然后用碳还原。用铁粉作还原剂可以直接把硫化物还原成单质:

$$Sb_2S_3 + 3Fe \Longrightarrow 2Sb + 3FeS$$

(2)物理性质

和过渡金属相比,砷、锑、铋的熔点较低并且容易挥发,熔点依次降低(表 14-15)。一般金属熔化(从固态变成液态)时导电性降低,铋却相反。此外,金属铋性脆,易于粉碎。

表 14-15　砷、锑、铋的某些物理性质

	砷	锑	铋
气体分子组成	$As_4 \Longrightarrow 2As_2$ (1 073K)	$Sb_4 \Longrightarrow 2Sb_2$ (1 073K)	$Bi_2 \Longrightarrow 2Bi$
熔点/K	1 090(一定压力下)	903	544
沸点/K	889(升华)	1 908	1 853
密度 $\dfrac{}{g \cdot cm^{-3}}$	5.78(s)	6.68(s)	9.80

砷蒸气的分子是 As_4 和 P_4 相似,它也是正四面体,As—As 的键长为 243.5pm。加热到 1073K 开始离解,2023K 时全部离解成 As_2。

和磷相似,砷、锑也有多种变体,如黄砷、黄锑(α-型)能溶于 CS_2,说明它是以 As_4 分子形式存在,而黑砷(β-型)类似于黑磷

结构。

锑、铋不同于一般金属，它们固体的导电、导热等性质反而比相应元素液体的导电，导热等性质差。例如，固体铋的导电性仅为该金属液体时的 48% 。它们的主要物理性质列入表 14-15 中。

（3）化学性质

在常温下砷、锑、铋在水和空气中都比较稳定，不和稀酸作用，但能和强氧化性酸，如热浓硫酸、硝酸和王水等反应，在高温和许多非金属作用，主要反应产物如图 14-19 所示。

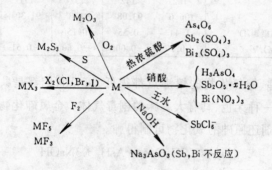

图 14-19 砷、锑、铋单质的反应

这三种单质能和绝大多数金属生成合金和化合物。如与碱金属形成 A_3M 型的化合物（式中 $A = Li, Na, K, Rb, Cs, M = As, Sb, Bi$）。近年来发展较快的 III-V 族半导体材料，就是砷、锑、铋（包括磷）和 IIIA 族金属元素之间的化合物，如砷化镓 GaAs，锑化镓 GaSb，砷化铟 InAs 和锑化铝 AlSb。

4-4 砷、锑、铋的氢化物

砷、锑、铋都能生成氢化物 MH_3，其中较重要的是砷化氢 AsH_3 或胂，这些氢化物和氨、磷化氢性质的对比见表 14-16。

表 14-16 氮族氢化物的性质

化合物 性质	NH_3	PH_3	AsH_3	SbH_3	BiH_3
熔 点/K	195.3	140.5	156.1	185	—
沸 点/K	239.6	185.6	210.5	254.6	298.8
熔化热/$kJ \cdot mol^{-1}$	23.64	16.02	18.16	21.25	—
气化热/$kJ \cdot mol^{-1}$	23.35	14.60	16.74	20.92	25.10
生成热/$kJ \cdot mol^{-1}$	−46.11	5.4	66.4	145.1	—
密 度 (沸点时,液体)/$g \cdot cm^{-3}$	0.681	0.765	1.621	2.204	—
键长/pm	102	142	152	171	—
键角	106.6°	93.08°	91.8°	91.30°	—
气体分子偶极矩/D	1.44	0.55	0.15	—	—
$\varphi^{\ominus}(MH_3/M)/V$	+0.27	−0.005	−0.60	−0.51	0.8(计算)

砷、锑、铋氢化物的熔沸点都很低,可见它们都是共价分子。砷化氢是一种无色、具有大蒜味的剧毒气体。金属砷化物水解,或用强还原剂还原砷的氧化物可制得胂。

$$Na_3As + 3H_2O \Longrightarrow AsH_3 + 3NaOH$$

$$As_2O_3 + 6Zn + 6H_2SO_4 \Longrightarrow 2AsH_3 + 6ZnSO_4 + 3H_2O$$

如用硼氢化钾还原亚砷酸钠可得较纯的胂。

从表中可见,砷、锑、铋氢化物的生成热是正值,所以是不稳定的化合物。室温下,在空气中自然:

$$2AsH_3 + 3O_2 \Longrightarrow As_2O_3 + 3H_2O$$

在缺氧条件下,胂受热分解为单质:

$$2AsH_3 \Longrightarrow 2As + 3H_2$$

这就是医学上鉴定砷的马氏试砷法的根据。检验方法是用锌、盐酸和试样混在一起,将生成的气体导入热玻璃管。如试样中有砷的化合物存在,则因生成的胂在加热部位分解,砷积集而成亮黑色的"砷镜"(能检出 0.007mgAs)。

从表 14－16 中的 $\varphi^{\ominus}$ 可见,它们的氢化物都是很强的还原剂。例如,胼能把高锰酸钾、重铬酸钾,甚至能把硫酸和亚硫酸还原,能分解重金属盐使重金属沉积出来。胼还原硝酸银是一个有实际意义的反应——古氏试砷法($0.005mgAs_2O_3$ 也能被检出)。

$$2AsH_3 + 12AgNO_3 + 3H_2O \Longrightarrow As_2O_3 + 12HNO_3 + 12Ag \downarrow$$

试验方法和马氏试砷法相似。

同样地,当 SbH_3 分解时也能形成类似的"锑镜",但"砷镜"能为次氯酸钠所溶解,而"锑镜"则不溶:

$$5NaClO + 2As + 3H_2O \Longrightarrow 2H_3AsO_4 + 5NaCl$$

4－5 砷、锑、铋的氧化物

砷、锑、铋的氧化物主要有两种形式:M_4O_6 或 M_2O_3;M_4O_{10} 或 M_2O_5。比较重要的氧化物是三氧化二砷 As_4O_6(砒霜),它是一种极毒物质,致死量为 $0.1g$。

(1)氧化数为 +3 的氧化物及其水合物

单质或硫化物在空气中燃烧生成三氧化物:

$$4As + 3O_2 \Longrightarrow As_4O_6$$

$$2Sb_2S_3 + 9O_2 \Longrightarrow 2Sb_2O_3 + 6SO_2$$

三氧化二砷除有少量矿物外,主要来源是燃烧含砷硫化物过程中的烟道灰。用升华法把砒霜从烟道灰中提出,蒸气冷凝成透明的玻璃状固体,放置,逐渐变成不透明的瓷状物,最后变为八面体晶体。

和磷的氧化物一样,除铋以外,砷、锑的三氧化物主要是以 As_4 和 Sb_4 为基础的 As_4O_6 和 Sb_4O_6 形式存在的分子结晶,其结构和 P_4O_6 相似,只有在很高温度(约 2 073K)As_4O_6 才转化为 As_2O_3。高于 843K 时 Sb_4O_6 会转化为含有一个长链的大分子(图14－20)。由于铋表现为明显的金属性,所以它的三氧化物是离子晶体。

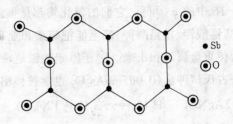

图 14-20　链式 Sb_2O_3 的结构

砷、锑、铋的三氧化物的重要性质之一是它们的酸碱性，As_4O_6 是以酸性为主的两性氧化物（$K_{酸}^{\ominus}=6.0\times10^{-10}$，$K_{碱}^{\ominus}=10^{-14}$），$Sb_4O_6$ 是以碱性为主的两性氧化物（$K_{酸}^{\ominus}=10^{-14}$），Bi_2O_3 则是碱性氧化物（$K_{酸}^{\ominus}=10^{-17}$）。这种性质明显的反映在它们的溶解度方面，As_4O_6 微溶于水，它的水溶液是亚砷酸，虽然它还没有被分离出来，但是许多亚砷酸盐已经制得，As_4O_6 也能溶于酸和碱生成两类化合物：

$$H_3AsO_3 + NaOH =\!=\!= NaH_2AsO_3^{①} + H_2O$$

$$As(OH)_3 + 3HCl =\!=\!= AsCl_3 + 3H_2O$$

由于它具有较明显的酸性，所以它在碱中的溶解度比在水中大得多。Sb_4O_6 也是两性氧化物，难溶于水，但却易溶于酸和碱，Bi_2O_3 是碱性氧化物，只溶于酸，所以在溶液中只存在 Bi^{3+} 或水解产物 BiO^+ 离子。

砷、锑、铋三氧化物的另一个重要性质是它们的氧化还原性。从热力学上看氧化数为 +3 的砷、锑、铋是比较稳定的，它不易歧化成单质和 +5 的合氧酸盐或氧化物（图 14-18）。它们在酸、碱溶液中的标准电极电势为：

酸性溶液

---

①　过去有些书上把亚砷酸钠写成 $NaAsO_2$，光谱证明溶液中只存在 $H_2AsO_3^-$ 和 $HAsO_3^{2-}$，而没有 AsO_2^-。

$$H_3AsO_4 + 2H^+ + 2e^- \Longrightarrow H_3AsO_3 + H_2O \qquad \varphi^\ominus = 0.56 \text{ V}$$

$$Sb_2O_5 + 6H^+ + 4e^- \Longrightarrow 2SbO^+ + 3H_2O \qquad \varphi^\ominus = 0.58 \text{ V}$$

$$Bi_2O_4 + 4H^+ + 2e^- \Longrightarrow 2BiO^+ + 2H_2O \qquad \varphi^\ominus = 1.593 \text{ V}$$

碱性溶液

$$AsO_4^{3-} + 3H_2O + 2e^- \Longrightarrow H_2AsO_3^- + 4OH^- \qquad \varphi^\ominus = 0.68 \text{ V}$$

$$H_3SbO_6^{4-} + H_2O + 2e^- \Longrightarrow SbO_2^- + 5OH^- \qquad \varphi^\ominus = (-0.4) \text{ V}$$

$$Bi_2O_4 + H_2O + 2e^- \Longrightarrow Bi_2O_3 + 2OH^- \qquad \varphi^\ominus = 0.56 \text{ V}$$

从以上数据可见,三氧化二砷是一个较强的还原剂,特别是在碱性介质中它可以被碘定量地氧化成砷酸:

$$NaH_2AsO_3 + 4NaOH + I_2 \Longrightarrow Na_3AsO_4 + 2NaI + 3H_2O$$

这是分析化学中的一个重要反应。

和 As_4O_6 不同,Bi_2O_3 却很难被氧化成 Bi_2O_4(或 Bi_2O_5)。三氧化物的还原性是按砷、锑、铋的顺序减小。这是因为砷、锑、铋中"惰性电子对" ns^2 的稳定性按同一顺序增加的缘故。

这些氧化物的性质列于表 14-17 中:

表 14-17　三氧化二砷、锑、铋的某些性质

氧化物	酸碱性	溶解度 (g/100g 水)	熔点/K	沸点/K	生成热 kJ·mol^{-1}	溶液中存在的形式	
						酸　中	碱中
As_4O_6	酸性为主的两性物	2.04 (298 K)	588 (单斜) 548 (立方)	738	914.62	浓酸中有 As^{3+} 离子,稀酸中极易水解	亚砷酸盐
Sb_4O_6	碱性为主的两性物	0.002 (288K)	929	1698	696.64	生成碱式盐如 $(SbO)_2SO_4$	亚锑酸盐
Bi_2O_3	弱碱性	极难溶	109.3		576.97	生成碱式盐或正盐,如 $(BiO)_2 \cdot SO_4$ 和 $Bi(NO_3)_3$	氢氧化铋

(2) 氧化数为 +5 的氧化物及其水合物

浓硝酸氧化单质砷、锑或它们的三氧化物可以生成氧化数为 +5 的 H_3MO_4 或 $M_2O_5 \cdot nH_2O$

$$3Sb + 5HNO_3 + 2H_2O \longrightarrow 3H_3SbO_4 + 5NO$$

$$3As_2O_3 + 4HNO_3 + 7H_2O \longrightarrow 6H_3AsO_4 + 4NO$$

将含氧酸加热脱水可制得相应的氧化物:

$$2H_3AsO_4 \xrightarrow{>443\ K} As_2O_5 + 3H_2O$$

$$2H_3SbO_4 \xrightarrow{>548\ K} Sb_2O_5 + 3H_2O$$

HNO_3 只能把 Bi 氧化成 $Bi(NO_3)_3$:

$$Bi + 4HNO_3 \longrightarrow Bi(NO_3)_3 + NO + 2H_2O$$

至今还没有制得纯净的 Bi_2O_5, 但是已经制得许多氧化数为 +5 的含氧酸盐, 如在碱性介质中用强氧化剂(如 Cl_2)可将 Bi(Ⅲ)化合物氧化成铋酸盐:

$$Bi(OH)_3 + Cl_2 + 3NaOH \longrightarrow NaBiO_3 + 2NaCl + 3H_2O$$
$$\text{(铋酸钠)}$$

砷、锑、铋的五氧化物和其它高价氧化物一样都是酸性氧化物, 同水反应生成难溶于水的含氧酸或氧化物的水合物(不存在游离的 $HBiO_3$), 含氧酸的酸性依砷、锑、铋的顺序减弱, 而且都比相应的三氧化物强。

砷(V)、锑(V)、铋(V)含氧酸在组成上有很大的不同, 砷和磷一样, 砷(V)含氧酸的分子式为 H_3AsO_4, 它也是一种三元酸($K_1^{\ominus}$ $= 6.3 \times 10^{-3}$, $K_2^{\ominus} = 1.0 \times 10^{-7}$, $K_3^{\ominus} = 3.2 \times 10^{-12}$)。锑(V)的含氧酸和 H_3AsO_4 不同, 实验表明它是一元酸($K^{\ominus} = 4 \times 10^{-5}$), 其分子式相当于 $H[Sb(OH)_6]$, 相应的盐已经制得如 $KSb(OH)_6$ 等碱金属盐, 和同周期的 H_5IO_6、H_6TeO_6 一样, $H[Sb(OH)_6]$ 中 Sb 的周围排布着 6 个 OH 基形成八面体结构, 目前还没有分离出铋(V)的含氧酸, 但是它的盐却已制得, 如 $NaBiO_3$, 从组成上看, 相应的含

氧酸为 $HBiO_3$。

砷(V)、锑(V)、铋(V)含氧酸及其盐的最突出的性质是它们的氧化性,从 $\varphi^\ominus$ 上看它们都是氧化剂。而且由于"惰性电子对"的稳定性按砷、锑、铋的顺序逐渐增加,所以它们的氧化性也按同一顺序递增。例如:砷酸和锑酸的氧化性只有在酸性介质中才表现出来,在这种情况下砷酸可把 HI 氧化成 I_2,锑酸甚至可以把 HCl 氧化成 Cl_2:

$$H_3AsO_4 + 2HI \Longrightarrow H_3AsO_3 + I_2 + H_2O$$

$$H_3SbO_4 + 2HCl \Longrightarrow H_3SbO_3 + Cl_2 + H_2O$$

而铋(V)的化合物却能把 Mn^{2+} 氧化成 MnO_4^-:

$$4MnSO_4 + 10NaBiO_3 + 14H_2SO_4 \Longrightarrow 4NaMnO_4 + 5Bi_2(SO_4)_3$$
$$+ 3Na_2SO_4 + 14H_2O$$

在分析化学上,这是一个定性检定溶液中有无 Mn^{2+} 离子的重要反应,即在硝酸溶液中加入固体 $NaBiO_3$,加热时如有 MnO_4^- 离子的特有紫色出现则可判定溶液中有 Mn^{2+} 离子存在。

砷酸同 I^- 离子的反应,不仅在分析化学上具有实际意义,而且还具有普遍性,即介质酸碱性的改变,常引起反应方向的变化,如在酸性介质中,砷酸能把 I^- 离子氧化成碘。相反在碱性介质中 I_2 却能把亚砷酸根离子氧化成砷酸。这一现象可以用 pH 对电极电势的影响来解释(参看第十一章 4-3 节)。

4-6 砷、锑、铋的三卤化物

三卤化物的性质对比在表 14-18 中。

MX_3 都能发生水解反应,但水解产物不同。$AsCl_3$ 的水解和 PCl_3(生成 H_3PO_3)相似,不过水解能力稍弱一些,因此,在浓 HCl 中有 As^{3+} 离子存在(但是,即使在最浓的 HCl 中,也没有 P^{3+} 离子。)

由于 Sb(Ⅲ)和 Bi(Ⅲ)碱性较 As(Ⅲ)强(即 Sb^{3+},Bi^{3+} 水解能

力较 As^{3+} 弱)及碱式氯化物 SbOCl 和 BiOCl 的溶解度很小,所以 SbCl$_3$ 和 BiCl$_3$ 水解并不完全:

表 14-18 砷、锑、铋 MX$_3$ 化合物的某些性质

X		AsX$_3$	SbX$_3$	BiX$_3$
F	颜色、形态*	无色液体	无色固体	灰白色固体
	熔点/K	267	565	998~1003
Cl	颜色、形态*	无色液体	无色固体	白色固体
	熔点/K	256.8	346	506.5
Br	颜色、形态*	无色固体	无色固体	黄色固体
	熔点/K	304	370	492
I	颜色、形态*	红色固体	红色固体	固 体
	熔点/K	413	444	681

* 指常温下的形态。

$$SbCl_3 + H_2O \Longrightarrow SbOCl \downarrow + 2HCl$$

$$BiCl_3 + H_2O \Longrightarrow BiOCl \downarrow + 2HCl$$

总之 MX$_3$ 的水解能力依 P,As,Sb,Bi 顺序减弱,这和 M(Ⅲ) 的半径依次增大碱性依次增强是一致的。

MX$_3$ 可用卤素直接和 VA 族单质作用制得。对于 Sb 和 Bi, 主要是用 M$_2$O$_3$ 和 HCl 作用制备。

$$2M + 3X_2 \Longrightarrow 2MX_3 \qquad (M = P, As, Sb, Bi)$$

$$M_2O_3 + 6HX \Longrightarrow 3MX_3 + 3H_2O \qquad (M = Sb, Bi)$$

生成 MX$_3$ 的反应都是放热的,所以一般 MX$_3$ 都比较稳定。

4-7 砷、锑、铋的硫化物

砷、锑、铋都能生成有颜色的难溶硫化物,它们的性质对比在表 14-19 中。

As,Sb,Bi 的硫化物很稳定,在自然界内,这三种元素都能以硫化物的形式存在,如 As$_4$S$_4$(雄黄)、As$_2$S$_3$(雌黄)、Sb$_2$S$_3$(辉锑

表 14-19　砷、锑、铋的硫化物某些性质

硫化物类型	As	Sb	Bi
M_4S_3	As_4S_3	—	—
熔点/K	—		
沸点/K	—		
M_4S_4	As_4S_4(红色)		
熔点/K	593		
沸点/K	838		
M_2S_3	As_2S_3(黄色)	Sb_2S_3(黑色)	Bi_2S_3(黑色)
熔点/K	583		
沸点/K	980		
M_2S_5	As_2S_5(淡黄)	Sb_2S_5(橙黄)	
熔点/K			
沸点/K			

矿)、Bi_2S_3(辉铋矿)。在加热的条件下,这些硫化物与氧作用生成相应的氧化物和二氧化硫:

$$2M_2S_3 + 9O_2 \Longrightarrow 2M_2O_3 + 6SO_2$$

As,Sb,Bi 的硫化物在结构上类似于它们的氧化物,但是由于 S^{2-} 离子半径较大,而且 As(Ⅲ),Sb(Ⅲ),Bi(Ⅲ)又是 18+2 型的离子,M(Ⅲ)与 S^{2-} 离子之间有较大的"极化效应",所以它们的硫化物更接近共价化合物,从而在水中的溶解度很小。例如它们的溶度积分别为:$As_2S_3\ K_{sp} = 2.1 \times 10^{-22}$;$Sb_2S_3\ K_{sp} = 2 \times 10^{-93}$;$Bi_2S_3\ K_{sp} = 1 \times 10^{-97}$。

As,Sb,Bi 硫化物的酸碱性不同,它们在酸、碱中的溶解情况也有很大差别。和氧化物相似,As_2S_3 基本上是酸性硫化物,Sb_2S_3 是两性硫化物,而 Bi_2S_3 则是碱性硫化物。因此 As_2S_3 甚至不溶于浓盐酸,Sb_2S_3 既溶于浓盐酸(约 9 mol·dm^{-3})又溶于碱,Bi_2S_3 只能溶于浓盐酸(约 4 mol·dm^{-3})而不溶于碱。

$$As_2S_3 + 6NaOH \Longrightarrow Na_3AsO_3 + Na_3AsS_3 + 3H_2O$$

$$Sb_2S_3 + 6NaOH \overline{} Na_3SbO_3 + Na_3SbS_3 + 3H_2O$$

$$Sb_2S_3 + 12HCl \overline{} 2H_3SbCl_6 + 3H_2S\uparrow$$

$$Bi_2S_3 + 6HCl \overline{} 2BiCl_3 + 3H_2S\uparrow$$

前面两个反应中生成的 Na_3AsS_3 叫硫代亚砷酸钠，Na_3SbS_3 叫硫代亚锑酸钠，可看成是亚砷（锑）酸盐中的氧被硫取代的产物。

同酸性氧化物与碱性氧化物互相作用生成含氧酸盐一样，硫代酸盐可以由酸性的金属硫化物与碱性的金属硫化物互相作用而生成：

$$3Na_2S + As_2S_3 \overline{} 2Na_3AsS_3$$

$$3Na_2S + Sb_2S_3 \overline{} 2Na_3SbS_3$$

As_2S_3 的酸性比 Sb_2S_3 强，所以 As_2S_3 较易溶于碱金属硫化物中，而 Bi_2S_3 没有酸性，不溶于碱金属硫化物溶液中。

As_2S_5 和 Sb_2S_5 的酸性比相应的 M_2S_3 强，因此比 M_2S_3 更易溶于碱金属硫化物溶液中：

$$3Na_2S + As_2S_5 \overline{} 2Na_3AsS_4$$

$$3(NH_4)_2S + Sb_2S_5 \overline{} 2(NH_4)_3SbS_4$$

和 As_2O_3 与 Sb_2O_3 相似，As 和 Sb 的三硫化物也具有还原性，它们能和具有氧化性的多硫化物反应生成硫代砷（锑）酸盐：

$$As_2S_3 + Na_2S_2 \longrightarrow Na_3AsS_4$$

$$Sb_2S_3 + (NH_4)_2S_2 \longrightarrow (NH_4)_3SbS_4$$

当然，Bi_2S_3 中 Bi(Ⅲ) 的还原性极弱，不和多硫化物作用。

总之，As，Sb，Bi 硫化物的酸碱性、氧化还原性及其变化规律，和相应的氧化物相似。

所有的硫代酸盐都只能在中性或碱性介质中存在，遇酸生成不稳定的硫代酸，后者分解为相应的硫化物和硫化氢：

$$2Na_3AsS_3 + 6HCl \overline{} As_2S_3\downarrow + 3H_2S\uparrow + 6NaCl$$

$$2(NH_4)_3SbS_4 + 6HCl \xlongequal{\quad} Sb_2S_5 \downarrow + 3H_2S \uparrow + 6NH_4Cl$$

应该指出,用这种方法制得的五硫化物 Sb_2S_5 和 As_2S_5,比直接把 H_2S 通入 $Sb(V)$ 和 $As(V)$ 盐溶液所得的产品要纯一些。用后一种方法制得的产物中常含有少量低氧化数的硫化物,这是因为 As(V) 和 Sb(V) 具有氧化性的缘故。

§14-5　盐类的热分解

许多盐受热会发生分解反应,由于盐的种类不同,分解产物的类型、分解反应的难易有很大差别。为了深入地了解盐类热分解的本质,掌握热分解的规律并运用这些规律解释反应结果和完成一些无机合成反应,有必要对热分解的问题作一系统的讨论。

无机盐按组成划分可分为含氧酸盐(如:硝酸盐、硫酸盐、高锰酸盐等)和非含氧酸盐(如碱金属卤化物、硫化物等)两大类。它们热分解的情况虽有不同,但本质上是类似的,因此,这里只讨论含氧酸盐的热分解问题。

5-1　无机含氧酸盐热分解的类型和规律

(1) 含水盐的脱水反应

许多含有结晶水的含氧酸盐受热以后比较容易失水或首先熔化在各自的结晶水中,进一步加热会逐步脱水,最后变成无水盐,这是由含水盐制备无水盐的一般通用的方法。例如:

$$CuSO_4 \cdot 5H_2O \xrightarrow[-4H_2O]{423\ K} CuSO_4 \cdot H_2O \xrightarrow[-H_2O]{523\ K} CuSO_4$$

$$Na_2CO_3 \cdot 10H_2O \xrightarrow[-3H_2O]{305\ K} Na_2CO_3 \cdot 7H_2O \xrightarrow[-6H_2O]{308K}$$

$$Na_2CO_3 \cdot H_2O \xrightarrow[-H_2O]{373\ K} Na_2CO_3$$

$$Na_2B_4O_7 \cdot 10H_2O \xrightarrow{\triangle} 溶于结晶水中 \xrightarrow[-10H_2O]{593\ K} Na_2B_4O_7$$

哪些含氧酸盐的结晶水合物受热能发生脱水反应,以及脱水反应进行的难易等问题,根据实验结果可归纳成以下几点经验规律:

(a) 难挥发性含氧酸盐的水合物受热后一般总是脱水成无水盐,或者先溶化在自身的结晶水中随后再变成无水盐,如 $MgSO_4 \cdot 7H_2O, Zn_3(PO_4)_2 \cdot 4H_2O, Na_2SiO_3 \cdot 9H_2O$ 加热后都可以直接得到相应的无水盐。

(b) 碱金属和其它金属性较强的金属(如 Ca,Sr,Ba 和稀土元素等),它们含氧酸盐的水合物(其中包括易挥发性含氧酸的盐在内)受热后也总是脱水变成无水盐。例如:

$$Ca(NO_3)_2 \cdot 4H_2O \xrightarrow{313K} 溶于结晶水中 \xrightarrow[-4H_2O]{>403K} Ca(NO_3)_2$$

$$La(NO_3)_3 \cdot 6H_2O \xrightarrow[-5H_2O]{323\ K} La(NO_3)_3 \cdot H_2O$$

$$\xrightarrow[-H_2O]{443\ K} La(NO_3)_3$$

(c) 阴离子相同金属离子不同的碱金属和碱土金属的含氧酸盐,其脱水温度在同族内通常随金属离子半径的增大递减,如:$Ca(NO_3)_2 \cdot 4H_2O, Sr(NO_3)_2 \cdot 4H_2O$ 和 $Ba(NO_3)_2 \cdot 4H_2O$ 等盐转变为无水盐的温度分别为 405K,373K 和室温。再如:$BeSO_4 \cdot 4H_2O$,$MgSO_4 \cdot 7H_2O$ 和 $CaSO_4 \cdot 2H_2O$ 等盐转变为无水盐的温度分别为 523K,511K 和 436K。此外,金属离子相同阴离子不同的碱金属和碱土金属的含氧酸盐其脱水温度,通常随阴离子的电荷增高递增,如:$NaH_2PO_4 \cdot 2H_2O, Na_2HPO_4 \cdot 12H_2O$ 和 $Na_3PO_4 \cdot 12H_2O$ 等含水盐转变为无水盐的温度依次为:373K,453K 和大于 473K。

(2) 含水盐的水解反应

有些含氧酸盐的水合物受热后并不能直接获得无水盐,它们

常发生水解反应生成碱式盐甚至变成氢氧化物,如:

$$Mg(NO_3)_2 \cdot 6H_2O \xrightarrow[-4H_2O]{362.1\ K} Mg(NO_3)_2 \cdot 2H_2O$$

$$\xrightarrow[-HNO_3]{405K} Mg(OH)NO_3$$

$$Fe(NO_3)_3 \cdot 9H_2O \xrightarrow{320.2K} 溶于结晶水中 \xrightarrow[-HNO_3]{>323\ K} 变混$$

$$\xrightarrow[-HNO_3]{398K} Fe(OH)_3$$

由易挥发性含氧酸组成的含氧酸盐(如:硝酸盐、碳酸盐等)其水合物受热后,往往会发生水解反应,因此得不到相应的无水盐。例如:将镁和铜的硫酸盐水合物用加热脱水的方法都可以得到无水盐,但是它们的硝酸盐水合物受热后因失去易挥发的 HNO_3 而发生水解反应,从而只能得到碱式盐。同样 $MgCO_3 \cdot 5H_2O$ 加热后也发生水解反应生成碱式盐 $MgCO_3 \cdot Mg(OH)_2$。但是并不是所有硝酸盐、碳酸盐水合物受热后都发生水解反应。通常只有半径较小,电荷较高的金属离子(如:Be^{2+},Mg^{2+},Al^{3+},Fe^{3+} 等)的硝酸盐、碳酸盐受热时发生水解反应,而且金属离子的电场越强其水解反应也越容易进行。

(3) 分解成氧化物或碱和酸的反应

我们知道含氧酸盐可以被看作是碱性氧化物和酸性氧化物或碱和酸相互作用的产物。这种反应通常都是放热的,因此,将无水的含氧酸盐加热可以得到相应的氧化物或碱和酸,例如:

$$CaCO_3 \xrightarrow{1\ 170K} CaO + CO_2 \uparrow$$

$$CuSO_4 \xrightarrow{923K} CuO + SO_3 \uparrow$$

$$(NH_4)_2SO_4 \xrightarrow{\triangle} NH_3 \uparrow + NH_4HSO_4$$

这种热分解的特点是:反应过程中没有电子的转移,只是分解成原始组成氧化物或酸和碱。在无水含氧酸盐热分解反应中,这是最常见的一种类型,根据这种反应的特点,下边的反应也可属于这一类:

$$Na_2S_2O_7 \xrightarrow{733K} Na_2SO_4 + SO_3 \uparrow$$

发生这种类型反应的规律是:

(a)碱金属、碱土金属和具有单一氧化态金属的硫酸盐、碳酸盐和磷酸盐等,通常都是按这种类型发生热分解反应。

(b)由于 B_2O_3 和 SiO_2 的沸点极高,难以气化,所以硼酸盐和硅酸盐受热后几乎都不发生这种类型的热分解反应。

(c)阴离子相同的含氧酸盐,其分解温度,在同一族中随金属离子半径的增高递增;同时也按着过渡金属<碱土金属<碱金属的顺序,它们含氧酸盐的分解温度递增(表 14-20)。

表 14-20 若干含氧酸盐的热分解温度和 $\Delta H_m^{\ominus}$ *

		碳 酸 盐		硫 酸 盐	
		$\dfrac{-\Delta H_m^{\ominus}}{kJ \cdot mol^{-1}}$	分解温度/K	$\dfrac{-\Delta H_m^{\ominus}}{kJ \cdot mol^{-1}}$	分解温度/K
碱金属	Li^+	226.4	1 543	442.7	极高
	Na^+	321.3	极高	572.8	极高
	K^+	391.2	极高	676.1	极高
	Rb^+	404.2	极高	698.7	极高
	Cs^+	407.5	极高	750.2	极高
碱土金属	Be^{2+}	—	373	202.1	823
	Mg^{2+}	117.6	813	280.7	1 397
	Ca^{2+}	177.8	1 170	401.7	>1 723
	Sr^{2+}	234.3	1 462	458.6	1 853
	Ba^{2+}	266.9	1 633	510.9	>1 853
过渡金属	Cu^{2+}	46.0	473	218.4	932
	Ag^+	82.0	491	289.0	934
	Zn^{2+}	71.1	569	238.7	1 013
	Mn^{2+}	116.3	600	284.2	973

* $\Delta H_m^{\ominus}$ 为含氧酸盐分解为氧化物时反应的焓变。如 Li_2CO_3 分解反应的

$$\Delta H_m^{\ominus} = \Delta_f H_{(Li_2O)}^{\ominus} - \Delta_f H_{(CO_2)}^{\ominus} - \Delta_f H_{(Li_2CO_3)}^{\ominus}。$$

阳离子相同的含氧酸盐,其分解温度通常总是硫酸盐高于碳酸盐(表 14－20)。

(4) 缩聚反应

许多无水的酸式含氧酸盐受热后,阴离子可能缩合失水进一步又聚合成多酸离子。例如:

$$2NaHSO_4 \xrightarrow[-H_2O]{593K} Na_2S_2O_7 \quad (焦硫酸钠)$$

$$Na_2HPO_4 \cdot 12H_2O \xrightarrow{311K} 溶于结晶水中 \xrightarrow{373K} Na_2HPO_4$$

$$\xrightarrow{523K} Na_2P_2O_7$$
$$\qquad\qquad (焦磷酸钠)$$

磷酸二氢钠 NaH_2PO_4 受热失水后虽然不生成焦磷酸钠,但是由于受热条件不同也极易发生聚合作用生成不同的聚合物,如:

$$NaH_2PO_4 \xrightarrow{523K} (NaPO_3)_2 \xrightarrow{778K} (NaPO_3)_3$$
$$\qquad\qquad 二聚体 \qquad\qquad 三聚体$$

$$\xrightarrow{880K} (NaPO_3)_6$$
$$\qquad\qquad 多聚体$$

$Mg(NH_4)PO_4$ 受热分解成 $Mg_2P_2O_7$ 的反应,也可看成是首先失去易挥发的 NH_3 生成 $MgHPO_4$,随后 $MgHPO_4$ 失水聚合成 $Mg_2P_2O_7$ 的过程。

从上面几个例子中我们可以清楚地看到:多元含氧酸的酸式盐受热分解时,通常总是生成多酸盐。如果酸式盐中只含有一个 OH 基,则该酸式盐的热解产物为焦某酸盐。但是有些多元酸(多是弱酸)的正盐受热时也可能发生聚合,如:

$$Ca_3(PO_4)_2 \xrightarrow{\triangle} CaO + Ca_2P_2O_7$$

应当指出有些含氧酸很不稳定,它们的酸式盐受热时由于分解而不能形成多酸盐,如:

$$Ca(HCO_3)_2 \xrightarrow{\triangle} CaCO_3 + CO_2 + H_2O$$

影响缩聚反应的因素主要决定含氧酸中阴离子的种类,许多实验事实表明,缩聚反应的难易按硅酸＞磷酸＞硫酸＞高氯酸的顺序变化。例如,硅酸盐的水溶液在室温条件下,其中就有部分酸根离子发生缩聚生成 $Si_2O_5^{2-}$ 和 $[SiO_3^{2-}]_n$ 等离子,而磷酸和硫酸的酸式盐则要在加热其固体的条件下才能形成多酸盐 $Na_4P_2O_7$,$(NaPO_3)_n$ 和 $Na_2S_2O_7$。至于高氯酸盐就根本不能生成多酸盐。

(5) 自身氧化还原反应

上述四种含氧酸盐热分解的类型,其共同特点是在分解过程中并没有电子的转移,即这些热分解反应都不是氧化还原反应。但是有些含氧酸盐,其中的金属离子或含氧酸根离子不稳定,加热时,能够由于电子的转移而引起含氧酸盐的分解。例如:氯酸钾受热分解成高氯酸钾和氯化钾;硝酸铵受热分解为 N_2O 和水,硝酸银受热分解为银和二氧化氮等。这种类型的热分解反应特点是热分解过程中不仅有电子的转移,而且这种转移都是在含氧酸盐内部进行的。换言之,这类氧化还原反应都是自身氧化还原反应。这种自身氧化还原反应类型在含氧酸盐的热分解反应中是比较普遍的而且也是很复杂的。根据电子转移情况的不同,这类反应又可分为以下几种情况:

(a) 阴离子氧化阳离子的反应　如果含氧酸盐中的阴离子具有较强的氧化性而阳离子又有较强的还原性,那么受热后可能在阴阳离子之间发生氧化还原反应,如:

$$NH_4NO_2 \xrightarrow{>443\ K} N_2 + 2H_2O (实验室中制取 N_2 的方法)$$

$$(NH_4)_2Cr_2O_7 \xrightarrow{>423\ K} Cr_2O_3 + N_2 + 4H_2O$$

$$2NH_4ClO_4 \xrightarrow{483\ K} N_2 + Cl_2 + 2O_2 + 4H_2O$$

在以上几个反应中,我们可以看到 NH_4^+ 离子在加热时被相应的

NO_2^- ,$Cr_2O_7^{2-}$ 和 ClO_4^- 离子氧化成稳定的氮气。再如：

$$Mn(NO_3)_2 \xrightarrow{433-473K} MnO_2 + 2NO$$

$$Hg_2(NO_3)_2 \xrightarrow{>343K} 2HgO + 2NO_2$$

在这里 Mn^{2+} 和 Hg_2^{2+} 分别被 NO_3^- 氧化成 $Mn(\text{IV})$ 和 $Hg(\text{II})$

能发生这类热分解反应的含氧酸盐主要是具有氧化性含氧酸的铵盐和低价金属的含氧酸盐。

(b) 阳离子氧化阴离子的反应 如果含氧酸盐中的阳离子具有强氧化性而阴离子又有一定的还原性，则受热后也可能在阴阳离子间发生氧化还原反应，如：

$$AgNO_2 \xrightarrow{431 K} Ag + NO_2$$

$$Ag_2SO_3 \xrightarrow{红热} 2Ag + SO_3$$

$$Ag_2C_2O_4 \xrightarrow{红热} 2Ag + 2CO_2$$

在上面的反应中 Ag^+ 离子分别将 NO_2^- ,SO_3^{2-} ,$C_2O_4^{2-}$ 氧化。此外，在

$$AgSO_4 \xrightarrow{热} 2Ag + SO_2 + O_2$$

$$HgSO_4 \xrightarrow{红热} Hg + O_2 + SO_2$$

反应中也可看到类似的情况，从结果上看，在加热过程中，Ag^+ 和 Hg^{2+} 氧化了 SO_4^{2-} 中的 O^{2-} ，但也可以看成是 Ag_2SO_4 和 $HgSO_4$ 受热后首先分解成 Ag_2O、HgO 和 SO_3 ，随后这些产物在高温又进一步分解成 Ag，Hg，SO_2 和 O_2 。

阳离子氧化阴离子的热分解反应，在含氧酸盐的热分解中，一般较为少见，主要是银和汞的含氧酸盐。但是在简单盐的热分解中还是比较普遍的。如：

$$2CuI_2 \longrightarrow 2CuI + I_2$$

(c) 阴离子自身的氧化还原反应 某些含氧酸盐(如 $KClO_4$,

KNO_3、$KMnO_4$ 等)其中阳离子稳定,但阴离子(ClO_4^-,NO_3^-,MnO_4^-)却不稳定,而且相应的酸性氧化物(Cl_2O_7,N_2O_5,Mn_2O_7)也不稳定时,它们受热以后,只在阴离子内部不同元素之间发生电子的转移而使化合物分解。这种分解方式可称为阴离子的自身氧化还原反应。其特点是分解时,通常有氧气放出。例如:

$$KClO_4 \xrightarrow{>883K} KCl + 2O_2$$

$$2KNO_3 \xrightarrow{673K} 2KNO_2 + O_2$$

$$2KMnO_4 \xrightarrow{燃烧} K_2MnO_4 + MnO_2 + O_2$$

$$4Na_2Cr_2O_7 \xrightarrow{673K} 4Na_2CrO_4 + 2Cr_2O_3 + 3O_2$$

碱金属的第六、七族的最高价含氧酸盐特别是多数卤素含氧酸盐,加热时,通常是按这种方式分解。由于 CO_2,SiO_2,P_2O_5,SO_3 等分子比较稳定,所以碳酸盐、硅酸盐、磷酸盐、硫酸盐等热分解时一般不能放出氧气。

含氧酸盐中的阳离子(如 VO^{2+},VO_2^+ 等)内部不同元素之间,加热时发生还原反应的现象比较少见,这里不拟详加论述。

(6) 歧化反应

上述各种自身氧化还原反应其共同特点不仅是含氧酸盐内部有电子的转移,而且这种电子的转移都是在不同元素之间进行的。然而也还有些含氧酸盐,如 $NaClO$,Na_2SO_3,Cu_2SO_4 等,它们受热分解时,也能发生自身的氧化还原反应。不同的是这种氧化还原反应发生在同一元素之间,反应的结果是该元素发生歧化,即该元素的氧化数一部分变高另一部分变低。我们把这种特殊的自身氧化还原反应称为歧化反应,这种歧化反应又可分为两种:阴离子的歧化反应和阳离子歧化反应。这类热分解反应类型也是比较常见的。

(a) 阴离子歧化反应　属于这类的反应有

$$3NaClO \xrightarrow[\text{(水溶液)}]{>348K} 2NaCl + NaClO_4$$

$$4KClO_3 \xrightarrow{>673K} KCl + 3KClO_4$$

$$4Na_2SO_3 \xrightarrow{\text{强热}} Na_2S + 3Na_2SO_4$$

在所列举的反应中,方程式左边的各种含氧酸盐受热后其中的 Cl 和 S 等元素的氧化数都发生了歧化。能够发生这类热分解反应的含氧酸盐,通常要具备以下三个条件:①成酸元素的氧化态必须是中间氧化态,如氯的氧化数为 +1(处于 -1 和 +7 之间)的 NaClO,硫的氧化数为 +4(处于 -2 和 +6 之间)的 Na_2SO_3 等。②这种含氧酸盐中的酸根离子是不稳定的,如 ClO^- 离子的稳定性小于 Cl^- 和 ClO_4^- 离子,SO_3^{2-} 离子的稳定性小于 SO_4^{2-} 离子。③ 含氧酸盐中的阳离子要稳定,如碱金属离子和少数活泼的碱土金属离子等。

根据上述条件可以判断,在 KNO_2 和 $AgNO_2$ 中,N 的氧化虽处于中间氧化态,但是由于 NO_3^- 不如 NO_2^- 稳定,所以它们受热时都不会发生歧化反应。

(b) 阳离子歧化反应   如果含氧酸盐中的阳离子不稳定时,也可能发生歧化反应,如 Hg_2CO_3 受热分解为 HgO, Hg 和 CO_2;$Mn_2(SO_4)_3$ 受热分解为 MnO_2, $MnSO_4$ 和 O_2 等。阳离子的歧化反应多数情况下是在水溶液中发生,如 Cu_2SO_4 溶于水则立即歧化成 $CuSO_4$ 和 Cu,而固态含氧酸盐受热歧化的例子不多,故不再详加论述。

从以上的讨论中我们可以看到含氧酸盐受热分解时可能有多种分解方式,如含水盐有脱水和水解两种分解方式,无水盐也有二类,一类是不发生氧化还原的简单分解反应和缩聚反应,另一类是发生氧化还原反应的自身氧化反应和歧化反应,总之共有六种分解方式。非含氧酸盐受热分解也可能有类似的分解方式(没有缩聚反应)。因此,熟练的掌握含氧酸盐热分解的规律和本质以后,也有助于解决非含氧酸盐热分解问题。

5-2 无机含氧酸盐热分解的本质和对某些规律的解释

首先讨论水合物热分解的问题,我们知道,含氧酸盐和非含氧酸盐的晶体都可能含有若干结晶水,但是这些结晶水在晶体中存在的情况却有很大不同:

①在存在形式上通常可分为配位水、晶格水和不常见的阴离子水。同金属离子紧密结合在一起的水分子称为配位水;同阴离子结合在一起的水分子称为阴离子水;既不同金属离子直接相连结也不同阴离子直接相连结的水分子,它们在晶格中占有一定位置,这样的水分子称为晶格水。例如铝钒 $K_2SO_4 \cdot Al_2(SO_4)_3 \cdot$

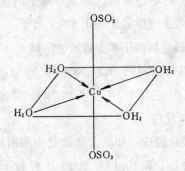

图 14-21　$CuSO_4 \cdot 5H_2O$ 晶体中 Cu^{2+} 的四个配位水

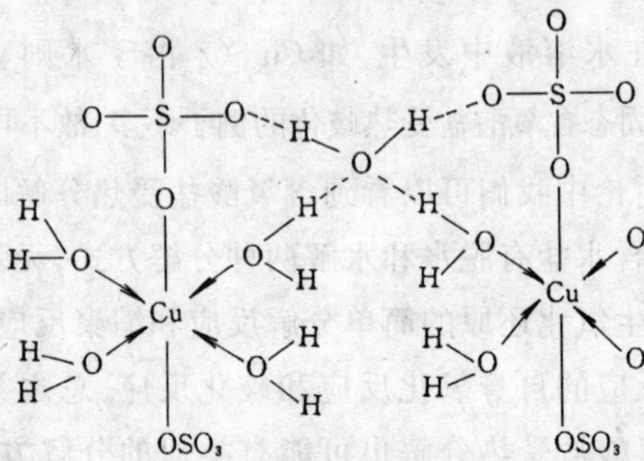

图 14-22　$CuSO_4 \cdot 5H_2O$ 晶体中第五个水分子靠氢键(用…表示)同 SO_4^{2-} 结合

$12H_2O$ 中含有 12 个结晶水,其中 6 个水分子靠配位键同 Al^{3+} 离子结合(配位水),其余 6 个结晶水则排列在距 K^+ 离子较远的位置上(晶格水)。在 $CuSO_4 \cdot 5H_2O$ 晶体中有 4 个水分子直接配位到 Cu^{2+} 离子周围(图 14-21),第 5 个水分子则与相邻的 SO_4^{2-} 离子中的氧原子以氢键相结合(阴离子水)(图 14-22)。

② 晶格水、配位水和阴离子水在晶体中稳定情况不同。晶格水虽然占有固定的晶格位置,但是因为它既不和阳离子也不和阴离子直接连接,所以它同晶体的结合最弱,受热后这种水也最容易失去。$Na_2SO_4 \cdot 10H_2O$ 和 $Na_2CO_3 \cdot 10H_2O$ 受热后容易失水变为无水盐就是这个道理。应当指出:晶格水也会受到晶体中阳离子、阴离子电场的影响。显然电荷高、半径小的阳离子或阴离子必然增强晶格水同晶体的结合。这就解释了碱金属和 Ca,Sr,Ba 同种含氧酸盐的脱水温度在同一族内随金属离子半径的增加而递减的原因。

配位水通常靠配位键同金属离子结合在一起的,它比晶格水同晶体的结合力强得多,金属离子的正电场越强,结合力也越强。过渡金属离子以及半径小正电荷为 +2,+3 的正常金属离子往往具有较强的正电场,因此这些金属离子的含氧酸盐经常含有一定数目的配位水,而且它们的难挥发性含氧酸盐水合物(如硫酸盐和磷酸盐等)的脱水温度也比相应的碱金属盐高得多。配位水同金

表 14-21   若干硫酸盐失水温度同水合热的关系

硫 酸 盐	开始失水温度/K	M^{2+} 水合热/$kJ \cdot mol^{-1}$
$MnSO_4 \cdot 7H_2O$	>282	2 736.3
$FeSO_4 \cdot 7H_2O$	>299	2 845.1
$CoSO_4 \cdot 7H_2O$	>309	2 916.2
$NiSO_4 \cdot 7H_2O$	333—345	2 995.7
$CuSO_4 \cdot 5H_2O$	>373	2 999.9

属离子结合的强弱常常反映到金属离子水合热的大小上，如表 14-21 所示。由表 14-21 可见表中各种盐开始失水温度随 M^{2+} 离子水合热增大而增高。

　　阴离子水通常是靠氢键同阴离子结合在一起，所以它难以失去。如许多 7 水合物和 5 水合物受热后比较容易变为一水合物，但是失去最后一个水分子一般需要加热到 473—573K 左右，可见阴离子水同晶体的结合比较牢固。

　　③ 在晶体中的水分子不仅其存在形式，同离子结合的强弱等方面有所不同，水分子中的 O—H 键也会因为氧的配位而减弱，其减弱的程度随金属离子正电场的增强而增强，即水分子同金属离子结合越强，配位水分子中的 O—H 键就越弱。在这种情况下，如果阴离子是一种易挥发性酸根离子，加热时，水分子中的 O—H 键可断裂，于是 H^+ 离子同酸根结合成挥发酸逸出反应体系，结果分解产物不是无水盐而是碱式盐。金属离子的正电场越强，相应含氧酸越容易挥发，其含水盐受热时，也越容易发生水解反应。相反，如果阴离子是一种难挥发性酸根离子时，加热时，因为破坏了水分子同金属离子的配位键使盐脱水而不发生水解。

　　现在讨论无水含氧酸盐热分解问题，我们知道，所有含氧酸盐基本上都是离子结晶，即占有晶格点的是金属离子 M^{n+} 和含氧酸根离子（如 CO_3^{2-}，SO_4^{2-} 等）。在通常的条件下，这些离子在晶体中总是以晶格点为中心作振摆运动。如果给含氧酸盐加热，则加剧了这种运动，使正负离子更加靠近，从而加强了正负离子间的相互极化作用。这种相互极化作用继续增强的结果是金属离子 M^{n+} 夺取了含氧酸根中的部分 O^{2-} 离子，这就引起含氧酸根离子的完全破裂。由此可见，无水含氧酸盐热分解的本质就是正离子争夺含氧酸根中的 O^{2-} 离子。热分解过程中含氧酸根离子的变化情况可由图 14-23 中看出。以 CO_3^{2-} 离子为例，当没有外界电场影响

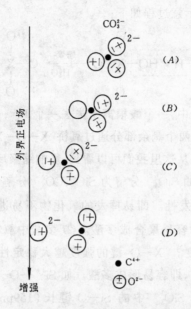

图 14-23 CO_3^{2-} 离子在电场中的变化

时，CO_3^{2-} 离子中三个氧原子同样地被 C^{4+} 所极化（A），由于外界正电场的增强，对最近的一个 O^{2-} 离子所产生的诱导偶极抵消了原有的偶极（B），电场进一步的增强，诱导偶极超过原有的偶极（C），因此，O^{2-} 离子同 C^{4+} 间的键大大地被削弱。外界电场的继续增强就引起 CO_3^{2-} 离子的完全破裂（D）。

从上面的讨论中可以清楚地看到，酸根离子相同时，金属离子的正电场越强，该含氧酸盐也越容易分解。如：过渡金属的碳酸盐比相应的碱土金属碳酸盐更容易分解，就是因为过渡金属是不规则电子层结构，因而有较强的正电场的缘故。同理，金属离子相同时，酸根离子中成酸元素（如碳酸根中的碳、硫酸根中的硫）的电场越强，该含氧酸盐也越不易分解，这就解释了为什么硫酸盐往往比相应的碳酸盐更稳定的原因。

有些含氧酸的酸式盐受热后可能发生缩聚反应，结果形成一

种新的多酸盐,示意过程如下:

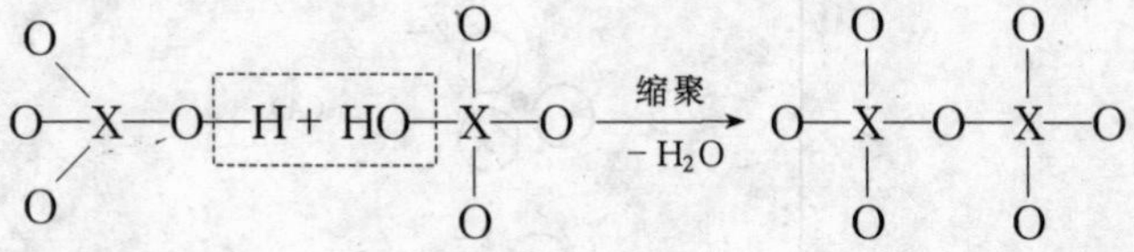

在这类缩聚反应中,一个酸根离子失去一个 H^+,另一个酸根离子失去一个 OH^-,两个剩余部分通过氧桥 X—O—X 连结起来形成一种多酸离子。从这里我们可以看到,影响缩聚反应的因素有:① 酸根分解产物(如 SiO_3^{2-} 分解为 SiO_2,CO_3^{2-} 分解为 CO_2,PO_4^{3-} 分解为 P_2O_5)的挥发性。即易挥发的氧化物不易进一步聚合,而难挥发的氧化物则容易聚合成多酸。② 多酸中氧桥 X—O—X 的 X—O 键的强度。 X—O 键的强度越大稳定性越高,那么形成的多酸就越稳定,即容易形成多酸。如 Si^{4+}—O—Si^{4+} 中 Si—O 键长为 167pm,比 SiO_3^{2-} 中的 Si—O 键长(159pm)仅长 8pm,而 Cl^{7+}—O—Cl^{7+} 中 Cl^{7+}—O 键长(172pm)却比 ClO_4^- 中的 Cl—O 键长(142pm)长 30pm。因此 SiO_3^{2-} 易聚合成多酸,而 $HClO_4$ 就不能形成多酸。这就解释了为什么按硅酸>磷酸>硫酸>高氯酸的顺序不易形成多酸的原因。

含氧酸盐热分解的情况也可以用热力学原理来说明。我们知道,一个化学反应是否能自发进行以及进行的难易,同反应自由能有密切的关系,根据热力学原理,化学反应自由能 $\Delta G_m^\ominus$ 和焓变 $\Delta H_m^\ominus$、熵变 $\Delta S_m^\ominus$ 有如下的关系:

$$\Delta G_m^\ominus = \Delta H_m^\ominus - T\Delta S_m^\ominus$$

$\Delta G_m^\ominus$ 是化学反应的自由能变化;$\Delta H_m^\ominus$ 和 $\Delta S_m^\ominus$ 是反应前后的焓变和熵变;T 是反应进行的温度。如果反应在温度 T 时能自发进行则 $\Delta G_m^\ominus < 0$,否则 $\Delta G_m^\ominus > 0$。例如:要判断 $CuSO_4 \cdot 5H_2O$ 在常温下是否能发生如下反应:

$$CuSO_4 \cdot 5H_2O \Longrightarrow CuSO_4 + 5H_2O$$

我们可根据上式求 $\Delta G_m^\ominus$ 值。它们的 $\Delta_f H^\ominus$ 和 $\Delta S_m^\ominus$ 如下：

热力学函数	$CuSO_4 \cdot 5H_2O$	$CuSO_4$	H_2O
$\Delta_f H^\ominus / kJ \cdot mol^{-1}$	$-2\,278.2$	-769.9	-285.8
$\Delta S_m^\ominus / K^{-1} \cdot kJ \cdot mol^{-1}$	0.305	0.113	$0.071\,1$

$$\Delta H_m^\ominus = [-769.9 + 5(-285.8)] - [-2\,278.1] = 79.3 \; kJ \cdot mol^{-1}$$

$$T\Delta S_m^\ominus = 298 \times [(0.113 + 5 \times 0.071\,1) - (0.305)]$$

$$= 48.7 \; kJ \cdot mol^{-1}$$

$$\therefore \Delta G_m^\ominus = 20.6 > 0 \quad \text{即常温下不分解。}$$

如使 $CuSO_4 \cdot 5H_2O$ 分解,即,使 $\Delta G^\ominus < 0$,则必须升高温度,分解温度可粗略利用

$$T \geqslant \frac{\Delta H_m^\ominus}{\Delta S_m^\ominus}$$

估算出来。将 $\Delta H_m^\ominus$ 和 $\Delta S_m^\ominus$ 代入后则得

$T = 485.3 \; K$(实际分解温度为 $525K$)

从以上的讨论中可以看出,含氧酸盐的稳定性同反应的焓变、熵变有关。焓变($\Delta H_m^\ominus$)越大含氧酸盐稳定(表 14-20),相反,熵变越小含氧酸盐越稳定。许多硅酸盐分解的 SiO_2 极难挥发,熵变很小,所以它们是很稳定的。熵变的大小虽然也影响盐的热稳定性,但是同焓变相比较,起主要作用的还是焓变的大小。

为什么含氧酸盐热分解的焓变 $\Delta H_{分解}^\ominus$ 越大,含氧酸盐越稳定呢? 它同分子结构有何关系?

施特恩(Stern)曾研究过多种含氧酸盐的热稳定性,他发现碳酸盐、硫酸盐、硝酸盐及磷酸盐的分解焓与阳离子的 $r^{\frac{1}{2}}/Z^*$(Z^* 为有效核电荷)大致成线性关系。如图 14-24。

从图 14-24 中可以清楚地看到,含氧酸盐热分解焓变越大越

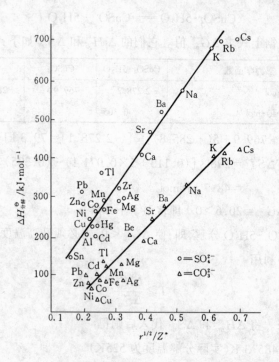

图 14-24 硫酸盐和碳酸盐的 $\Delta H^{\ominus}_{分解}$ 与金属离子的半径和电荷的关系

稳定的原因,从结构的观点来看,是由于金属离子正电场很弱(r 大,Z^* 小)的缘故。因为金属离子的正电场越弱它对阴离子的极化作用越小,所以盐就越稳定。

有些含氧酸盐受热后会发生自身氧化还原反应或歧化反应。如果是在溶液中反应,通常可用 $\varphi^{\ominus}$ 或自由能-氧化态关系图来说明,对于固相反应只能从离子的稳定性大小来解释。这一部分内容将在有关章节叙述。不再重复。

应当指出:由于含氧酸盐的热分解是一个复杂问题,所以,我们讨论的情况只是简单概括,对于分解产物也只能作粗略估计。

习　题

1．用 MO 理论讨论 N_2 和 NO 分子中的成键情况，并指出两者的键级是多少？

2．解释下列问题：

(1) 虽然氮的电负性比磷高，但是磷的化学性质却比氮活泼？

(2) 为什么 Bi(V) 的氧化能力比同族其它元素都强？

3．试从分子结构上比较 NH_3、HN_3、N_2H_4 和 NH_2OH 等的酸碱性。

4．试比较下列化合物的性质：

(1) NO_3^- 和 NO_2^- 的氧化性；

(2) NO_2、NO 和 N_2O 在空气中同 O_2 反应的情况；

(3) N_2H_4 和 NH_2OH 的还原性。

5．硝酸铵可以有下列两种热分解方式：

$NH_4NO_3(s) \!=\!\!=\!\!= NH_3(g) + HNO_3(g)$　　$\Delta H^\ominus = 171 \text{ kJ} \cdot \text{mol}^{-1}$

$NH_4NO_3(s) \!=\!\!=\!\!= N_2O(g) + 2H_2O(g)$　　$\Delta H^\ominus = -23 \text{ kJ} \cdot \text{mol}^{-1}$

根据热力学的观点，硝酸铵固体按哪一种方式热分解的可能性较大。

6．如何除去：

(1) 氮中所含的微量氧；

(2) 用熔融 NH_4NO_3 热分解制得的 N_2O 中混有的少量 NO；

(3) NO 中所含的微量 NO_2；

(4) 溶液中微量的 NH_4^+ 离子。

7．写出下列物质加热时的反应方程式：

(1) $NaNO_3$；(2) NH_4NO_3；(3) NH_4Cl 和 $NaNO_2$ 的混合物；

(4) $CuSO_4 \cdot 5H_2O$；(5) $Cu(NO_3)_2 \cdot 2H_2O$；(6) NaN_3。

8．从下列物质中选出那些互为等电子体：C_2^{2-}，O_2，O_2^-，O_2^{2-}，N_2，NO，NO^+，CN^- 和 $N_2H_3^-$，并讨论它们氧化能力的强弱和酸碱强度。

9．完成下列反应：

$N_2H_4 + HNO_2 \longrightarrow$

$NH_4Cl + HNO_2 \xrightarrow{\triangle}$

$$KI + HNO_2 \longrightarrow$$

$$KClO_3 + HNO_2 \xrightarrow{\triangle}$$

$$KMnO_4 + HNO_2 \xrightarrow{\triangle}$$

10. 从硝酸钠出发,写出制备亚硝酸的反应方程式。

11. 解释下列实验现象:

(1) 为什么 $NaNO_2$ 会加速铜和硝酸的反应速度?

(2) 为什么磷和热 KOH 溶液反应生成的 PH_3 气体遇空气冒白烟?

(3) 向 NaH_2PO_4 或 Na_2HPO_4 溶液中加入 $AgNO_3$ 溶液均析出黄色 Ag_3PO_4 沉淀?

12. 完成下列反应

(a) $P_4 + HNO_3 \longrightarrow$ (b) $AsCl_3 + H_2O \longrightarrow$

(c) $POCl_3 + H_2O \longrightarrow$ (d) $P_4O_{10} + HNO_3 \longrightarrow$

(e) $P_4O_6 + H_2O \longrightarrow$ (f) $Zn_3P_2 + HCl(稀) \longrightarrow$

13. 试说明为什么氮可以生成二原子分子 N_2,而同族其它元素则不能生成二原子分子的原因。

14. 指出下列各种磷酸中 P 的氧化数。

H_3PO_4,$H_4P_2O_7$,$H_5P_3O_{10}$,$H_6P_4O_{13}$,$H_3P_3O_9$,$H_4P_4O_{12}$,$H_4P_2O_6$,H_2PHO_3,HPH_2O_2,H_3PO_5,$H_4P_2O_8$

15. 说明 NO_3^-,PO_4^{3-},$Sb(OH)_6^-$ 的结构。

16. P_4O_{10} 中 P—O 键长有两种分别为 139pm 和 162pm,试解释不同的原因。

17. 如何鉴别下列各组物质:

(1) NH_4Cl 和 NH_4NO_3;

(2) NH_4NO_3 和 NH_4NO_2;

(3) Na_3PO_4 和 $Na_2P_2O_7$;

(4) H_3PO_3 和 H_3PO_4;

(5) H_3AsO_3 和 H_3AsO_4;

(6) As^{3+}、Sb^{3+} 和 Bi^{3+}。

18. 写出下列含氧酸盐的热分解产物:

(1) $Na_2SO_4 \cdot 10H_2O$

(2) $Ca(ClO_4)_2 \cdot 4H_2O$

(3) $Cu(NO_3)_2 \cdot 3H_2O$

(4) $Al_2(SO_4)_3$

(5) $NaHSO_3$

(6) $(NH_4)_2Cr_2O_7$

(7) $AgNO_2$

(8) Na_2SO_3

(9) $KClO_3$

19. 比较 As、Sb、Bi 的硫化物和氧化物的性质。

20. 写出在碱性介质中 Cl_2 氧化 $Bi(OH)_3$ 的反应方程式,并用 $\varphi^\ominus$ 解释反应发生的原因。

21. 如何解释 As_2O_3 在盐酸中的溶解度随酸的浓度增大而减小后又增大的原因。

22. 化合物 A 是白色固体,不溶于水,加热加剧烈分解,产生一固体 B 和气体 C。固体 B 不溶于水或 HCl,但溶于热的稀 HNO_3,得一溶液 D 及气体 E。E 无色,但在空气中变红。溶液 D 以 HCl 处理时,得一白色沉淀 F。

气体 C 与普通试剂不起反应,但与热的金属镁作用生成白色固体 G。G 与水作用得另一种白色固体 H 及一气体 J。气体 J 使湿润的红色石蕊试纸变蓝,固体 H 可溶于稀 H_2SO_4 得溶液 I。

化合物 A 以 H_2S 溶液处理时,得黑色沉淀 K、无色溶液 L 和气体 C。过滤后,固体 K 溶于浓 HNO_3 得气体 E、黄色固体 N 和溶液 M。M 以 HCl 处理得沉淀 F。滤液 L 以 NaOH 溶液处理又得气体 J。

请指出 A,B,C,D,E,F,G,H,I,J,K,L,M,N 所表示的物质名称。

23. 举例说明什么叫惰性电子对效应? 产生这种效应的原因是什么?

24. 已经碱性介质中磷的不同氧化态间的标准电极电势为:

$$H_3PO_4 \xrightarrow{-0.23V} H_3PO_3 \xrightarrow{-0.50V} P \xrightarrow{+0.06V} PH_3$$

试绘制碱性介质中磷的氧化态－自由能关系图。

第十五章 碳 族 元 素

周期表中第ⅣA族包括碳、硅、锗、锡和铅5种元素,统称为碳族元素。其中碳和硅是非金属元素,其余3种是金属元素。碳元素的化合物比其它任一元素的化合物都多,形成了一大类有机化合物,其数量已达数百万种。在我们这一章中涉及到碳的只是为数有限的一些碳的无机化合物。

§15－1 碳族元素的通性

本族元素基态原子的价电子层结构为 ns^2np^2. 以碳为例,价层电子结构为 $2s^22p^2$,它的最高共价数显然等于4。在化合物中它以 sp^3 杂化轨道互相结合或与其它原子结合,如 CH_4、C_2H_6 和 CCl_4 等。此外,碳原子的成键轨道还可以是 sp^2 或 sp 杂化轨道。所以碳的共价化合物是多种多样的,见表 15－1。C—C 键、C—H 键和C—O键的键能都很高,键很稳定,这就奠定了含碳的有机化合物

表 15－1 碳原子在化合物中的成键情况

成 键 形 式	价键结构	化 合 物 举 例
sp^3 杂化,4 个单键	$\overset{|}{\underset{\diagup\diagdown}{C}}$,正四面体	金刚石,CH_4,CCl_4, C_2H_6,C_4H_{10}
sp^2 杂化,2 个单键,1 个双键	$\overset{}{\underset{}{C}}$= ,平面三角形	石墨,$COCl_2$,C_2H_4,C_6H_6
sp 杂化,1 个单键,1 个叁键	—C≡ ,直线形	C_2H_2,HCN
sp 杂化,1 个叁键,1 个孤电子对	:C≡ ,直线形	CO

的数量达到数百万种的基础。碳的氧化数可以从 $+4$ 变到 -4，但原子间的键数在有机化合物中总是 4，在无机化合物中则多数是 4。

表 15-2 列出碳族元素的基本性质。

表 15-2　碳族元素的基本性质

性质 ＼ 元素	碳	硅	锗	锡	铅
元素符号	C	Si	Ge	Sn	Pb
原子序数	6	14	32	50	82
原子量	12.01	28.09	72.59	118.7	207.2
价电子层构型	$2s^2 2p^2$	$3s^2 3p^2$	$4s^2 4p^2$	$5s^2 5p^2$	$6s^2 6p^2$
主要氧化数	$+4(+2)$	$+4(+2)$	$+4, +2$	$+4, +2$	$(+4)+2$
共价半径/pm	77	118	122	141	154
离子半径(M^{4+})/pm	16	42	53	71	84
离子半径(M^{2+})/pm			73	93	120
电离能 I_1/kJ·mol^{-1}	1 086	787	762	709	716
电离能 I_2/kJ·mol^{-1}	2 353	1 577	1 537	1 412	1 450
电离能 I_3/kJ·mol^{-1}	4 621	3 232	3 302	2 943	3 081
电离能 I_4/kJ·mol^{-1}	6 223	4 356	4 410	3 930	4 083
电子亲和能 E_1(实验值) / kJ·mol^{-1}	122.5	119.7	115.8	120.6	101.3
电负性(Pauling)	2.25	1.90	2.01(Ⅳ)	1.96(Ⅳ) / 1.80(Ⅱ)	2.33(Ⅳ) / 1.87(Ⅱ)

Si—Si 单键的键能为 222kJ·mol^{-1}，较 C—C 单键的 345.6 kJ·mol^{-1} 低得多，这就决定了硅链不能太长，因此硅的化合物必然比碳的化合物要少得多。但 Si—O 键的键能为 452 kJ·mol^{-1}，却比 C—O 键的 357.7 kJ·mol^{-1} 要高得多，这就决定了硅的化合物中存在 Si—O 键的占有相当大的比例。硅的主要氧化态是 $+4$。

在锗、锡、铅中，随着原子序数的增大，稳定氧化态逐渐由 $+4$ 变为 $+2$。这种递变规律在其它几个主族中也同样存在。这是由于 ns^2 电子对随 n 增大逐渐稳定的结果。从下列电势图中可看出这个规律。

$\varphi_A^\ominus/V$ $\qquad\qquad\qquad\qquad$ $\varphi_B^\ominus/V$

$$CO_2 \overset{-0.49}{\longrightarrow} H_2C_2O_4$$

$$CO_2 \overset{-0.12}{\longrightarrow} CO \overset{0.51}{\longrightarrow} C \overset{0.13}{\longrightarrow} CH_4 \qquad CO_3^{2-} \overset{-1.01}{\longrightarrow} HCO_2^- \overset{-0.52}{\longrightarrow} C \overset{-0.70}{\longrightarrow} CH_4$$

$$CO_2 \overset{-0.20}{\longrightarrow} HCOOH$$

$$SiF_6^{2-} \overset{-1.2}{\longrightarrow} Si$$

$$SiO_2 \overset{-0.86}{\longrightarrow} Si \overset{0.102}{\longrightarrow} SiH_4 \qquad SiO_3^{2-} \overset{-1.7}{\longrightarrow} Si \overset{-0.73}{\longrightarrow} SiH_4$$

$$H_2SiO_3 \overset{-0.84}{\longrightarrow} Si$$

$$GeO_2 \overset{-0.34}{\longrightarrow} Ge^{2+} \overset{0.23}{\longrightarrow} Ge \overset{<-0.3}{\longrightarrow} GeH_4 \qquad HGeO_3^- \overset{-1.0}{\longrightarrow} Ge \overset{<-1.1}{\longrightarrow} GeH_4$$

$$GeO_2 \overset{-0.05}{\longrightarrow} Ge$$

$$Sn^{4+} \overset{0.15}{\longrightarrow} Sn^{2+} \overset{-0.14}{\longrightarrow} Sn \qquad Sn(OH)_6^{2-} \overset{-0.96}{\longrightarrow} HSnO_2^- \overset{-0.79}{\longrightarrow} Sn$$

$$PbO_2 \overset{1.455}{\longrightarrow} Pb^{2+} \overset{-0.126}{\longrightarrow} Pb \qquad HPbO_2^- \overset{-0.34}{\longrightarrow} Pb$$

$$PbO_2 \overset{1.685}{\longrightarrow} PbSO_4 \overset{-0.350}{\longrightarrow} Pb \qquad PbO_2 \overset{0.248}{\longrightarrow} PbO$$

图 15-1 碳族元素电势图

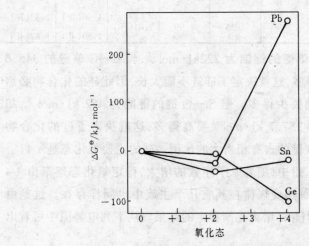

图 15-2 ⅣA族金属的氧化态-吉布斯自由能图

从图 15-1 中看出，Ge^{2+} 是不稳定的，易歧化：

$$2Ge^{2+} + 2H_2O \Longrightarrow Ge + GeO_2 + 4H^+$$

而 Sn^{2+} 和 Pb^{2+} 则比 Ge^{2+} 稳定，特别是 Pb^{2+}。从图 15-2 所示的碳族元素的氧化态-吉布斯自由能图(pH＝0 时)中更可清晰地看到这一点。

§15-2 碳族元素的单质及其化合物

2-1 碳族元素在自然界中的分布

碳在地壳中的质量百分含量为 0.027%，在自然界中分布很广。单质状态的碳有金刚石和石墨，在南非和扎伊尔有大量的金刚石矿藏，近年在我国的山东和辽宁也发现了其矿藏并进行了开采。以化合物形式存在的碳有煤、石油、天然气、动植物、石灰石、白云石、二氧化碳等。

如果说碳元素靠 C—C 链化合物形成了由动物和植物所构成的有机界，那么硅元素主要靠 Si—O—Si 链化合物以及其它元素在一起形成整个矿物界。事实上地壳几乎全由矿物构成，其中 Si 原子靠与氧原子的键合而联结成各种链状、层状和立体状结构，构成各种岩石和它们的风化产物——土壤和泥砂。硅元素在质量上几乎

表 15-3 硅的某些重要矿物

矿　　物	化　学　式
石　英	SiO_2
石　棉	$CaMg_3(SiO_3)_4$
沸　石	$Na_2(Al_2Si_3O_{10}) \cdot 2H_2O$
云　母	$KAl_2(AlSi_2O_{10})(OH)_2$
滑　石	$Mg_3(Si_4O_{10})(OH)_2$
高岭土	$Al_2Si_2O_5(OH)_4$
石榴石	$Ca_3Al_2(SiO_4)_3$
长　石	$KAl(Si_3O_8)$

占地壳的 $\frac{1}{4}$，仅次于氧的含量。表 15 - 3 列出自然界中常见的某些硅酸盐矿物。

锗、锡、铅在自然界中以化合状态存在。如硫银锗矿 $4Ag_2S\cdot GeS_2$，锗石矿 $Cu_2S\cdot FeS\cdot GeS_2$，锡石矿 SnO_2，方铅矿 PbS 等。我国是锡蕴藏量最丰富的国家之一，云南个旧锡矿举世闻名，我国是世界上一个主要的锡出口国。

2 - 2 碳族元素的单质

(1) 碳的同素异形体

金刚石晶体透明、折光，在所有物质中，它的硬度最大。测定物质硬度的刻划法规定，以金刚石的硬度为 10 来度量其它物质的硬度，如 Cr 的硬度为 9，Fe 为 4.5，Pb 为 1.5，Na 为 0.4 等。在所有单质中，它的熔点最高，达 3 823K。金刚石晶体属立方晶系，是典型的原子晶体。每个碳原子都以 sp^3 杂化轨道与另四个碳原子形成共价键，构成正四面体。图 15 - 3 给出了金刚石的面心立方晶胞的结构。由于金刚石晶体中 C—C 键很强，所有价电子又都参与了共价键的形成，使晶体中没有自由电子，所以金刚石不仅硬度大、熔点高，而且不导电。在室温下，金刚石对所有的化学试剂都显惰性，但在空气中加热到 1 100K 左右能燃烧成 CO_2。金刚石俗称钻石，除作装饰品外，主要用于制造钻探用的钻头和磨削工具，是重要的现代工业原料。金刚石的价格十分昂贵。

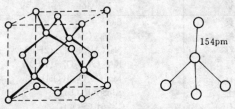

154pm

图 15 - 3 金刚石的晶体结构

石墨是碳的另一种固体单质,它的物理性质与金刚石大不相同。石墨很软,呈灰黑色,密度较金刚石小,熔点比金刚石仅低 50K。在石墨晶体中,碳原子以 sp^2 杂化轨道和邻近的三个碳原子形成共价单价,构成六角平面的网状结构,这些网状结构又连成片层结构。层中每个碳原子均剩余一个未参加 sp^2 杂化的 p 轨道,其中有一个未成对的 p 电子,同层中这种碳原子中的 p 电子形成一个 m 中心 m 电子的大 π 键(Π_m^m 键)。这些离域电子可以在整个碳原子平面层中活动,所以石墨具有层向的良好导电导热性质。石墨的层与层之间是以分子间力结合起来的,因此石墨容易沿着与层平行的方向滑动、裂开。石墨质软具有润滑性。图 15 - 4 给出了石墨的层状结构。由于有自由电子的存在,石墨的化学性质较金刚石稍显活泼。基于石墨的上述性质,所以石墨被大量用来制作电极、坩埚、电刷、润滑剂、铅笔等。

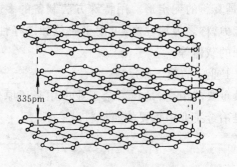

335pm

图 15 - 4　石墨的晶体结构

20 世纪 80 年代中期,人们发现了碳元素还存在第三种晶体形态。其分子式 C_n 中,n 一般小于 200,称为碳原子簇。在种类繁多的碳原子簇中,人们对 C_{60} 研究得最为深入,因为它是稳定性最高的一种。结构研究表明,C_{60} 分子具有球形结构,60 个碳原子构成近似于球形的 32 面体,即由 12 个正五边形和 20 个正六边形组成,相当于截角正20面体。图15-5给出了C_{60}的结构。每个碳原子以sp^2杂化轨道和相邻三个碳原子相连,剩余的p轨道在C_{60}的外围和腔内形成大π键。它的形状酷似足球,故称为足球烯。建筑学家 Buckminster Fuller 曾用五边形和六边形组成过类似结构,故C_{60}有时称为富勒烯,或布基球。用纯石墨作电极,在氦气氛中放

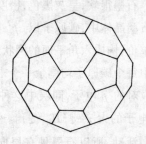

图15-5 C_{60}分子的球形结构

电,电弧中产生的碳烟沉积在水冷反应器的内壁上,这种碳烟中存在着C_{60}、C_{70}等碳原子簇。目前,科学家正在研究C_{60}等及其化合物的超导性能,并继续开发其它应用方向。

平常所说的无定形碳,如木炭、焦炭、炭黑等实际上都具有石墨结构,并不是真正的无定形。用特殊方法制备的多孔性炭黑有较大的吸附能力,称之为活性炭,可用于脱色和选择性分离中,也可用作催化剂的载体等。

(2) 冶金工业中的碳还原反应

碳单质最重要的用途,是在冶金工业中用来还原金属氧化物矿物。焦炭是冶金工业中重要的原材料。

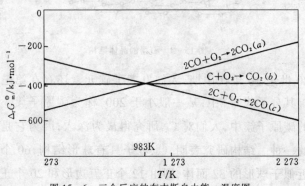

图15-6 三个反应的布吉斯自由能-温度图

和碳相关的氧化反应的热力学关系表示在图 15-6 中。有关物质的标准熵值为：

$$
\begin{array}{ccccc}
 & \mathrm{C} & \mathrm{O_2} & \mathrm{CO} & \mathrm{CO_2} \\
S_m^{\ominus}/\mathrm{J\cdot K^{-1}\cdot mol^{-1}} & 5.74 & 205.03 & 197.56 & 213.64
\end{array}
$$

因此，图 15-6 中 (a)、(b)、(c) 三个反应的标准熵变值为：

(a) $\Delta_r S_m^{\ominus} = (213.64 \times 2) - (197.56 \times 2 + 205.03)$

$\qquad = -172.87(\mathrm{J\cdot K^{-1}\cdot mol^{-1}})$

(b) $\Delta_r S_m^{\ominus} = 213.64 - (205.03 + 5.74)$

$\qquad = 2.87\ (\mathrm{J\cdot K^{-1}\cdot mol^{-1}})$

(c) $\Delta_r S_m^{\ominus} = (197.56 \times 2) - (205.03 + 5.74 \times 2)$

$\qquad = 178.61\ (\mathrm{J\cdot K^{-1}\cdot mol^{-1}})$

由于反应 (a) 的 $\Delta_r S_m^{\ominus}$ 是负值，所以其 $\Delta_r G_m^{\ominus}$ 值必然随温度 T 的升高而增大；反应 (b) 的 $\Delta_r S_m^{\ominus}$ 的值近似等于零，所以其 $\Delta_r G_m^{\ominus}$ 值基本不随温度 T 改变；反应 (c) 的 $\Delta_r S_m^{\ominus}$ 值是正的，所以其 $\Delta_r G_m^{\ominus}$ 值随温度 T 的升高而减小。这就出现了图 15-6 中的三根斜率不同的直线。

图 15-7 中给出了几种金属的氧化反应的 $\Delta_r G_m^{\ominus}$ 对 T 的变化曲线。这些曲线都是直线，只是在相变温度下斜率发生变化。这些直线的斜率都是正的，即 $\Delta_r G_m^{\ominus}$ 随 T 的升高而增大。这是因为正常的金属氧化物的晶体结构都是高度有序的。因而其熵值比氧气低得多，以致金属氧化反应的 $\Delta_{or} S_m^{\ominus}$ 为负值。高温下，一旦金属熔化或气化，直线的斜率变得更大。图 15-7 的上部，为图 15-6 中的斜率不同的三条直线，于是该图可以用来判断碳还原金属氧化物反应的可能性问题。

在图 15-7 中 Y 点处，反应 $2\mathrm{Mn} + \mathrm{O_2} \longrightarrow 2\mathrm{MnO}(d)$ 和反应 (c) 的 $\Delta_r G_m^{\ominus}$ 相等，于是

$$
\begin{aligned}
& 2\mathrm{C} + \mathrm{O_2} \longrightarrow 2\mathrm{CO} && (c) \\
-)\quad & 2\mathrm{Mn} + \mathrm{O_2} \longrightarrow 2\mathrm{MnO} && (d) \\
\hline
& 2\mathrm{MnO} + 2\mathrm{C} \longrightarrow 2\mathrm{Mn} + 2\mathrm{CO} && (e)
\end{aligned}
$$

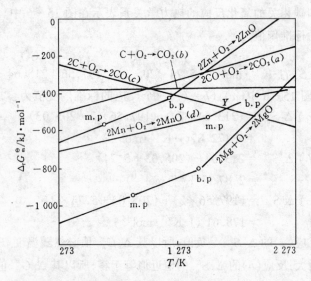

图 15-7 阐明金属氧化物被炭还原的吉布斯自由能-温度图

反应(e)的吉布斯自由能改变量 $\Delta_r G_m^{\ominus} = 0$。在 Y 点温度以上,反应(d)的 $\Delta_r G_m^{\ominus}$ 比反应(c)的 $\Delta_r G_m^{\ominus}$ 大,即反应(e)的 $\Delta_r G_m^{\ominus} < 0$,反应$(e)$将自发进行。这说明在比 Y 点温度高时,碳可以用来还原 MnO 而得到金属 Mn 且生成 CO。要使下面反应自发进行,将需要高得多的温度:

$$2MnO + C \longrightarrow 2Mn + CO_2$$

因为反应(d)的曲线要与(b)线相交,需相当高的温度。正是由于用碳还原金属氧化物的反应体系中存在着 CO,才使得许多过渡金属氧化物能在中等温度下被碳还原。

(3) 金刚石的人工合成

分析天然金刚石的成矿原因,对人们合成金刚石工作是十分重要的。在远古时期,当熔岩冷却固化时所产生的高压和当时的高温,促使残留在其中的石墨构型的碳转变成了金刚石。

由热力学可知,石墨的标准生成吉布斯自由能 $\Delta_f G_m^{\ominus} = 0$,而

金刚石的 $\Delta_f G_m^{\ominus} = 2.900 \text{ kJ} \cdot \text{mol}^{-1}$，因此在 298K 和 $1.013 \times 10^5 \text{Pa}$ 下，反应

$$C(\text{石墨}) \longrightarrow C(\text{金刚石})$$

的 $\Delta_r G_m^{\ominus} = 2.900 \text{ kJ} \cdot \text{mol}^{-1}$，$\Delta_r G_m^{\ominus} > 0$，该反应不能自发进行。但是我们知道石墨和金刚石的密度分别为 $2.260 \text{ g} \cdot \text{cm}^{-3}$ 和 3.515 $\text{g} \cdot \text{cm}^{-3}$。也就是说，上述反应是一种体积变小的反应，尽管固相反应受压强影响很小，但是加压显然对上述反应是有利的。热力学上用来计算压强变化对 ΔG 的影响的公式如下：

$$\Delta_r G_{p_2} - \Delta_r G_{p_1} = \Delta V (p_2 - p_1)$$

式中 p_1、p_2 分别表示不同压强，$\Delta_r G_{p_1}$，$\Delta_r G_{p_2}$ 则是不同压强下的吉布斯自由能改变量，ΔV 是反应中的体积改变量。在 $p_1 = 1.013 \times 10^5 \text{Pa}$ 下 $\Delta_r G_{p_1} = 2.900 \text{ kJ} \cdot \text{mol}^{-1}$，在 p_2 压强下，石墨转变成金刚石的反应可以自发进行，则 $\Delta_r G_{p_2} \leqslant 0$，故有：

$$p_2 = -\frac{\Delta_r G_{p_1}}{\Delta V} + p_1$$

将 $\Delta_r G_{p_1} = 2.900 \text{ kJ} \cdot \text{mol}^{-1}$ 等数值代入式中

$$p_2 = -\frac{2.900 \times 10^3 \text{ J} \cdot \text{mol}^{-1}}{\left(\dfrac{12\text{g} \cdot \text{mol}^{-1}}{3.515 \text{ g} \cdot \text{cm}^{-3}} - \dfrac{12 \text{ g} \cdot \text{mol}^{-1}}{2.260 \text{ g} \cdot \text{cm}^{-3}} \right)} + 1.013 \times 10^5 \text{Pa}$$

$$\approx 1.5 \times 10^9 \text{Pa}$$

以上讨论是在 298K 下进行的，这样低的温度反应速率几乎为零，实际上要采取高温，而石墨转化为金刚石是吸热的，故从热力学上看高温更合适。实际生产中转化是在很高温度和比理论压强高得多的条件下进行的。

由于金刚石的特殊性能和用途，人们很早就尝试以合成来补充天然储量和产量的不足。但在解决转变条件、相应设备以及有效催化剂的探索等一系列问题上，花费了大量的时间，经历了漫长

的过程。直到 1954 年,霍尔等人才首次获得成功。他们以熔融的 FeS 作溶剂,在严格控制的高温、高压条件下使石墨第一次转化成人造金刚石。从此以后,人造金刚石的研制和生产蓬勃兴起,成为当今的一个新兴工业。我国在 1960 年前后也开始了这方面的研制工作,但直到 70 年代以后才得到广泛开展,生产人造金刚石的工厂逐渐增多。人造金刚石可以采用静压法工艺过程进行生产,将石墨片、触媒片等物以间隔的方式填入一中空的叶腊石块中,组装一合成件,然后把它放在六面顶压机上施加高温高压,一定时间后取出合成件,捣碎并从中取出完整的合成试棒。在合成试棒的石墨片上可以看到浅黄色或浅绿色的人造金刚石晶粒,其颜色随触媒的材料而变。合成时所采用的温度、压强、时间等条件也与触媒种类有关,一般为 1 600—1 800K,6.0×10^9 Pa,1—5min。把合成试棒捣碎后,相继用电解法清除触媒,用高氯酸清除石墨,用熔融的氢氧化钠清除合成件所带来的硅酸盐,就得到了纯净的人造金刚石。

关于石墨向金刚石转化的机理,一般有两种说法。一种是"溶剂"说,认为石墨先溶解在溶剂——金属催化剂中成为单个碳原子,然后在冷却时直接生成金刚石。另一种是"固相转化"说,认为石墨的碳原子间的键不发生断裂而在催化剂作用下按一定方向位移直接转化成金刚石结构。如图 15 - 8 所示,在高压下各石墨层沿垂直于石墨层的方向相互接近,即层间距离被压缩。高温下碳原子振动加剧,使原来错开半个格子的层间相对应的碳原子因反向振动而进一步靠近,相互吸引。原来的平面六边形格子有规律地扭曲起来,层中的 π 电子分别向这些原子对的联线上集中,最后形成共价键,得到金刚石结构。但在没有催化剂存在时,这种有规律的位移十分困难,层间相对应碳原子间成键的几率较小,转化率是不显著的。若有一种合金催化剂,其晶体结构与金刚石相近

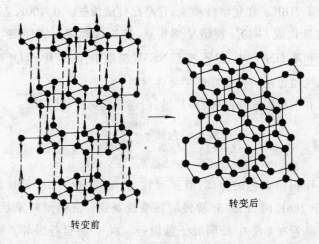

转变前   转变后

图 15-8   石墨转变成金刚石前后的晶体结构

且熔点较低,那末在高温高压下,此催化剂熔化而与石墨大面积地接触,一旦冷却,此催化剂在结晶时就带动石墨使其构型快速、定向地向金刚石转化。霍尔等首次合成金刚石时所用的 FeS 实际上就是一种催化剂,当时他只把它理解为一种溶剂。而今所使用的催化剂种类很多,一般是 Cr,Ni,Fe,Mn 等金属的各种合金。

(4) 硅、锗、锡、铅

单质硅的晶体结构类似于金刚石,熔点 1 683K,呈灰黑色,有金属外貌,性硬脆,能刻划玻璃。在低温下,单质硅并不活泼,与水、空气和酸均无作用,但与强氧化剂和强碱溶液作用。

$$Si + O_2 \xrightarrow{\triangle} SiO_2$$

$$Si + 2X_2 \xrightarrow{\triangle} SiX_4 \quad (在 F_2 中瞬即燃烧)$$

$$Si + 2OH^- + H_2O == SiO_3^{2-} + 2H_2 \uparrow$$

高纯硅(杂质少于百万分之一)具有良好的半导体性能被用作半导体材料。

锗是一种灰白色的脆性金属,它的晶体结构也是金刚石型。

熔点为 1 210K。在化学性质上,它略比硅活泼些。在 400K 左右,就能被氯化成 $GeCl_4$,若锗呈细粉状,则瞬即燃烧。它能溶于浓 H_2SO_4 和浓 HNO_3 中,但不溶于 NaOH 溶液中,除非有 H_2O_2 存在时。高纯锗也是一种良好的半导体材料。

锡有三种同素异形体,即灰锡、白锡和脆锡:

$$\text{灰锡} \xleftrightarrow{286K} \text{白锡} \xleftrightarrow{434K} \text{脆锡}$$

$$(\alpha\text{型}) \qquad (\beta\text{型}) \qquad (\gamma\text{型})$$

金刚石型立方晶系　四方晶系　正交晶系

白锡是银白带蓝色的金属,有延展性,升温到 505K 时,锡开始熔化,低于 286K 时,白锡非常慢的转变成灰锡。灰锡呈粉末状,因此锡制品若在寒冬中长期处于低温(<286K)会自行毁坏。毁坏是先从某一点开始,然后迅速蔓延,称之为锡疫,金属锡在冷的稀盐酸中溶解缓慢,但迅速溶于热浓盐酸中:

$$Sn + 2HCl =\!=\!= SnCl_2 + H_2 \uparrow$$

冷的极稀硝酸与锡反应生成硝酸亚锡(II),而浓硝酸迅速把锡转变成不溶于水的 β - 锡酸 H_2SnO_3,即为水合二氧化锡。

$$3Sn + 8HNO_3 =\!=\!= 3Sn(NO_3)_2 + 2NO \uparrow + 4H_2O$$

$$Sn + 4HNO_3 =\!=\!= H_2SnO_3 + 4NO_2 \uparrow + H_2O$$

锡也能与苛性碱溶液作用而放出氢:

$$Sn + 2OH^- + 2H_2O =\!=\!= Sn(OH)_4^{2-} + H_2 \uparrow$$

干燥的氯与锡反应生成 $SnCl_4$,氧与锡反应生成 SnO_2。由于锡的低熔点和一定的抗腐蚀性,所以被用来制作各种有特殊用途的合金以及罐头盒的马口铁(镀锡薄铁)。

铅是软的、强度不高的金属,密度很大(11.35 $g \cdot cm^{-3}$),次于汞(13.546 $g \cdot cm^{-3}$)和金(19.32 $g \cdot cm^{-3}$),熔点为 601K。新切开的铅表面有金属光泽,但很快变成暗灰色,这是它受空气中氧、水和二氧化碳的作用,表面迅速生成一层致密的碱式碳酸盐保护层

15 - 4   具代表性的某些锡合金

合金 \ 质量百分含量	Sn	Cu	Pb	Sb	Bi	其它
铜锡合金(莱因合金)	97%	4%				
铅字合金(武德合金)	12.5%		2.5%		50%	Cd 12.5%
易熔合金	15%		32%		53%	
乌金(巴氏合金,轴承合金)	90%	4%		6%		
青铜(奖章用合金)	8%	90%				Zn 2%
磷青铜	10%	79.7%		9.5%		P 0.8%
镜青铜	33%	67%				

的缘故。铅缓慢地与盐酸作用,易溶于硝酸和浓度大于 79% 的硫酸中。在空气存在下,铅与水反应生成氢氧化铅。铅在加热下能与氯、氧、硫反应生成相应的二元化合物。由于铅的稳定性及质软,常用它来方便地制作铅皮、铅管以保护电缆线。

$$Pb + 2HCl \Longrightarrow PbCl_2 + H_2 \uparrow$$

$$Pb + 2H_2SO_4 (> 79\%) \Longrightarrow Pb(HSO_4)_2 + H_2 \uparrow$$

$$Pb + 4HNO_3 \Longrightarrow Pb(NO_3)_2 + 2NO_2 \uparrow + 2H_2O$$

$$Pb + Cl_2 \Longrightarrow PbCl_2$$

在某些合金中铅是必不可少的组分,如在铅字合金中,铅既起着调节合金硬度的作用而又不影响所需合金的低熔点。铅是铅蓄电池的电极材料。铅板和铅砖用于 X - 射线和放射性实验中对射线的防护。

不论是硅和锗,首先都是把原料转化成四卤化物 $SiCl_4$(b.p. 330K)和 $GeCl_4$(b.p.356K),然后通过精馏来提纯。用纯锌或镁还原 $SiCl_4$ 得纯度较高的硅。用纯氢还原 $GeCl_4$ 的水解产物 GeO_2 成纯度较高的锗 。最后用物理方法——区域熔融法来进一步提纯得到高纯度的硅和锗。原理相当简单,但实际操作却十分严格。

$$SiO_2 + 2C + 2Cl_2 \longrightarrow SiCl_4 + 2CO$$

$$SiCl_4 + 2Zn \longrightarrow Si + 2ZnCl_2$$

$$GeCl_4 + (x+2)H_2O \longrightarrow GeO_2 \cdot xH_2O + 4HCl$$

$$GeO_2 + 2H_2 \longrightarrow Ge + 2H_2O$$

锡的冶炼是先将粉碎洗净的硫化矿石焙烧。使砷和硫变成氧化物挥发除去,然后加盐酸溶解其它金属氧化物。将净化后的矿石用碳还原:

$$SnO_2 + 2C \longrightarrow Sn + 2CO\uparrow$$

最后以氟硅酸(H_2SiF_6)和硫酸作为电解液,用电解精炼的方法制取纯锡。

铅的冶炼是先将矿石经过浮选富集,然后在空气中焙烧使硫化物变成氧化物:

$$2PbS + 3O_2 \longrightarrow 2PbO + 2SO_2\uparrow$$

然后在反射炉中用焦炭使焙烧产物还原成铅:

$$PbO + C \longrightarrow Pb + CO\uparrow$$

$$PbO + CO \longrightarrow Pb + CO_2\uparrow$$

以粗铅为阳极,纯铅为阴极,$PbSiF_6$ 和 H_2SiF_6 为电解液进行电解精炼制取纯铅。

2-3 氧化物

(1) 二氧化碳和一氧化碳

任何形态的单质碳或含碳的可燃物质在空气中燃烧都可以生成 CO_2 和 CO,条件是空气是否充足。在工业上可利用煅烧石灰石生产生石灰以及通过酿造工业而得到大量的 CO_2 副产物。在实验室中则常用碳酸盐和盐酸的作用来制备 CO_2:

$$CaCO_3(石灰石) \overset{\triangle}{=\!=\!=} CaO + CO_2\uparrow$$

$$CaCO_3(大理石) + 2HCl =\!=\!= CaCl_2 + H_2O + CO_2\uparrow$$

在实验室中制备 CO 气体可采用甲酸滴加到热浓硫酸中或将草酸

晶体与浓硫酸共热的方法：

$$HCOOH \xrightarrow{\text{浓 } H_2SO_4} CO\uparrow + H_2O$$

$$H_2C_2O_4 \xrightarrow{\text{浓 } H_2SO_4} CO_2\uparrow + CO\uparrow + H_2O$$

使后一反应中所产生的混合气体通过固体 NaOH 吸收掉 CO_2 而得纯 CO。发生炉煤气和水煤气是含大量 CO 的两种工业性廉价的气体烧料，前者中主要含有 CO 和 N_2（CO 占 1/2 体积），后者中主要含有 CO 和 H_2（CO 体积占 40%），前者是由有限量的空气通过赤热的碳层时反应所得，后者是由空气和水蒸气交替地通入赤热的碳层时反应所得，它们的反应式如下：

$$C + O_2 =\!=\!= CO_2 \qquad \Delta_r H_m^\ominus = -393.51 \text{ kJ} \cdot \text{mol}^{-1}$$

$$CO_2 + C =\!=\!= 2CO \qquad \Delta_r H_m^\ominus = 173.47 \text{ kJ} \cdot \text{mol}^{-1}$$

$$2C + O_2 =\!=\!= 2CO \qquad \Delta_r H_m^\ominus = -221.04 \text{ kJ} \cdot \text{mol}^{-1}$$

$$C + H_2O =\!=\!= CO + H_2 \qquad \Delta_r H_m^\ominus = 131.30 \text{ kJ} \cdot \text{mol}^{-1}$$

从反应热可以阐明生产水煤气时必须使水蒸气与空气交替地通入赤热碳层，否则反应就会停止。

现将 CO_2 和 CO 的某些重要物性和结构参数列于下表中。

表 15-5　CO_2 和 CO 的物性和结构参数

物性、结构参数	CO_2	CO
熔点/K	$329.6(5.065 \times 10^5 \text{Pa})$	$68(1.013 \times 10^5 \text{Pa})$
沸点/K	194.5	81.6
临界温度/K	304	132.8
临界压强/1.013×10^5 Pa	75.3	34.5
水中熔解度(273K)	$1.713 \text{dm}^3 \cdot \text{dm}^{-3}(H_2O)$	$0.035 \text{dm}^3 \cdot \text{dm}^{-3}(H_2O)$
$\Delta_f G_m^\ominus /\text{kJ} \cdot \text{mol}^{-1}$	-394.6	-137.2
键长/pm	116	113
键能/$\text{kJ} \cdot \text{mol}^{-1}$	531.4	1 070.3
电离能/$\text{kJ} \cdot \text{mol}^{-1}$	1 330.5	1 351.7
偶极矩/D	0	0.12

CO_2 和 CO 均是无色、无嗅气体。CO_2 在空气中的平均含量（体积

百分比)为 0.03%,近年来大气中 CO_2 含量有所增加,被认为这是对世界气温普遍升高有影响的一个因素。从表中所列性质看来,ＣＯ近似于一般永久性气体而 CO_2 比较特殊。CO_2 临界温度高,加压时易液化,液态 CO_2 自由蒸发时一部分冷凝成雪花状固体叫做干冰。干冰不经熔化而直接升华气化,它在 194.5K 时的蒸气压为 1.013×10^5 Pa,因此常用来作致冷剂。干冰同乙醚、氯仿或丙酮等有机溶剂所组成的冻膏冷浴可保持最低温度到 196K。

二氧化碳分子是直线型的,它的结构曾被认为是:

$$O=C=O$$

虽然这种结构能解释 CO_2 分子不显极性,因此分子间作用力小,熔沸点低以及键能大,原子间作用力强分子具有很高的热稳定性。如 2 273K 时 CO_2 也只有 1.8% 分解:

$$2CO_2 =\!=\!= 2CO + O_2$$

但是按键长比较,CO_2 中碳氧键应有一定程度的叁键特征,因为已知:

C—O   单键键长(在 H_3CH_2C—OH 中)为 148pm

C=O   双键键长(在 H_3C—C—CH_3 中)为 124pm
                                    ‖
                                    O

C≡O   叁键键长(在 CO 中)为 112.8pm

而 CO_2 中碳氧键键长为 116pm,介于 C=O 和 C≡O 键长之间,所以可能在直线形的 CO_2 分子中存在着离域的 π 键体系:

CO 和 N_2 是等电子体,根据分子轨道理论,CO 分子中电子配置结构可标记为:

$$CO[KK(\sigma_{2s})^2(\sigma_{2s}^*)^2(\pi_{2p_y})^2(\pi_{2p_z})^2(\sigma_{2p})^2]$$

不过氧化碳对分子轨道所贡献的电子多两个,因此可记作:

$$:C \overset{\longleftarrow}{\overline{\quad\quad}} O:$$

这种结构式与 CO 键能大、键长短、偶极矩小的情况相一致,因为碳氧间保持叁键形式,并且电子自氧向碳有所回授。

一般讲,CO_2 并不助燃,是目前大量使用的灭火剂。空气中含 CO_2 量达到 2.5%,火焰就会熄灭。CO_2 虽然无毒,但空气中含量过高会刺激呼吸中心引起呼吸加快产生窒息的危险(即缺氧)。已着火的镁条在 CO_2 气中能继续燃烧说明助燃之相对性:

$$2Mg + CO_2 =\!=\!= 2MgO + C$$

工业上,如纯碱 Na_2CO_3,小苏打 $NaHCO_3$,碳酸氢铵 NH_4HCO_3,铅白颜料 $Pb(OH)_2 \cdot 2PbCO_3$,啤酒,饮料,干冰等生产中都要使用大量的 CO_2。

一氧化碳的特征化学性质是还原性和加合性。CO 是金属冶炼的重要还原剂:

$$FeO + CO \longrightarrow Fe + CO_2$$

在常温下 CO 可使二氯化钯溶液变黑,这反应十分灵敏,可作为检验 CO 之用:

$$CO + PdCl_2 + H_2O \longrightarrow CO_2 + 2HCl + Pd\downarrow$$

CO 能与许多过渡金属加合生成金属羰基合物,例如 $Fe(CO)_5$,$Co_2(CO)_8$,$Ni(CO)_4$ 等,羰基化合物一般是剧毒的。$Ni(CO)_4$ 的生成、分离、继而分解,成为提纯镍的一个有效方法。一氧化碳对动物和人类的高度毒性亦产生于它的加合作用,它能与血液中的血红素(一种 Fe 配合物)结合生成羰基化合物。使血液失去输送氧的作用,尤其因 CO 无色、无嗅,使人们在不知不觉中中毒死亡。空气中只要有 1/800 体积比的 CO 就能使人在半小时内死亡。汽车发动机排出的废气(含有较大量的 CO,NO_x,SO_2 等)造成城市空气污染是应值得重视的。

（2）二氧化硅

在自然界中常见的石英就是二氧化硅晶体，它是一种坚硬，脆性，难熔的无色固体。它有多种变体，天然石英名为 β - 石英，随温度的升高而逐渐转变成 α - 石英等变体。二氧化硅晶体是原子晶体，所以它具有与 CO_2 大为不同的物理性质。

石英在 1 900K 左右熔化成粘稠液体，内部结构变成无规则状态，冷却时因为粘度大不易再结晶，变成过冷液体，称为石英玻璃，其中 SiO_4 四面体是杂乱排列的，故其结构呈无定形。石英玻璃具有许多特殊性质，如能允许可见光和紫外线通过，可用它来制造紫外灯、汞灯和光学仪器；又因它的膨胀系数很小，能经受温度的剧变，它不溶于水、抗酸（HF 除外），所以常可用于制造高级化学器皿。

SiO_2 遇 HF 溶液或气体、热的强碱溶液和熔融的碳酸钠时，将溶解而转变成可溶性硅酸盐或 SiF_4 和 H_2SiF_6：

$$SiO_2 + 4HF(g) \longrightarrow SiF_4 \uparrow + 2H_2O$$

$$SiO_2 + 6HF（溶液）\longrightarrow H_2SiF_6 + 2H_2O$$

$$SiO_2 + 2OH^- \longrightarrow SiO_3^{2-} + H_2O$$

$$SiO_2 + Na_2CO_3 \longrightarrow Na_2SiO_3 + CO_2 \uparrow$$

（3）锡和铅的氧化物

锡的氧化物有 SnO（随制备方法不同而呈黑色和绿色）和 SnO_2（冷时白色，加热变黄色）。用二价锡盐的热溶液与碳酸钠作用可得 SnO，锡在空气中燃烧可得 SnO_2：

$$Sn^{2+} + CO_3^{2-} \longrightarrow SnO + CO_2 \uparrow$$

$$Sn + O_2 \longrightarrow SnO_2$$

铅的氧化物有 PbO（黄色，亦名密陀僧），Pb_3O_4（红色，亦称红铅，铅丹），Pb_2O_3（橙色）和 PbO_2（棕色）。它们的转变温度如下：

$$PbO_2 \xrightarrow{\sim 600\ K} Pb_2O_3 \xrightarrow{\sim 700\ K} Pb_3O_4 \xrightarrow{\sim 800\ K} PbO$$

$$\text{(即 } PbO \cdot PbO_2\text{)} \qquad \text{(即 } 2PbO \cdot PbO_2\text{)}$$

铅在空气中加热即得 PbO,在碱性溶液中用强氧化剂(如 NaClO)氧化 Pb(II)的化合物则得 PbO_2:

$$2Pb + O_2 \longrightarrow 2PbO$$

$$Pb(OH)_3^- + ClO^- \longrightarrow PbO_2 + Cl^- + OH^- + H_2O$$

锡、铅的这些氧化物都不溶于水,也不与水作用。PbO 易溶于硝酸,但难溶于碱,而 PbO_2 则稍溶于碱而难溶于硝酸,这说明 PbO 偏碱性,而 PbO_2 偏酸性。SnO_2 与 NaOH 共熔生成锡酸钠 Na_2SnO_3,可见 SnO_2 之酸性较为显著。在氧化还原性方面,SnO 的还原性强于 PbO,而 PbO_2 的氧化性强于 SnO_2,PbO_2 是一种常用的氧化剂,如:

$$PbO_2 + 4HCl \Longrightarrow PbCl_2 + Cl_2 \uparrow + 2H_2O$$

$$5PbO_2 + 2Mn^{2+} + 4H^+ \xrightarrow{Ag^+} 5Pb^{2+} + 2MnO_4^- + 2H_2O$$

2-4 含氧酸及其盐

(1) 碳酸和碳酸盐

二氧化碳能溶于水,通常情况下的饱和水溶液中所溶的 CO_2 体积与水的体积比近乎 $1:1$,CO_2 浓度约为 $0.04\ mol \cdot dm^{-3}$。此溶液显弱酸性,pH 约等于 4,所以认为 CO_2 溶于水所生成的碳酸 H_2CO_3 是一种弱酸。已知其电离常数为:

$$H_2CO_3 \Longrightarrow H^+ + HCO_3^- \qquad K_1^{\ominus} = 4.2 \times 10^{-7}$$

$$HCO_3^- \Longrightarrow H^+ + CO_3^{2-} \qquad K_2^{\ominus} = 5.6 \times 10^{-11}$$

上述电离常数是假定溶于水中的 CO_2 全部转化成 H_2CO_3 而计算出来的,实际上在 CO_2 溶液中,大部分 CO_2 是以结合较弱的水合分子形式存在的,只有一小部分生成 H_2CO_3。测知

$$\frac{[\mathrm{CO_2}]}{[\mathrm{H_2CO_3}]} = 600$$

根据 H_2CO_3 实际浓度来计算 K 时,得 $K_1 = 2 \times 10^{-4}$。

　　碳酸既是一种二元弱酸,必能生成两类盐——碳酸盐和碳酸氢盐。铵和碱金属(Li 除外)的碳酸盐易溶于水,其它金属的碳酸盐难溶于水。对于难溶的碳酸盐来说,相应的碳酸氢盐有较大的溶解度,这是合乎离子间引力大小和溶解度大小相互关系的,例如:

$$Ca^{2+} + CO_3^{2-} \longrightarrow CaCO_3 \downarrow$$

$$CaCO_3 + CO_2 + H_2O \longrightarrow Ca(HCO_3)_2$$

但易溶的 Na_2CO_3,K_2CO_3 和 $(NH_4)_2CO_3$ 的相应碳酸氢盐却有相对较低的溶解度。例如向浓碳酸铵溶液中通入 CO_2 至饱和,可沉淀出 NH_4HCO_3,这是工业上生产碳铵肥料的基础。

$$2NH_4^+ + CO_3^{2-} + CO_2 + H_2O \longrightarrow 2NH_4HCO_3 \downarrow$$

溶解度的反常是由于 HCO_3^- 离子通过氢键形成双聚或多聚链状离子的结果。

$$\left[\begin{array}{c} O-C \begin{array}{c} OH\cdots\cdots O \\ O\cdots\cdots HO \end{array} C-O \end{array} \right]^{2-}$$

C—O……128—138 pm
OH……O 261 pm
∠O—C—O　120°

双聚 $(HCO_3)_2^{2-}$ 离子

　　碱金属的碳酸盐和碳酸氢盐在水溶液中均因水解而分别显强碱性和弱碱性:

$$CO_3^{2-} + H_2O \Longrightarrow HCO_3^- + OH^-$$

$$HCO_3^- + H_2O \Longrightarrow H_2CO_3 + OH^-$$

当其它金属离子遇到碱金属的碳酸盐溶液时便会产生不同的沉淀:碳酸盐、碱式碳酸盐或氢氧化物:

$$Ba^{2+} + CO_3^{2-} \Longrightarrow BaCO_3 \downarrow$$

$$2Fe^{3+} + 3CO_3^{2-} + 3H_2O == 2Fe(OH)_3 \downarrow + 3CO_2 \uparrow$$

$$2Cu^{2+} + 2CO_3^{2-} + H_2O == Cu_2(OH)_2CO_3 \downarrow + CO_2 \uparrow$$

究竟以何种形式沉淀,一般说来,其氢氧化物碱性较强的金属离子可沉淀为碳酸盐;氢氧化物碱性较弱的金属离子可沉淀为碱式碳酸盐;而强水解性的金属离子(特别是两性者)可沉淀为氢氧化物。据此,碳酸钠或碳酸铵常用作金属离子的沉淀剂。

碳酸盐的另一个重要性质是热不稳定性,一般说来,碳酸盐的热稳定性高于碳酸氢盐。

(2) 硅酸和硅酸盐

因 SiO_2 不溶于水,硅酸不能用 SiO_2 与水直接作用制得,而只能用可溶性硅酸盐与酸作用生成,如

$$SiO_4^{4-} + 4H^+ \longrightarrow H_4SiO_4$$

其电离常数为 $K_1^{\ominus} = 3.0 \times 10^{-10}$,$K_2^{\ominus} = 2 \times 10^{-12}$。硅酸是多种多样的,其组成随形成的条件而变,常以通式 $xSiO_2 \cdot yH_2O$ 表示。现已确证,具有一定稳定性并能独立存在的有偏硅酸 H_2SiO_3($x=1$,$y=1$)、二偏硅酸 $H_2Si_2O_5$($x=2$,$y=1$)、正硅酸 H_4SiO_4($x=1$,$y=2$)和焦硅酸 $H_6Si_2O_7$($x=2$,$y=3$)。在水溶液中生成时,开始主要是 H_4SiO_4,当放置或改变条件(加酸或加其它电解质)时,就逐渐缩合形成多硅酸的胶体溶液(即硅酸溶胶)或生成含水量较大,软而透明,有弹性的硅酸凝胶。据此可制得一种吸附剂 - 硅胶。其制备过程大致是:将适量的 Na_2SiO_3 溶液与酸混合,调节用量使生成的凝胶中含 8%—10% 的 SiO_2,将凝胶静置 24 小时,使其老化,然后用热水洗去反应生成的盐,将洗净的凝胶在 333—343K 烘干,并徐徐升温到 573K 活化,即得到多孔性硅胶。通常使用的还有一种变色硅胶,它是将硅酸凝胶用 $CoCl_2$ 溶液浸泡、干燥活化后制得。因为无水 $CoCl_2$ 为蓝色,水合 $CoCl_2 \cdot 6H_2O$ 为红色,所以

根据变色硅胶由蓝变红可以判断硅胶的吸水程度。硅胶是一种具有物理吸附作用的吸附剂,可以再生反复使用。在实际工作中,常用它作干燥剂和催化剂的载体。

硅酸盐可分为可溶性和不溶性两大类。天然存在的硅酸盐都是不溶性的,结构较为复杂。只有钠、钾的某些硅酸盐是可溶性的。将不同比例的 Na_2CO_3 和 SiO_2 放在反射炉中煅烧($\sim 1\,600K$)可得组成不同的硅酸钠,最简单的一种是偏硅酸钠,产物是一种玻璃态物质,因常含有铁而呈蓝绿色。溶于水成粘稠溶液,即成商品水玻璃,在建筑工业上用作粘合剂,木材、织物经它浸泡后可以防腐、防火。由于多硅酸盐的水解,水玻璃呈碱性,可用作洗涤剂的添加物。

硅酸盐和二氧化硅一样,都是以硅氧四面体作为基本结构单元的,硅氧四面体通过以下几种方式组成各种不同的硅酸根阴离子,再结合某些阳离子,便得到天然存在的或人工合成的不同硅酸盐。

(a)单个的硅氧四面体,形成正硅酸盐,其中硅氧比为 $1:4$,例如 Mg_2SiO_4(橄榄石),其阴离子的结构见图 $15-9(a)$。

(b)通过共用一个氧原子两个相邻的硅氧四面体联结起来,例如钪硅石 $Sc_2Si_2O_7$,其阴离子的结构见图 $15-9(b)$。分子量更大的硅酸根阴离子也可以由 $3,4,6$ 个硅氧四面体以直链形式或环的形式联结得到,例如绿柱石 $Be_3Al_2(SiO_3)_6$,其阴离子的环状结构见图 $15-9(c)$。环状阴离子中硅氧比为 $1:3$。

(c)许多硅氧四面体联结成无限长的单链或双链,在链之间分布着带正电的金属离子,靠静电引力使链结合在一起,这类硅酸盐具有纤维状结构,例如透辉石 $CaMg(SiO_3)_2$ 和钠闪石 Na_2Fe(II)Fe(III)$(Si_4O_{11})(OH)$,其硅酸根阴离子的结构见图 $15-9(d)$ 和 (e)。在无限长单链阴离子中硅氧比为 $1:3$;在无限长双链阴离子中硅氧比为 $4:11$,在结构中有环出现。

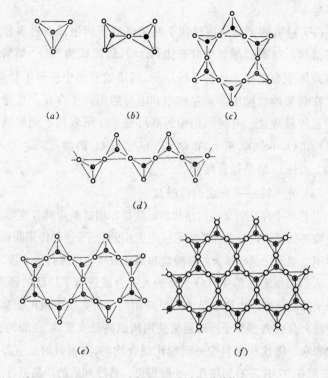

图 15-9 各种硅酸根阴离子的结构

○ 氧原子   • 硅原子   ⊙ Si—O

(a) 正硅酸根 SiO_4^{4-} (b) 二聚硅酸根 $Si_2O_7^{5-}$

(c) 环状结构的多硅酸根 $Si_6O_{18}^{12-}$

(d) 无限长单链状结构的多硅酸根 $(SiO_3)_n^{2n-}$

(e) 无限长双链兼环状结构的多硅酸根 $(Si_4O_{11})_n^{6n-}$

(f) 片层结构的多硅酸根 $(Si_2O_5)_n^{2n-}$

(d) 每一个硅氧四面体通过共用三个氧原子分别与邻近三个硅氧四面体联结,形成片层状结构,例如云母 $KMg_3(OH)_2Si_3AlO_{10}$,其硅酸根阴离子结构见图 15-9(f)。片层状结构中硅氧比为 2:5,在这种结构中,硅氧四面体中的硅有时被铝取代,形成硅氧四面体和铝氧四面体共生的铝硅酸根阴离子。片层之间靠金属离子的静电引力结合在一起。

（e）硅氧四面体间通过四个共用氧原子而组成各种各样空间网络结构。这类硅酸盐中硅氧比为 1:2，最简式为 SiO_2，如果在硅氧四面体中有铝原子代替了硅原子，网络的骨架中就带了负电荷，因此在骨架的空隙中必须存在中和电荷的阳离子存在。这样的矿物就是铝硅酸盐。有时结构中的氧可被 OH 所取代。例如钠长石 $Na_2O\ Al_2O_3 \cdot 6SiO_2$，粘土 $Al_2O_3 \cdot 2SiO_2 \cdot 2H_2O$，钠沸石 $Na_2O \cdot Al_2O_3 \cdot 3SiO_2 \cdot 2H_2O$ 都是铝硅酸盐。

（3）分子筛——合成铝硅酸盐

自然界中存在的某些网络状的硅酸盐和铝硅酸盐具有笼形结构，这些均匀的笼可以有选择地吸附一定大小的分子，这种作用叫作分子筛作用。通常把这样的天然硅酸盐和铝硅酸盐叫作沸石分子筛。

人们根据实际需要对分子筛的人工合成进行了广泛的研究。A型分子筛就是实际生产中最为广泛应用的一种人工合成的铝硅酸盐分子筛。合成 A 型分子筛时通常使用的原料是水玻璃、铝酸钠、氢氧化钠和水。将这些原料按一定配比混合均匀，在密封的反应器中加热，一般在 373K 左右加热几个小时即可。将冷却后的产品进行洗涤、过滤，再加以烘干，即得白色的 A 型分子筛原粉。最后根据需要，加入粘合剂和适量的水，混合均匀，挤压成条或滚成球形。

这样合成的 A 型分子筛的组成一般为

$$Na_2O \cdot Al_2O_3 \cdot 2SiO_2 \cdot 5H_2O$$

组成中硅原子与铝原子的个数比，称为硅铝比，A 型分子筛的硅铝比一般为 1。

A 型分子筛中，所有硅氧四面体和铝氧四面体通过共用氧原子联结成多元环，有 4 元环和 6 元环，如图 15－10 所示，这里的 4 和 6 都是指环中硅原子（铝原子）的数目。

多元环相互联结形成立体骨架，骨架中空部分就是分子筛的

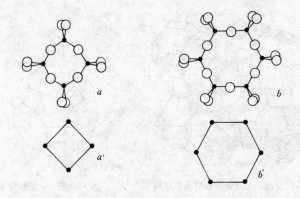

图 15-10　硅氧四面体所组成的 4 元环和 6 元环

a、a':4 元环及简图　b、b':6 元环及简图

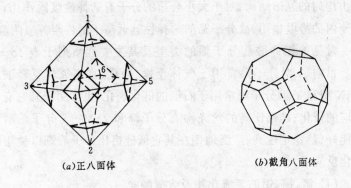

(a)正八面体　　　　　　　　(b)截角八面体

图 15-11　β 笼示意图

笼。A 型分子筛中由 8 个 6 元环和 6 个 4 元环构成的笼称为 β
笼,如图 15-11 所示,它相当于一个正八面体被截掉六个角所形
成的立体结构。β 笼之间按照 NaCl 晶体中 Na^+ 和 Cl^- 的方式排
列,并通过氧原子将 4 元环联结起来就形成了 A 型分子筛的结构。
如图 15-12 所示,8 个 β 笼之间又形成一个更大的笼形空间,我
们称之为 α 笼,如图 15-13 所示。

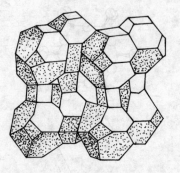

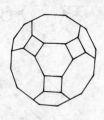

图 15-12　A 型分子筛的晶体结构　　　　图 15-13　α 笼的构型

由于骨架中铝氧四面体的存在,骨架显负电性,而 Na^+ 存在于 A 型分子筛的笼中起着中和电荷的作用。由于 A 型分子筛中有着大小均匀的笼形结构,对于大小合适的分子有选择性吸附作用,加上笼内的静电作用,故分子筛的选择性远远高于活性炭等吸附剂。

常见的铝硅酸盐分子筛的类型及其主要性质列于表 15-6 中。目前 A 型分子筛常用于气体干燥、净化、富集氧气及轻油脱蜡;X 型和 Y 型分子筛常用于石油的催化裂化,也常用于其它有机反应的催化;硅铝比高的丝光沸石分子筛和 ZSM-5 分子筛耐酸性能好,热稳定性高,广泛地用在其它低硅铝比分子筛难以使用的催化反应中。

(4) 锗、锡、铅的氢氧化物及含氧酸盐

在含 Sn^{2+} 的溶液中加入强碱溶液,就立即析出白色胶状的 $Sn(OH)_2$ 沉淀,它能溶解于过量的碱溶液中生成亚锡酸盐;Pb^{2+} 也有同样的反应:

$$Sn^{2+} + 2OH^- \Longrightarrow Sn(OH)_2 \downarrow$$

$$Sn(OH)_2 + OH^- \Longrightarrow Sn(OH)_3^-$$

$$Pb^{2+} + 2OH^- \Longrightarrow Pb(OH)_2 \downarrow$$

$$Pb(OH)_2 + OH^- \Longrightarrow Pb(OH)_3^-$$

表 15 - 6   常见的分子筛及其性质

类 型		组 成	晶系	孔体积	孔 径	Si/Al 比	耐酸性热稳定性
A 型	3A	$Na_{2.6}K_{9.4}[(AlO_2)_{12}(SiO_2)_{12}]$	立方		300pm	1	一般
	4A	$Na_{12}[(AlO_2)_{12}(SiO_2)_{12}]\cdot$ $29H_2O$	立方	0.10 $cm^3\cdot g^{-1}$	420pm		
	5A	$Na_{2.6}Ca_{4.7}[(AlO_2)_2$ $(SiO_2)_{12}]\cdot31H_2O$	立方		500pm		
X 型	13X	$Na_{86}[(AlO_2)_{86}(SiO_2)_{106}]\cdot$ $264H_2O$	立方	0.36 $cm^3\cdot g^{-1}$	$900\sim$ $1\,000pm$	$1.05\sim$ 1.5	中强
	10X	Ca^{2+} 取代 13X 中部分 Na^+	立方		$800\sim900$ pm		
Y 型		$Na_{56}[(AlO_2)_{56}(SiO_2)_{136}]\cdot$ $264H_2O$	立方	0.35 $cm^3\cdot g^{-1}$	800 pm	$1.51\sim$ 2.5	强
丝光沸石型		$Na_8[(AlO_2)_8(SiO_2)_{40}]\cdot$ $24H_2O$	正交	0.14 $cm^3\cdot g^{-1}$	660 pm	$4.5\sim5.5$	很强
ZSM - 5		$(C_3H_7)_{16}N_4Si_{96}O_{192}(OH)_4$	正交		$540\sim$ $560pm$	$12\sim\infty$	最强

四价锡的氢氧化物是未知的。从四价锡盐水解可得白色无定形的含水 SnO_2 胶状沉淀,该新鲜沉淀被称为 α - 锡酸。把它在溶液中静置或加热时就逐渐晶化,变成 β - 锡酸,其结构为 SnO_2 的结构。从浓 HNO_3 与金属锡反应就可直接制得 β - 锡酸,现将 α - 锡酸与 β - 锡酸的主要性质列于表 15 - 7。

将 PbO_2 同过量的碱一起熔融可制得 $M_2PbO_3\cdot3H_2O$,这化合物实质上就是 $M_2[Pb(OH)_6]$,其酸 $H_2[Pb(OH)_6]$ 是未知的。从 $Pb(II)$ 的苛性钠溶液电解也可制得 $Na_2Pb(OH)_6$,它在 383K 以下失水变成 Na_2PbO_3。

表 15-7　两种锡酸的性质差别

α-锡酸	β-锡酸
1. 结构中含大量水,以 $x\text{SnO}_2 \cdot y\text{H}_2\text{O}$ 表示。	1. 结构松散,缺乏水,微晶体结构符合 SnO_2 结构。
2. 易溶于浓盐酸,生成 SnCl_4。	2. 在浓盐酸作用下,沉淀不发生显著的变化。用水稀释溶液时,沉淀胶溶成透明的溶胶。
3. 易溶于碱溶液中,如生成 $\text{K}_2\text{SnO}_3 \cdot 3\text{H}_2\text{O}$ 结晶。	3. 不溶于浓 KOH 溶液中,加水稀释,成沉淀胶溶。与 KOH 共熔时生成 $\text{K}_2\text{Sn(OH)}_6$ 结晶,加热时逐渐失水而生成 $\text{K}_2\text{SnO}_3 \cdot 3\text{H}_2\text{O}$, $3\text{K}_2\text{SnO}_3 \cdot 2\text{H}_2\text{O}$ 和 K_2SnO_3。

现将锗、锡、铅三元素的含氧化合物的酸碱性、氧化还原性的规律总结在表 15-8 中。

表 15-8　锗分族元素重要性质变化规律

酸 性	碱 性	氧 化 性		还 原 性	
		酸性介质	碱性介质	酸性介质	碱性介质

2-5　氢化物

碳的氢化物种类极多,是有机化合物的重要组成部分。除了碳氢之间易于形成化学键外,更重要的原因是碳-碳键很强,可以形成很长的碳链,这就决定了碳氢化合物的种类必然是多的。碳的氢化物属于有机化学的研究范围,我们在这节中主要讨论硅的氢化物。

由于硅-硅键的键能远小于碳-碳键,因此没有很长的硅链存在,这就决定了硅的氢化物无论在种类和数量上都远不如碳的氢化物多。硅－氧键很强,故高分子量的硅化合均是以硅氧键形式存在的,例如前面讲过的各种各样的硅酸盐。可以说硅化学主要是硅氧键的化学。

事实上,硅的氢化物仅有符合表达式 Si_nH_{2n+2} 的几种,其中 n 为 1,2…6,最有代表性的是 SiH_4,称为甲硅烷。

(1) 硅烷的性质

甲硅烷 SiH_4 为无色无臭气体,熔点 88K,沸点 161K。其分子结构类似于甲烷。由于氢的电负性大小介于碳和硅之间,故 CH_4 中碳氢键的共用电子对靠近碳,而 SiH_4 中共用电子对靠近氢,使得 SiH_4 的还原性比 CH_4 强。Si 元素位于周期表的第三周期,外层空 d 轨道在反应中可被利用,故 SiH_4 可以水解,比 CH_4 活泼得多。

(a) SiH_4 的热稳定性不如 CH_4

$$SiH_4 \xrightarrow{773\ K} Si + 2H_2$$

而 CH_4 的脱氢分解的温度要比其高出 1 000K:

$$2CH_4 \xrightarrow{1\ 773\ K} C_2H_2 + 3H_2$$

(b) 还原性比 CH_4 强,这一方面体现 SiH_4 在空气中可以自燃:

$$SiH_4 + 2O_2 \xrightarrow{自燃} SiO_2 + 2H_2O$$

另一方面 SiH_4 可以在溶液中与氧化剂反应:

$$SiH_4 + 2KMnO_4 \longrightarrow 2MnO_2 + K_2SiO_3 + H_2O + H_2$$

(c) SiH_4 易发生水解,而 CH_4 无此反应

$$SiH_4 + (n+2)H_2O \xrightarrow{OH^-} SiO_2 \cdot nH_2O \downarrow + 4H_2$$

(2) 硅烷的制法

甲硅烷可以用 SiO_2 为原料制得:

$$SiO_2 + 4Mg \xrightarrow{灼烧} Mg_2Si + 2MgO$$

$$Mg_2Si + 4HCl \longrightarrow SiH_4 + 2MgCl_2$$

这样制得的甲硅烷不纯,通常含有乙硅烷、丙硅烷等杂质。用强还原剂氢化铝锂还原 $SiCl_4$ 可制得纯度高的甲硅烷:

$$SiCl_4 + LiAlH_4 \longrightarrow SiH_4 + LiCl + AlCl_3$$

锗的氢化物有四氢化锗 GeH_4,它是一种无色气体。锡和铅的金属性较强,其氢化物更为少见,因为随锡和铅金属性的增强,它们的氢化物更加不稳定。

2-6 卤化物和硫化物

(1)硅、锡、铅的卤化物

硅的主要卤化物有四氟化硅 SiF_4 和四氯化硅 $SiCl_4$,前者可由氢氟酸与 SiO_2 作用制得,后者可由硅直接加热氯化或将 SiO_2 与焦炭,氯一起加热制得,反应式为:

$$SiO_2 + 4HF \longrightarrow SiF_4 \uparrow + 2H_2O$$

$$Si + 2Cl_2 \longrightarrow SiCl_4$$

$$SiO_2 + 2C + 2Cl_2 \longrightarrow SiCl_4 + 2CO$$

SiF_4 是一种无色带刺激性臭味的气体,易溶于水并水解生成氟硅酸和正硅酸:

$$3SiF_4 + 4H_2O \longrightarrow H_4SiO_4 + 4H^+ + 2SiF_6^{2-}$$

四氟化硅与氢氟酸能直接生成比 H_2SO_4 酸性还强的氟硅酸:

$$SiF_4 + 2HF \longrightarrow 2H^+ + SiF_6^{2-}$$

$SiCl_4$ 在室温下为一无色液体,易挥发(b.p.331K),有强烈的刺激性。在潮湿空气中因水解而产生白色酸雾:

$$SiCl_4 + 4H_2O \longrightarrow H_4SiO_4 + 4HCl$$

锗分族元素可以形成二卤化物和四卤化物两大类,而碳和硅只能形成四卤化物。在卤化物中最常见的是氯化物。由于 $Pb(Ⅳ)$ 的氧化性,所以不存在四碘化铅和四溴化铅这两种卤化铅。二氯化锡可由锡或氧化亚锡与盐酸反应制得。$SnCl_2 \cdot 2H_2O$ 呈无色透明玻璃体。它在水中易水解而生成碱式盐沉淀：

$$SnCl_2 + H_2O \Longrightarrow Sn(OH)Cl\downarrow + H^+ + Cl^-$$

所以配制 $SnCl_2$ 溶液时必须先加入适量盐酸抑制水解。氯化亚锡是实验室中常用的还原剂，它可被空气中的氧氧化，在溶液中须加入金属锡防止氧化。其原理可从电极电势分析得知：

$$2Sn^{2+} + O_2 + 4H^+ \longrightarrow 2Sn^{4+} + 2H_2O$$

$$Sn + Sn^{4+} \Longrightarrow 2Sn^{2+}$$

四氯化锡是由金属锡与过量氯气反应生成的，它是无色液体，不导电，是典型的共价化合物，沸点为 387K，可溶于有机溶剂如 CCl_4 中。遇水亦强烈水解，故在潮湿空气中发烟。在盐酸中则生成六氯合锡酸：

$$SnCl_4 + 2HCl \Longrightarrow H_2SnCl_6$$

蒸发 NH_4Cl 和 $SnCl_4$ 的混合溶液可得到 $(NH_4)_2(SnCl_6)$ 结晶。

二氯化铅 $PbCl_2$ 可用多种方法制得，如铅与氯气反应，氧化物与盐酸反应等。$PbCl_2$ 在冷水中溶解度较小，但易溶于热水中。在 HCl 溶液中因 $PbCl_2$ 与 Cl^- 离子形成配合离子而增大 $PbCl_2$ 的溶解度：

$$PbCl_2 + 2Cl^- \Longrightarrow PbCl_4^{2-}$$

四氯化铅只在低温时稳定，常温即分解为二氯化铅和氯：

$$PbCl_4 \Longrightarrow PbCl_2 + Cl_2\uparrow$$

(2) 锡、铅的硫化物

将 H_2S 通入 $Sn(II)$ 和 $Sn(IV)$ 盐溶液中，立即分别析出暗棕色 SnS 沉淀和黄色 SnS_2 沉淀。SnS 不溶于 Na_2S 和 $(NH_4)_2S$ 溶液中，但可溶于中等浓度的盐酸和碱金属的多硫化物溶液中：

$$SnS + 4Cl^- + 2H^+ \longrightarrow SnCl_4^{2-} + H_2S\uparrow$$

$$Sn(II)S + S_2^{2-} \longrightarrow Sn(IV)S_3^{2-}$$

（硫代锡酸根离子）

SnS_2 沉淀不溶于强酸性溶液,但溶于碱金属硫化物溶液及浓酸溶液中:

$$Sn(IV)S_2 + S^{2-} \longrightarrow Sn(IV)S_3^{2-}$$

$$SnS_2 + 4H^+ + 6Cl^- \longrightarrow SnCl_6^{2-} + H_2S\uparrow$$

铅只有 PbS,没有 Pb(IV) 的硫化物。在 Pb^{2+} 盐溶液中通入 H_2S,即析出黑色的 PbS 沉淀,它不溶于稀酸和 Na_2S 溶液中,但可溶于浓盐酸或硝酸中:

$$3PbS + 8H^+ + 2NO_3^- \longrightarrow 3Pb^{2+} + 3S\downarrow + 2NO\uparrow + 4H_2O$$

§15-3 无机化合物的水解性

无机物的水解性是一类常见且十分重要的化学性质。在实践中,我们有时需要利用它的水解性质(如制备氢氧化铁溶胶等),有时却又必须避免它的水解性质(如配制 $SnCl_2$ 溶液等)。

无机化合物中除强碱强酸盐外一般都存在着水解的可能性。在第十章中,我们已经讨论过强碱弱酸盐、弱碱强酸盐、弱碱弱酸盐的水解度、水解常数的计算以及多元弱酸盐、多价金属阳离子的分步水解问题。

众所周知,一些典型盐类溶于水可发生如下的电离过程:

$$M^+A^- + (x+y)H_2O \Longrightarrow [M(OH_2)_x]^+ + [A(H_2O)_y]^-$$

上式中的 $[M(OH_2)_x]^+$ 和 $[A(H_2O)_y]^-$ 表示相应的水合离子,这个过程显然是可逆的,如果 M^+ 离子夺取水分子中的 OH^- 离子而释出 H^+ 离子,或者 A^- 离子夺取水分子中的 H^+ 离子而释出 OH^- 离子。那就将破坏了水的电离平衡,从而产生一种弱酸或弱碱,这种过程即盐的水解过程。

3-1 影响水解的因素

(1) 电荷和半径

从水解的本质可见:MA 溶于水后是否能发生水解作用,主要决定于 M^+ 或 A^- 离子对配位水分子影响(极化作用)的大小,显然金属离子或阴离子具有高电荷和较小的离子半径时,它们对水分子有较强的极化作用,因此容易发生水解,反之低电荷和较大离子半径的离子在水中不易水解,如 $AlCl_3$、$SiCl_4$ 遇水都极易水解:

$$AlCl_3 + 3H_2O \Longrightarrow Al(OH)_3 + 3HCl$$

$$SiCl_4 + 4H_2O \Longrightarrow H_4SiO_4 + 4HCl$$

相反,$NaCl$、$BaCl_2$ 在水中基本不发生水解。

(2) 电子层结构

我们知道 Ca^{2+},Sr^{2+} 和 Ba^{2+} 等盐一般不发生水解,但是电荷相同的 Zn^{2+}、Cd^{2+} 和 Hg^{2+} 等离子在水中却会水解,这种差异主要是因为电子层结构不同而引起的。Zn^{2+},Cd^{2+} 和 Hg^{2+} 等离子是 $18e^-$ 离子,它们有较高的有效核电荷,因而极化作用较强,容易使配位水发生分解。而 Ca^{2+},Sr^{2+} 和 Ba^{2+} 等离子是 $8e^-$ 离子,它们具有较低的有效核电荷和较大的离子半径,极化作用较弱,不易使配位水发生分解作用,即不易水解。

总之,离子的极化作用越强该离子在水中就越容易水解。有人找到了水解常数的负对数 pK_h 同表示离子极化能力的 $\dfrac{Z^2}{r}$ 之间关系,见表 15-9。从表中可见,Na^+ 的 $Z^2/r = 2.2 \times 10^{28}\,C^2 \cdot m^{-1}$,$pK_h = 14.48$,它基本上不水解,$Al^{3+}$ 的 $Z^2/r = 43.6 \times 10^{28}\,C^2 \cdot m^{-1}$,$pK_h = 5.14$ 它显著地水解,其水解反应式如下:

$$Al^{3+} + 6H_2O \longrightarrow [Al(H_2O)_6]^{3+}$$

$$\xrightarrow{H_2O} H_3O^+ + [Al(H_2O)_5OH]^{2+}$$

生成的配离子 $[Al(H_2O)_5OH]^{2+}$ 还可以逐级水解。此外还可以看到非稀有气体构型($18e^-$,$8\sim18e^-$,$18+2e^-$)的金属离子,它们的盐都容易发生水解。

表 15－9　水解常数与离子的电荷半径比的关系

$\frac{Z^2}{r}$		pK_h			
		稀有气体型金属离子及 La 系离子	轻非稀有气体型金属离子	重的非稀有气体型金属离子	水解能力随 Z^2/r 的增大而增加 ↓
2.2*	0.87**	$Na^+=14.48$		$Ag^+=6.9$	
3.5	1.35	$Li^+=13.82$			
7.6	2.94	$Ba^{2+}=13.82$			
8.4	3.28			$Sn^{2+}=4.30$	
8.7	3.39			$Pb^{2+}=7.78$	
8.8	3.45	$Sr^{2+}=13.18$			
10.1	3.92			$Hg^{2+}=3.70$	
10.3	4.00	$Ca^{2+}=12.70$			
10.8	4.21		$Cd^{2+}=11.70$		
12.5	4.89		$Mn^{2+}=10.70$		
13.3	5.19		$Fe^{2+}=10.1$		
13.7	5.33		$Zn^{2+}=9.60$		
13.9	5.40		$Co^{2+}=9.6$		
14.1	5.48		$Cu^{2+}=7.53$		
14.3	5.56	$Mg^{2+}=11.42$			
14.7	5.71		$Ni^{2+}=9.40$		
21.8	8.49	$La^{3+}=10.70$		$Pu^{3+}=6.95$	
		⋮		$Bi^{3+}=1.58$	
22.6	8.82	镧系		$Ti^{3+}=1.15$	
26.3	10.23	⋮			
27.2	10.59	$Lu^{3+}=6.6$			
29.2	11.39			$In^{3+}=3.70$	
31.6	12.33		$Sc^{3+}=4.6$		
33.1	12.90	$Be^{2+}=6.50$			
35.5	13.85		$Fe^{3+}=2.19$		
36.1	14.06		$V^{3+}=2.92$		
			$Cr^{3+}=4.01$		
37.3	14.52		$Ga^{3+}=3.40$		
38.7	15.09			$Th^{3+}=3.89$	
41.1	16.00			$U^{3+}=1.50$	
43.6	16.98	$Al^{3+}=5.14$			
51.3	20.00			$Pu^{4+}=1.6$	
57.0	22.22			$Zr^{4+}=0.22$	
57.8	22.54			$Hf^{4+}=0.12$	
		水解能力因电子层结构的变化而增加 →			

*　单位为 $C^2 \cdot m^{-1} \times 10^{28}$，** 单位为 $e^2 Å^{-1}$

(3) 空轨道

我们知道碳的卤化物如 CF_4 和 CCl_4 遇水并不发生水解，但是比碳的原子半径大的硅其卤化物却容易水解，如：

$$SiX_4 + 4H_2O \longrightarrow H_4SiO_4 + 4HX$$

对于四氟化硅来讲,水解后所产生的 HF 与部分四氟化硅生成氟硅酸:

$$3SiF_4 + 4H_2O =\!=\!= H_4SiO_4 + 4H^+ + 2SiF_6^{2-}$$

这种区别是因为碳原子只能利用 $2s$ 和 $2p$ 轨道成键,这就使其最大共价数限制在 4,并阻碍了水分子中氧原子将电子对给予碳原子,所以碳的卤化物不水解。然而硅不仅有可利用的 $3s$ 和 $3p$ 轨道形成共价键,而且还有空的 $3d$ 轨道,这样,当遇到水分子时,具有空的 $3d$ 轨道的 Si^{4+} 接受了水分子中氧原子的孤电子对,而形成配位键,同时使原有的键削弱、断裂。这就是卤化硅水解的实质,由于相同的理由,硅也容易形成包含 sp^3d^2 杂化轨道的 SiF_6^{2-} 配离子。

NF_3 不易水解,PF_3 却易水解也可用同样的理由解释。

在第 16 章中我们将看到,硼原子虽然也利用 $2s$ 和 $2p$ 轨道成键,但是因为成键后在 $2p$ 轨道中仍有空轨道存在,所以硼原子还有接受电子对形成配位键的可能,这就是硼的卤化物为什么会强烈水解的原因。如 BCl_3 的水解反应可认为是从氧原子的孤电子对给予硼原子开始的:

$$H_2O + BCl_3 \longrightarrow [H_2O \rightarrow BCl_3] \longrightarrow H\,OBCl_2 + HCl$$
$$\downarrow{\scriptstyle 2H_2O}$$
$$B(OH)_3 + 2HCl$$

除结构因素影响水解反应以外,增高温度往往使水解加强,例如,$MgCl_2$ 在水中很少水解,但加热其水合物,则发生水解,其反应为:

$$MgCl_2 \cdot 6H_2O \xrightarrow{\triangle} Mg(OH)Cl + HCl\uparrow + 5H_2O$$

$$Mg(OH)Cl \xrightarrow{\triangle} MgO + HCl\uparrow$$

再如,$FeCl_3$ 在水中会有部分水解,可以写成为

$$[Fe(H_2O)_6]^{3+} + H_2O \longrightarrow [Fe(OH)(H_2O)_5]^{2+} + H_2O^+$$

或简写为

$$Fe^{3+} + H_2O \longrightarrow Fe(OH)^{2+} + H^+$$

但加热后,会进一步水解,最后得到红棕色凝胶状的 $[Fe(OH)_3 \cdot (H_2O)_3]$ 沉淀。

由于水解反应是一可逆平衡,所以溶液的酸度也会影响水解反应的进行。

3-2 水解产物的类型

一种化合物的水解情况主要决定于正负两种离子水解情况。负离子的水解一般比较简单,下面主要讨论正离子水解的情况。水解产物的类型大致可分以下几种。

(1) 碱式盐

多数无机盐水解后生成碱式盐这是一种最常见的水解类型。如:

$$SnCl_2 + H_2O \Longrightarrow Sn(OH)Cl\downarrow + HCl$$

$$BiCl_3 + H_2O \Longrightarrow BiOCl\downarrow + 2HCl$$

(2) 氢氧化物

有些金属盐类水解后最终产物是氢氧化物,这些水解反应常需加热以促进水解的完成,如:

$$AlCl_3 + 3H_2O \Longrightarrow Al(OH)_3\downarrow + 3HCl$$

$$FeCl_3 + 3H_2O \Longrightarrow Fe(OH)_3\downarrow + 3HCl$$

(3) 含氧酸

许多非金属卤化物和高价金属盐类水解后生成相应的含氧酸,如:

$$BCl_3 + 3H_2O \Longrightarrow H_3BO_3 + 3HCl$$

$$PCl_5 + 4H_2O \Longrightarrow H_3PO_4 + 5HCl$$

$$SnCl_4 + 3H_2O \Longrightarrow H_2SnO_3 + 4HCl$$

水解后所产生的含氧酸,有些可以认为是相应氧化物的水合物,如 H_2SnO_3 可以认为是 $SnO_2 \cdot H_2O$。$TiCl_4$ 的水解产物 H_2TiO_3 也可

以认为是 $TiO_2 \cdot H_2O$。

无机物水解产物类型上的差别,主要是化合物中正离子和负离子对配位水分子的极化作用引起的。现将离子极化作用和水解产物的关系对比如下:

Ⅰ　　　　　　　　　　　Ⅱ

M^{2+}极化作用增强　↓

(1) $[H_2O \cdot M \cdot OH_2]^{2+}$　　　(1) $[OH_2 \cdot A \cdot H_2O]^{2-}$

(2) $[H_2O \cdot M \cdot OH]^+$

(3) $[HO \cdot M \cdot OH]$　　　　　(2) $[OH_2 \cdot A \cdot H]^-$

(4) $[HO \cdot M \cdot O]^-$

(5) $[O \cdot M \cdot O]^{2-}$　　　　　(3) $[H \cdot A \cdot H]$

A^{2-}极化作用增强　↓

水解反应有时伴有其它反应而使产物复杂化,这些反应有聚合、配合、脱水和氧化还原等。

(4) 聚合和配合

有些盐发生水解时首先生成碱式盐,接着这些碱式盐聚合成多核阳离子,如:

$$Fe^{3+} + H_2O \Longrightarrow [Fe(OH)]^{2+} + H^+$$

$$\Big\Vert Fe^{3+} + H_2O$$

$$[Fe_2(OH)_2]^{4+} + H^+$$

$[Fe_2(OH)_2]^{4+}$ 多聚配阳离子有如下的结构:

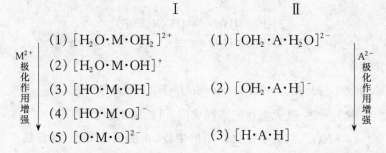

当 Fe^{3+} 离子的水解作用再进一步进行时,将通过羟桥出现更高的聚合度,以致逐渐形成胶体溶液,并最后析出水合氧化铁沉淀(即所谓氢氧化铁沉淀)。这类沉淀从溶液中析出时均呈絮状,十分疏

松,就是因为沉淀中包含着大量的水分,其来源首先就是水合离子内部所含有的那些水分。

有时水解产物还可以同未水解的无机物发生配合作用,如:

$$SiF_4 + 4H_2O \xrightarrow{\text{水解}} H_4SiO_4 + 4HF$$

$$\frac{2SiF_4 + 4HF \xrightarrow{\text{配合}} 4H^+ + 2SiF_6^{2-}}{3SiF_4 + 4H_2O \Longrightarrow H_4SiO_4 + 4H^+ + 2SiF_6^{2-}}$$

又如:

$$3SnCl_4 + 3H_2O \Longrightarrow SnO_2 \cdot H_2O + 2H_2SnCl_6$$

综上所述,就无机物的水解反应,可归纳出几条规律来:

(a)随正、负离子极化作用的增强,水解反应加剧,这包括水解度的增大和水解反应步骤的深化。离子电荷、电子壳结构(或统一为有效核电荷)、离子半径是影响离子极化作用强弱的主要内在因素,电荷高、半径小的离子,其极化作用强。由 18 电子(如 Cu^+,Hg^{2+} 等),18+2 电子(如 Sn^{2+},Bi^{3+} 等)以及 2 电子(Li^+,Be^{2+})的构型过渡到 9—17 电子(如 Fe^{3+},Co^{2+} 等)构型,8 电子构型时,离子极化作用依次减弱。共价型化合物水解的必要条件是电正性原子要有空轨道。

(b)温度对水解反应的影响较大,是主要的外因,温度升高时水解加剧。

(c)水解产物一般不外乎碱式盐、氢氧化物、含水氧化物和酸四种,这个产物顺序与正离子的极化作用增强顺序是一致的。低价金属离子水解的产物一般为碱式盐,高价金属离子水解的产物一般为氢氧化物或含水氧化物。在估计共价型化合物的水解产物时,首先要判断清楚元素的正负氧化态,判断依据就是它们的电负性。在 P,S,Br,Cl,N,F 这系列中,元素在相互化合时,处于右位的为负性。负氧化态的非金属元素的水解产物一般为氢化物,正氧化态的非金属元素的水解产物一般为含氧酸。

（d）水解反应常伴有其它反应，氧化还原反应和聚合反应是最常见的。氧化还原反应常发生在非金属元素间化合物水解的情况下，聚合反应则常发生在多价金属元素离子水解的情况下。

习　题

1. 碳单质有哪些同素异形体？其结构特点及物理性质如何？

2. 实验室里如何制取二氧化碳气体？工业上如何制取二氧化碳？

3. 图 15-6 中，三条直线相交于一点，这是必然的还是偶然的，试讨论其原因。

4. 分别向 $0.20\ \text{mol} \cdot \text{dm}^{-3}$ 的 Mg^{2+} 和 Ca^{2+} 的溶液中加入等体积的 $0.20\ \text{mol} \cdot \text{dm}^{-3}$ 的 Na_2CO_3 溶液，产生沉淀的情况有何不同，试讨论其规律性。

5. CCl_4 不易发生水解，而 $SiCl_4$ 较易水解，其原因是什么？

6. 通过计算回答下述问题：

（1）在 $298K$，$1.013 \times 10^5\ \text{Pa}$ 下生成水煤气的反应能否自发进行？（2）用 $\Delta_r S^{\ominus}$ 值判断，提高温度对生成水煤气反应是否有利？（3）在 $1.013 \times 10^5\ \text{Pa}$ 下，生成水煤气的反应体系达到平衡时温度有多高？

7. 比较 CO 和 CO_2 的性质。如何除去 CO 中含有的少量 CO_2？如何除去 CO_2 中含有的少量 CO？

8. 计算当溶液的 pH 分别等于 4，8，12 时，H_2CO_3，HCO_3^-，CO_3^{2-} 所占的百分数。

9. 烯烃能稳定存在，而硅烯烃如 $H_2Si\!=\!SiH_2$ 却难以存在。其原因是什么？

10. 从水玻璃出发怎样制造变色硅胶？

11. 用化学方程式表示单质硅的制备反应，单质硅的主要化学性质，二氧化硅的制备和性质。

12. 什么是沸石分子筛？试述其结构特点和应用？

13. 实验室中配制 $SnCl_2$ 溶液时要采取哪些措施？其目的是什么？

14. 单质锡有哪些同素异形体,性质有何异同? α-锡酸和 β-锡酸的制取和性质方面有何异同?

15. 试述铅蓄电池的基本原理。

16. 铅的氧化物有几种,分别简述其性质? 如何用实验的方法证实 Pb_3O_4 中铅有不同价态?

17. 在 298K 时,将含有 $Sn(ClO_4)_2$ 和 $Pb(ClO_4)_2$ 的某溶液与过量的粉末状 Sn-Pb 合金一起振荡,测得溶液中平衡浓度之比 $[Sn^{2+}]/[Pb^{2+}]$ 为 0.46。已知 $\varphi^{\ominus}_{Pb^{2+}/Pb} = -0.126$ V,计算 $\varphi^{\ominus}_{Sn^{2+}/Sn}$ 值。

18. 完成并配平下列化学反应方程式:

(1) $Sn + HCl \longrightarrow$ (2) $Sn + Cl_2 \longrightarrow$

(3) $SnCl_2 + FeCl_3 \longrightarrow$ (4) $SnCl_4 + H_2O \longrightarrow$

(5) $SnS + Na_2S_2 \longrightarrow$ (6) $SnS_3^{2-} + H^+ \longrightarrow$

(7) $Sn + SnCl_4 \longrightarrow$ (8) $PbS + HNO_3 \longrightarrow$

(9) $Pb_3O_4 + HI(过) \longrightarrow$ (10) $Pb^{2+} + OH^-(过) \longrightarrow ? \xrightarrow{OCl^-} ?$

19. 现有一白色固体 A,溶于水产生白色沉淀 B,B 可溶于浓盐酸。若将固体 A 溶于稀硝酸中,得无色溶液 C。将 $AgNO_3$ 溶液加入 C 中,析出白色沉淀 D。D 溶于氨水得溶液 E,E 酸化后又产生白色沉淀 D。

将 H_2S 气体通入溶液 C 中,产生棕色沉淀 F,F 溶于 $(NH_4)_2S_x$ 形成溶液 G。酸化溶液 G,得黄色沉淀 H。

少量溶液 C 加入 $HgCl_2$ 溶液得白色沉淀 I,继续加入溶液 C,沉淀 I 逐渐变灰,最后变为黑色沉淀 J。

试确定字母 A,B,C,D,E,F,G,H,I,J 各表示什么物质。

第十六章　硼族元素

周期表中第ⅢA族元素包括硼、铝、镓、铟和铊5种元素,统称为硼族元素。本族除硼是非金属元素外,其它都是金属元素,而且金属性随着原子序数的增加而增强。硼和铝都有富集的矿藏,铝在地壳中的含量仅次于氧和硅,占第三位。镓、铟、铊没有单独的矿藏,以分散的形式与其它矿物共生,所以把镓、铟、铊和锗一起归属为稀有分散性元素。早期,人们只知道硼有硼酸、硼酸盐这类为数不多的化合物。人们亦提出过"作为元素周期表中碳的近邻的硼的化合物难道就这么少吗?"的疑问,直到1912年Stock开始研究硼氢化物以及随后在六十年代里合成出一系列的硼烷,人们才打开了眼界,看到了硼化学的广阔领域,并研制出了一系列在现代工业和现代国防中有重要应用价值的硼化合物。

§16-1　硼族元素的通性

表16-1列出了硼族元素的基本性质。

本族元素基态原子的价电子层结构为 ns^2np^1,它们的一般氧化态为 +3。同其它主族元素一样随着原子序数的递增,ns^2 电子对趋于稳定,生成低氧化态(+1)的倾向随之增强。因此镓、铟、铊在一定条件下能显示出 +1 氧化态,特别是 Tl 的 +1 氧化态是常见的,在 Tl(Ⅰ)的化合物中具有较强的离子键特征。

硼的原子半径(82pm)较小,电负性又较大(2.01),所以在硼的 +3氧化态化合物中,化学键的共价性较大,铝以下各元素虽然

表 16-1　硼族元素的基本性质

元素\性质	硼	铝	镓	铟	铊
元素符号	B	Al	Ga	In	Tl
原子序数	5	13	31	49	81
原子量	10.81	26.98	69.72	114.8	204.3
价电子层结构	$2s^2 2p^1$	$3s^2 3p^1$	$4s^2 4p^1$	$5s^2 5p^1$	$6s^2 6p^1$
主要氧化数	+3	+3	(+1)+3	+1,+3	+1,(+3)
共价半径/pm	82	118	126	144	148
离子半径(M^{2+})/pm			113	132	140
离子半径(M^{3+})/pm	20	50	62	81	95
电离能 I_1/kJ·mol^{-1}	800.6	577.6	578.8	558.3	589.3
电离能 I_2/kJ·mol^{-1}	2 427	1 817	1 979	1 821	1 971
电离能 I_3/kJ·mol^{-1}	3 660	2 745	2 963	2 705	2 878
电子亲和能 E_4/kJ·mol^{-1}	29	48	48	69	117
电负性(Pauling)	2.04	1.61	1.81(Ⅲ)	1.78	1.62(Ⅰ) 2.04(Ⅲ)

都是金属,但 +3 这一较高氧化态以及 18 电子壳层的结构,也容易使原子间成键时表现为极性共价键。此外,本族元素原子成键时,价电子层未被充满(ns^2, $np_x^2 np_y^2 np_z^0$),比稀有气体构型缺少一对电子。所以本族元素的 +3 氧化态化合物叫做缺电子化合物,它们还有很强的继续接受电子的能力,这种能力表现在分子的自身聚合以及同电子对给予体形成稳定的配位化合物等方面。

现将有关的键能列于表 16-2 中,从中可以看到硼氧键的特殊稳定性,这有助于我们理解为什么在早期人们只知道为数不多的一些硼-氢的化合物的原因。

表 16-2　某些键的键能

键	B—H	C—H	Si—H	B—O	C—O	Si—O	B—B	C—C	Si—Si
键能 kJ·mol^{-1}	389	411	318	561	358	452	293	346	222

从图 16-1 给出的硼族元素的电势图中看出,ns^2 电子随着 n 值的增大越来越不易失去,例如 Tl^+ 反而比 Tl^{3+} 来得稳定。

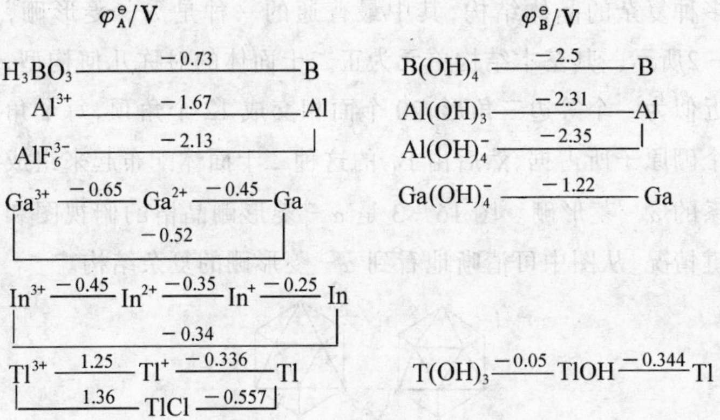

$\varphi_A^{\ominus}/V$ $\varphi_B^{\ominus}/V$

$$H_3BO_3 \overset{-0.73}{\longrightarrow} B \qquad\qquad B(OH)_4^- \overset{-2.5}{\longrightarrow} B$$

$$Al^{3+} \overset{-1.67}{\longrightarrow} Al \qquad\qquad Al(OH)_3 \overset{-2.31}{\longrightarrow} Al$$

$$AlF_6^{3-} \overset{-2.13}{\longrightarrow} \qquad\qquad Al(OH)_4^- \overset{-2.35}{\longrightarrow}$$

$$Ga^{3+} \overset{-0.65}{\longrightarrow} Ga^{2+} \overset{-0.45}{\longrightarrow} Ga \qquad Ga(OH)_4^- \overset{-1.22}{\longrightarrow} Ga$$
$$-0.52$$

$$In^{3+} \overset{-0.45}{\longrightarrow} In^{2+} \overset{-0.35}{\longrightarrow} In^+ \overset{-0.25}{\longrightarrow} In$$
$$-0.34$$

$$Tl^{3+} \overset{1.25}{\longrightarrow} Tl^+ \overset{-0.336}{\longrightarrow} Tl \qquad T(OH)_3 \overset{-0.05}{\longrightarrow} TlOH \overset{-0.344}{\longrightarrow} Tl$$
$$\overset{1.36}{\longrightarrow} TlCl \overset{-0.557}{\longrightarrow}$$

图 16 - 1 硼元素族的电势图

§16 - 2 硼族元素的单质及其化合物

2 - 1 硼族元素在自然界中的分布

硼在自然界主要以各种硼酸盐形式的矿存在,如最常见的硼砂 $Na_2B_4O_7 \cdot 10H_2O$,方硼石 $2Mg_3B_8O_{15} \cdot MgCl_2$,白硼钙石 $Ca_2B_6O_{11} \cdot 3H_2O$ 等,我国辽宁等地有硼镁酸盐矿床。铝在自然界主要以铝矾土矿形式存在,它是一种含有杂质的水合氧化铝矿,我国山东等地有铝的矿藏。镓、铟、铊均无它们自己的单独矿物,以杂质形式共生于其它矿中,如镓存在于铝矾土和煤中,铟和铊存在于闪锌矿中。

2 - 2 硼族元素的单质

(1)硼的同素异形体

无定形硼为棕色粉末,晶体硼呈黑灰色。单质硼的硬度近乎金刚石,有高的电阻,但与常情相反,它的导电率却随温度升高而增大。单质硼

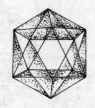

图 16 - 2 硼二十面体结构单元

有多种复杂的晶体结构,其中最普通的一种是 α – 菱形硼,如图 16 – 2 所示。其基本结构单元为正二十面体的对称几何构型,每个面近似为一个等边三角形,20 个面相交成 12 个角顶,每个角顶为一个硼原子所占据,然后由 B_{12} 的这种二十面体配布起来组成六方晶系的 α – 菱形硼。图 16 – 3 是 α – 菱形硼晶格的俯视图和三中心键情况,从图中可清晰地看到 α – 菱形硼的复杂结构。

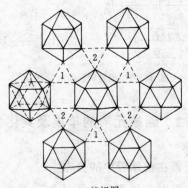

(a)俯视图

(图中标号为 1 的三中心键低于标号 2 的三中心键)

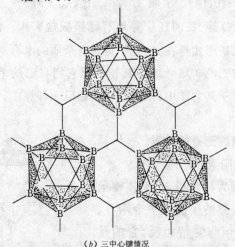

(b)三中心键情况

图 16 – 3 α – 菱形硼的六方晶格的俯视图和三中心键情况

每个二十面体处于腰部的 6 个硼原子以三中心二电子

键(即三个硼原子共享一对电子)与同一平面内的相邻的 6 个二十面体连结起来[图 16-3(a)中的虚线三角形即表示三中心键,键距 203 pm]。这种由二十面体组成的片层一层又一层的结合起来,层间结合靠的是二十面体的上下各 3 个硼原子以 6 个正常 B—B 共价键(即二中心二电子键,键长 171pm)同上下两层的 6 个邻近二十面体相连接(3 个在上一层,3 个在下一层)。

在一个三中心键中,由三个 sp^3 杂化原子轨道重叠形成一个成键分子轨道和二个反键分子轨道,在这个成键分子轨道里有一对电子。波函数分别为:

$$\psi_1 = \frac{1}{\sqrt{3}}(\phi_{B1} + \phi_{B2} + \phi_{B3})$$

$$\psi_2 = \frac{1}{\sqrt{2}}(\phi_{B1} - \phi_{B2})$$

$$\psi_3 = \frac{1}{\sqrt{6}}(\phi_{B1} + \phi_{B2} - 2\phi_{B3})$$

三中心键的分子轨道能级图如图 16-4 所示。

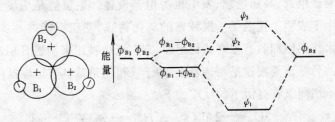

图 16-4 三中心键成键轨道 ψ_1 的形成和三个分子轨道(ψ_1,ψ_2,ψ_3)的相对能量

结晶状单质硼较惰性,无定形硼则比较活泼,在高温下硼能同 N_2, O_2, S, X_2 等单质反应,也能在高温下同金属反应生成金属硼

化物:

$$4B + 3O_2 = 2B_2O_3$$

$$2B + 3Cl_2 = 2BCl_3$$

$$2B + N_2 = 2BN$$

在赤热下,水蒸气同无定形硼作用生成硼酸和氢气:

$$2B + 6H_2O(g) = 2B(OH)_3 + 3H_2 \uparrow$$

无氧化剂存在时,无定形硼不溶于酸中,但热浓 H_2SO_4,热浓 HNO_3 能逐渐把硼氧化成硼酸:

$$B + 3HNO_3 (浓) = B(OH)_3 + 3NO_2 \uparrow$$

$$2B + 3H_2SO_4 (浓) = 2B(OH)_3 + 3SO_2 \uparrow$$

有氧化剂存在时,硼和强碱共熔而得到偏硼酸盐:

$$2B + 2NaOH + 3KNO_3 \overset{\triangle}{=} 2NaBO_2 + 3KNO_2 + H_2O$$

单质硼本身并无特殊用途,它常作为原料来制备一些有特殊用途的硼化合物,如金属硼化物和碳化硼 B_4C 等。

(2) 金属铝

铝是一种银白色有光泽的金属,密度 $2.7g \cdot cm^{-3}$,熔点为 930 K,沸点为 2 740 K。它具有良好的延展性和导电性,能代替铜用来制造电线、高压电缆、发电机等电器设备。铝虽然是活泼金属,但由于表面上覆盖了一层致密的氧化物膜,使铝不能进一步同氧和水作用因而具有很高的稳定性,它广泛地被用来制造日用器皿。铝的另一重要用途是制造合金,用于飞机制造或其它运输机件上。

铝同氧在高温下的反应如下:

$$4Al + 3O_2 = 2Al_2O_3 \qquad \Delta_r H_m^\ominus = -3\ 339\ kJ \cdot mol^{-1}$$

利用这个反应的高反应热,铝常被用来从其它氧化物中置换出金属(铝热还原法)。在反应过程中释放出来的热量可以将反应混合物加热至很高温度(3 273 K),以致使产物金属熔化而同氧化铝熔渣分层。铝热还原法常被用来焊接损坏的铁路钢轨(不需要先将钢轨拆除),这种方法也常被用来还原某些难以还原的金属氧化物如 MnO_2,Cr_2O_3 等。铝也容易在高温下同其它非金属反应。如:

$$2Al + 3S \rightleftharpoons Al_2S_3$$

铝能从稀酸中置换氢。不过铝的纯度越高,它在酸中的反应越慢。在冷的浓硝酸和浓硫酸中,铝的表面被钝化而不发生作用。铝能溶在强碱溶液中:

$$2Al + 2NaOH + 6H_2O \rightleftharpoons 2NaAl(OH)_4 + 3H_2 \uparrow$$

在溶液中生成的铝酸钠可能是 $NaAl(OH)_4$ 或 $Na_3Al(OH)_6$,或是更复杂的多聚形式。其脱水产物或高温熔融产物的组成可以符合最简式 $NaAlO_2$。

(3) 镓、铟、铊

镓是具有银白色光泽的软金属,熔点为 302.78 K,放在人的手掌上就能使之熔化,而其沸点为 2343 K,其熔沸点相差之大是所有金属中独一无二的。凝固时体积膨胀这一点也是异常的。在硬度方面,镓和铅相近。铟、铊的物理性质与镓近似,它们的物理性质见表 16-3。

表 16-3　镓、铟、铊单质的物理性质

性　　质	Ga	In	Tl
熔点/K	302.78	430	577
沸点/K	2 676	2 353	1 730
密度/g·cm^{-3}	5.91	7.31	11.9
晶体结构	斜方	四方	α 六方,β 立方
相对导电性(Hg=1)	2	11	5

在通常的温度下,镓和铟在干燥的空气中不起变化,但铊却被蒙上一层灰色的氧化物膜。在灼热时,这三种单质都剧烈地同氧及硫化合生成相应的 +3 氧化态的氧化物或硫化物。它们同氯及溴的作用,甚至在常温下就能发生,和碘的反应需要加热。这三种

金属都能溶于稀盐酸,但冷时反应缓慢,热浓时反应加速;三者均易溶于热稀硝酸中,唯有镓能与苛性碱溶液反应放出氢气。

由于镓具有熔沸点相差甚远这一特点,镓被用来制造测量高温的温度计。镓、铟、铊的高纯金属及其合金都是半导电材料。铟及其镉铋合金在原子能工业上作测定及吸收中子之用,铊盐可用于制作荧光粉活化剂。

(4) 单质的提取和冶炼

(a) 硼的提取和单质硼的制备

在工业上,一般用浓碱溶液来分解硼镁矿:

$$Mg_2B_2O_5 \cdot H_2O + 2NaOH = 2NaBO_2 + 2Mg(OH)_2$$

将偏硼酸钠从强碱性溶液中结晶出来,使之溶于水成较浓的溶液,通入 CO_2 调节碱度,浓缩后即结晶分离出硼砂(四硼酸钠):

$$4NaBO_2 + CO_2 + 10H_2O = Na_2B_4O_7 \cdot 10H_2O + Na_2CO_3$$

将硼砂溶于水,用 H_2SO_4 调节酸度,可析出溶解度小的硼酸晶体:

$$Na_2B_4O_7 + H_2SO_4 + 5H_2O = 4H_3BO_3 + Na_2SO_4$$

加热使硼酸脱水成 B_2O_3,再用镁或铝使之还原成粗硼,其中含有金属氧化物、金属硼化物和未反应掉的 B_2O_3。

$$2H_3BO_3 = B_2O_3 + 3H_2O$$

$$B_2O_3 + 3Mg = 2B + 3MgO$$

在工业上也有用硫酸分解硼镁矿一步制得硼酸的工艺,但需耐酸设备等条件,不如碱法分解好。

$$Mg_2B_2O_5 \cdot H_2O + 2H_2SO_4 = 2H_3BO_3 + 2MgSO_4$$

把粗硼分别用盐酸、氢氧化钠和氟化氢处理,可得纯度为95%—98%的棕色无定形硼。要制备纯度 99.95% 的单质硼,可使用碘化物热解法来提纯,先合成出 BI_3,然后使之在灼热的钽丝(1 000—1 300 K)上热解,这时就得到高纯度的 α - 菱形硼。

$$2BI_3 \Longrightarrow 2B + 3I_2$$

（b）铝的提取和冶炼

从铝矾土矿出发提取和冶炼铝，首先是从铝矿中提取出水合氧化铝，然后经碱溶而转化成铝酸盐，最后利用 CO_2 中和铝酸盐溶液而得到符合电解需要的纯净氧化铝。将 Al_2O_3 溶解在熔化的冰晶石（Na_3AlF_6）中进行电解，在阴极上得到金属铝。电解约在 1 300 K时进行，所以电解出来的铝是液态的，可以定时地放出，铸成铝锭。这一过程的反应式如下：

$$Al_2O_3 + 2NaOH + 3H_2O \Longrightarrow 2Na[Al(OH)_4]$$

（铝矾土）

$$2Na[Al(OH)_4] + CO_2 \Longrightarrow 2Al(OH)_3 \downarrow + Na_2CO_3 + H_2O$$

$$2Al(OH)_3 \overset{\triangle}{\Longrightarrow} Al_2O_3 + 3H_2O$$

$$2Al_2O_3 \xrightarrow[\text{电解}]{Na_3AlF_6} 4Al + 3O_2$$

（阴极）（阳极）

电解槽（图 16-5）为铁的外壳，里边是用耐火砖砌成的绝热层和碳衬里（兼作阴极）。阳极用大块的碳做成，电解时在阳极产生的氧使碳电极燃烧而耗损，故需要把它逐渐下降。阳极产物除 O_2，

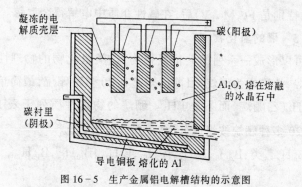

图 16-5　生产金属铝电解槽结构的示意图

CO, CO_2 外,同时还生成少量的氟和 CF_4。电解熔体的表面被电解质的硬壳所覆盖着,起到了保温的作用,但在周期地加入 Al_2O_3 和少量冰晶石时必须敲开壳层,电解时所用电压为 5V,电流强度为 60 000A,每电解出一吨金属铝要消耗约二万度的电能。电解铝纯度一般为 98%—99%,除了主要杂质 Si 和 Fe 以外,还含有微量的镓。

(c) 镓的提取和冶炼

镓分散地存在于铝矾土矿和煤中,因而它被富集在从铝矾土矿制备 Al_2O_3 的工艺过程中经一次碳酸化后分离出的铝酸盐母液中,以及煤燃烧后所集得的烟道灰中。

将铝酸盐母液进行第二次完全碳酸化而不进行原工艺过程中的循环使用,那么可得到富集了 $Ga(OH)_3$ 的 $Al(OH)_3$ 沉淀,将沉淀分出后,使之溶于碱液中,进行电解。因铝不干扰镓的电解,即可得金属镓。

$$Ga(OH)_4^- + 3e^- \Longrightarrow Ga\downarrow + 4OH^- \text{(阴极)}$$

因电解时溶液温度高于镓的熔点故镓呈液态。

将煤燃烧后集得的烟道灰氯化,可得 $GeCl_4$ 和 $GaCl_3$,蒸馏出 $GeCl_4$ 后,在盐酸介质中用磷酸三丁酯(TBP)萃取 $HGaCl_4$。经杂质分离(特别是 Fe,Mo,V)后,在碱性介质中电解得金属镓。

2-3 硼的氢化物

硼可以形成一系列的共价氢化物,这类氢化物的物理性质相似于烷烃,故称之为硼烷,目前已知道有 20 多种硼烷,最简单的一种是 B_2H_6(乙硼烷)而不是 BH_3。硼烷的物理性质列于表 16-4 中。这 20 多种硼烷按组成分类,主要分属于:

B_nH_{n+4} 类:$B_2H_6, B_5H_9, B_6H_{10}, B_8H_{12}, B_{10}H_{14}, B_{16}H_{20}$,

$B_{18}H_{22}$ 等。

$B_n H_{n+6}$ 类：$B_3 H_9$，$B_4 H_{10}$，$B_5 H_{11}$，$B_6 H_{12}$，$B_8 H_{14}$，$B_9 H_{15}$ 和
$B_{10} H_{16}$ 等。

硼烷不能通过硼和氢直接化合制得，而要通过间接的途径。例如制备乙硼烷($B_2 H_6$)有下述几种方法：

表 16 – 4　几种纯硼烷的性质

化 学 式	$B_2 H_6$	$B_4 H_{10}$	$B_5 H_9$	$B_5 H_{11}$	$B_6 H_{10}$	$B_{10} H_{14}$
名　　称	乙硼烷	丁硼烷	戊硼烷 – 9	戊硼烷 – 11	己硼烷	癸硼烷
室温下状态	气	气	液	液	液	固
b.p./K	180.5	291	321	336	383	486
m.p./K	107.5	153	226.4	150	210.7	372.6
溶解情况	易溶于乙醚	易溶于苯	易溶于苯 363K	—	易溶于苯 363K，16	易溶于苯
水解情况	室温下很快	室温下缓慢	三天未完全	—	小时未完成	室温缓慢 加热较快
稳定性	373K 以下稳定	不稳定	很稳定	室温分解	室温缓慢 分　解	极稳定

（1）质子置换法

$$BMn + 3H^+ \longrightarrow \frac{1}{2} B_2 H_6 + Mn^{3+}$$

（2）氢化法

$$BCl_3 + 3H_2 \longrightarrow \frac{1}{2} B_2 H_6 + 3HCl$$

（3）氢负离子置换法

$$3LiAlH_4 + 4BF_3 \xrightarrow{\text{乙醚}} 2B_2 H_6 + 3LiF + 3AlF_3$$

$$3NaBH_4 + 4BF_3 \xrightarrow{\text{乙醚}} 2B_2 H_6 + 3NaBF_4$$

从第三种方法中产生的 $B_2 H_6$ 的纯度可达 90%—95%。由于 $B_2 H_6$ 是一种在空气中易燃，易水解的剧毒气体，所以制备时必需保持反应处于无氧，无水气状态，原料亦需预先干燥，并且做好安全防护工作。

乙硼烷在硼烷中具有特殊的地位，它是制备其它一系列硼烷

的原料,并应用于合成化学中,它对结构化学的发展还起了很大的作用。

　　硼不存在 BH_3 的氢化物这一点是出乎人们意料之外的,因为 B 原子一般显示的氧化数为 +3。根据正规的共价键理论,B_2H_6 似乎倒是不应该存在的,因这个结构将需要 14 个价电子,而 B_2H_6 只能提供 12 个价电子,B_2H_6 成为“缺电子”化合物。近期研究结果指出 B_2H_6 的六个氢原子中有二个氢原子与其余四个氢原子不同,每个硼原子与四个氢原子中 2 个氢原子以正常共价结合,2 个 BH_2 处于同一平面上;另两个氢原子中的每一个氢原子分别同时与 2 个硼原子靠 2 个电子成键,这种键也就是在 2–2(1)节中所述及过的三中心二电子键,只不过三个原子不全是硼而已。B_2H_6 中的这两个氢原子被称为氢桥。在 B_2H_6 中,由于有这种键,使每个硼原子取得了 sp^3 杂化结构,$B{<}^{H}_{H}{>}B$ 平面和端侧的 $B{<}^{H}_{H}$ 平面在空间是互相垂直的,其立体结构见图 16–6。

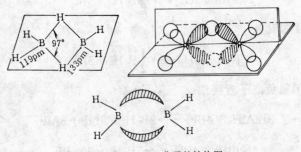

图 16–6　B_2H_6 分子的结构图

　　由于硼原子的缺电子特点,在各种硼烷中呈现出五种成键情况:

　　(1) 端侧的 2 中心 – 2 电子硼氢键 B—H;

　　(2) 3 中心 – 2 电子氢桥键 $\underset{B\quad B}{H}$;

(3) 2 中心 – 2 电子硼 – 硼键 B—B;

(4) 开放的 3 中心 – 2 电子硼桥键 ;

(5) 闭合的 3 中心 – 2 电子硼键 ;

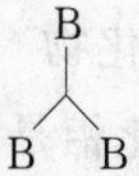

根据这 5 种成键情况,可以画出全部硼烷的结构,如图 16 – 7 和图 16 – 8 所示。

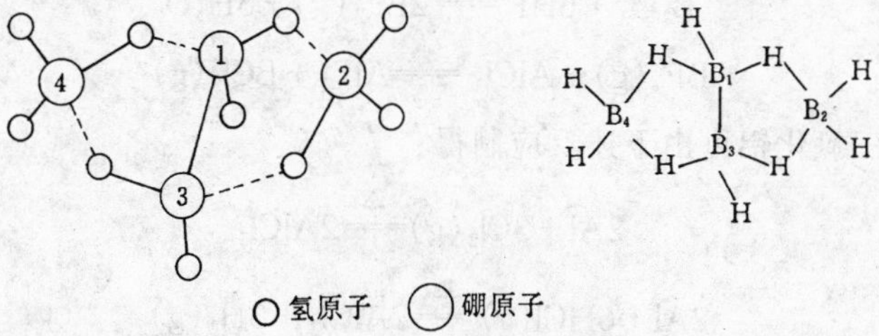

○氢原子 ○硼原子

图 16 – 7　B_4H_{10} 的结构(4 个 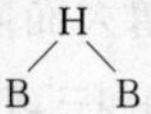 氢桥键,1 个 B—B 键,6 个 B—H 键)

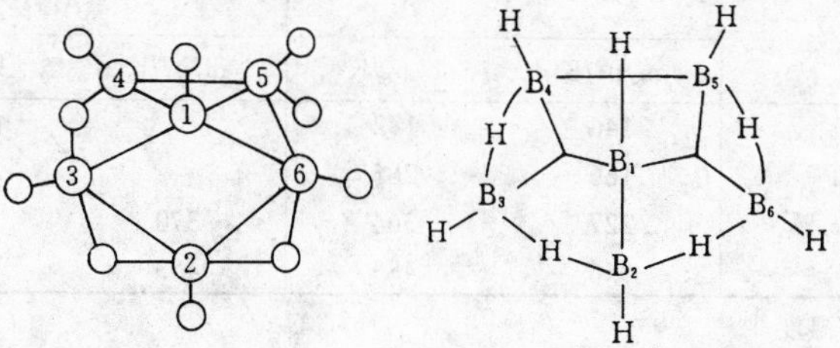

图 16 – 8　B_6H_{10} 的结构(4 个 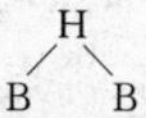 键,2 个 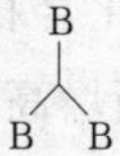 键,2 个 B—B 键,6 个 B—H 键)

硼烷的化学有着很丰富的内容,几十年来对它们研究得如此深入,其原因同过去曾一度想利用硼烷的高燃烧热值有关,人们企图把它们用作火箭或导弹的高能燃料。由于所有硼烷都有很高的毒性,且贮存条件苛刻,不得不最终放弃了这一企图,但在它们的发展过程中却大大丰富了硼的化学知识,并对结构化学的发展也起到了很重要的推动作用。

2-4 卤化物

(1) 硼、铝的三卤化物

三卤化硼和三卤化铝是硼和铝的特征卤化物。三卤化硼一般都用置换法来制备,BF_3 很容易由 B_2O_3 与浓 H_2SO_4 和 CaF_2 的反应制得。然后使 BF_3 与 $AlCl_3$ 或 $AlBr_3$ 反应,可得到 BCl_3 或 BBr_3。

$$B_2O_3 + 6HF \Longrightarrow 2BF_3(g) + 3H_2O$$

$$BF_3(g) + AlCl_3 \Longrightarrow AlF_3 + BCl_3(g)$$

无水三氯化铝可由下述反应制得:

$$2Al + 3Cl_2(g) \overset{\triangle}{\Longrightarrow} 2AlCl_3$$

$$2Al + 6HCl(g) \overset{\triangle}{\Longrightarrow} 2AlCl_3 + 3H_2(g)$$

三卤化硼的挥发性随分子量的增大而降低(见表 16-5)。

表 16-5　三卤化硼和三卤化铝的熔、沸点

	B		Al	
	m.p./K	b.p./K	m.p./K	b.p./K
F	146	172		1 564 *
Cl	166	285		453 *
Br	227	364	370	528
I	316	483	453	654

* 升华温度

三卤化硼都是共价化合物,熔、沸点均很低,并有规律地随着 F,Cl,Br,I 的顺序而逐渐增高。从熔、沸点来看它们都是共价化合物。其蒸气分子均为单分子。

三氟化硼是无色的有窒息气味的气体,不能燃烧。将少量 BF_3 通入水时,便得到氟硼酸溶液:

$$4BF_3 + 6H_2O \Longrightarrow 3H_3O^+ + 3BF_4^- + B(OH)_3$$

三氟化硼是缺电子化合物，是已知的强路易士酸之一，它可以同路易士碱如水、醚、醇、胺等结合而成加合物。由于 BF_3 是个强电子接受体，所以它在许多有机化学反应中用做催化剂。

给 BCl_3 略加压力即可液化，它是无色具有高折射率的液体。它在潮湿空气中发烟并在水中发生强烈水解：

$$BCl_3 + 3H_2O \longrightarrow B(OH)_3 + 3HCl$$

同 BF_3 相比 BCl_3 是一个不太强的路易士酸。三氯化硼是合成硼有机化合物的原料。在三卤化铝中除 AlF_3 为离子性化合物外，其余均为共价化合物。在气相或非极性溶剂中 $AlCl_3$，$AlBr_3$，AlI_3 均是二聚的。在 AlF_3 晶体中 Al 是六配位的，在高温下升华所得的 AlF_3 是单分子的。

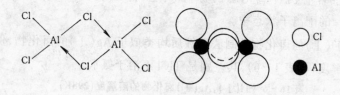

图 16-9　$AlCl_3$ 的二聚分子及四面体配置

在二聚分子中卤素原子对铝呈四面体配置，是一种桥式结构，即在每个 $AlCl_3$ 分子中，铝原子有空轨道，氯原子有孤电子对，因而在两个 $AlCl_3$ 分子间发生 $Cl \rightarrow Al$ 的电子对授予而配位，形成氯桥的配位化合物。这种二聚分子遇到电子对给予体分子时会离解成单分子，然后这个 $AlCl_3$ 单分子再同这个电子对给予体形成配位化合物。同 BF_3 一样，$AlCl_3$ 能与有机胺、醚、醇等结合，所以无水 $AlCl_3$ 是某些有机化学反应中常用的催化剂。它在常温下是一种白色固体，遇水发生强烈的水解反应并放热，甚至在潮湿空气中也强烈地冒烟。它易溶于乙醚等有机溶剂中，这也恰好证明它是一种共价型化合物。

(2) 硼族元素卤化物的比较

三价化合物的稳定性,随 Ga,In,Tl 的次序减弱,前面二种元素——硼和铝,只有三价卤化物是稳定的。镓与铟除稳定的三价化合物外,还有一价化合物,后者在固态时也颇稳定,铊的一价化合物则反比三价化合物稳定。另外三价铊没有溴化物和碘化物,这也证明了 Tl(Ⅲ) 的强氧化性和不稳定性。

除 BF_3 外,其它的三氟化物均为离子型晶体,熔点很高,均溶于水并强烈水解。

磁性实验结果指出"$GaCl_2$"为反磁性物质,所以它不是Ga(Ⅱ)的氯化物,而是类似于 $Na^+[AlCl_4]^-$ 的 $Ga^+[GaCl_4]^-$ 晶体。在此晶体中含有两种氧化态的镓 $[Ga(Ⅰ),Ga(Ⅲ)]$,Ga(Ⅲ)处于 $GaCl_4^-$ 的配离子状态中。

Tl(Ⅰ)的卤化物的制法和性质均类似于 Ag(Ⅰ) 的卤化物,例如溶解度(见表 1-6),其差别是 TlCl 不溶于氨水。

表 16-6 Tl(Ⅰ),Ag(Ⅰ)卤化物的溶解度(298K)

	F	Cl	Br	I
Tl(Ⅰ)溶解度/$mol \cdot dm^{-3}$	3.49	1.25×10^{-2}	1.48×10^{-3}	1.7×10^{-4}
Ag(Ⅰ)溶解度/$mol \cdot dm^{-3}$	14.20	1.25×10^{-5}	8.77×10^{-7}	1.22×10^{-8}

Tl(Ⅰ)盐与相应的碱金属(K,Rb 等)盐是同晶型的,故 Tl^+ 可以和碱金属离子互相替代。

2-5 含氧化合物

(1)B_2O_3 和 Al_2O_3

硼形成含氧化合物是它的最显著的特征之一,硼被称为亲氧元素,硼氧化合物有很高的稳定性。制备 B_2O_3 的一般方法是加热硼酸 H_3BO_3 使之脱水,在红热下脱水可得到玻璃态 B_2O_3,若在减压下历时二周逐渐把硼酸加热到 670 K 则得熔点为 720 K 的晶体

状的 B_2O_3。经 X - 射线结构测定证实晶体状的 B_2O_3 是由畸变四面体 BO_4 所组成的六方晶格,而无定形 B_2O_3 是由三角形 BO_3 单元所构成,在 1 273 K 以上,蒸气 B_2O_3 分子是单分子的其构型如图 16 - 10 所示:

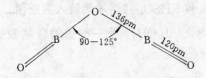

图 16 - 10 B_2O_3 蒸气分子的结构

B_2O_3 蒸气分子中键角 B—O—B 并不固定。B_2O_3 易溶于水,重新生成硼酸 H_3BO_3,但在热的水蒸气中或遇潮气则生成挥发性的偏硼酸 HBO_2,同时放热:

$$B_2O_3(晶状) + H_2O(g) \longrightarrow 2HBO_2(g)$$

$$\Delta_r H_m^{\ominus} = -199.2 kJ \cdot mol^{-1}$$

$$B_2O_3(无定形) + 3H_2O(l) \longrightarrow 2H_3BO_3(aq)$$

$$\Delta_r H_m^{\ominus} = -76.6 kJ \cdot mol^{-1}$$

白色粉末状 B_2O_3 可用作吸水剂,熔融的 B_2O_3 可溶解许多金属氧化物而得到有特征颜色的偏硼酸盐玻璃,这个反应用于定性分析中,称之为硼珠试验。

$$CuO + B_2O_3 \longrightarrow Cu(BO_2)_2 \; 蓝色$$

$$NiO + B_2O_3 \longrightarrow Ni(BO_2)_2 \; 绿色$$

在 873 K 时,B_2O_3 与 NH_3 反应可制得氮化硼 $(BN)_x$。其结构与石墨相同

$d(B—N) = 145 \; pm$,层间距 330 pm

在同样温度下,它与 CaH_2 反应生成 CaB_6(六硼化钙)。金属硼化物是一类在电子工业中有重要用途的化合物。

自然界中存在的刚玉为 $\alpha-Al_2O_3$,硬度相当高,仅次于金刚石,熔点也相当高。$\alpha-Al_2O_3$ 化学性质很不活泼,不溶于水,也不溶于酸或碱,只有和 $KHSO_4$ 共熔才能转入溶液相。铝在氧气中燃烧,或在高温时灼烧 $Al(OH)_3$ 及一些铝的含氧酸盐都可以得到 $\alpha-Al_2O_3$。

加热使氢氧化铝脱水,可以得到 Al_2O_3,在较低的温度下生成 $\gamma-Al_2O_3$,它硬度不高,具有较大的表面积。$\gamma-Al_2O_3$ 化学性质比 $\alpha-Al_2O_3$ 活泼,较易溶于酸或碱溶液中。基于这些性质上的差别,刚玉可用作磨料或制造耐火器皿,如刚玉坩埚可烧到 2 100 K,也可以制造红宝石(含 Cr^{3+})作钟表轴承;而 $\gamma-Al_2O_3$ 可用作吸附剂或催化剂载体。

当 $\gamma-Al_2O_3$ 受强热灼烧时,可以转变为 $\alpha-Al_2O_3$。Al_2O_3 的又一种常见变体是单质铝表面的氧化膜,它既不是 $\alpha-Al_2O_3$,也不属 $\gamma-Al_2O_3$。

(2) 硼酸和硼酸盐

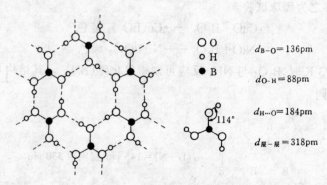

图 16-11　硼酸晶体的片层结构

在 2-2 节中已提及硼酸和硼砂的制法,不再重述。根据硼的价电子层结构,每个硼原子以 sp^2 杂化轨道与氧原子结合成平面三角形结构,每个氧原子在晶体内又通过氢键联结成层状结构。如图 16-11 所示。层与层之间以微弱的分子间力联系在一起。因此硼酸晶体是片状的,有解理性,可作为润滑剂。另外,这种缔合结构使硼酸在冷水中溶解度很低而在热水中因部分氢键断裂而溶解度增大。硼酸是一元弱酸,$K_a = 5.8 \times 10^{-10}$。它在溶液中所显的弱酸性是由于 OH^- 离子中氧的孤电子对填入 B 原子中的 p 空轨道中,即加合一个氢氧离子,而不是本身给出质子的缘故:

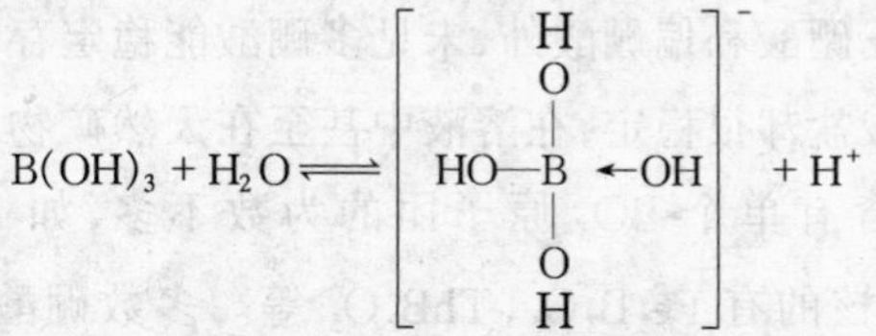

$$B(OH)_3 + H_2O \Longrightarrow \left[\begin{array}{c} H \\ O \\ | \\ HO-B \leftarrow OH \\ | \\ O \\ H \end{array} \right]^- + H^+$$

这种电离方式正好表现了硼化合物的缺电子特点。所以硼酸是一个典型的路易士酸。硼酸的酸性可因加入甘露醇或甘油而大为增强:

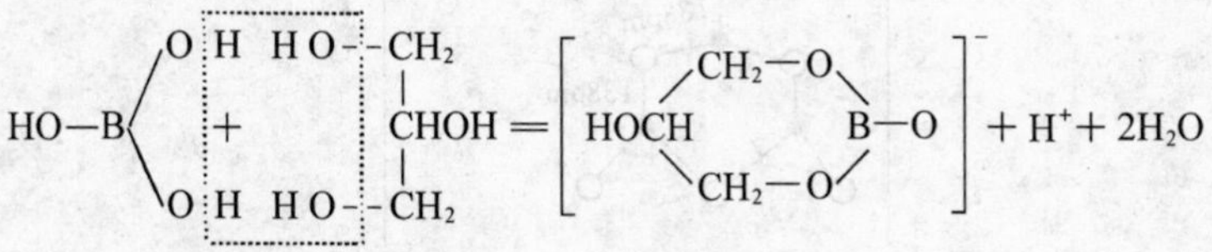

$$HO-B\begin{array}{c} O \\ O \end{array}\begin{array}{c} H \\ H \end{array}\begin{array}{c} HO- \\ HO- \end{array}\begin{array}{c} CH_2 \\ CHOH \\ CH_2 \end{array} = \left[\begin{array}{c} CH_2-O \\ HOCH \\ CH_2-O \end{array} B-O \right]^- + H^+ + 2H_2O$$

它也有极微弱的碱性,表现在下述反应中:

$$B(OH)_3 + H_3PO_4 \xrightarrow{\text{煮}} BPO_4 + 3H_2O$$

在硼酸加热脱水制 B_2O_3 过程中,当加热到 373 K 以上时,先脱水生成偏硼酸(HBO_2),继续加热时就变成 B_2O_3。HBO_2 有三种变体,第一种是片层状结构,第二种是锯齿状链式结构,第三种是三度网格结构,其中都存在着氢键。第一种 HBO_2 的结构如图16-12所示:

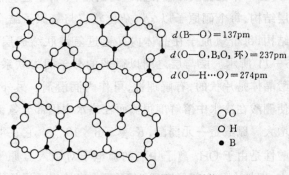

$d(B-O) = 137pm$

$d(O-O, B_3O_3 环) = 237pm$

$d(O-H \cdots O) = 274pm$

○○ O
○ H
● B

图 16-12　片层状的 HBO₂ 的结构

硼酸除正硼酸和偏硼酸外,未见多硼酸能稳定存在于溶液中,但多种多硼酸盐却很稳定,在溶液中甚至在天然矿物中都能存在。在硼酸盐中含有单个 BO_3 原子团的为数不多,如 $Mg_3(BO_3)_2$, $LnBO_3$ 等,双核的有 $Fe_2B_2O_5$, ThB_2O_5 等。多数硼酸盐是由二个以上的 BO_3 原子团组成环状或链状结构,如三核的 $B_3O_6^{3-}$ 的结构是环状的,$NaBO_2$,KBO_2,HBO_2 都是三聚的。

$$[\quad]^{3-}$$

133pm

138pm

$(BO_2)_3^{3-}$

多核的链状 BO_3 单元结构应是无限 $(BO_2)_n^{n-}$ 链式,如 $Ca(BO_2)_2$

$(BO_2)_n^{n-}$

此外,BO_3 原子团和 BO_4 原子团可以结合成硼氧骨架,如硼砂 $Na_2B_4O_7 \cdot 10H_2O$ 中,其主要结构单元为 $[B_4O_5(OH)_4]^{2-}$。这是由两个 BO_3 原子团和两个 BO_4 原子团通过共用角顶氧原子而联结成的(见图 16-13),所以硼砂的化学式应为:

$$Na_2B_4O_5(OH)_4 \cdot 8H_2O$$

硼砂从水溶液中结晶时能形成大块结晶,它在空气中易失去水而风化。加热到 650K 左右,失去全部结晶水成无水盐,在 1 150K 熔化成玻璃态。熔化的硼砂亦有硼珠反应,可用于定性分析及焊接金属时除锈。它是陶瓷、搪瓷、玻璃工业的重要原料。硼砂溶液显强碱性。可用作洗涤剂的填料。在实验室中可用它来配制缓冲溶液或作基准物。

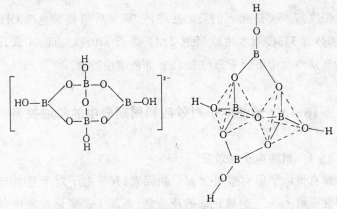

图 16-13　四硼酸根离子的立体结构

(3) 硼族元素含氧化合物的比较

Ca,In,Tl 的氧化物均可由单质与氧经加热作用而制得,下面是氧化物的标准生成热:

	B_2O_3	Al_2O_3	Ga_2O_3	In_2O_3	Tl_2O_3
$\dfrac{\Delta_f H_m^{\ominus}}{kJ \cdot mol^{-1}}$	-1 273	-1 675	-1 089	-926	-359

从生成热焓数据也可以看出 Tl_2O_3 是最容易被还原的。

镓－氧体系十分相似于铝－氧体系，存在着 $Ga(OH)_3$，$GaO(OH)$ 以及 $\alpha - Ga_2O_3$ 和 $\gamma - Ga_2O_3$。白色的氢氧化镓同氢氧化铝一样是两性氢氧化物，不过氢氧化镓的酸性（$K_1 = 1.4 \times 10^{-7}$）比氢氧化铝（$K = 2 \times 10^{-11}$）要强一些，氢氧化镓脱水成氧化物的温度比氢氧化铝低得多。黄色的 In_2O_3 只有一种水合物 $In(OH)_3$，其两性反应更弱。相应于棕黑色 Tl_2O_3 的水合物 $Tl(OH)_3$ 并不存在。在 Tl^{3+} 盐溶液中加入碱溶液时沉淀出棕色的水合氧化物（组成近乎 $Tl_2O_3 \cdot 1.5H_2O$），但是 $[Tl(OH)(H_2O)_5]^{2+}$ 和 $[Tl(OH)_2(H_2O)_4]^+$ 配离子在溶液中却存在。

在 Tl_2SO_4 溶液中加入等当量的 $Ba(OH)_2$ 后滤去 $BaSO_4$，即得碱性强度与 $NaOH$ 相近的 $TlOH$ 溶液，蒸发后可得黄色 $TlOH$ 晶体，加热到 373K 脱水生成黑色 Tl_2O（熔点 870K）。$TlOH$ 或其溶液均易从空气中吸收水蒸气和 CO_2 并能腐蚀玻璃。

§16－3 惰性电子对效应和周期表中的斜线关系

3－1 惰性电子对效应

具有价电子层构型为 $s^2 p^{0-6}$ 的元素，其 s 电子对不易参与成键而常形成 $+(n-2)$ 氧化态的化合物，而其 $+n$ 氧化态的化合物要么不易形成，否则就是不稳定（n：族数）。这种化学现象是西奇维克（sidgwick）最早认识到的，并名之为惰性电子对效应。

在同一族中，诸元素 s 电子对的惰性随原子序数的增加而增强，这在第六周期里表现得特别明显。价电子层结构为 $6s^2$ 的 ⅡB 族单质 Hg 很难被氧化；ⅢA 族的 Tl（Ⅰ）化合物比 Tl（Ⅲ）化合物来得稳定；ⅣA 族的 $PbCl_4$ 在 $-80℃$（193K）时才能稳定存在，

PbO_2 具有很高的氧化性；VA族的 Bi(V)化合物是著名的强氧化剂。在 Hg(0)、Tl(I)、Pb(II)和 Bi(III)的化合物中都保留惰性 s 电子对。

惰性电子对效应的产生原因正在探讨之中，从不同角度出发有多种解释方法，而每一种解释都不那么透彻。曾有人应用 ns^2 电子的电离能之和的大小变化规律来解释第六周期诸元素的低氧化态($n-2$)化合物较第五周期稳定得多的原因。但是无法圆满地解释同一族中稳定性的有序变化(见表 16-7 中的数据)。

表 16-7 ns^2 电离能之和

	$\dfrac{(I_1+I_2)}{kJ\cdot mol^{-1}}$		$\dfrac{(I_2+I_3)}{kJ\cdot mol^{-1}}$		$\dfrac{(I_3+I_4)}{kJ\cdot mol^{-1}}$		$\dfrac{(I_4+I_5)}{kJ\cdot mol^{-1}}$
		B	6 090	C	10 820	N	16 920
		Al	4 550	Si	7 580	P	11 230
Zn	2 640	Ga	4 940	Ge	7 710	As	10 880
Cd	2 500	In	4 520	Sn	6 870	Sb	9 660
Hg	2 820	Tl	4 840	Pb	7 160	Bi	9 770

表 16-8 M—X 平均热化学键能(kJ·mol^{-1})

	MF	MF$_3$	MCl	MCl$_3$	MBr	MBr$_3$	MI	MI$_3$
Ca		~469		354	406	302		237
In	523	~444	435	328	326	279		225
Tl	439		364				280	
	MF$_2$	MF$_4$	MCl$_2$	MCl$_4$	MBr$_2$	MBr$_4$	MI$_2$	MI$_4$
Ge	481	452	385	354	326	275	264	218
Sn	481	414	386	323	329	273	262	205
Pb	394	330	304	240	260	200	205	140
	MF$_3$	MF$_5$	MCl$_3$	MCl$_5$	MBr$_3$	MBr$_5$	MI$_3$	MI$_5$
As	484	~406	322		458		200	
Sb	~440	~402	315	249	260	184	195	
Bi	~393	~297	275		232		168	

Drago 认为若把惰性电子对效应归结为 ns^2 电离能之和的增

加,还不如把它归结为高价化合物的平均热化学键能的降低见表 16-8 中的数据。

Drago 还从结构上叙述了导致重元素成键能力减弱的两个因素:(1)大原子的轨道重叠不好,(2)内层电子的斥力,特别在过渡元素后的 Ga 以及 Tl 与 Pb 中最为显著。

目前对惰性电子对效应的阐明情况即如上所述,欠妥之处还有待于进一步的研究。

3-2 周期表中的斜线关系

在周期表中,有数对处于相邻两个族的对角斜线上的元素,它们的性质十分相似。如 Li 与 Mg;Be 与 Al;B 与 Si 等,这种相似性,我们称之为斜线关系或对角线关系。

B 和 Si 两元素有如下的类似性:

(1) 两者在单质状态下都显有某些金属性;(2) 在自然界都不以单质存在,是以氧的化合物存在;(3) B—O 键和 Si—O 键都有很高的稳定性;(4) 氢化物均多种多样,都具有挥发性,且可自燃,并能水解;(5) 卤化物彻底水解,它们都是路易士酸;(6) 都生成多酸和多酸盐,有类似的结构特征。正硼酸和正硅酸都是弱酸;(7) 氧化物与某些金属氧化物共熔,可生成含氧酸盐。

Be 和 Al 两元素有如下的类似性:

(1) 标准电极电势相近:$\varphi_{Be^{2+}/Be} = -1.7V$;$\varphi_{Al^{3+}/Al} = -1.67V$;(2) 均为两性金属,既溶于酸又溶于强碱;(3) BeO 和 Al_2O_3 都具有高熔点,高硬度;(4) 氢氧化物均呈两性;(5) $BeCl_2$ 和 $AlCl_3$ 都是缺电子的共价型化合物,在蒸气中以缔合分子的状态存在;(6) 金属铍和铝都能被浓硝酸钝化;(7) 盐都水解且高价阴离子的盐难溶。

这种类似性,究其原因在于它们具有相似的离子场力,如 Be^{2+} 的半径虽小于 Al^{3+},但电荷却是 Al^{3+} 高于 Be^{2+}。

习　　题

1. 下表中给出第二、三周期元素的第一电离能数据(单位 $kJ\cdot mol^{-1}$)试说明 B,Al 的第一电离能为什么比左右两元素的都低?

第二周期	Li	Be	B	C	N	O	F	Ne
电离能	520	900	801	1 086	1 402	1 314	1 681	2 081
第三周期	Na	Mg	Al	Si	P	S	Cl	Ar
电离能	496	738	578	787	1 012	1 000	1 251	1 521

2. 在实验室中如何制备乙硼烷、乙硼烷的结构如何?

3. 说明三卤化硼和三卤化铝的沸点高低顺序,并指出蒸气分子的结构。

4. 画出 $B_3N_3H_6$(无机苯)的结构。

5. $B_{10}H_{14}$ 的结构中有多少种形式的化学键? 各有多少个?

6. 为什么说硼酸是一种路易士酸? 硼砂的结构式应怎样写法? 硼砂水溶液的酸碱性如何?

7. 试用化学反应方程式表示从硼砂制备下列各化合物的过程:

(1) H_3BO_3　(2) BF_3　(3) $NaBH_4$

8. 怎样从明矾制备(1)氢氧化铝,(2)硫酸钾,(3)铝酸钾? 写出反应式。

9. 写出下列反应方程式:

(1) 固体碳酸钠同氧化铝一起熔烧,将熔块打碎后投入水中,产生白色乳状沉淀;

(2) 铝和热浓 NaOH 溶液作用,放出气体;

(3) 铝酸钠溶液中加入氯化铵,有氨气产生,且溶液中有乳白色凝胶状沉淀;

(4) 三氟化硼通入碳酸钠溶液中。

10. 在金属活动顺序表中 Al 在 Fe 之前,更在 Cu 之前,但 Al 比 Fe 抗腐蚀性强,这是为什么? Cu 可以和冷的浓硝酸反应,而 Al 却不能,这是为什么?

11. 硫同铝在高温下反应可得 Al_2S_3，但在水溶液中 Na_2S 和铝盐作用却不能生成 Al_2S_3，为什么？试用化学反应方程式表示。

12. 讨论氮化硼在结构上与石墨的异同点，在性质上与氮化铝、碳化硅的异同点。

13. 说明 $InCl_2$ 为什么是反磁性物质？TlI_3 为什么不能稳定存在？

14. 已知 $\varphi^{\ominus}_{Tl^+/Tl} = -0.34V$，$\varphi^{\ominus}_{Tl^{3+}/Tl^+} = 1.25V$，计算 $\varphi^{\ominus}_{Tl^{3+}/Tl}$ 之值，并计算 298 K 时 $3Tl^+(aq) \Longrightarrow 2Tl + Tl^{3+}(aq)$ 反应的平衡常数。

15. Tl(I) 的化合物和 Ag(I) 的化合物有哪些相似性，并请说明原因。

16. 填空：

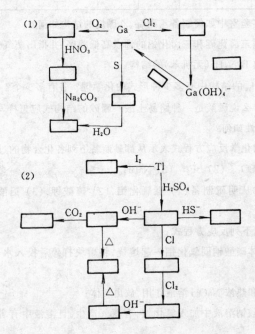

17. 非金属单质在常温常压下的存在状态有哪些规律？这些非金属单质的结构有哪些特点？

第十七章　碱金属和碱土金属

碱金属元素包括锂、钠、钾、铷、铯和钫 6 种元素,构成周期系的ⅠA族。由于它们的氢氧化物都是易溶于水的强碱,所以称它们为碱金属元素。

碱土金属元素包括铍、镁、钙、锶、钡和镭六种元素,构成周期系的ⅡA族。由于钙、锶和钡等的氧化物在性质上介于"碱性的"碱金属氧化物和"土性的"难熔的氧化物 Al_2O_3 等之间,故称碱土金属。现在习惯上把铍和镁也包括在碱土金属之中。

钫和镭属放射性元素,不在本章中讨论。

§17-1　碱金属和碱土金属的通性

碱金属和碱土金属元素的基本性质列在表 17-1 中。碱金属和碱土金属原子的最外层电子排布分别为 ns^1 和 ns^2,这两族元素构成了周期系 s 区元素。由于每一个周期都是从碱金属开始的,故碱金属原子都比前一周期元素的原子多一个新的电子层,它们的原子半径都是同一周期中最大的。它们的次外层具有稀有气体原子式的稳定的电子层结构,对核电荷的屏蔽作用较大,所以碱金属元素的第一电离势在同一周期中为最低。碱金属元素的原子很容易失去一个电子而呈 +1 氧化态,因此碱金属是活泼性很强的金属元素。从碱金属元素具有很大的第二电离能来看,它们不会表现出其它氧化态。

碱土金属原子比相邻的碱金属多了一个核电荷,因而原子核

表 17-1 碱金属和碱土金属元素的基本性质

性质 ＼ 元素	锂	钠	钾	铷	铯	铍	镁	钙	锶	钡
元素符号	Li	Na	K	Rb	Cs	Be	Mg	Ca	Sr	Ba
原子序数	3	11	19	37	55	4	12	20	38	56
相对原子质量	6.941	22.99	39.098	85.47	132.9	9.012	24.305	40.08	87.62	137.3
价电子层结构	$2s^1$	$3s^1$	$4s^1$	$5s^1$	$6s^1$	$2s^2$	$3s^2$	$4s^2$	$5s^2$	$6s^2$
原子半径/pm	123	154	203	216	235	89	136	174	191	198
离子半径/pm	60	95	133	148	169	31	65	99	113	135
$I_1/kJ \cdot mol^{-1}$	520	496	419	403	376	900	738	590	550	503
$I_2/kJ \cdot mol^{-1}$	7 298	4 562	3 051	2 633	2 230	1 757	1 451	1 145	1 064	965
$I_3/kJ \cdot mol^{-1}$	11 815	6 912	4 411	3 900	—	14 849	7 733	4 912	4 210	—
电负性	0.98	0.93	0.82	0.82	0.79	1.57	1.31	1.00	0.95	0.89
$\varphi^{\ominus}/V$	-3.045	-2.714	-2.925	-2.925	-2.923	-1.85	-2.36	-2.87	-2.89	-2.91

对最外层的两个 s 电子的作用增强了,使碱土金属的原子半径较同周期的碱金属为小,所以碱土金属原子要失去一个电子比相应的碱金属难,这可从电离能数据得到证明。但从整个周期系来看,碱土金属仍是活泼性相当强的金属元素,只是稍次于碱金属而已。碱土金属元素的第二电离能约为第一电离能的二倍,而第三电离能却是相当大,以致于在通常的化学反应中要给出第三个电子参加反应,已属不可能。

　　碱金属和碱土金属元素在化合时,虽然多以离子结合为特征,但在某些情况下仍显一定程度的供价性。其中锂和铍由于原子半径相当小,电离能相对地高于其它同族的元素,形成共价键的倾向比较显著。所以在ⅠA和ⅡA族元素中,锂和铍常常表现出与同族元素不同的化学性质。

　　碱金属和碱土金属的原子半径,从上至下依次增大,电离能和电负性依同样次序减小。因此,它们的金属活泼性也从上至下依次增强。

由于碱金属和碱土金属的化学活泼性很强,决定了它们不可能以单质的形式存在于自然界中。在地壳中钙、钠、钾和镁的丰度均很高,在已发现的百余种元素中居于前十位以内。其中主要矿物有钠长石$Na[AlSi_3O_8]$,钾长石$K[AlSi_3O_8]$,光卤石 $KCl \cdot MgCl_2 \cdot 6H_2O$,白云石$CaCO_3 \cdot MgCO_3$和菱镁矿$MgCO_3$等。钙、锶和钡在自然界中存在的主要形式为难溶的碳酸盐和硫酸盐,如方解石$CaCO_3$,碳酸锶矿$SrCO_3$,石膏$CaSO_4 \cdot 2H_2O$,天青石$SrSO_4$和重晶石$BaSO_4$等。

§17－2 碱金属和碱土金属的单质

2－1 物理性质和化学性质

(1) 物理性质

碱金属和碱土金属的单质具有金属光泽,有良好的导电性和延展性。除了铍和镁以外,其它金属都很软,可以用刀子切割。锂、钠和钾的密度很小,浮在水面上不下沉。金属铯中的自由电子活动性极高,当其表面受到光照时,电子便可获得能量从表面逸出。利用这种特性,铯被用来制造光电管中的阴极。碱金属能形成液态合金,最重要的有钾钠合金,如组成为 77.2% 的钾和 22.8%的钠的合金,其熔点为 260.7 K。由于钾钠合金比热容高而被用作核反应堆的冷却剂。钠汞齐在氧化还原反应中比纯金属钠反应速率低,被用为有机合成中的还原剂。

由于碱金属原子只有一个价电子且原子半径较大,故金属键很弱,这是其熔沸点都很低的一个原因。碱土金属有两个价电子,与同周期的碱金属相比,它们的原子半径较小,所形成的金属键显然比碱金属强得多。因而它们的熔沸点、密度和强度都比碱金属高。这些金属的一些物理性质列在表 17－2 中。

表 17－2　碱金属和碱土金属的一些物理性质

金　属	Li	Na	K	Rb	Cs	Fr
密度/g·cm^{-3}	0.534	0.971	0.86	1.532	1.873	
熔点/K	453.69	370.96	336.8	312.04	301.55	
沸点/K	1 620	1 156	1 047	961	951.5	
硬度(金刚石＝10)	0.6	0.4	0.5	0.3	0.2	
金　属	Be	Mg	Ga	Sr	Ba	Ra
密度/g·cm^{-3}	1.85	1.74	1.55	2.54	3.5	5
熔点/K	1 551	922	1 112	1 042	993	973
沸点/K	3 243	1 363	1 757	1 657	1 913	1 413
硬度(金刚石＝10)		2.0	1.5	1.8		

（2）化学性质

碱金属和碱土金属是很活泼的金属元素，它们能直接或间接地与电负性较高的非金属元素，如卤素、硫、氧、磷、氮和氢等形成相应的化合物。除了锂、铍和镁的某些化合物具有较明显的共价性质外，其余化合物一般具有离子键的性质。

这两族元素中，除铍和镁由于表面形成致密的保护膜因而对水稳定外，其余都容易与水反应：

$$2Na + 2H_2O === 2NaOH + H_2 \uparrow \quad \Delta_r H_m^{\ominus} = -281.8 \ kJ \cdot mol^{-1}$$

$$Ca + 2H_2O === Ca(OH)_2 + H_2 \uparrow \quad \Delta_r H_m^{\ominus} = -414.4 \ kJ \cdot mol^{-1}$$

这些反应放热很多，因此钠同水猛烈作用，钾、铷、铯遇水就发生燃烧，量大时甚至于发生爆炸。锂、钙、锶和钡与水反应就比较缓慢。一方面这几种金属熔点稍高，不象钠、钾、铷和铯反应中熔化成液体导致反应加剧；另一方面这几种金属的氢氧化物溶解度稍小，覆盖在金属固体表面，缓和了金属同水的反应。

从碱金属和碱土金属的电负性和标准电极电势看,它们不论在固态或在水溶液中都具有很强的还原性。其中锂在碱金属中虽是相对稳定的,但由于 Li^+ 的半径相当小,水合时放的热比钠等其它金属还多,因此从锂的标准电极电势看,它的还原性相当强。

从图 17-1 中看出,这两族元素不处于水的稳定区内。因此,尽管它们具有很强的还原性,但实际上不能用来还原水溶液中的其它物质。它们的强还原性,在固态和有机反应中得到较广泛的应用。例如在高温下,钠、镁和钙能夺取氧化物中的氧或氯化物中的氯:

$$TiCl_4 + 4Na \xrightarrow{\triangle} Ti + 4NaCl$$

$$ZrO_2 + 2Ca \xrightarrow{\triangle} Zr + 2CaO$$

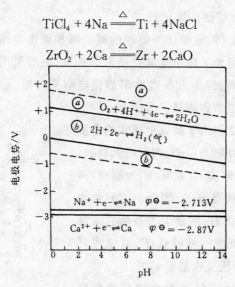

图 17-1　钠和钙的电位-pH图

目前就是利用钠、镁和钙等作为还原剂,在真空或稀有气体保护下生产某些稀有金属。

钙、锶、钡及碱金属的挥发性化合物在高温火焰中,电子易被激发。当电子从较高能级回到较低能级时,便以光能的形式释放出能量,使火焰呈现特征的颜色。钙使火焰呈橙红色、锶呈洋红色、钡呈绿色、锂呈红色、钠呈黄色，钾、铷和铯呈紫色。在分析化学中，常利用这种性质来检定这些元素。若将硝酸锶或硝酸钡与氯酸钾和硫等以适当比例混合，可制成红色或绿色的信号弹。如把上述元素的硝酸盐或氯酸盐配以镁粉、松香、火药之类，又可做成各色焰火。

2-2 制备方法简介

碱金属和碱土金属具有较强的还原性，要使 M^+ 和 M^{2+} 还原为 M，通常采用的方法有两种：熔盐电解法和热还原法。现分别举例说明。

（1）电解熔融的氯化钠

从理论上讲，电解任何熔融的碱金属和碱土金属盐类都可以制得单质。但为了防止金属在高温下挥发，一般采用熔点较低的氯化物为原料，并加入一些助熔剂使电解质的熔点进一步降低。这样做也可以节省能量。

图17-2示出了制取金属钠的电解槽。电解槽外层为钢壳，内衬耐火材料，以石墨 A 为阳极，以铁环 K 为阴极，两极间装有网状隔膜 D，阳极上方有收集氯气的抽气罩 H，阴极上方有倒置的环形槽 R，上面连一根铁管 F，液钠经环形槽、铁管可流至收集器 G 中。

电解用的原料是氯化钠和氯化钙（或氯化锶、氯化钾、氟化钠）的混合盐。

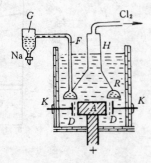

图17-2　制钠的电解槽

若直接电解氯化钠，则不仅需要很高温度，浪费能源，而且电解析出的液态钠既易挥发，又易分散于熔盐中不好分离。但加入氯化钙后，电解质的熔点明显降低（氯化钠的熔点为 1 074 K，混合盐的熔点约 873 K），防止了钠的挥发，并可减小金属的分散性，因为熔融的混合盐密度比金属钠大,液钠可以浮在上面。

当混合盐在电解槽中熔化后,即进行电解,电极反应如下:

在阳极上: $2Cl^- \!=\!=\!= Cl_2 + 2e^-$

在阴极上: $2Na^+ + 2e^- \!=\!=\!= 2Na$

总的反应为: $2NaCl \xrightarrow{\text{通电}} 2Na + Cl_2$

这样电解所得到的钠约含有 1% 的钙。

(2) 氧化镁的热还原法

镁除了常用熔融的无水氯化镁进行电解制备外,工业上还采用一种氧化镁与碳或碳化钙的热还原法。例如:

$$MgO(s) + C(s) \!=\!=\!= CO(g) + Mg(g)$$

这个反应在 298 K 下的热力学数据为:

$\Delta_r H_m^\ominus = 641.5 \text{ kJ} \cdot \text{mol}^{-1}$, $\Delta_r G_m^\ominus = 547.7 \text{ kJ} \cdot \text{mol}^{-1}$,

$\Delta_r S_m^\ominus = 313.8 \text{ kJ} \cdot \text{mol}^{-1}$

从上述数据来看,在 298 K 下此反应不能自发进行,因为 $\Delta_r G_m^\ominus > 0$。可估算出 2 100 K 以上时反应可以自发进行。在生产中这类反应是在高温的电弧炉内进行的。

§17-3 化 合 物

3-1 M^+ 和 M^{2+} 离子的特征

碱金属和碱土金属化合物大多数是离子型化合物。它们的离子很容易和水分子结合成稳定的水合离子 $M^+(aq)$ 和 $M^{2+}(aq)$。从质子酸碱理论的观点看,$M^+(aq)$ 和 $M^{2+}(aq)$ 都是很弱的酸,而相应的氢氧化物 MOH 和 $M(OH)_2$ 则是强碱(Be 的氢氧化物除外)。碱和它们的盐大多是强电解质,除 Be^{2+} 外,阳离子水解程度很小或基本上不水解。

碱金属离子比同周期的碱土金属离子有较大的离子半径和较小的电荷,同时它们的离子最外电子层结构都是 $s^2 p^6$,即 8 电子构型,所以碱金属的氢氧化物和盐大多数易溶于水,比碱土金属氢氧化物和盐的溶解度为大。此外,M^+ 和 M^{2+} 离子都是无色的。

3-2 氧化物

碱金属同氧所形成的二元化合物,有普通氧化物 M_2O,过氧化物 M_2O_2,超氧化物 MO_2 和臭氧化物 MO_3,现分别加以介绍。

(1) 氧化物

当碱金属在空气中燃烧时,只有锂的主要产物是 Li_2O,而钠、钾、铷和铯的主要产物分别是 Na_2O_2,KO_2,RbO_2 和 CsO_2。尽管在缺氧的条件下也可以制得除锂之外的其它碱金属的氧化物,但这种条件不易控制,因此一般是用碱金属还原其过氧化物,硝酸盐或亚硝酸盐来制备氧化物:

$$Na_2O_2 + 2Na \longrightarrow 2Na_2O$$

$$2KNO_3 + 10K \longrightarrow 6K_2O + N_2$$

碱土金属同氧化合,一般形成氧化物。但生产上是通过碳酸盐、氢氧化物、硝酸盐或硫酸盐的热分解来制取。

由表 17-3 可见,碱金属氧化物的颜色从 Li_2O 到 Cs_2O 依次

表 17-3 氧化物的某些物理性质(298 K)

物理性质	Li_2O	Na_2O	K_2O	Rb_2O	Cs_2O
颜　色	白	白	淡黄	亮黄	橙红
熔点/K	>1 973	1 548(升华)	623(分解)	673(分解)	673(分解)
$\Delta_f H_m^{\ominus}/kJ \cdot mol^{-1}$	-595.8	-415.9	-493.7	330.1	317.6
物理性质	BeO	MgO	CaO	SrO	BaO
颜　色	白	白	白	白	白
熔点/K	2 803	3 125	2 887	2 693	2 191
$\Delta_f H_m^{\ominus}/kJ \cdot mol^{-1}$	-610.9	601.7	635.5	590.4	558.1

加深,而碱土金属的氧化物都是白色的。

这两族元素的氧化物热稳定性总的趋势是从 Li 到 Cs,从 Be 到 Ba 逐渐降低。熔点的变化趋势与热稳定性相同。Li_2O 的熔点高达 1 973 K 以上,Na_2O 在 1 548 K 时升华,而其余碱金属氧化物在未达到熔点前即开始分解。

由于碱土金属离子带有两个正电荷,而离子半径又较小,所以氧化物的熔点都很高。因此氧化铍和氧化镁用于制造耐火材料。经过煅烧的 BeO 和 MgO 难溶于水,而 CaO、SrO 和 BaO 则可同水猛烈反应而生成相应的氢氧化物并放出大量的热:

$$CaO(s) + H_2O(l) \!=\!=\! Ca(OH)_2(s) \quad \Delta_r H_m^\ominus = -65.2 \text{ kJ·mol}^{-1}$$

$$SrO(s) + H_2O(l) \!=\!=\! Sr(OH)_2(s) \quad \Delta_r H_m^\ominus = -81.2 \text{ kJ·mol}^{-1}$$

$$BaO(s) + H_2O(l) \!=\!=\! Ba(OH)_2(s) \quad \Delta_r H_m^\ominus = -105.4 \text{ kJ·mol}^{-1}$$

由上述 $\Delta_r H_m^\ominus$ 值可知,氧化物和水反应放的热依 Ca,Sr,Ba 的次序增大。

(2) 过氧化物

碱金属和碱土金属,除了铍未发现有过氧化物外,都能生成含有 O_2^{2-} 离子的过氧化物。其中过氧化钠的实用意义最大。

工业上制备过氧化钠的方法是将钠加热至熔化,通入一定量的除去 CO_2 的干燥空气,维持温度在 453—473 K 之间,钠即被氧化为 Na_2O,进而增加空气流量并迅速提高温度至 573—673 K,即可制得 Na_2O_2:

$$4Na + O_2 \xrightarrow{453-473K} 2Na_2O$$

$$2Na_2O + O_2 \xrightarrow{573-673K} 2Na_2O_2$$

过氧化钠粉末呈黄色,易吸潮,热至 773 K 仍很稳定。它与水或稀酸作用,生成过氧化氢:

$$Na_2O_2 + 2H_2O \!=\!=\! H_2O_2 + 2NaOH$$

$$Na_2O_2 + H_2SO_4 \!=\!=\! H_2O_2 + Na_2SO_4$$

所生成的过氧化氢立即分解出氧气,故过氧化钠被广泛地用做氧气发生剂和漂白剂。在潮湿的空气中,过氧化钠能吸收 CO_2 并放出 O_2:

$$2Na_2O_2 + 2CO_2 = 2Na_2CO_3 + O_2$$

因此,它可用作高空飞行或潜水时的供氧剂。

过氧化钠是一种强氧化剂,它能强烈地氧化一些金属,例如熔融的过氧化钠能把 Fe 氧化成 FeO_4^{2-};与一些不溶于酸的矿石共熔可使矿石氧化分解;甚至在常温下能把所有的有机物转化成碳酸盐。但当遇到像 $KMnO_4$ 这样的强氧化剂时,过氧化钠就显还原性了(在酸性溶液中)。

其它元素的过氧化物都是用间接的方法制得的。例如,制备 BaO_2 是在室温下以氨水为介质,使 $Ba(NO_3)_2$ 和 H_2O_2 作用:

$$Ba(NO_3)_2 + 3H_2O_2 + 2NH_3 \cdot H_2O = BaO_2 \cdot 2H_2O$$
$$+ 2NH_4NO_3 + 2H_2O$$

然后加热到 383—388 K,即脱去 H_2O_2 而得过氧化钡。

(3) 超氧化物

纯净的超氧化锂至今尚未制得。在 $300 \times 10^5 Pa$ 和 773 K 下,Na_2O_2 和 O_2 反应可得 NaO_2。在接近 $1.0 \times 10^5 Pa$ 的条件下,或在液氨中,使 O_2 作用于碱金属 K,Rb 或 Cs 可得到红色的 MO_2 晶体。

实验表明,超氧化物中存在着 O_2^- 离子。按分子轨道法,O_2^- 的分子轨道式可表示为:

$$(\sigma_{2s})^2 (\sigma_2^*)^2 (\sigma_{2p_x})^2 (\pi_{2p_y})^2 (\pi_{2p_z})^2 (\pi_{2p_y}^*)^2 (\pi_{2p_z}^*)^1$$ 形成一个 σ 键和一个三电子 π 键,其结构表示为:

$$[:\overset{..}{O} \overset{...}{\cdots} \overset{..}{O}:]^-$$

因此 O_2^- 的稳定性比 O_2 差,O_2^- 中两个氧原子间距为 128pm。超氧

化物是很强的氧化剂,与水剧烈的反应,生成氧气和过氧化氢:

$$2MO_2 + 2H_2O \Longrightarrow O_2 + H_2O_2 + 2MOH$$

超氧化物也能与 CO_2 反应并放出氧气:

$$4MO_2 + 2CO_2 \Longrightarrow 2M_2CO_3 + 3O_2$$

因此,它们能用来除去 CO_2 和再生 O_2,较易制备的 KO_2 常用于急救器中。

碱土金属的超氧化物是在高压下,将氧气通过加热的过氧化物 MO_2 来制备,产品为不纯的超氧化物 MO_4。

(4) 臭氧化物

臭氧 O_3 同 K,Rb 或 Cs 的氢氧化物作用,可以得到它们的臭氧化物。例如:

$$3KOH(s) + 2O_3(g) \Longrightarrow 2KO_3(s) + KOH \cdot H_2O(s) + \frac{1}{2}O_2(g)$$

用液氨重结晶,可得到桔红色晶体 KO_3。KO_3 不稳定,它将缓慢地分解成 KO_2 和 O_2。

在碱性溶液中,作为 H_2O_2 分解的一个中间产物,发现有 O_3^- 离子存在。实验测得 O_3^- 的键长为 135 pm,键角 108°。有趣的是臭氧化物和水剧烈反应,但不形成过氧化物:

$$4MO_3^-(s) + 2H_2O \Longrightarrow 4MOH + 5O_2$$

3-3 氢氧化物

碱金属和碱土金属氢氧化物的一些性质列于表 17-4。

碱金属和碱土金属的氢氧化物都是白色固体,置于空气中就吸水潮解,所以固体 NaOH 和 $Ca(OH)_2$ 是常用的干燥剂。碱金属氢氧化物易溶于水和醇类,而碱土金属的氢氧化物溶解度较低。它们的溶解度从 Li 到 Cs,从 Be 到 Ba 依次递增,$Be(OH)_2$ 和 $Mg(OH)_2$ 是难溶氢氧化物。

表 17-4 碱金属和碱土金属的氢氧化物某些性质

性　　质	LiOH	NaOH	KOH	RbOH	CsOH
熔点/K	723	591	633	574	545
溶解热/kJ·mol^{-1}	23.4	44.4	57.7	62.3	74.5
在水中溶解度(288 K) mol·dm^{-3}	5.3	26.4	19.1	17.9	25.8

性　　质	Be(OH)$_2$	Mg(OH)$_2$	Ca(OH)$_2$	Sr(OH)$_2$	Ba(OH)$_2$
熔点/K	脱水分解	脱水分解	脱水分解	脱水分解	脱水分解
在水中溶解度(293 K) mol·dm^{-3}	8×10^{-6}	5×10^{-4}	1.8×10^{-2}	6.7×10^{-2}	2×10^{-1}

在这些氢氧化物中,Be(OH)$_2$ 呈两性,在强碱性溶液中以 [Be(OH)$_4$]$^{2-}$ 形式存在。其余都是强碱和中强碱。对于氢氧化物是否有两性及碱性的强弱,可作如下讨论。

以 ROH 代表氢氧化物,则它可以有两种离解方式:

$$R—O—H \longrightarrow R^+ + OH^- \qquad 碱式离解$$

$$R—O—H \longrightarrow RO^- + H^+ \qquad 酸式离解$$

究竟以何种方式为主,或两者兼有,这和 R 的电荷数 Z(指 R 离子的电荷数)与 R 的半径(离子半径)之比值有关。将阳离子的电荷 Z 除以它的离子半径 r 所得的数值,即

$$\phi = \frac{z}{r}$$

定义为离子势。显然 ϕ 值越大,静电引力越强,则 R 吸引氧原子的电子云的能力越强:

$$\overset{\frown}{R}—\overset{\frown}{O}—H$$

结果 O—H 键被削弱得越多,由共价键转变为离子键的倾向也越大,ROH 便以酸式离解为主。相反 ϕ 值越小,则 R—O 键越弱,ROH 便以碱式离解为主。

有人提出一个判断主族金属氢氧化物酸碱性的经验公式,如

果离子半径 r 以 1.0×10^{-10} m 为单位表示,则

$\sqrt{\phi} < 2.2$ 时:　　　　　金属氢氧化物属碱性;

$2.2 < \sqrt{\phi} < 3.2$ 时:　　　　金属氢氧化物属两性;

$\sqrt{\phi} > 3.2$ 时:　　　　　金属氢氧化物属酸性。

总之,金属离子的电子层构型相同时,$\sqrt{\phi}$ 的值越小,碱性越强。

同一主族的金属氢氧化物,由于离子的电荷数和构型均相同,故其 $\sqrt{\phi}$ 值主要取决于离子半径的大小。所以碱金属和碱土金属的氢氧化物均随离子半径的增大而碱性增强。现把这两族元素的氢氧化物的性质递变规律概括如下:

	$\sqrt{\phi}$			$\sqrt{\phi}$	
LiOH	1.2		$Be(OH)_2$	2.54	
NaOH	1.0	碱性增强	$Mg(OH)_2$	1.76	碱性增强
KOH	0.87		$Ca(OH)_2$	1.42	
RbOH	0.82		$Sr(OH)_2$	1.33	
CsOH	0.77		$Ba(OH)_3$	1.22	

碱性增强

应当指出,以 ϕ 值判别 ROH 的离解方式和碱性强弱,有简明易行的优点。但氢氧化物在水中的碱性强弱除了同 R 的电子层结构、电荷及半径有关以外,还将受到其它一些因素的影响,因此这只是一种粗略的经验方法。

作为强碱的碱金属和碱土金属的氢氧化物,有一系列的碱性反应,现以 NaOH 为例扼要予以说明。

同两性金属反应:

$$2Al + 2NaOH + 6H_2O \longrightarrow 2Na[Al(OH)_4] + 3H_2 \uparrow$$

$$Zn + 2NaOH + 2H_2O \longrightarrow Na_2[Zn(OH)_4] + H_2 \uparrow$$

同非金属硼、硅等反应:

$$2B + 2NaOH + 6H_2O \longrightarrow 2Na[B(OH)_4] + 3H_2 \uparrow$$

$$Si + 2NaOH + H_2O \!=\!=\!= Na_2SiO_3 + 2H_2 \uparrow$$

同卤素等非金属作用时,非金属发生歧化:

$$X_2 + 2NaOH \!=\!=\!= NaX + NaXO + H_2O$$

氢氧化钠能与酸进行中和反应,生成盐和水,例如用 NaOH 溶液吸收 H_2S 气体,即可制得 Na_2S。氢氧化钠也能与酸性氧化物反应,生成盐和水,例如 NaOH 吸收 CO_2 气体生成碳酸钠:

$$2NaOH + CO_2 \!=\!=\!= Na_2CO_3 + H_2O$$

因此,存放 NaOH 时必须注意密封,以免吸收空气中的 CO_2 及水分,致使 NaOH 中含有 Na_2CO_3。欲配制不含有 Na_2CO_3 的 NaOH 溶液,可先制备很浓的 NaOH 溶液,在这种溶液中,Na_2CO_3 经静置后即沉淀出,而上面的清液就是纯 NaOH 溶液。

NaOH 与二氧化硅发生缓慢的反应,生成可溶于水的硅酸盐:

$$2NaOH + SiO_2 \!=\!=\!= Na_2SiO_3 + H_2O$$

因此,盛放 NaOH 溶液的瓶子要用橡皮塞子而不要用玻璃塞子。否则,长期存放后,NaOH 便和玻璃中的主要成分 SiO_2 作用生成粘性的 Na_2SiO_3,把玻璃瓶塞和瓶口粘结在一起。

氢氧化钠还能与盐反应,生成新的弱碱和盐。例如:

$$NaOH + NH_4Cl \!=\!=\!= NH_3 \uparrow + H_2O + NaCl$$

$$6NaOH + Fe_2(SO_4)_3 \!=\!=\!= 2Fe(OH)_3 \downarrow + 3Na_2SO_4$$

利用前一个反应,可在实验室里制得氨气;利用后一个反应,可除去溶液中的杂质 Fe^{3+},以纯制某些物质。

氢氧化钠的熔点较低(591.5 K),并具有熔解金属氧化物与非金属氧化物的能力。因此,在工业生产和分析化学工作中,常用于矿物原料和硅酸盐类试样的分解。

必须指出,NaOH 的强碱性所引起的腐蚀性,能侵蚀衣服、玻璃、陶瓷以至极为稳定的金属铂,并能严重烧伤皮肤,尤其是眼睛的角膜。因此,制备或使用 NaOH 时应特别注意材料的选择和防护。在熔融或蒸浓 NaOH 溶液时,要用银、镍或铁制的容器。在这三种金属中,尤其是银对 NaOH 具有较强的抗腐蚀性能。

KOH 的性质与 NaOH 很相似,但价格比 NaOH 昂贵,除非有特殊需要,一般则多用 NaOH。

$Ca(OH)_2$ 的价格低廉,来源充足,并有较强碱性,生产上常用来调节溶液的 pH 值或沉淀分离某些物质。由于 $Ca(OH)_2$ 溶解度小,故在工业上往往是使用它的悬浮液,即石灰乳。

3-4 盐类

(1) 碱金属的盐类

绝大多数的碱金属盐类是离子型晶体,只是由于锂离子半径特小,才使得它的某些盐,如卤化物,具有不同程度的共价性。

所有碱金属离子 M^+,不论在晶体中,还是在水溶液中,都是无色的。所以,除了与有色阴离子形成的盐有颜色外,其余所有碱金属的盐类为无色。

碱金属盐类一般的易溶于水,并与水形成水合离子,这是碱金属盐类的最主要特征之一。仅有少数盐类是难溶的,钠的难溶盐有:六氢氧锑(Ⅴ)酸钠 $Na[Sb(OH)_6]$ 和醋酸铀酰锌钠 $NaZn(UO_2)_3(CH_3COO)_9 \cdot 6H_2O$;钾、铷和铯的难溶盐有:钴亚硝酸盐 $M_3[Co(NO_2)_6]$,四苯硼化物 $MB(C_6H_5)_4$,高氯酸盐 $MClO_4$ 及氯铂酸盐 M_2PtCl_6。其中铷、铯的盐类比相应的钾盐还要难溶。

Li^+ 由于半径特小,故许多锂盐是难溶的,例如:氟化锂 LiF,碳酸锂 Li_2CO_3,磷酸锂 $Li_3PO_4 \cdot 5H_2O$ 和高碘酸铁钾锂 $LiKFeIO_6$ 等。

碱金属的弱酸盐在水中都发生水解,水解后的溶液呈碱性。因此,碳酸钠、磷酸钠、硅酸钠等弱酸盐皆可在不同反应中作碱作用。

碱金属盐类有形成结晶水合物的倾向,相当数量的碱金属盐类能以水合物的形式自水溶液中析出。M^+ 的半径越小,越易形成水合物,故锂盐和钠盐的水合物较多,铷盐和铯盐仅有少数是水合物。在常见的碱金属盐类中,卤化物大多数是无水的,硝酸盐中只有锂盐形成水合物 $LiNO_3 \cdot H_2O$ 和 $LiNO_3 \cdot 3H_2O$,硫酸盐中也只有 $Li_2SO_4 \cdot H_2O$ 和 $Na_2SO_4 \cdot 10H_2O(Na_2SO_4 \cdot 7H_2O$ 是介稳的),碳酸盐中除 Li_2CO_3 无水合物外,其余的皆有不同形式的水合物,其水分子数分别为:

盐	Na_2CO_3	K_2CO_3	Rb_2CO_3	Cs_2CO_3
水合分子数	1,7,10	1,5	1,5	3,5

碱金属盐一般具有较高的熔点,这是由于占据各晶格点上的微粒之间有较强的离子键相互作用。熔融时仍然存在着离子,所以具有很强的导电能力。

一般说来,碱金属盐具有较高的热稳定性,这是它们的又一重要特征。结晶卤化物在高温时挥发而不分解;硫酸盐在高温时既不挥发又难分解;碳酸盐除 Li_2CO_3 在 1 000 K 以上部分地分解为 Li_2O 和 CO_2 以外,其余皆难分解。唯有硝酸盐热稳定性较低,加热时分解较为容易:

$$4LiNO_3 \xrightarrow{773\ K} 2Li_2O + 2N_2O_4 + O_2$$

$$2NaNO_3 \xrightarrow{653\ K} 2NaNO_2 + O_2$$

$$2KNO_3 \xrightarrow{678\ K} 2KNO_2 + O_2$$

碱金属盐,尤其是硫酸盐和卤化物,具有形成复盐的能力。这些复盐有如下几种类型:

光卤石类,其通式为 $MCl \cdot MgCl_2 \cdot 6H_2O$,其中 $M = K^+$,Rb^+,Cs^+。

矾类通式为 $MM(Ⅲ)(SO_4)_2 \cdot 12H_2O$,其中 M 为碱金属离子,

$M(Ⅲ)$ 为 Al^{3+}，Cr^{3+}，Fe^{3+} 等离子。

还有一类与矾类近似的硫酸复盐，其中有 +2 价离子，其通式为 $M_2M(Ⅱ)(SO_4)_2 \cdot 6H_2O$，$M(Ⅱ)$ 可为 Ni^{2+}，Co^{2+}，Fe^{2+}，Cu^{2+}，Zn^{2+}，Mn^{2+} 等，人们较为熟悉的是软钾镁矾 $K_2Mg(SO_4)_2 \cdot 6H_2O$。

(2) 碱土金属的盐类

碱土金属的盐类，也多为无色的离子晶体。

在碱土金属的盐类中，有不少是难溶的，这是它们区别于碱金属盐类的特点之一。碱土金属的硝酸盐、氯酸盐、高氯酸盐和醋酸盐等是易溶的。卤化物中除氟化物外，也是易溶的。但碱土金属的碳酸盐、磷酸盐和草酸盐等都是难溶的。硫酸盐和铬酸盐的溶解度差别较大，$BaSO_4$ 和 $BaCrO_4$ 是其中溶解度最小的难溶盐，而 $MgSO_4$ 和 $MgCrO_4$ 等则易溶。在无机化学和分析化学中，常利用它们的溶解度不同进行沉淀分离和离子检出。例如，检定溶液中是否有硫酸根离子，在酸性溶液中，可加几滴 $BaCl_2$ 溶液：

$$SO_4^{2-} + Ba^{2+} =\!=\!= BaSO_4 \downarrow \quad （白色）$$

在检定 Ca^{2+} 和 Ba^{2+} 时，可分别加入 $C_2O_4^{2-}$ 和 $Cr_2O_7^{2-}$，得到白色的 CaC_2O_4 沉淀和黄色的 $BaCrO_4$ 沉淀：

$$Ca^{2+} + C_2O_4^{2-} =\!=\!= CaC_2O_4 \downarrow \quad （白色）$$

$$2Ba^{2+} + Cr_2O_7^{2-} + H_2O =\!=\!= 2BaCrO_4 \downarrow （黄色） + 2H^+$$

钙、锶、钡的硫酸盐在浓硫酸中因发生下列反应而显著溶解：

$$MSO_4 + H_2SO_4 =\!=\!= M(HSO_4)_2$$

因此，在浓硫酸溶液中不能使它们沉淀完全。

同样，若向难溶的碱土金属碳酸盐的悬浮液中通入过量的 CO_2，MCO_3 将溶解而形成可溶性的碳酸氢盐：

$$CaCO_3 + CO_2 + H_2O =\!=\!= Ca^{2+} + 2HCO_3^-$$

当把上述溶液加热时，由于 CO_2 被驱出，又复析出 $CaCO_3$ 沉淀。

碱土金属的碳酸盐、草酸盐、铬酸盐、磷酸盐等,均能溶于稀的强酸溶液中,如盐酸中:

$$CaCO_3 + 2H^+ === Ca^{2+} + CO_2\uparrow + H_2O$$

$$CaC_2O_4 + H^+ === Ca^{2+} + HC_2O_4^-$$

$$2BaCrO_4 + 2H^+ === 2Ba^{2+} + Cr_2O_7^{2-} + H_2O$$

$$Ca_3(PO_4)_2 + 4H^+ === 3Ca^{2+} + 2H_2PO_4^-$$

因此,要使这些难溶盐沉淀完全,一般应控制溶液为中性或微碱性。

碱土金属的碳酸盐在常温下是稳定的,除 $BeCO_3$ 外,只有在强热的情况下,才能分解为相应的 MO 和 CO_2。碳酸盐的热稳定性由 Be 到 Ba 依次递增,这是同碱土金属离子的半径从 Be 到 Ba 逐渐增大有关。其中碳酸钙和碳酸镁的热分解是十分有用的:

$$CaCO_3 === CaO + CO_2\uparrow$$

$$MgCO_3 === MgO + CO_2\uparrow$$

CO_2 是氨碱法制备纯碱和碱法分解硼镁矿生产硼砂等的基本原料。CaO 则是重要的建筑材料之一。MgO 因其具有 3 075 K 的高熔点而大量用于制造耐火材料。

碱土金属卤化物除了氟化物外,一般易溶于水。水合 $BeCl_2$ 和 $MgCl_2$ 在加热条件下按下式水解:

$$BeCl_2 \cdot 4H_2O \overset{\triangle}{===} BeO + 2HCl + 3H_2O$$

$$MgCl_2 \cdot 6H_2O \overset{>408\ K}{=====} Mg(OH)Cl + HCl + 5H_2O$$

$$MgCl_2 \cdot 6H_2O \overset{>800\ K}{=====} MgO + 2HCl + 5H_2O$$

所以要使 $MgCl_2 \cdot 6H_2O$ 脱水而不水解,需要在低于 773 K 的条件下,在 HCl 气流的保护下加热脱水。

氯化钙可用作制冷剂,以质量 1.44∶1 的比例使 $CaCl_2 \cdot 6H_2O$

与冰水混合,可获得 218 K 的低温。无水氯化钙是工业生产和实验室中最常用的干燥剂之一。

氯化钡 $BaCl_2 \cdot 2H_2O$ 是最重要的可溶性钡盐,从它出发可制备各种钡的化合物。可溶性钡盐对人、畜皆有毒,对人的致死剂量为 0.8g,使用时切忌入口。

生产钡盐的主要原料是重晶石($BaSO_4$),由于重晶石难溶于水,故先将粉状重晶石与煤粉混合,然后在转炉中于 1 173—1 473 K 下进行还原焙烧,使难溶盐转变为易溶于水的化合物:

$$BaSO_4 + 4C \!=\!=\!= BaS + 4CO \uparrow$$

$$BaSO_4 + 4CO \!=\!=\!= BaS + 4CO_2 \uparrow$$

用水浸取焙烧产物,由于 BaS 水解而转化为可溶性的化合物进入溶液:

$$2BaS + 2H_2O \!=\!=\!= Ba(HS)_2 + Ba(OH)_2$$

然后通入 CO_2,使溶液酸化,即得碳酸钡:

$$Ba(HS)_2 + CO_2 + H_2O \!=\!=\!= BaCO_3 \downarrow + 2H_2S$$

利用碳酸钡可以制取各种钡盐,例如:

$$BaCO_3 + 2HCl \!=\!=\!= BaCl_2 + CO_2 + H_2O$$

§17-4 离子晶体盐类的溶解性

关于物质溶解性的问题,是一个复杂而又耐人寻味的问题,长期以来,吸引了不少科学工作者为之研究、探讨。如所周知,离子晶体易溶解在强极性溶剂,而几乎不溶于非极性溶剂,像这种著名的"相似者互溶"的经验规律,就是人们在总结、研究了许许多多的物质的溶解性之后而提出来的,但是,盐类溶解性问题将涉及到许多微观和宏观特性,为简单起见,这里只讨论典型的离子型盐类的溶解度问题,即由具有 8 电子构型的金属离子所生成盐的溶解度。

关于离子型盐类的溶解度,虽然还没有一个完整的规律性,但仍然发现一些经验规律,它们是:离子的电荷小,半径大的盐往往是易溶的(碱金属的氟化物比碱土金属的氟化物溶解度大);阴离子的半径比较大时,盐的溶解度常随金属的原子序数的增大而减少,相反,阴离子的半径比较小时,盐的溶解度常随金属的原子序数的增大而增大(表 17-5,表 17-6)。

表 17-5　碱金属氟化物、碘化物的溶解度($mol \cdot dm^{-3}$)

	Li^+	Na^+	K^+	Rb^+	Cs^+
F^-	0.1	1.1	15.9	12.5	24.2
I^-	12.2	11.8	8.6	7.2	2.8

表 17-6　碱土金属某些难溶化合物的溶度积

	OH^-	F^-	SO_4^{2-}	CrO_4^{2-}
Be^{2+}	1.6×10^{-26}	—	—	—
Mg^{2+}	8.9×10^{-12}	8×10^{-8}	—	—
Ca^{2+}	1.3×10^{-6}	1.7×10^{-10}	2.4×10^{-5}	7.1×10^{-4}
Sr^{2+}	3.2×10^{-4}	8×10^{-10}	8×10^{-7}	3.6×10^{-5}
Ba^{2+}	5×10^{-3}	2.4×10^{-5}	1×10^{-10}	8.5×10^{-11}

由于 F^-,OH^- 半径较小,其盐的溶解度按 Li → Cs;Be → Ba 的顺序基本增大,而 I^-,SO_4^{2-},CrO_4^{2-} 半径较大,按 Li → Cs;Be → Ba 的顺序基本减小。此外,一般来讲,盐中正负离子半径相差较大时,其溶解度较大。相反,盐中正负离子半径相近时,其溶解度较小。

对于这些不完整的规律,我们可以从热力学角度来解释。

盐在水中的溶解是晶体在溶剂中成为分散的离子的过程,为了要与溶剂的分子均匀地混合在一起,就必须克服晶格能,这是一个吸热过程。但是,它所需要的能量,是由溶剂化时放出的能量供给。如果晶格能大于溶剂化能,则溶解过程是吸热的。反之,如果晶格能小于溶剂化能,则溶解过程是放热的。显然,盐溶解时是放热的,则应易于溶解。相反,盐溶解时是吸热的,则将不利于溶解。因此在许多情况下可以利用溶解热是正(吸热)还是负(放热)来判断盐的溶解难易。但是仅用溶解热的正负来判断盐的溶解性,有时会得出错误的结论。例如:大多数碱金属盐的溶解热虽然都是正值($NaNO_3$ 为:19.4 $kJ·mol^{-1}$)但却易溶于水;$Ca_3(PO_4)_2$ 的溶解热虽然是负值(-51 $kJ·mol^{-1}$)但却难溶于水。这是因为盐的溶解性不仅同盐的溶解热有关,而且还同伴随溶解发生的熵变有关。即在破坏规则排列的离子晶格时,伴随着大的且有利于晶体溶解的熵变。另一方面,由于溶剂化作用,溶剂分子有规则地在离子周围取向,这就使伴随溶解而产生的熵变减小。总之,在考察盐的溶解性时,必须考虑溶解热和熵变两个因素。根据热力学原理,溶解过程的吉布斯自由能变化为:$\Delta G_{溶解} = \Delta H_{溶解} - T\Delta S_{溶解}$

例如:KI 溶于水,在溶解过程中

$$\Delta H^{\ominus}_{溶解} = 20.63 \text{ kJ·mol}^{-1}$$

$$\Delta S^{\ominus}_{溶解} = 108.8 \text{ K}^{-1}·\text{J·mol}^{-1}$$

则在 298 K 时
$$\Delta G^{\ominus}_{溶解} = \Delta H^{\ominus}_{溶解} - T\Delta S^{\ominus}_{溶解}$$
$$= 20.63 - 298 \times 0.1088$$
$$= -11.7 \text{ kJ·mol}^{-1}$$

从上例看出,虽然 KI 在溶解过程中 $\Delta H^{\ominus}_{溶解}$ 为正值,但由于熵变增大,在 298 K 时 $\Delta G^{\ominus}_{溶解}$ 为负值,故 KI 仍有较大的溶解度(293 K,144 gKI/100 gH_2O)。如果溶解过程的热焓变化 $\Delta H^{\ominus}_{溶解}$ 具有足够大的正值,熵项不能超过它,则此类盐一般均难溶于水,例如 $BaSO_4$,CaF_2 等难溶于水。

然而一般来说,溶解过程熵变的数值比较小。因此溶解过程所涉及的热焓变化常常成为盐类溶解度大小的主要依赖因素,这便引起人们对于溶解过程热焓的变化发生兴趣。既然 $\Delta H_{溶解} = U + \Delta H_{水合}$，则大的水合热 $\Delta H_{水合}$ 能使溶解过程的热焓变化 $\Delta H_{溶解}$ 成为负值。但单独的水合热对我们用处不大，因为可溶性的盐有的水合热差别很大，例如 CaI_2 的 $\Delta H^{\ominus}_{水合} = -2\ 180\ kJ \cdot mol^{-1}$，而 KI 的 $\Delta H^{\ominus}_{水合} = -611\ kJ \cdot mol^{-1}$；不溶性盐水合热差别也有很大的，例如 CaF_2 的 $\Delta H^{\ominus}_{水合} = -6\ 782\ kJ \cdot mol^{-1}$，LiF 的 $\Delta H^{\ominus}_{水合} = -1\ 004\ kJ \cdot mol^{-1}$。显然单独用水合热不能决定盐类的溶解度。这是因为决定 $\Delta H_{溶解}$ 数值的，除了水合热外还有晶格能这个因素。

离子的半径小、电荷大对晶格能和水合热都有利，区别在于二者随正、负离子大小变化而变化的规律不同。下列两个方程式分别表明晶格能和水合热与离子半径 r_+ 和 r_- 的关系：

$$U = f_1 \left(\frac{1}{r_{M^+} + r_{X^-}} \right) \tag{1}$$

$$\Delta H_{水合} = f_2 \left(\frac{1}{r_{M^+}} \right) + f_3 \left(\frac{1}{r_{X^-}} \right) \tag{2}$$

式中 f_1, f_2, f_3 为常数。上两式表明：晶格能和正负离子半径之和成反比；水合热是两项各与离子半径成反比的数值之和。离子半径愈小，晶格能和水合热都愈大，但当正、负离子的半径相近（$r_{M^+} \approx r_{X^-}$）时，对(1)式比对(2)式有利。反之，当正、负离子半径相差较大（$r_{M^+} \ll r_{X^-}$ 或 $r_{M^+} \gg r_{X^-}$）时，对(2)式比对(1)式有利。正、负离子大小相近有利于晶格能增大，特大的正离子或特大的负离子都可有效地减小晶格能。反之，特大的正离子或特大的负离子有利于水合热的增大。碱金属卤化物在水中的溶解度，恰好证实这一原理：LiF 是卤化锂和碱金属氟化物中溶解度最小的；而正、负离子半径相差大的 CsF 和 LiI 是碱金属卤化物盐类中溶解度最大的。

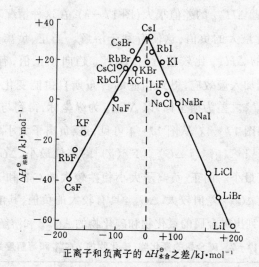

图 17-3 正、负离子的 $\Delta H_{水合}^{\ominus}$ 之差与 $\Delta H_{溶解}^{\ominus}$ 的关系

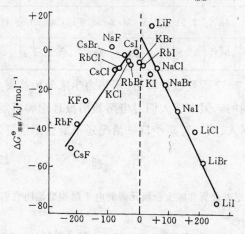

图 17-4 正、负离子的 $\Delta G_{水合}^{\ominus}$ 之差与 $\Delta G_{溶解}^{\ominus}$ 的关系

　　曾经有人研究了溶解过程的热熔变化 $\Delta H_{溶解}^{\ominus}$ 与正、负离子水合熔变化 $\Delta H_{水合}^{\ominus}$ 的差值之间的关系。当正、负离子的半径相差很

大时,两者 $\Delta H_{水合}^{\ominus}$ 的差值很大(图 17-3),在这种情况下,$\Delta H_{溶解}^{\ominus}$ 趋向于具有最大的负值,这便有利于溶解。当正、负离子的大小相近,它们的 $\Delta H_{水合}^{\ominus}$ 比较接近时,$\Delta H_{溶解}^{\ominus}$ 趋向于正值,有利于结晶。如果分别加入熵效应,得到相应的吉布斯自由能变化,以正、负离子的 $\Delta G_{水合}^{\ominus}$ 之差为横坐标,以 $\Delta G_{溶解}^{\ominus}$ 为纵坐标,得到与图 17-3 极其相似的图 17-4。从图 17-4 可见,正、负离子大小相近的 LiF,其 $\Delta G_{水合}^{\ominus}[Li^+(g)]$ 与 $\Delta G_{水合}^{\ominus}[F^-(g)]$ 的差值最小,$\Delta G_{溶解}^{\ominus}$ 为正值,其溶解度最小。而正、负离子大小相差较大的 CsF 和 LiI,它们正、负离子的 $\Delta G_{水合}^{\ominus}$ 差值较大,$\Delta G_{溶解}^{\ominus}$ 具有较大的负值,其溶解度较大。表 17-7 列出碱金属的氟化物和碘化物的 $\Delta G_{溶解}^{\ominus}$ 和溶解度数据。

表 17-7 碱金属的氟化物、碘化物的 $\Delta G_{溶解}^{\ominus}$ 和溶解度的关系

Mx	LiF	NaF	KF	RbF	CsF	LiI	NaI	KI	RbI	CsI
$\dfrac{\Delta G_{溶解}^{\ominus}}{kJ \cdot mol^{-1}}$	13.8	2.5	-25.5	-38.5	-58.6	-77.8	-30.5	-11.7	-8.4	-0.4
$\dfrac{溶解度(291\ K)}{g(100\ gH_2O)^{-1}}$	0.27	4.22	92.3	130.6	367	167	184.2	148	62.05	46.1

从表 17-7 所列数据看出,用热力学来分析盐类的溶解度,基本上是正确的。但由于人们对电解质溶液理论和溶解度理论的认识还有待深入,所以对某些特殊情况还不能做出很好的解释。

习　题

1. 试根据碱金属和碱土金属元素的电子层构型说明它们化学活泼性的递变规律。

2. 试比较锂和钾;锂和镁的化学性质有哪些相似点和区别。

3. 金属钠是强还原剂,试写出它与下列物质的反应方程式:

H_2O,NH_3,C_2H_5OH,Na_2O_2,$NaOH_2$,$NaNO_2$,MgO,$TiCl_4$。

4. 写出过氧化钠和下列物质的反应式:

$NaCrO_2$,CO_2,H_2O,H_2SO_4(稀)。

5. 写出氢氧化钠和氢氧化钙的主要化学性质和用途。

6. 写出以食盐为原料制备金属钠、氢氧化钠、过氧化钠、碳酸钠的过程，并写出它们的化学反应方程式。

7. 碱土金属的熔点比碱金属的高，硬度比碱金属的大。试说明其原因。

8. 钙在空气中燃烧所得的产物与水反应时放出大量的热，并能嗅到氨的气味。试以化学反应方程式表示这些反应。

9. 为什么元素铍与其它非金属成键时，化学键带有较大的共价性，而其它碱土元素与非金属所成的键则带有较大的离子性？

10. 利用镁和铍在性质上的哪些差别可以区分和分离 $Be(OH)_2$ 和 $Mg(OH)_2$；$BeCO_3$ 和 $MgCO_3$；BeF_2 和 MgF_2？

11. 写出以重晶石为原料制备 $BaCl_2$，$BaCO_3$，BaO，BaO_2 的过程。

12. 写出往 $BaCl_2$ 和 $CaCl_2$ 的水溶液里分别加入碳酸铵，接着加入醋酸、再加入铬酸钾时的反应式。

13. 设用两种途径得到 $NaCl(s)$。用盖斯定律分别求算 $\Delta_f H_m^{\ominus} NaCl(s)$，并作比较。(温度为 298 K)

(1) $Na(s) + H_2O(l) \longrightarrow NaOH(s) + \frac{1}{2}H_2(g)$

$$\Delta_r H_m^{\ominus} = -140.89 \text{ kJ} \cdot \text{mol}^{-1}$$

$\frac{1}{2}H_2(g) + \frac{1}{2}Cl_2(g) \longrightarrow HCl(g)$

$$\Delta_r H_m^{\ominus} = -92.31 \text{ kJ} \cdot \text{mol}^{-1}$$

$HCl(g) + NaOH(s) \longrightarrow NaCl(s) + H_2O(l)$

$$\Delta_r H_m^{\ominus} = -177.80 \text{ kJ} \cdot \text{mol}^{-1}$$

(2) $\frac{1}{2}H_2(g) + \frac{1}{2}Cl_2(g) \longrightarrow HCl(g)$

$$\Delta_r H_m^{\ominus} = -92.31 \text{ kJ} \cdot \text{mol}^{-1}$$

$Na(s) + HCl(g) \longrightarrow NaCl(s) + \frac{1}{2}H_2(g)$

$$\Delta_r H_m^{\ominus} = -318.69 \text{ kJ} \cdot \text{mol}^{-1}$$

第十八章　铜、锌副族

　　铜、银、金位于周期表 I B 族,通常称为铜族元素;锌、镉、汞位于周期表 II B 族,通常称为锌族元素。这两族元素属于 ds 区,结构特征铜族为 $(n-1)d^{10}ns^1$,锌族为 $(n-1)d^{10}ns^2$,故并为一章讨论。

　　铜族和 I A 族的碱金属元素的最外电子层中都只有 1 个 s 电子,失去 s 电子后都能呈现 +1 氧化态;锌族和 II B 族碱土金属元素都有两个 s 电子,失去 s 电子后都能呈现 +2 氧化态。因此在氧化态和某些化合物的性质方面,I B 与 I A,II B 与 II A 族元素有一些相似之处,但毕竟因为 I B 与 II B 族元素的次外层比 I A 与 II A 族元素多出了 10 个 d 电子,因此又有一些显著的差异。例如 NaCl 和 AgCl,前者易溶于水而后者难溶,MgO 和 ZnO 虽然都难溶于水但前者显碱性而后者显两性。因此在学习副族元素时,要注意和对应的主族元素的性质相互比较、从而加深理解。

§18-1　铜　族　元　素

1-1　通性

　　铜族元素的基本性质列于表 18-1。铜族元素中每一个元素都有 +1,+2,+3 三种氧化态,这些氧化态的稳定性各不相同,铜最常见的氧化态是 +2,银是 +1,金是 +3。

表 18-1　铜族元素的一些性质

性质　＼　元素	铜	银	金
元素符号	Cu	Ag	Au
原子序数	29	47	79
相对原子质量	63.55	107.9	197.0
价电子层结构	$3d^{10}4s^1$	$4d^{10}5s^1$	$5d^{10}6s^1$
常见氧化数	$+1, +2$	$+1$	$+1, +3$
原子半径/pm	117	134	134
M^+ 离子半径/pm	96	126	137
M^{2+} 离子半径/pm	72	89	$85(M^{3+})$
第一电离势/$kJ \cdot mol^{-1}$	746	731	890
第二电离势/$kJ \cdot mol^{-1}$	1 958	2 074	1 980
M^+ 水合热/$kJ \cdot mol^{-1}$	-582	-485	-644
M^{2+} 水合热/$kJ \cdot mol^{-1}$	$-2 121$	—	—
升华热/$kJ \cdot mol^{-1}$	331	284	385
电负性	1.90	1.93	2.54

铜、银、金的标准电极电势图如下所示：

酸性溶液　$\varphi_A^\ominus / \mathbf{V}$

$$CuO^+ \xrightarrow{1.8} Cu^{2+} \xrightarrow{0.152} Cu^+ \xrightarrow{0.521} Cu$$
$$\underset{0.337}{\underline{\qquad\qquad\qquad}}$$

$$AgO^+ \xrightarrow{2.1} Ag^{2+} \xrightarrow{1.98} Ag^+ \xrightarrow{0.799} Ag$$

$$Au^{3+} \xrightarrow{>1.29} Au^{2+} \xrightarrow{<1.29} Au^+ \xrightarrow{\sim 1.68} Au$$
$$\underset{\sim 1.41}{\underline{\qquad\qquad\qquad}}$$
$$\underset{1.50}{\underline{\qquad\qquad\qquad\qquad}}$$

碱性溶液　$\varphi_B^\ominus / \mathbf{V}$

$$Cu(OH)_2 \xrightarrow{-0.08} Cu_2O^- \xrightarrow{-0.358} Cu$$

$$Ag_2O_3 \xrightarrow{0.74} AgO \xrightarrow{0.57} Ag_2O \xrightarrow{0.344} Ag$$

$$H_2AuO_3^- \xrightarrow{\qquad\qquad 0.7 \qquad\qquad} Au$$

从电势图可以看出,在酸性溶液中,Cu^+ 和 Au^+ 离子均容易歧化而不够稳定。这对铜、金二元素的化学行为有重大影响。

酸性溶液中铜的氧化态－吉布斯自由能图如图 18－1 所示。

图中最稳定的物种位置最低,即 Cu^0 最稳定。要达到图中位置较高的物种必须供给能量。

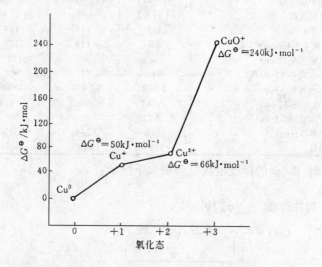

图 18－1 铜的氧化态－吉布斯自由能图

从表 18－1 和电势图,并结合与碱金属元素的对比,对铜族元素的性质(主要是原子的性质)可归纳为以下几点:

1. 与同周期的碱金属相比,铜族元素的原子半径较小,第一电离势较大,这是由于铜族元素的核电荷增大,同时次外层为 18 个电子,它对核电荷的屏蔽效应小于次外层为 8 个电子的碱金属,使铜族元素的有效核电荷较大,对最外层 s 电子的吸引力比碱金属较强所造成的。这也说明了铜族不如碱金属活泼的原因。

2. 铜族元素有 +1,+2,+3 等三种氧化态,而碱金属只有 +1 一种。由于铜族元素的 ns 电子和次外层的 $(n-1)d$ 电子能量相差不大,与其它元素化合时,不仅 ns 电子能参加成键,$(n-1)d$

电子也依反应条件的不同,可以部分参加成键,因此表现出几种氧化态。例如 Cu_2O,CuO,$KCuO_2$(铜酸钾);AgF_2,$Ag^I Ag^{III} O_2$(通常写为 AgO)等。

3. 铜族元素的标准电极电势 $\varphi_{M^+/M}^{\ominus}$ 比碱金属为正,如 $\varphi_{Cu^+/Cu}^{\ominus}$ $= +0.521$ V,而 $\varphi_{K^+/K}^{\ominus} = -2.93$ V,所以铜族元素在水溶液中的化学活泼性远小于碱金属,且其活泼性从 Cu 到 Au 降低。这种从单质变成水溶液中 M^+ 离子的活泼性,不能只根据电离势的大小来衡量(如 $I_{1(Cu)} = 746$ kJ·mol^{-1},$I_{1(Ag)} = 731$ kJ·mol^{-1},从电离势看银应该略比铜活泼),而应该对由固体金属形成一价水合阳离子的全部过程的能量变化通盘考虑,该能量包括:(a)固体金属升华为气体原子时吸收的升华热(数据皆见表 18-1);(b)气态原子电离为 M^+(气)吸收的电离能 I_1;(c)M^+(气)与水结合形成水合离子 M^+(aq)放出水合热。铜族各元素由固体金属形成 M^+(aq)整个过程所需的能量,即总热效应列入表 18-2。

表 18-2   铜族原子转为 M^+(aq)时的能量变化

	铜	银	金
升华热/kJ·mol^{-1}	331	284	385
第一电离势/kJ·mol^{-1}	746	731	890
M^+ 水合热/kJ·mol^{-1}	-582	-485	-644
总热效应/kJ·mol^{-1}	495	530	631

从总热效应看出:由金属形成 1 价水合阳离子所需要的能量按 Cu,Ag,Au 的次序越来越大,故单质形成水合 M^+ 离子的活性依次降低。

必须指出:某一价态的稳定性与其存在状态有密切关系。例如高温、固态时,Cu^+ 能稳定存在,这是和 Cu 的第二电离势比第一过渡系的任一元素都要大有关。但在水溶液中(尤其在酸性溶液中)Cu^+ 很不稳定,立即歧化成 Cu^{2+} 和 Cu^0,简单地说,这和 Cu^{2+}

(气)的水合热($-2\ 121\ kJ\cdot mol^{-1}$)大于 Cu 的第二电离势($1\ 958\ kJ\cdot mol^{-1}$)有关。当然,过渡金属离子的价态稳定性与配位体的性质也有密切关系。(将在第十九章详细介绍)

1-2 单质的物理性质和化学性质

铜和金是仅有的所有金属中呈现特殊颜色的二种金属。铜族元素的密度、熔点、沸点、硬度均比相应的碱金属高,后三者可能与 d 电子也参加成键有关。铜族元素的导电性和传热性在所有金属中都是最好的,银占首位,铜次之。由于铜族金属均是面心立方晶体,有较多的滑移面,因而有很好的延展性。

铜族元素不仅彼此间容易生成合金,和其它元素也能形成合金。其中铜合金种类很多,如黄铜(含锌 5% ~ 45%,余为铜)、青铜(含锡 5% ~ 10%)、白铜(含镍 13% ~ 25%,锌 13% ~ 25%)等,由于其抗腐蚀性和便于机械加工,在工业上应用很广。表 18-3 中列出了铜族元素的重要物理性质。

表 18-3　铜族元素的重要物理性质

性　质	铜	银	金
颜　色	紫红色	白色	黄色
熔点/K	1 356	1 199	1 337
沸点/K	2 840	2 485	3 080
固体密度/$g\cdot cm^{-3}$	8.92	10.5	19.3
导电性(Hg = 1)	57	59	40
硬度(金刚石 = 10)	3	2.7	2.5

已如前述,铜族的化学活泼性远较碱金属为低,且按 Cu,Ag,Au 的顺序递减。笼统地说,铜族的化学性质与周期表中居其左侧的镍、钯、铂很相似,例如化学性都不够活泼,且随原子序的增加而活泼性降低、易呈高氧化态等。铜在干燥空气中比较稳定,在水中亦无反应,与含有 CO_2 的潮湿空气接触,在表面逐渐生成一层绿色的铜锈:

$$2Cu + O_2 + H_2O + CO_2 =\!\!=\!\!= Cu(OH)_2 \cdot CuCO_3$$

铜、银、金都不能与稀盐酸或稀硫酸作用放出氢气,但铜和银溶于硝酸或热的浓硫酸,而金只能溶于王水:

$$Cu + 4HNO_3(浓) =\!\!=\!\!= Cu(NO_3)_2 + 2NO_2 \uparrow + 2H_2O$$

$$3Cu + 8HNO_3(稀) =\!\!=\!\!= 3Cu(NO_3)_2 + 2NO \uparrow + 4H_2O$$

$$Cu + 2H_2SO_4(浓) \overset{\triangle}{=\!\!=\!\!=} CuSO_4 + SO_2 \uparrow + 2H_2O$$

$$2Ag + 2H_2SO_4(浓) \overset{\triangle}{=\!\!=\!\!=} Ag_2SO_4 + SO_2 \uparrow + 2H_2O$$

$$Au + 4HCl + HNO_3 =\!\!=\!\!= HAuCl_4 + NO \uparrow + 2H_2O$$

与卤素作用时,其活泼性按 Cu,Ag,Au 的顺序降低,铜在常温下能与卤素作用,银作用慢,而金与干燥的卤素只有在加热时才能反应。相反地,金很容易溶解在氯的水溶液中。铜和银在加热时能与硫直接化合生成 CuS 和 Ag_2S,而金则不能直接生成硫化物。

1−3 铜族元素的存在和冶炼

(1) 铜的存在和冶炼

铜在自然界中分布极广,在地壳中的含量居第二十二位。铜以三种形式存在于自然界:一种是游离铜(极少);第二种是硫化物,如 Cu_2S(辉铜矿)、CuS(铜蓝)、$Cu_2S \cdot Fe_2S_3$(黄铜矿或写成 $CuFeS_2$)等;第三种是含氧化合物,如 Cu_2O(赤铜矿)、CuO(黑铜矿)、$Cu(OH)_2 \cdot CuCO_3$(孔雀石)、$CuSO_4 \cdot 5H_2O$(胆矾)、$CuSiO_3 \cdot 2H_2O$(硅孔雀石)等。

铜矿一般含 Cu 2%～10%(富矿可达 20%,贫矿<0.6%),其主要杂质为 SiO_2,Al_2O_3,CaO,MgO 等,统称脉石。硫化矿中一般还含有 Zn,Pb,Fe,Au,Ag,Se,Te,In,Tl 等元素。

一般的冶炼方法随矿石的性质而有所不同。如氧化物矿可直接用碳热还原,硫化物矿则常用所谓的冰铜熔炼法。氧化物矿还可用湿法冶金,如用稀硫酸或其它络合剂浸出,然后进行电解。

下面简单介绍黄铜矿($CuFeS_2$)的冰铜熔炼法(火法)。

由于铜矿品位低,首先要进行富集,经泡沫浮选获得精矿,以提高品位。矿石经各级破碎后,用球磨磨细至露出矿体表面,得到的矿浆再经泡沫浮选法,利用不同金属矿表面吸附性能的差别和密度的不同,将矿物与大量脉石分离,以制得精矿。浮选法是以磨细的矿浆悬浮于水中,鼓入空气泡上浮,同时加入能捕集矿物的捕集剂,例如丁基黄药 $C_4H_9OCSSNa$(丁基黄原酸盐),它以其极性基 —CSS^- 的一端吸附在亲硫的金属矿粒表面上,以非极性基 C_4H_9O— 的另一端指向水,使矿粒获得了憎水性;另一些非极性基插入空气泡,空气泡周围附着这些矿粒一同浮至水面,被浮选机的刮板刮走,成为精矿。亲氧性的脉石则因比较亲水而不被浮选,沉底(尾矿)与矿粒分离。图 18-2 为浮选示意图。

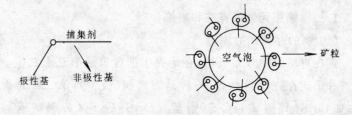

图 18-2　浮选示意图

浮选所得的精矿经沉降、过滤、烘干后,进入沸腾炉,在 923～1 073 K 通空气进行氧化焙烧,使部分脱硫(成 SO_2)同时还可除去带有挥发性的杂质如 As_2O_3,并进一步富集铜,得到焙砂。主要反应如下:

$$2CuFeS_2 + O_2 \!=\!=\!=\! Cu_2S + 2FeS + SO_2 \uparrow$$

其中部分的 FeS 进一步被氧化成 FeO:

$$2FeS + 3O_2 \!=\!=\!=\! 2FeO + 2SO_2 \uparrow$$

焙砂中的主要成分为 Cu_2S 和 FeS,其质量比大约相等,还有

FeO 及原有的 SiO_2，Al_2O_3，CaO 等造渣氧化物。焙砂送入反射炉进行高温（1 773～1 823 K）熔炼，目的是为制成冰铜（$Cu_2S \cdot FeS$），使 FeO 及原有的造渣氧化物（碱性氧化物如 FeO 和 CaO 等，酸性氧化物如 SiO_2）成为硅酸盐炉渣，浮在冰铜上面而除去，进一步使铜富集（冰铜中含 Cu 18%—20%），其主要反应如下：

$$m\,Cu_2S + n\,FeS =\!=\!= 冰铜$$

$$FeO + SiO_2 =\!=\!= FeSiO_3（渣）$$

由反射炉底放出的熔融态冰铜，立即送入转炉，于高温下吹入空气将 FeS 氧化为 FeO，与加入的 SiO_2 形成炉渣而被除去，并使 Cu_2S 转化成粗铜。其主要反应为：

$$2Cu_2S + 3O_2 =\!=\!= 2Cu_2O + 2SO_2 \uparrow$$

$$2Cu_2O + Cu_2S =\!=\!= 6Cu + SO_2 \uparrow$$

所得的粗铜，又送入特种炉熔化，控制氧化或还原气氛，加入少量造渣物以除去一些金属杂质（如 Zn，Co，Ni，Sn，Pb 等），最后得到含 Cu 99.4%～99.5% 的精铜，浇铸成准备电解精炼的一定形状的阳极铜板。

铜的精炼常用电解法。将阳极铜板在以硫酸铜的酸性溶液作电解液的电解池中进行精炼，于纯铜阴极上得到高纯铜（99.95%）。在阳极泥中回收 Au，Ag，Pt，Pd 及 Se，Te 等，电解废液中回收 Ni。沸腾炉和转炉的废气（SO_2 为主）用于制硫酸，烟尘也可综合利用回收 Cd，In，Tl 等。

近年来铜的湿法冶金有很大发展。据称 2 - 羟基 - 5 - 十二烷基二苯甲酮肟在工业上已作为铜的萃取剂，可从低品位的铜矿浸出液中回收铜。由于其苯环上的羟基的酸性较强，可在 pH 较低的情况下使用，再则其萃取能力强，生产过程中又无三废，有逐渐取代火法工艺的趋势。

在电解精炼方面,为了节约能源,Cu^+ 的络合物的电解也在大力研究中,因为从理论上讲,它比 Cu^{2+} 的电解要节省一倍的电能。

(2) 银、金的存在和冶炼

银以游离态(或与金、汞、锑、铜或铂生成的合金)或以硫化物矿如 Ag_2S(银的最重要来源)的形式存在于自然界。但常与铅、锌、铜等的硫化物共生,因而多是作为副产品回收银。此外,也以卤化物(如 $AgCl$)形式存在。无论何种形式,均可用氰化法浸取:

$$4Ag + 8NaCN + 2H_2O + O_2 \Longrightarrow 4Na[Ag(CN)_2] + 4NaOH$$

$$Ag_2S + 4NaCN \Longrightarrow 2Na[Ag(CN)_2] + Na_2S$$

接着在溶液中用锌(或铝)还原:

$$2Ag(CN)_2^- + Zn \Longrightarrow Zn(CN)_4^{2-} + 2Ag$$

把金属银熔化铸成粗银块,再用电解法制成钝银。

金主要以游离态存在。其冶炼方法为淘取或氰化物法。后者与上述提银的方法相同:

$$2Au + 4CN^- + \frac{1}{2}O_2 + H_2O \Longrightarrow 2Au(CN)_2^- + 2OH^-$$

$$2Au(CN)_2^- + Zn \Longrightarrow 2Au + Zn(CN)_4^{2-}$$

金的精炼用 $AuCl_3$ 的盐酸溶液进行电解,纯度可达 99.95% $\sim 99.98\%$。

1-4 铜族元素的重要化合物

铜族元素的特征氧化数铜为 $+2$,银为 $+1$,金为 $+3$。d 轨道未充满的 $Cu(H_2O)_4^{2+}$ 呈蓝色;而 d 轨道已满的水合 Ag^+ 离子是无色的;$Au(Ⅲ)$ 形成配合物的倾向很大,在水溶液中通常形成络阴离子如 $[AuCl_3OH]^-$,这类配合阴离子的颜色随配位体的不同而有变化。下面分别按 $+1$, $+2$, $+3$ 三种氧化态讨论铜族的常见化合物。

(1) 氧化数为 $+1$ 的化合物

+1 氧化态是本族元素的共同特征。但由酸性溶液中的电势图可知,只有 Ag^+ 离子能稳定存在,Cu^+ 与 Au^+ 离子均易于歧化而不能在酸性溶液中稳定存在。以 Cu^+ 离子来说,因 Cu^{2+} 的水合能及配合物的 $K_{稳}$ 较大,有如下的歧化反应:

$$2Cu^+ \rightleftharpoons Cu + Cu^{2+}$$

293 K 时,
$$K = \frac{[Cu^{2+}]}{[Cu^+]^2} = 1.2 \times 10^6$$

由于平衡常数较大,要使上述平衡左移,或者说要使 Cu^+ 稳定,一定要加入 Cu^+ 的沉淀剂或络合剂(如 I^-,S^{2-},CN^- 等)方可。但须指出,Cu^+ 在高温及固态时比 Cu^{2+} 离子稳定。但在乙腈溶剂中由于溶剂化的作用 Cu^+ 也是较稳定的。因此,考虑 Cu^+ 和 Cu^{2+} 离子在不同条件下的相对稳定性,是理解铜的化学行为的关键。

(a)氧化物和氢氧化物 Cu 和 Ag 都能生成 M_2O 型的氧化物和 MOH 型的不稳定的氢氧化物。

Cu_2O(红色)、Ag_2O(棕黑色)都是共价型化合物,基本上不溶于水。Cu_2O 呈弱碱性,而潮湿的 Ag_2O 为中强碱。Ag_2O 在 573 K 即分解为银和氧;而 Cu_2O 对热是稳定的,1 508 K 熔化也不分解。Cu_2O 是一种有毒的物质,广泛应用于船底漆。

在 Cu(Ⅰ)和 Ag(Ⅰ)盐的溶液中加入 NaOH 时,先生成相应的氢氧化物,随后立即脱水变成相应的氧化物 M_2O。这说明 CuOH 和 AgOH 都很不稳定。Cu_2O 由于制备条件的不同,晶粒的大小各异,呈现黄、橙、红等不同的颜色。以 OH^- 离子与 CuCl 作用生成的黄色沉淀渐变为橙色并迅速转变为红色的 Cu_2O,后者在酸性溶液中立即歧化为 Cu 和 Cu^{2+}。在 Ag^+ 离子的溶液中加入 OH^- 时,所生 AgOH 的白色沉淀,立即脱水变为棕黑色 Ag_2O。但如用分别溶于 90% 酒精溶液的 $AgNO_3$ 和 KOH,在低于 228 K 温度下小心进行反应,则能得到白色 AgOH 沉淀。Ag_2O 在强碱溶液中比在水中容易溶解,并形成 $Ag(OH)_2^-$ 配合离子(不稳定)。

(b)硝酸银　Cu(Ⅰ)不生成硝酸盐,但稳定和易溶于水的无色晶体 $AgNO_3$ 却是一种最重要的试剂。

$AgNO_3$ 的制法是将银溶于硝酸,蒸发并结晶而得。因原料中含有杂质铜,因而产品中将含有硝酸铜,根据硝酸盐热分解温度的差别:

$$2AgNO_3 \xrightarrow{\text{713 K}} 2Ag + 2NO_2 + O_2$$

$$2Cu(NO_3)_2 \xrightarrow{\text{473 K}} 2CuO + 4NO_2 + O_2$$

可将产品加热到 473—673 K,此时 $Cu(NO_3)_2$ 分解为黑色不溶于水的 CuO。将混合物中的 $AgNO_3$ 溶解后过滤除去 CuO 并重结晶便可得到纯的 $AgNO_3$。

另一种提纯方法是向含 Cu^{2+} 的 $AgNO_3$ 溶液中加入新沉淀出来的 Ag_2O,于是有下列两个平衡:

$$Ag_2O(s) + H_2O \rightleftharpoons 2AgOH \downarrow \rightleftharpoons 2Ag^+ + 2OH^-$$

$$Cu^{2+} + 2OH^- \rightleftharpoons Cu(OH)_2 \downarrow$$

由于 $Cu(OH)_2$ 的溶度积比 AgOH 溶度积小,Cu^{2+} 大部分沉淀下来,随着 $Cu(OH)_2$ 的沉淀,Ag_2O 逐渐溶解,平衡向右移动,过滤除去 $Cu(OH)_2$ 并重结晶,便可得到纯的 $AgNO_3$。

$AgNO_3$ 晶体受日光直接照射时,也能逐渐分解(反应式与热分解相同),因而 $AgNO_3$ 晶体或溶液都应装在棕色玻璃瓶内。

固体 $AgNO_3$ 或其溶液都是氧化剂($\varphi^{\ominus}_{Ag^+/Ag} = 0.799$ V),即使在室温,许多有机物都能将它还原成黑色银粉。例如皮肤或布与它接触后都会变黑。$AgNO_3$ 对有机组织有破坏作用,因此在医药上用作消毒剂和腐蚀剂。大量的 $AgNO_3$ 用于制造照相底片上的卤化银。此外,AgNO$_3$ 也是一种重要的分析试剂。AgNO$_3$ 的氨溶液还可检验许多有机还原剂,如醛类、糖类及某些酸类。

(c) 卤化物　(i) CuX:除 CuF(易歧化,未曾制得纯态)是红色,CuCl 为白色,CuBr 和 CuI 为白色或淡黄色,CuCl、CuBr 和 CuI 都不溶或几乎不溶于水,溶解度按 Cl,Br,I 顺序降低。

CuCl,CuBr,CuI 都可用适当的还原剂(如 SO$_2$,Sn^{2+},Cu 等)在相应的卤素离子存在下还原 Cu^{2+} 离子而制得。例如:

$$2Cu^{2+} + 2X^- + SO_2 + 2H_2O \xrightarrow{\triangle} 2CuX \downarrow + 4H^+ + SO_4^{2-}$$

白

$$Cu^{2+} + 2Cl^- + Cu \xrightarrow{\triangle} 2CuCl \underset{+ H_2O}{\overset{浓\ HCl}{\rightleftharpoons}} H[CuCl_2]$$

$$2Cu^{2+} + 4I^- === 2CuI \downarrow + I_2$$

上面三个反应能向右进行都是利用 CuX 的难溶性防止了 Cu$^+$ 的歧化。第二个反应是用 Cu 粉作还原剂,但因难溶的 CuCl 附着在 Cu 的表面,反应很快就停止了。为使反应得以继续进行,加入浓盐酸使 CuCl 溶解生成络离子[CuCl$_2$]$^-$,可使反应进行得相当完全。然后加水使溶液中 Cl$^-$ 浓度变小,[CuCl$_2$]$^-$ 被破坏,重新生成大量的 CuCl。第三个反应中,I$^-$ 既是还原剂又是 Cu$^+$ 的沉淀剂,使本来难以进行的氧化还原反应,可以进行得很完全,因而可用此反应以碘量法测定 Cu^{2+} 的含量。

CuCl 的盐酸溶液能吸收 CO,形成氯化羰基铜(Ⅰ)Cu(CO)Cl·H$_2$O。若有过量 CuCl 存在,该溶液对 CO 的吸收几乎是定量的,所以这个反应可用以测定气体混合物中 CO 的含量。

OC, Cl, CO
　　Cu　　Cu
H$_2$O, Cl, OH$_2$

(ii) AgX:可将 Ag$_2$O 溶于氢氟酸中,然后蒸发至有黄色晶体而制得 AgF。其余卤化银可在 $AgNO_3$ 溶液中加入可溶卤化物(如 NaCl,NaBr 或 KI 等)制得。

$$Ag^+ + Cl^- \Longrightarrow AgCl \downarrow (白色) \qquad K_{sp}^{\ominus} = 1.8 \times 10^{-10}$$

$$Ag^+ + Br^- \Longrightarrow AgBr \downarrow (淡黄) \qquad K_{sp}^{\ominus} = 5.0 \times 10^{-13}$$

$$Ag^+ + I^- \Longrightarrow AgI \downarrow (黄) \qquad K_{sp}^{\ominus} = 9.3 \times 10^{-17}$$

表 18-4 列出了卤化银的若干性质。

表 18-4 卤化银的性质

化 合 物	AgF	AgCl	AgBr	AgI
颜 色	白	白	淡黄	黄
溶解度/$mg \cdot dm^{-3}$	1 800 000	30	5.5	0.056
晶格类型	NaCl	NaCl	NaCl	ZnS
离子半径之和/pm	262	307	321	342
共价半径之和/pm	205	233	248	267
实验值/pm	246	277	288	305

卤化银中只有 AgF 易溶于水,在湿空气中潮解,其余均微溶于水,而且依 AgCl,AgBr,AgI 的顺序而降低。它们的颜色也依此顺序加深。这些性质反映了 AgF 到 AgI 键型的变化,即从主要为离子型化合物递变到主要为共价型化合物。从 Ag—X 的键长来看,AgF 的实验值与离子半径之和接近,而 AgI 则与共价半径之和接近,这是卤素离子 X^- 的变形性从 F^- 到 I^- 依次增大的缘故。

卤化银按 Cl→Br→I 的顺序颜色加深,可用化合物中的电荷迁移跃迁来说明:在化合物中,电子由某一组分原子的分子轨道迁移到另一组分原子的分子轨道中去,称为电荷迁移跃迁。发生电荷迁移跃迁时吸收频率为 ν 的可见光,而使化合物具有颜色,相同阳离子和结构相似变形性不同的阴离子所组成的化合物,阴离子的变形性越大,它与阳离子组成的化合物越是容易发生电荷迁移跃迁,吸收光谱的谱带越是向长波方向移动,化合物的颜色越深。在卤化银中,阴离子的变形性是 $Cl^- < Br^- < I^-$,所以 AgI 的颜色

最深。

卤化银都有感光分解的性质,故用于照相术。照相底片上涂有一层含 AgBr 胶体粒子的明胶凝胶,在光的作用下,胶粒中的 AgBr 分解成"银核"(银原子)

$$AgBr \xrightarrow{\text{光子}} Ag + Br$$

将感光后的底片用氢醌(对苯二酚)之类的有机还原剂处理,含有银核的 AgBr 粒子被还原成金属银而显黑色,曝光强的部分黑度深,弱的部分黑度浅,未曝光部分的 AgBr 不被还原而保持无色。这一处理过程叫显影。然后又把底片浸入 $Na_2S_2O_3$ 溶液中,使因未曝光而未被还原的 AgBr 形成络离子 $[Ag(S_2O_3)_2]^{3-}$ 溶解,剩下的金属银不再变化,这一过程叫定影。通过这一过程,得到一张印有负像的底片。把底片附在洗相纸上重复一次曝光、显影、定影的手续,就得到印有正像的照片。

(d) 硫化物 在 Cu(I) 和 Ag(I) 盐的溶液中通入 H_2S 时,均能生成黑色的 Cu_2S 和 Ag_2S 沉淀。这两个化合物的溶解度在 Cu(I) 和 Ag(I) 盐中是最小的,但皆能溶于热浓硝酸或氰化钠(钾)溶液中:

$$3Cu_2S + 16HNO_3(\text{浓}) \xrightarrow{\triangle} 6Cu(NO_3)_2 + 3S\downarrow + 4NO\uparrow + 8H_2O$$

$$3Ag_2S + 8HNO_3(\text{浓}) \xrightarrow{\triangle} 6AgNO_3 + 3S\downarrow + 2NO\uparrow + 4H_2O$$

$$M_2S + 4CN^- \Longrightarrow 2[M(CN)_2]^- + S^{2-}$$

(e) 配合物 Cu^+ 和 Ag^+ 均为 d^{10} 型离子,具有空的外层的 s, p 轨道,能和 X^-(除 F^- 外),NH_3,$S_2O_3^{2-}$,CN^- 等易变形的配位体形成线形 2 配位的稳定程度不同的配离子。以 Ag^+ 来讲,$K_稳^\ominus$ 有如下的顺序:

$$[AgCl_2]^- < [Ag(NH_3)_2]^+ < [Ag(S_2O_3)_2]^{3-} < [Ag(CN)_2]^-$$

由此顺序并结合 $K_{sp}^{\ominus}$：AgCl＞AgBr＞AgI 来考虑，就能说明 AgCl 能溶于氨水、硫代硫酸钠或氰化钠溶液中；AgBr 仅微溶于氨水，但易溶于硫代硫酸钠或氰化钠溶液中，AgI 不溶于氨水，仅微溶于硫代硫酸钠溶液中，但易溶于氰化钠溶液中的现象。

CuX_2^- 与 AgX_2^- 配合离子的稳定性比较低，同过渡金属离子八面体配合物的光化学顺序相反，这类 d^{10} 型离子的卤素配合物的稳定性却有如下的顺序：$Cl^-＜Br^-＜I^-$。显然，这是符合硬软酸碱的软亲软原则的。

上述银配合离子的生成都具有实际意义，它广泛地应用于电镀工业、照相技术等方面。例如利用 $[Ag(NH_3)_2]^+$ 能均匀地释放出 Ag^+ 而被甲醛或葡萄糖等还原，生成银镜。

$$2[Ag(NH_3)_2]^+ + HCHO + 2OH^- \Longrightarrow 2Ag\downarrow +$$
$$HCOONH_4 + 3NH_3 + H_2O$$

暖水瓶的镀银就是利用这个原理。

无色的 $[Cu(NH_3)_2]^+$ 在空气中易于氧化成深蓝色的 $[Cu(NH_3)_4]^{2+}$ 配合离子。$[Cu(NH_3)_2]^+$ 溶液可用于吸收合成氨原料气中的 CO，加热后 CO 又可放出。

$[Ag(CN)_2]^-$ 和 $[Au(CN)_2]^-$ 配合离子特别稳定，这已成为氧化法提取金、银的基础。

(*f*) Ag^+ 离子的氧化性   在酸性溶液中，Ag^+/Ag 电对的 $\varphi_{Ag^+/Ag}^{\ominus} = 0.799\ V$，说明 Ag^+ 是一个中强的氧化剂，它可被许多中强或强还原剂还原成单质银。例如羟氨、联氨、亚磷酸等都可以将可溶性 Ag^+ 盐还原成金属银：

$$2NH_2OH + 2AgBr \Longrightarrow N_2\uparrow + 2Ag\downarrow + 2HBr + 2H_2O$$
$$5N_2H_4 + 4Ag^+ \Longrightarrow N_2\uparrow + 4Ag\downarrow + 4N_2H_5^+$$
$$H_3PO_3 + 2AgNO_3 + H_2O \Longrightarrow H_3PO_4 + 2Ag\downarrow + 2HNO_3$$

(2) 氧化数为 +2 的化合物

氧化数为 +2 的化合物是铜的特征。

（a）氢氧化铜和氧化铜　在 Cu^{2+} 离子溶液中加入强碱,即有淡蓝色 $Cu(OH)_2$ 絮状沉淀析出,加热、脱水变为黑色 CuO,CuO 也难溶于水。

$$Cu^{2+} + 2OH^- \longrightarrow Cu(OH)_2 \downarrow$$

$$Cu(OH)_2 \xrightarrow{353\ K} CuO + H_2O$$

$Cu(OH)_2$ 微显两性,既能溶于酸,也能溶于浓 NaOH 溶液中形成蓝紫色 $[Cu(OH)_4]^{2-}$ 配合离子:

$$Cu(OH)_2 + 2OH^- \longrightarrow [Cu(OH)_4]^{2-}$$

$[Cu(OH)_4]^{2-}$ 能电离出少量的 Cu^{2+},它可被含醛基—CHO 的葡萄糖还原成红色的 Cu_2O:

$$2Cu^{2+} + 4OH^- + C_6H_{12}O_6 \longrightarrow Cu_2O \downarrow + 2H_2O + C_6H_{12}O_7$$

利用此反应可检验糖尿病。

$Cu(OH)_2$ 虽然极易受热分解,但 CuO 对热却很稳定,只有在超过 1 273 K 时,才会分解放出氧,并生成 Cu_2O:

$$2CuO \xrightarrow{>1\ 273\ K} Cu_2O + \frac{1}{2}O_2 \uparrow$$

这也看出,高温时 Cu(Ⅰ)比 Cu(Ⅱ)稳定(显然和高温时的熵增大有关),故 CuO 在高温时可作有机物的氧化剂,使气态有机物氧化成 CO_2 和 H_2O。

（b）氯化铜（Ⅱ）　将 $CuCO_3$ 或 CuO 与盐酸作用可制得 $CuCl_2$:

$$CuCO_3 + 2HCl \longrightarrow CuCl_2 + H_2O + CO_2 \uparrow$$

无水 $CuCl_2$ 呈棕黄色,它是在 HCl 气流中,将 $CuCl_2 \cdot 2H_2O$ 加热到 413—423 K 下制得的。X - 射线测定表明 $CuCl_2$ 是共价化合物,

结构为链状：

无水 $CuCl_2$ 加热至 773 K 时，按下式分解：

$$2CuCl_2 \xrightarrow{773\ K} 2CuCl + Cl_2 \uparrow$$

$CuCl_2$ 不但易溶于水，而且易溶于乙醇和丙酮。很浓的 $CuCl_2$ 溶液呈黄绿色，浓溶液中呈绿色，稀溶液呈蓝色。黄色是由于 $[CuCl_4]^{2-}$ 配合离子的存在，而蓝色是由于 $[Cu(H_2O)_4]^{2+}$ 配合离子的存在，两者并存时呈绿色。

(c) 硫酸铜　$CuSO_4 \cdot 5H_2O$ 俗名胆矾，是最常见的铜盐。可用热浓硫酸溶解铜，或在空气充足的情况下用热的稀硫酸溶解铜制得：

$$Cu + 2H_2SO_4 (浓) \xupdownarrow{\triangle} CuSO_4 + SO_2 \uparrow + 2H_2O$$

或

$$2Cu + 2H_2SO_4 (稀) + O_2 \xupdownarrow{\triangle} 2CuSO_4 + 2H_2O$$

$CuSO_4 \cdot 5H_2O$ 是蓝色斜方晶体，在不同温度下可以逐步失水：

$$CuSO_4 \cdot 5H_2O \xrightarrow{375\ K} CuSO_4 \cdot 3H_2O \xrightarrow{423\ K}$$

$$CuSO_4 \cdot H_2O \xrightarrow{523\ K} CuSO_4$$

可见各个水分子的结合力不完全一样。实验证明，四个水分子与 Cu^{2+} 以配位键结合，第五个水分子以氢键与二个配位水分子和 SO_4^{2-} 结合。$CuSO_4 \cdot 5H_2O$ 可写成 $[Cu(H_2O)_4]SO_4 \cdot H_2O$，简单的平面结构式如下：

加热失水时,先失去 Cu^{2+} 左边的两个非氢键水,再失去 Cu^{2+} 右边的两个水分子,最后失去以氢键与 SO_4^{2-} 结合的水分子。

无水 $CuSO_4$ 为白色粉末,不溶于乙醇和乙醚,但吸水性很强,吸水后即显蓝色。因而可用来检验乙醇、乙醚等有机溶剂中的微量水,并可除去水分。无水 $CuSO_4$ 加热到 923 K 时,即分解成 CuO:

$$CuSO_4 \xrightarrow{\text{923 K}} CuO + SO_3 \uparrow$$

硫酸铜的水溶液由于水解而显酸性,这是 Cu(Ⅱ)的易溶强酸盐的共同性质。为了防止水解,配制铜盐溶液时,常加少量的相应的酸。

硫酸铜是制备其它铜化合物的重要原料。加在贮水池中可防止藻类生长。同石灰乳混合而得"波尔多"溶液,可用以消灭害虫。

(d)硫化铜 在微酸性的 Cu^{2+} 离子溶液中通入 H_2S,生成黑色 CuS 沉淀。它不溶于稀酸,只能溶于热的稀硝酸中或溶于浓氰化钠溶液中:

$$3CuS + 2NO_3^- + 8H^+ \xrightarrow{\triangle} 3Cu^{2+} + 2NO \uparrow + 3S \downarrow + 4H_2O$$

$$2CuS + 10CN^- \Longrightarrow 2[Cu(CN)_4]^{3-} + 3S^{2-} + (CN)_2 \uparrow$$

在后一反应中 CN^- 离子既是配合剂,又是还原剂,使 Cu(Ⅱ)还原到 Cu(Ⅰ),CN^- 与 $(CN)_2$ 均有剧毒。

(e)配合物 Cu^{2+} 离子为 d^9 型,通常绝大多数配离子为四短(平面)两长(z 轴)键的细长八面体,有时干脆称为平面正方形结构(即采取 dsp^2 杂化)。例如 $Cu(H_2O)_4^{2+}$(蓝色)、$Cu(NH_3)_4^{2+}$(深蓝色)、$Cu(en)_2^{2+}$(深蓝紫色)和 $CuCl_4^{2-}$(淡黄色)等配合离子均为平面正方形。

从配合物的稳定性来说,因 Cu^{2+} 是交界酸,它与 OH^-,Cl^- 硬碱离子等形成的配离子均不够稳定。

还须指出，Cu^{2+} 有一定的氧化性，与还原性阴离子如 I^- 和 CN^- 等又能生成较稳定的 CuI 及 $Cu(CN)_2^-$ [有时写成 $Cu(CN)_4^{3-}$ 或 $Cu(CN)_3^{2-}$]，因而并不生成 $Cu(Ⅱ)$ 的氰配离子，也无 CuI_2。

$[Cu(NH_3)_4]^{2+}$ 配离子的溶液具有溶解纤维素的性能。在所得的纤维素溶液中加水或酸时，纤维又复析出。工业上利用这种性质来制造人造丝。

(f) Cu^{2+} 的氧化性、Cu^{2+} 和 Cu^+ 的互相转化

(i) Cu^{2+} 是弱氧化剂，只有形成难溶的亚铜化合物或亚铜的配合物时才能被还原。前面已介绍过 Cu^{2+} 可将葡萄糖氧化，Cu^{2+} 被还原为难溶性的 Cu_2O。又如在 Cu^{2+} 溶液中加入 KI，可使 Cu^{2+} 还原成 CuI 的白色沉淀：

$$2Cu^{2+} + 4I^- \Longrightarrow 2CuI \downarrow + I_2$$

这个反应所涉及的两对半电池反应其标准电势分别为：

$$Cu^{2+} + e^- \Longrightarrow Cu^+ \qquad \varphi^\ominus = 0.17 \text{ V}$$

$$I_2 + 2e^- \Longrightarrow 2I^- \qquad \varphi^\ominus = +0.535 \text{ V}$$

从标准电极电势的数据来看，Cu^{2+} 离子并不能氧化 I^- 离子，上述反应似乎不能进行。事实上这个反应却进行得很完全。这是由于 CuI 的溶解度小（$K_{sp}^\ominus = 5.06 \times 10^{-12}$），当溶液中产生了少量 Cu^+ 离子后就和 I^- 离子反应生成 CuI 沉淀，致使溶液中的 $[Cu^+]$ 降低，影响 Cu^{2+}/Cu^+ 电对的电极电势。设溶液中 Cu^{2+} 和 I^- 离子的浓度都是 1 mol·dm^{-3} 根据溶度积可知：

$$[Cu^+] = K_{sp}^\ominus/[I^-] = (5.06 \times 10^{-12})/1 = 5.06 \times 10^{-12} \text{ mol·dm}^{-3}$$

代入能斯特方程式：

$$\varphi = \varphi^\ominus + \frac{0.059}{n} \lg \frac{[氧化型]}{[还原型]}$$

$$\varphi_{Cu^{2+}/Cu^+} = \varphi_{Cu^{2+}/Cu^+}^\ominus + 0.059 \lg \frac{[Cu^{2+}]}{[Cu^+]}$$

$$= 0.17 + 0.059 \lg \frac{1}{5.06 \times 10^{-12}}$$

$$= 0.84 \text{ V}$$

计算结果表明：$\varphi_{Cu^{2+}/Cu^+} = 0.84$ V，大于 $\varphi_{I_2/I^-}^{\ominus} = 0.535$ V，所以反应可以进行。

(ii) 从离子结构来说，Cu^+ 的结构是 $3d^{10}$，应该比 Cu^{2+} $(3d^9)$ 稳定。此外，铜的第二电离势（1 958 $kJ \cdot mol^{-1}$）较高，故在固态 $Cu(I)$ 的化合物是稳定的。事实也正是如此，将固态 CuO 和 CuS 加热，得到 Cu_2O 和 Cu_2S，并且有 Cu_2O 形的稳定矿物。

在水溶液中，由于 Cu^{2+} 有较高的水合能（$-2\ 100$ $kJ \cdot mol^{-1}$），因而在水溶液中 $Cu(II)$ 化合物是稳定的。前已指出，Cu^+ 在水溶液中会自发地歧化：

$$2Cu^+(aq) \Longrightarrow Cu(s) + Cu^{2+}(aq)$$

在 20℃时，这个反应的平衡常数 $K^{\ominus} = \dfrac{[Cu^{2+}]}{[Cu^+]} = 1.2 \times 10^6$。这就说明在平衡时溶液中绝大部分 Cu^+ 转化成 Cu^{2+} 和 Cu。如果要使 Cu^{2+} 转化成 Cu^+，一方面应有还原剂存在，另一方面生成物应是难溶化合物或配合物，才有利上列平衡向左移动。前面的反应就是实例。又例如，铜与氯化铜在热浓盐酸中形成铜(I)的化合物：

$$Cu + CuCl_2 \Longrightarrow 2CuCl$$

$$CuCl + HCl \Longrightarrow HCuCl_2$$

所以在水溶液中，Cu^+ 的化合物除不溶解的或以配合离子形式存在外，其他都是不稳定的。综上所述，铜的两种氧化数的化合物，各以一定的条件而存在，当条件变化时，可互相转化。

(g) 铜化合物的催化作用和生物活性　铜的化合物能够催化许多反应，例如组氨酸（$HOOCCH(NH_2)CH_2C_3H_3N_2$），乙二胺（$NH_2CH_2CH_2NH_2$）和 2,2′联吡啶（$C_5H_4N)_2$ 的铜配合物能催化分

解 H_2O_2 为 O_2 和 H_2O;有机化学中的偶联和加成反应也常用铜盐作催化剂,如:

$$H_3C-\!\!\!\!\!\!\bigcirc\!\!\!\!\!\!-C\equiv CH$$

$$\xrightarrow[\text{偶联反应}]{CuCl} CH_3-\!\!\!\!\!\!\bigcirc\!\!\!\!\!\!-C\equiv C-C\equiv C-\!\!\!\!\!\!\bigcirc\!\!\!\!\!\!-CH_3$$

$$CH_3CH_2CH=\!\!=CH_2 + CCl_4 \xrightarrow[\text{加成反应}]{CuCl_2} CH_3CH_2CHClCH_2CCl_3$$

铜化合物除了具有明显地催化性能以外,在生物学方面铜属于生命元素,它是细胞内部氧化过程的催化剂。已经证实,少量的铜对于许多种植物的正常发育是必需的。施有铜的化合物的土壤常能显著地提高产量。动物体中也都含有铜,如存在于人血清中的血浆铜蓝蛋白,其相对分子质量为 151 000,含有 8 个铜原子,这种蛋白起着使血浆中 Fe^{2+} 氧化成 Fe^{3+} 的作用;存在于哺乳动物的血红细胞、肝、脑中的铜蛋白酶,其相对分子质量为 35 000,呈蓝绿色,含有 2 个铜原子,它可以催化超氧离子发生歧化反应:

$$O_2^- + O_2^- + 2H^+ \longrightarrow H_2O_2 + O_2$$

存在于许多低级动物(如蜗牛、螃蟹、章鱼)中的血蓝蛋白,是一种相对分子质量很大($7\times10^6 \sim 8\times10^6$)的铜蛋白,其中含有 240 个铜原子,呈深蓝色。它与哺乳动物中血红蛋白的作用类似,起着载氧的作用;从蘑菇中提取的酪氨酸酶,相对分子质量为 119 000,其中含有 4 个铜原子,它起着催化氧化有机物的作用。铜化合物的生化反应机理与铜蛋白中存在 $Cu(I)-Cu(II)$ 氧化还原体系有密切的关系。

(3) 氧化数为 +3 的化合物

金在化合物中表现为 +3 和 +1 两种氧化态,但以 +3 氧化数为最稳定。由 $\varphi_{Au^{3+}/Au}^{\ominus}$ 和 $\varphi_{Au^+/Au}^{\ominus}$ 的数据来看,Au^+ 离子容易歧化为 Au^{3+} 和 Au:

$$3Au^+ \Longleftrightarrow Au^{3+} + 2Au$$

298 K 时上述反应的平衡常数为:

$$K^\ominus = \frac{[Au^{3+}]}{[Au^+]^3} = 10^{13}$$

因而 Au^+ 离子在水溶液中不能存在,即使是溶解度很小的 AuCl 也要歧化。但 Au^+ 的络合物如 $M^I[Au(CN)_2]$ 因其最稳定,故仍能在水溶液中存在。

金在 473 K 时同氯作用可以得到褐红色晶体 $AuCl_3$。无论在固态和气态它都是二聚体 Au_2Cl_6 它基本上是平面正方形结构:

$$\begin{array}{c}Cl\\ \\Cl\end{array}\!\!\!\!\Big\rangle Au \Big\langle\!\!\!\!\begin{array}{c}Cl\\ \\Cl\end{array}\!\!\!\!\Big\rangle Au \Big\langle\!\!\!\!\begin{array}{c}Cl\\ \\Cl\end{array}$$

它易溶于水,并水解形成一羟三氯合金(Ⅲ)酸:

$$AuCl_3 + H_2O \Longleftrightarrow H[AuCl_3OH]$$

Au(Ⅲ)的化合物易被许多有机物如草酸、甲醛、葡萄糖等还原成 Au 的胶体溶液。

$AuCl_3$ 加热到 523 K 开始分解成 AuCl 和 Cl_2。在 538 K 时它开始升华而不熔化,说明其共价性显著。

当把 Au 溶于王水或 $AuCl_3$ 溶于盐酸中,将含有 $AuCl_4^-$ 配合离子的溶液蒸发时,就能够得到亮黄色氯金(Ⅲ)酸的水合晶体 $[H_3O]^+[AuCl_4]^- \cdot 3H_2O$(即 $H[AuCl_4] \cdot 4H_2O$)。其它水溶性盐如黄色的氯金酸钠 $Na[AuCl_4] \cdot 2H_2O$ 易于制得,与氯金酸一样,它的很多盐不仅能溶于水,并且还能溶于乙醚或乙酸乙酯等有机溶剂中,因而可用这些溶剂来萃取金。氯金酸铯的溶解度非常小,有时利用它来鉴定金元素。

$K[Au(CN)_4] \cdot 3/2H_2O$ 为无色片形晶体,溶解度很大。Au(Ⅰ)或 Au(Ⅲ)虽然没有简单的硝酸盐,但将 Au_2O_3(棕黑色)溶于浓硝酸中并将溶液冷却至 273 K 或更低时,则能析出水合的四硝酸基合金(Ⅲ)酸 H[Au(NO₃)₄]·3H₂O 的黄色晶体。此晶体在 345 K 时分解放出硝酸,在 478 K 时放出氧。

所有金的化合物都易于受热分解。

1-5　ⅠB 族元素和ⅠA 族元素性质的对比

本节主要对比ⅠB 族和ⅠA 族元素的单质和化合物的性质

ⅠA 族单质金属的熔点、沸点、硬度均较低;而ⅠB 族金属则具有较高的熔点和沸点,并且有良好的延展性、导热性和导电性。

ⅠA 族是极活泼的轻金属,在空气中极易被氧化,能与水剧烈反应,同族内的活泼性随原子序增大而增加;而ⅠB 族都是不活泼的重金属,在空气中比较稳定,与水几乎不起反应,同族内的活泼性随原子序增大而减小。这些都与它们的标准电极电势有关,ⅠA 族金属的 $\varphi^\ominus$ 值很负,是很强的还原剂,能从水中置换出氢气;而ⅠB 族金属的 $\varphi^\ominus$ 值很正,不能从水中和稀酸中置换出氢气。

ⅠA 族所形成的化合物大多是无色的离子型化合物,而ⅠB 族的化合物有相当程度的共价性,大多数显颜色。ⅠA 族的氢氧化物都是极强的碱,且非常稳定;而ⅠB 族的氢氧化物碱性较弱,并且不稳定,易脱水形成氧化物。ⅠA 族的离子一般很难成为配合物的形成体,而ⅠB 族的离子则有很强的配合能力。

上述的单质和化合物性质上的差别,都和ⅠB 族元素的次外层 d 电子也能参加成键,它们的离子具有 d^{10}, d^9, d^8 等结构特点有关。

§18-2　锌族元素

2-1　通性

锌族元素包括锌、镉、汞 3 种元素,其结构特征为 $(n-1)\cdot ns^2$,

是长周期表的第ⅡB族元素。它们的特征氧化数都是 +2，汞和镉还有氧化态为 +1(Hg_2^{2+}，Cd_2^{2+})的化合物。它们的主要性质列于表 18-5。

铜族元素为 d 电子刚填满 d 轨道$(n-1)d^{10}ns^1$，s 电子与 d 电子的电离势之差较小，故在配位体适宜的条件下尚能失去 1—2 个 d 电子形成 +2，+3 等氧化态。它们仍能保持着过渡元素的同族中从上到下高价稳定性增加的总趋势。至于锌族元素，因 d 轨道已满，从满层中失去电子更加困难，s 电子与 d 电子的电离势之差远比铜族为大，故通常只失去 s 电子而呈 +2 氧化态。关于 +1 氧化态的亚汞离子 Hg_2^{2+} 的稳定存在，可能是 Hg 原子中 $4f$ 电子对 $6s$ 的屏蔽较小，使 Hg 的第一电离势特别高($I_1 = 1\ 007$ kJ·mol^{-1})，与 Rn 的电离势($I_1 = 1\ 037$ kJ·mol^{-1})相近，于是 $6s$ 电子较难失去(惰性电子对效应)，而宁愿共用，形成$[—Hg:Hg—]^{2+}$离子。

表 18-5　锌族元素的一些基本性质

性　　质	锌	镉	汞
元素符号	Zn	Cd	Hg
原子序数	30	48	80
相对原子质量	65.38	112.41	200.6
价层电子结构	$3d^{10}4s^2$	$4d^{10}5s^2$	$5d^{10}6s^2$
原子半径/pm	125	148	144
M^{2+} 离子半径/pm	74	97	110
第一电离势/kJ·mol^{-1}	906	868	1 007
第二电离势/kJ·mol^{-1}	1 733	1 631	1 810
第三电离势/kJ·mol^{-1}	3 833	3 616	3 300
M^{2+} 水合热/kJ·mol^{-1}	-2 060.6	-1 824.2	-1 849.7
升华热/kJ·mol^{-1}	131	112	61.9
气化热/kJ·mol^{-1}	116	100	58.6
电负性	1.65	1.69	2.00

或者说，Hg 原子的外三层的电子层结构为 32,18,2，是一种封闭的饱和结构，在 Hg_2^{2+} 中每个 Hg 原子仍愿保持这种封闭结构。这也是单质汞以液态出现和 Hg(0) 表现一定惰性的结构原因。（参看第十六章 2-3）

锌、镉、汞的标准电极电势图如下所示：

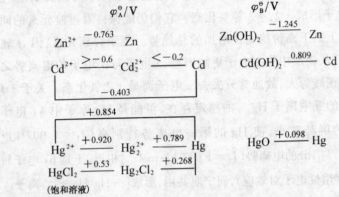

从电势图知，无论 $\varphi_A^\ominus$ 或 $\varphi_B^\ominus$，锌、镉的电势均为负值，二者皆能从稀酸溶液中（锌还能从稀碱溶液中）置换出氢气，汞的电势均为正值，活泼性远比锌、镉差。

图 18-3 示出汞在酸性溶液中的氧化态-吉布斯自由能图。从图可以看出，Hg_2^{2+} 离子的位置在 Hg 与 Hg^{2+} 离子的联线的下方（右侧）故应有：

$$Hg^{2+} + Hg \Longrightarrow Hg_2^{2+}$$

的反应。还应该注意，由于 Hg_2^{2+} 是两个 Hg 原子结合而成，故 Hg_2^{2+} 的位置实际为由 Hg 生成 $\frac{1}{2}$ mol Hg_2^{2+} 时的位置。

从表 18-5 和电势图，并结合与碱土金属（ⅡA）元素对比，对锌族元素的性质可以归纳为以下几点：

（1）锌族元素由于次外层有 18 个电子，对原子核的屏蔽较

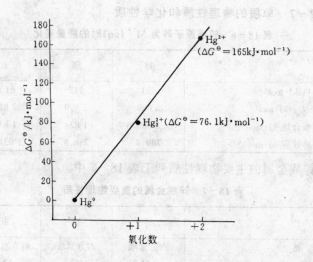

图 18-3 汞的氧化态-吉布斯自由能图

小,有效核电荷较大,对外层 s 电子的引力较大,其原子半径、M^{2+} 离子的半径都比同周期的碱土金属为小(如 Zn 的原子半径为 125pm,Ca 为 174pm),而其第一、第二电离势之和以及电负性都比碱土金属为大。例如 Zn 的 $I_1 + I_2 = 2\ 639\ kJ \cdot mol^{-1}$,Ca 的 $I_1 + I_2 = 1\ 735\ kJ \cdot mol^{-1}$;Zn 的电负性(1.65)比碱土金属中电负性最大的铍(1.57)还大。因此锌族元素不如碱土金属活泼。

(2) 从 $\varphi_A^\ominus$ 来看,锌族的活泼性不仅小于碱土金属,且从 Zn ——→Hg 活泼性降低,这恰与碱土金属相反,而和铜族的变化趋势相同。这种趋势也可由表 18-6 中锌族原子转为 M^{2+}(水)时的能量变化获得解释。

(3) 与 Cu 转化为 Cu^{2+}(aq)时所需的总热效应(914 kJ·mol^{-1})相比,同周期的 Zn 转化为 Zn^{2+}(aq)所需的总热效应(709.4 kJ·mol^{-1})小得多,所以锌比铜活泼。同理,单质的活泼性镉大于银;汞大于金。

2-2 单质的物理性质和化学性质

表 18-6 锌族原子转为 M^{2+} (aq)时的能量变化

	锌	镉	汞
升华热/$kJ \cdot mol^{-1}$	131	112	61.9
$(I_1 + I_2)/kJ \cdot mol^{-1}$	2 639	2 499	2 817
M^{2+} 水合热/$kJ \cdot mol^{-1}$	-2 060.6	-1 824.2	-1 849.7
总的热效应/$kJ \cdot mol^{-1}$	709.4	786.8	1 031.2

锌族金属的主要物理性质列于表 18-7 中。

表 18-7 锌族金属的重要物理性质

	锌	镉	汞
晶　　格	六方紧堆	六方紧堆	斜方六面体
熔点/K	693	594	234
沸点/K	1 180	1 038	630
硬度(金刚石=10)	2.5	2	液

本族为低熔点金属。其熔点、沸点不仅低于碱土金属,而且还低于铜族,并依 Zn,Cd,Hg 的顺序下降,汞是金属中熔点最低的。

汞是室温下唯一的液体金属,有流动性,且在 273—573 K 之间体积膨胀系数很均匀,又不润湿玻璃,故用来作温度计。汞的蒸气压在室温下很低(273 K 时为 0.0247 Pa),293 K 时为 0.16Pa, 303 K 时为 0.369Pa,宜于制造气压计。汞的蒸气在电弧中能导电,并辐射高强度的可见和紫外光线,故可作太阳灯。利用汞的高密度、导电性和流动性,在实验工作中用汞作液封和大电流断路继电器。

汞蒸气(是单原子分子)吸入人体会产生慢性中毒,如牙齿松动、毛发脱落、神经错乱等。空气中汞蒸气的最大允许浓度为 0.1 mg·m^{-3}(相当于 1.1×10^{-4} Pa)。所以汞的蒸馏必须在通风橱中进行,在使用汞时不许撒落在实验桌上或地面上。万一撒落,务必尽量收集起来,然后在估计还有金属汞的地方撒上硫磺粉,以便使汞转化成 HgS。汞的密度很大(13.6g·cm⁻³),取持盛汞的瓷瓶时,切勿大意,以防脱手。盛汞瓶应放在大的搪瓷托盘中,以备万一。临时放在广口瓶中的少量汞,若不密封则应在汞面上覆盖一层 10% NaCl 溶液,以免汞挥发出来。烷基汞[如 $Hg(CH_3)_2$]及衍生物的存在则特别危险,因为它倾向于在大脑中积存,带来不可治愈的伤害。

汞的另一特性是能溶解一些金属而形成汞齐。汞齐一方面在化学本性上与其它合金相似,而另一方面又有自身的特点,即溶解于汞中的金属含量不高时,所得的汞齐常呈液态和糊状。钠溶解于汞形成钠汞齐。它在同水接触时,其中的汞仍保持其惰性,而钠则与水反应放出氢气。不过同纯的金属钠相比,反应进行的比较平稳。根据此性质,钠汞齐在有机合成中常用作还原剂。此外,利用汞能溶解金和银的性质,在冶金中用汞齐法提取这些贵金属。

无论在物理性质或化学性质方面,锌、镉都比较相近,而汞较特殊(如汞为液态、不活泼、有 Hg_2^{2+} 离子等等,这是周期表中金属性与非金属性的纵横变化中,固态的金属巨分子向气态共价的非金属小分子过渡中,由活泼的金属向活泼的非金属过渡中产生的必然结果)。下面着重介绍锌、汞二元素的化学性质。

锌在加热条件下可以和绝大多数的非金属发生化学反应。

在 1 273 K 时,锌在空气中燃烧成氧化锌。汞须加热至沸才缓慢与氧作用生成氧化汞,它在 773 K 以上重新分解成氧和汞。

$$2Zn + O_2 \xrightarrow{\text{1 273 K}} 2ZnO$$

$$2Hg + O_2 \xrightleftharpoons[\text{773 K 以上}]{\text{加热至沸}} 2HgO$$

锌与含 CO_2 的潮湿空气接触,可生成碱式碳酸盐:

$$4Zn + 2O_2 + 3H_2O + CO_2 =\!=\!= ZnCO_3 \cdot 3Zn(OH)_2$$

在普通条件下。锌与卤素作用缓慢,锌粉与硫磺共热可形成硫化锌。

汞与硫磺粉直接研磨时,由于汞是液态,接触面积较大,且二者亲和力较强,容易形成硫化汞。

锌的电极电势比氢负,可与盐酸、硫酸等酸反应生成氢;而汞的电势比氢正,只能在热的浓硫酸或硝酸中溶解:

$$Hg + 2H_2SO_4(浓) \xrightarrow{\triangle} HgSO_4 + SO_2 \uparrow + 2H_2O$$

$$3Hg + 8HNO_3 \xrightarrow{\triangle} 3Hg(NO_3)_2 + 2NO \uparrow + 4H_2O$$

应该指出,锌和铝一样,是两性金属,锌不但能溶于酸,而且还能溶于强碱中形成锌酸盐:

$$Zn + 2NaOH + 2H_2O =\!=\!= Na_2[Zn(OH)_4] + H_2 \uparrow$$

但锌和铝又有区别,锌与氨水能形成配合离子而溶于氨水,铝则无此反应,不溶于氨水。

$$Zn + 4NH_3 + 2H_2O =\!=\!= [Zn(NH_3)_4](OH)_2 + H_2 \uparrow$$

2-3 锌、汞的存在和冶炼

锌主要以硫化物或含氧化合物存在于自然界。例如 ZnS(闪锌矿)、$ZnCO_3$(菱锌矿)、ZnO(红锌矿)等,并常与铅矿(如 PbS,方铅矿)共生而称为铅锌矿。闪锌矿含锌量低,经浮选法得含 ZnS 40%—60% 的精矿,精矿焙烧为 ZnO,再与焦炭混合在鼓风炉中加热到 1473 K 以上,使 ZnO 还原并蒸馏出来:

焙烧 $\qquad 2ZnS + 3O_2 =\!=\!= 2ZnO + 2SO_2 \uparrow$

热还原 $\qquad\qquad 2C + O_2 =\!=\!= 2CO$

$$ZnO + CO =\!=\!= Zn(g) + CO_2 \uparrow$$

这样所得的粗锌含 Zn 约 98%,通过分馏可分离杂质 Pb 和 Cd,得到 99.99% 的锌。

电解法炼锌时,可将焙烧的粗产品 ZnO 溶于稀硫酸,并加锌粉以置换出较不活泼的 Cd、Co、Ni、Cu、Ag 等杂质。以 $ZnSO_4$ 溶液电解,Al 为阴极,Pb 作阳极(析出 O_2),可得 99.95% 的锌。

汞常以 HgS(辰砂)形式存在,有时也以游离态存在。

将辰砂直接在 873—973 K 的空气流中焙烧,或与铁或氧化钙共同焙烧都可得到汞:

$$HgS + O_2 \stackrel{\triangle}{=\!=\!=} Hg\uparrow + SO_2\uparrow$$

或

$$HgS + Fe \stackrel{\triangle}{=\!=\!=} Hg\uparrow + FeS$$

$$4HgS + 4CaO \stackrel{\triangle}{=\!=\!=} 4Hg\uparrow + 3CaS + CaSO_4$$

纯制时可将粗汞通过稀 HNO_3 洗涤,同时鼓入空气泡,比汞活泼的金属均被溶解及氧化,生成硝酸盐。不溶的汞可进一步减压蒸馏,即得 99.9% 的汞。

2-4 锌族元素的重要化合物

本族的 M^{2+} 为 18 电子型离子,均无色,因而一般化合物也无色。但由于依 Zn^{2+},Cd^{2+},Hg^{2+} 的顺序,离子的极化力和变形性逐渐加强,以致 Cd^{2+} 特别是 Hg^{2+} 与易变形的阴离子如 S^{2-},I^- 等形成的化合物往往有显著的共价性,呈现很深的颜色和较低的溶解度。这种显色也是由于 S^{2-} 离子和 I^- 离子的变形性大,在 Cd^{2+} 和 Hg^{2+} 的硫化物和碘化物中容易发生电荷迁移的缘故。现将它们的硫化物、碘化物和氧化物的性质对比如下:

硫化物	ZnS	CdS	HgS
	白色	黄色	黑色或红色
	难溶	难溶	极难溶
碘化物	ZnI_2	CdI_2	HgI_2
	无色	黄色	红色或黄色
	易溶	可溶	微溶

氧化物	ZnO	CdO	HgO
	白色	棕灰	红色或黄色
	难溶	难溶	极难溶

下面分别介绍本族元素的重要化合物

(1) 氧化数为 +2 的化合物

(a) 氢氧化物和氧化物 在 Zn^{2+}, Cd^{2+}, Hg^{2+} 的可溶盐(如硝酸盐)的溶液中加适量碱,可以沉淀出锌和镉的白色氢氧化物和黄色氧化汞:

$$Zn^{2+} + 2OH^- \!=\!=\!= Zn(OH)_2 \downarrow$$

$$Cd^{2+} + 2OH^- \!=\!=\!= Cd(OH)_2 \downarrow$$

$$Hg^{2+} + 2OH^- \!=\!=\!= HgO \downarrow + H_2O$$

$Zn(OH)_2$ 为两性,既可溶于酸,又可溶于碱,$Cd(OH)_2$ 基本为碱性,二者均易受热脱水变为 ZnO 和 CdO。$Hg(OH)_2$ 在室温不存在,只生成 HgO。铜族、锌族的所有氢氧化物均易脱水成为氧化物,这是它们的共性。而银、金、汞的氧化物也不够稳定,均易受热分解成单质。锌族的氧化物均是共价化合物,因其核间距与共价半径之和接近。ZnO 用于制造药膏敷料、收敛剂,$Zn(OH)_2$ 用作造纸填料。HgO 的红色变体可由 Na_2CO_3 沉淀 $Hg(NO_3)_2$ 或缓慢加热 $Hg(NO_3)_2$ 而制得:

$$Hg(NO_3)_2 + Na_2CO_3 \xrightarrow{\triangle} HgO \downarrow + CO_2 \uparrow + 2NaNO_3$$

$$Hg(NO_3) \xrightarrow{\text{缓慢加热}} HgO + 2NO_2 \uparrow + \frac{1}{2}O_2 \uparrow$$

黄色 HgO 在低于 573 K 加热时可以转变成红色 HgO。二者晶体结构相同,颜色不同仅是晶粒大小不同所致。黄色者晶粒较细小,红色者晶粒较大。

(b) 卤化物 (i) 氯化锌:$ZnCl_2$ 是固体盐中溶解度最大的

$(283\ K, 333g/100gH_2O)$。溶于水时多少有些水解：

$$ZnCl_2 + H_2O \Longrightarrow Zn(OH)Cl + HCl$$

它在浓溶液中形成如下的配合酸：

$$ZnCl_2 + H_2O \Longrightarrow H[ZnCl_2(OH)]$$

这个酸具有显著的酸性,能溶解金属氧化物,如氧化亚铁：

$$FeO + 2H[ZnCl_2(OH)] \Longrightarrow Fe[ZnCl_2(OH)]_2 + H_2O$$

在焊接金属时,用 $ZnCl_2$ 浓溶液溶解清除金属表面上的氧化物而不损害金属表面,且在热焊时,水分蒸发,熔化物复盖金属,使之不再氧化,能保证焊接金属的直接接触。氧化锌的吸水性很强,故在有机合成上用作脱水剂。浸过 $ZnCl_2$ 溶液后的木材不易被腐蚀。

(ii) 氯化汞和碘化汞：将氧化汞溶于盐酸可以制取 $HgCl_2$（白色）。通常是将 $HgSO_4$ 和 $NaCl$ 的混合物加热而得：

$$HgSO_4 + 2NaCl \overset{\triangle}{=\!=\!=} HgCl_2 + Na_2SO_4$$

$HgCl_2$ 熔点低（549 K）,加热能升华,上述反应正是利用 $HgCl_2$ 从混合物中升华而制得,所以通常称为升汞。$HgCl_2$ 有剧毒,稍溶于水,但电离度很小。$HgCl_2$ 在过量 Cl^- 离子存在下由于形成 $[HgCl_4]^{2-}$ 配合离子而溶解：

$$HgCl_2 + 2Cl^- \Longrightarrow [HgCl_4]^{2-}$$

$HgCl_2$ 在水中稍有水解,在氨水中氨解,二者的反应很相似

$$Cl—Hg—Cl + 2H_2O \Longrightarrow Cl—Hg—OH + H_3O^+ + Cl^-$$

$$Cl—Hg—Cl + 2NH_3 \Longrightarrow Cl—Hg—NH_2 \downarrow + NH_4^+ + Cl^-$$
$$\text{白色}$$

$SnCl_2$ 在酸性溶液中可把 $HgCl_2$ 还原成氯化亚汞（白色沉淀）。

$$2HgCl_2 + SnCl_2 + 2HCl \Longrightarrow Hg_2Cl_2 \downarrow + H_2SnCl_6$$

如果 $SnCl_2$ 过量,生成的 Hg_2Cl_2 可进一步被还原为黑色的金属汞,使沉淀变黑:

$$Hg_2Cl_2 + SnCl_2 + 2HCl \Longrightarrow 2Hg\downarrow + H_2SnCl_6$$

在分析化学中常用上述反应检验 Hg^{2+} 离子。

$HgCl_2$ 的稀溶液有杀菌作用,在外科上用作消毒剂。

在 Hg^{2+} 的溶液中加入 I^- 离子时,起初生成红色 HgI_2 的沉淀,I^- 离子过量时 HgI_2 因生成 $[HgI_4]^{2-}$ 配合离子(无色)而溶解:

$$Hg^{2+} + 2I^- \Longrightarrow HgI_2\downarrow \xrightarrow{+2I^-} [HgI_4]^{2-}$$

$K_2[HgI_4]$ 和 KOH 的混合溶液,称为奈斯勒试剂,如果在溶液中有微量的 NH_4^+ 离子存在时,加几滴奈斯勒试剂,就会产生特殊的红色沉淀:

$$NH_4Cl + 2K_2[HgI_4] + 4KOH \Longrightarrow Hg_2NI\cdot H_2O\downarrow + KCl + 7KI + 3H_2O$$

这个反应比较灵敏,常用来鉴定 NH_4^+ 离子。

(c)硫化物　往 Zn^{2+},Cd^{2+},Hg^{2+} 的溶液中通入 H_2S 时,都会生成相应的硫化物沉淀:

$$M^{2+} + H_2S \Longrightarrow MS\downarrow + 2H^+$$

这些硫化物的溶度积从 Zn^{2+} 到 Hg^{2+} 依次减小,并按此顺序颜色(见前,从溶液中沉淀的 HgS 为黑色)加深。K_{sp} 愈小,溶解它们愈困难,需要的酸也越强,因而 ZnS 溶于稀盐酸,不溶于醋酸;CdS 溶于浓盐酸、浓硫酸及热稀硝酸(溶解反应与 CuS 相似);HgS 是金属硫化物中溶解度最小的一个,甚至不溶于浓硝酸,只能溶于王水或 Na_2S 溶液:

$$3HgS + 8H^+ + 2NO_3^- + 12Cl^- \Longrightarrow 3HgCl_4^{2-} + 3S\downarrow + 2NO\uparrow + 4H_2O$$

$$HgS + Na_2S \Longrightarrow Na_2[HgS_2]$$

黑色 HgS 加热至 659 K 可转变为稳定的红色变体。

ZnS 可用作白色颜料,它同 $BaSO_4$ 共沉淀所形成的混合晶体 ZnS $BaSO_4$ 叫做锌钡白(立德粉),是一种优良的白色颜料。

在 H_2S 气氛中灼烧无定形的 ZnS 能把它转变为晶体 ZnS。晶体 ZnS 如含有微量的铜和银的化合物作为活化剂,在紫外光或可见光照射后,于黑暗处能发出不同颜色的萤光,银为蓝色,铜为黄绿色,锰为橙色等等,因此 ZnS 常用于涂布萤光屏幕,这种材料叫做萤光粉。

CdS 也是有用的颜料,称为镉黄。在制备萤光粉时,也用到 CdS。

(d) 配合物 本族的 M^{2+} 为 18 电子型离子,极化力和变形性都很大,能和 X^-(除 F^- 外的卤素离子)、NH_3,SCN^-,CN^- 等形成四配位的配合离子 ML_4(略去电荷),其中以 CN^- 的配合物最稳定。当配位体一定时,Hg^{2+} 的配合物又比 Zn^{2+} 和 Cd^{2+} 稳定得多。Hg^{2+} 离子的八面体配合物极少,它同 C,N,P,S 等配位原子结合的配合离子一般比较稳定,而 d^{10} 型离子特别是 Hg^{2+} 的卤素配合物的稳定性与过渡金属离子相反,常是 $Cl^- < Br^- < I^-$,这些情况可由下述的配合离子的 $K_稳$ 看出

$$Zn^{2+} + 4NH_3 \rightleftharpoons Zn(NH_3)_4^{2+} \qquad K_稳^\ominus = 2.9 \times 10^9$$

$$Zn^{2+} + 4CN^- \rightleftharpoons Zn(CN)_4^{2-} \qquad K_稳^\ominus = 5.0 \times 10^{16}$$

$$Hg^{2+} + 4Cl^- \rightleftharpoons HgCl_4^{2-} \qquad K_稳^\ominus = 1.2 \times 10^{15}$$

$$Hg^{2+} + 4Br^- \rightleftharpoons HgBr_4^{2-} \qquad K_稳^\ominus = 1.0 \times 10^{21}$$

$$Hg^{2+} + 4SCN^- \rightleftharpoons Hg(SCN)_4^{2-} \qquad K_稳^\ominus = 1.7 \times 10^{21}$$

$$Hg^{2+} + 4I^- \rightleftharpoons HgI_4^{2-} \qquad K_稳^\ominus = 6.8 \times 10^{29}$$

$$Hg^{2+} + 4CN^- \rightleftharpoons Hg(CN)_4^{2-} \qquad K_稳^\ominus = 2.5 \times 10^{41}$$

配合离子的组成同配位体的浓度有密切的关系。例如在 1 $mol \cdot dm^{-3} Cl^-$ 离子的溶液中主要是 $HgCl_4^{2-}$ 离子,而在 0.1 $mol \cdot dm^{-3} Cl^-$

离子的溶液中,$HgCl_2$,$HgCl_3^-$ 和 $HgCl_4^{2-}$ 的浓度大致相等。

对 Zn^{2+} 与 Cd^{2+} 来说,与卤素离子形成的配合离子都很不稳定。

(2) 氧化数为 +1 的化合物

本族的 +1 氧化数化合物,只有亚汞离子 Hg_2^{2+} 在水溶液中能稳定存在。Hg_2^{2+} 与 Hg^{2+} 存在如下平衡:

$$Hg^{2+} + Hg \rightleftharpoons Hg_2^{2+}$$

由图 18-2 可知:要制备亚汞化合物,必须用 Hg^{2+} 的化合物与金属汞反应方可。例如在制备硝酸亚汞 $Hg_2(NO_3)_2$ 时,需将硝酸汞 $Hg(NO_3)_2 \cdot H_2O$ 溶液与过量的金属汞一起摇荡,在溶液中建立了如下的平衡:

$$Hg(NO_3)_2 + Hg(过量) \rightleftharpoons Hg_2(NO_3)_2$$

此反应的平衡常数:

$$K^\ominus = \frac{[Hg_2^{2+}]}{[Hg^{2+}]} = 166$$

表明在平衡时 Hg^{2+} 绝大多数转变成了 Hg_2^{2+} 离子,经结晶即可制得 $Hg_2(NO_3)_2$。也常用过量汞与冷的稀 HNO_3 作用而得 $Hg_2(NO_3)_2$。它是无色易溶于水的亚汞盐,是提供 Hg_2^{2+} 的常用试剂,在空气中易被氧化成 $Hg(NO_3)_2$。

根据上列平衡来看,由于 $K^\ominus$ 值不是很大,平衡易于向两个方向移动,故在 Hg_2^{2+} 离子的溶液中加入 Hg^{2+} 离子的沉淀剂如 OH^-,NH_3,S^{2-},CO_3^{2-} 等或络合剂如 I^-,CN^- 等时,上述平衡即向 Hg_2^{2+} 歧化的方向进行而生成 Hg^{2+} 的相应化合物。这意味着 Hg^{2+} 与 Hg_2^{2+} 在一定条件下的相互转化。例如:

$$Hg_2^{2+} + 2OH^- \longrightarrow HgO\downarrow + Hg\downarrow + H_2O$$

$$Hg_2^{2+} + H_2S \longrightarrow HgS\downarrow + Hg\downarrow + 2H^+$$

$$Hg_2^{2+} + 4I^- \longrightarrow HgI_4^{2-} + Hg\downarrow$$

亚汞盐中氯化亚汞 Hg_2Cl_2 也较常见。它可用汞和氯化汞一起研磨而制得：

$$HgCl_2 + Hg == Hg_2Cl_2$$

除了可以用 Hg 作还原剂将 $HgCl_2$ 还原成 Hg_2Cl_2 外,通常还可用 SO_2 代替 Hg 作还原剂将 $HgCl_2$ 还原成 Hg_2Cl_2:

$$2HgCl_2 + SO_2 + 2H_2O == Hg_2Cl_2 \downarrow + H_2SO_4 + 2HCl$$

但从 $\varphi^{\ominus}_{SO_4^{2-}/H_2SO_3} = 0.17\ V, \varphi^{\ominus}_{HgCl_2/Hg_2Cl_2} = 0.53\ V, \varphi^{\ominus}_{Hg_2Cl_2/Hg} = 0.268\ V$,可以看出,$SO_2$ 有将 Hg_2Cl_2 继续还原成 Hg 的可能。为了保证仅还原到 Hg_2Cl_2 为止,必须有过量的 $HgCl_2$ 存在,使与万一生成的 Hg 继续作用生成 Hg_2Cl_2。

Hg_2Cl_2 俗名甘汞,是微溶于水的白色粉末,无毒,无味。见光易分解:

$$Hg_2Cl_2 \xrightarrow{\ \text{光}\ } HgCl_2 + Hg$$

在白色的 Hg_2Cl_2 上加入氨水,则立时变黑:

$$Hg_2Cl_2 + 2NH_3 == HgNH_2Cl \downarrow + NH_4Cl + Hg \downarrow$$

$HgNH_2Cl$ 原为白色沉淀,其中有很细的金属汞分散着,故显黑色。此反应可用来检验 Hg_2^{2+} 离子,该反应是利用 NH_3 作为 Hg^{2+} 的沉淀剂,使生成比 Hg_2Cl_2 更难溶的 $HgNH_2Cl$,促使 Hg_2^{2+} 歧化。如果被检验的 Hg_2^{2+} 不是氯化物,则应先加入一些 Cl^- 离子,再加氨水。

综上所述,可知 Hg^{2+} 与 Hg_2^{2+} 在一定条件下能相互转化,而 Hg_2^{2+} 的化合物一般不如 Hg^{2+} 的化合物稳定。

2-5 ⅡB 族元素和ⅡA 族元素性质的对比

ⅡB 族金属的熔点、沸点都比ⅡA 族低,汞在室温下是液体。ⅡA 族和ⅡB 族金属的导电性、导热性、延展性都较差(只有镉有延展性)。

ⅡA 族元素比较活泼,尤其是钙、锶、钡在空气中易被氧化,ⅡB 族的活泼性比ⅡA 族差,它们在干燥空气中常温下不起变化。ⅡA 族元素不但能从稀酸中置换出氢气,而且也能从水中置换出氢气(铍和镁与冷水作用慢);ⅡB 族元素都不能从水中置换出氢气,在稀的盐酸或硫酸中,锌容易溶解,镉较难,汞则完全不溶。这从它们的 $\varphi^{\ominus}$ 值可以得到说明。

这两族的 M^{2+} 离子都是无色的。由于ⅡB 族元素的离子具有 18 电子层,极化力较强,因而它们的化合物不管在程度上或范围上都比ⅡA 族元素的化合物所表现的共价性为大。而且,易变形的阴离子(如 S^{2-},I^- 等)与镉和汞形成的化合物常有颜色。此外,ⅡB 族金属离子形成配合物的倾向比ⅡA 族金属离子强得多。

ⅡB 族元素的氢氧化物是弱碱性的,且易脱水分解;而钙、锶和钡的氢氧化物则是强碱性的,不易脱水分解。$Be(OH)_2$ 和 $Zn(OH)_2$ 都是两性氢氧化物。

这两族元素的硝酸盐都易溶于水。ⅡB 族元素的硫酸盐是易溶的,而钙、锶、钡的硫酸盐则是微溶的。这两族元素的碳酸盐又都难溶于水。

ⅡB 族元素的盐在溶液中都有一定程度的水解,而钙、锶和钡的盐则不水解。

ⅡB 族元素的金属活泼性自上而下减弱,但它们的氢氧化物碱性则相反地自上而下增强;ⅡA 族元素的金属活泼性以及它们的氢氧化物的碱性,则自上而下一致增强。

从以上比较看出,在单质状况下,特别是物理性质方面,Be 和 Mg 与锌分族和钙分族都有一定的相似性(如从上往下,熔点递降、密度递增;导电、导热、延展性均较差等),但在化合物状态中,Be 和 Mg 则与钙分族更为相似。

习　　题

1. 用反应方程式说明下列现象：

(1) 铜器在潮湿空气中会慢慢生成一层铜绿；

(2) 金溶于王水；

(3) 在 $CuCl_2$ 浓溶液逐渐加入稀释时，溶液颜色由黄棕色经绿色而变为蓝色；

(4) 当 SO_2 通入 $CuSO_4$ 与 $NaCl$ 的浓溶液中时析出白色沉淀；

(5) 往 $AgNO_3$ 溶液中滴加 KCN 溶液时，先生成白色沉淀而后溶解，再加入 $NaCl$ 溶液时并无 $AgCl$ 沉淀生成，但加入少许 Na_2S 溶液时却析出黑色 AgS 沉淀。

2. 解释下列实验事实：

(1) 焊接铁皮时，常先用浓 $ZnCl_2$ 溶液处理铁皮表面；

(2) HgS 不溶于 HCl，HNO_3 和 $(NH_4)_2S$ 中而能溶于王水或 Na_2S 中；

(3) HgC_2O_4 难溶于水，但可溶于含有 Cl^- 离子的溶液中；

(4) 热分解 $CuCl_2 \cdot 2H_2O$ 时得不到无水 $CuCl_2$。

(5) $HgCl_2$ 溶液中有 NH_4Cl 存在时，加入 NH_3 水得不到白色沉淀 NH_2HgCl。

3. 试选用配合剂分别将下列各种沉淀溶解掉，并写出相应的方程式。

(1) $CuCl$ 　(2) $Cu(OH)_2$ 　(3) $AgBr$

(4) $Zn(OH)_2$ 　(5) CuS 　(6) HgS

(7) HgI_2 　(8) AgI 　(9) CuI 　(10) NH_2HgOH

4. 完成下列反应方程式：

(1) $Hg_2^{2+} + NaOH \longrightarrow$

(2) $Zn^{2+} + NaOH(浓) \longrightarrow$

(3) $Hg^{2+} + NaOH \longrightarrow$

(4) $Cu^{2+} + NaOH(浓) \xrightarrow{\Delta}$

(5) $Cu^+ + NaOH \longrightarrow$

(6) $Ag^+ + NaOH \longrightarrow$

(7) $HgS + Al + OH^-$（过量）$\longrightarrow$

(8) $Cu_2O + NH_3 + NH_4Cl + O_2 \longrightarrow$

5. 概述下列合成步骤:

(1) 由 CuS 合成 CuI;

(2) 由 $CuSO_4$ 合成 $CuBr$;

(3) 由 $K[Ag(CN)_2]$ 合成 Ag_2CrO_4;

(4) 由黄铜矿 $CuFeS_2$ 合成 CuF_2;

(5) 由 ZnS 合成 $ZnCl_2$(无水);

(6) 由 Hg 制备 $K_2[HgI_4]$;

(7) 由 $ZnCO_3$ 提取 Zn;

(8) 由 $Ag(S_2O_3)_2^{3-}$ 溶液中回收 Ag。

6. 试设计一个不用 H_2S 而能使下述离子分离的方案

$$Ag^+, Hg_2^{2+}, Cu^{2+}, Zn^{2+}, Cd^{2+}, Hg^{2+} 和 Al^{3+}$$

7. 将 1.008 克铜－铝合金样品溶解后,加入过量碘离子,然后用 $0.105\,2\ mol \cdot dm^{-3}\ Na_2S_2O_3$ 溶液滴定生成的碘,共消耗 $29.84\ cm^{-3}\ Na_2S_2O_3$ 溶液,试求合金中铜的质量分数。 (19.8%)

8. 计算下列各个半电池反应的电极电势:

(1) $Hg_2SO_4 + 2e^- \Longrightarrow 2Hg + SO_4^{2-}$

（已知 $\varphi_{Hg_2^{2+}/Hg}^{\ominus} = 0.792\ V$, $K_{sp(Hg_2SO_4)}^{\ominus} = 6.76 \times 10^{-7}$）

$$(\varphi_{Hg_2SO_4/Hg}^{\ominus} = 0.61\ V)$$

(2)

$$\underset{\text{CuS} \xrightarrow{\varphi_2^{\ominus}} \text{Cu}_2\text{S} \xrightarrow{\varphi_3^{\ominus}} \text{Cu}}{\overset{\boxed{\quad\quad\ \varphi_1^{\ominus}\quad\quad\ }}{}}$$

（已知 $\varphi_{Cu^{2+}/Cu^+}^{\ominus} = 0.15\ V$, $\varphi_{Cu^+/Cu}^{\ominus} = 0.52\ V$,

$K_{sp(CuS)}^{\ominus} = 7.94 \times 10^{-36}$, $K_{sp(Cu_2S)}^{\ominus} = 1.0 \times 10^{-48}$）

（$\varphi_{CuS/Cu_2S}^{\ominus} = -0.51\ V$, $\varphi_{Cu_2S/Cu}^{\ominus} = -0.159\ V$,

$\varphi_{CuS/Cu}^{\ominus} = -0.332\ V$）

9. 将无水硫酸铜(Ⅱ)溶于水中,得到溶液 A。用过量的 NaCl 溶液处理溶液 A 得到溶液 B。当溶液 B 用过量的 SO_2 处理之后再用水稀释,生成沉淀 C。将沉淀滤出并用蒸馏水洗涤后,溶解于氨水中得到无色溶液 D,D 在空气中静置时迅速变成蓝紫色溶液 E。如再向溶液 E 加入大量铜屑,则得到无色溶液 F。

(a) 说明溶液 A 和 B 的颜色,并写出在溶液中主要含铜组分的化学式;

(b) 说明沉淀 C 的颜色和化学式;

(c) 在 E 中主要含铜组分的化学式是什么?

(d) 简单解释当溶液 D 变成溶液 E 时所发生的变化?

(e) 溶液 D 和溶液 F 在组成上有无区别?

10. 下面两个平衡:

$$2Cu^+ \rightleftharpoons Cu^{2+} + Cu$$

$$Hg^{2+} + Hg \rightleftharpoons Hg_2^{2+}$$

(1) 在形式上是相反的,为什么会出现这种情况?

(2) 在什么情况下平衡会向左移动? 试各举两个实例。

11. $[Ag(CN)_2]^-$ 的不稳定常数是 1.0×10^{-20},若把 1 g 银氧化并溶入含有 1.0×10^{-1} mol·dm^{-3} CN^- 的 1 dm^3 溶液中,试问平衡时 Ag^+ 的浓度是多少? (1.4×10^{-20} mol·dm^{-3})

12. 写出与汞有关的反应。

13. 写出 Hg^{2+} 与 Hg_2^{2+} 离子的区别与检查和检验 NH_4^+ 的反应方程式。

14. Cu(Ⅱ) 与 Hg(Ⅱ) 配合物的几何构型、稳定性有何区别?

15. 比较 ⅠB 与 ⅠA,ⅡB 与 ⅡA 的主要化学性质。

第十九章　配位化合物

　　配位化合物是一类由中心金属原子(离子)和配位体组成的化合物。我们的衣、食、住、行及日常生活中用的各种材料许多都与配位化合物有关。配位化合物中心金属离子的配位体可以是无机分子、离子和有机化合物等,从而使配位化合物更具有广泛性。一种元素或同它相结合的配位体,常常由于形成配合物,而改变了它们的性质。例如,$PbCl_4$ 常温下极不稳定,但是当它和 KCl 结合成 K_2PbCl_6 时,加热到 463K 才开始分解;在一般情况下,C_2H_4 不易同水反应生成 CH_3CHO,但当 C_2H_4 与 $PdCl_2$ 生成配合物$[(C_2H_4)Pd(H_2O)Cl_2]$后,由于 C_2H 被活化,从而促进 C_2H_4 同 H_2O 的反应;N_2 分子很稳定,温和条件下不被 H_2 还原成 NH_3,但当 N_2 形成特殊的配合物后,就可能在常温常压下被还原成氨。由于配合物的形成对元素和配位体都产生很大的影响,以及配合物的独特性质,使人们对配位化学的研究更深入、广泛,它不仅是现代无机化学学科的中心课题,而且对分析化学、生物化学、催化动力学、电化学、量子化学等方面的研究都有重要的意义。可以说,配位化学在整个化学领域内已经成为一个不可缺少的组成部分。按照课程的要求,本章只概括地介绍一些配位化学中最基本的知识和基础理论。

§19-1　配位化合物的基本概念

1-1　配位化合物的定义

　　要给配合物下一个严密的定义是比较困难的,但我们可以从它们和简单化合物的对比中找到一个粗略的定义。

简单化合物 H_2O, HCl, NH_3 分子是每个原子各提供一个电子，以共用电子对形式结合而成；$AgCl, CuSO_4, K_2SO_4$、$Al_2(SO_4)_3$ 则是由离子键结合而成。这些简单化合物都是符合经典的化合价理论的。

由简单化合物的分子加合而成的"分子化合物"例如：

$$NH_3 + HCl \Longrightarrow NH_4Cl$$
$$AgCl + 2NH_3 \Longrightarrow [Ag(NH_3)_2]Cl$$
$$CuSO_4 + 4NH_3 \Longrightarrow [Cu(NH_3)_4]SO_4$$
$$HgI_2 + 2KI \Longrightarrow K_2[HgI_2]$$
$$Ni + 4CO \Longrightarrow Ni(CO)_4$$
$$K_2SO_4 + Al_2(SO_4)_3 + 24H_2O \Longrightarrow K_2SO_4 \cdot Al_2(SO_4)_3 \cdot 24H_2O$$

在 $NH_4Cl, [Ag(NH_3)_2]Cl$ 等分子的形成过程中，既没有电子的得失和氧化数的变化，也没有形成共用电子对的共价键。所以，这些"分子化合物"的形成是不能用经典的化合价理论来说明的。这类"分子化合物"，是不符合经典的化合价理论的。

根据现代结构理论可知：象 $Ag(NH_3)_2Cl, K_2[HgI_4], Ni(CO)_4$ 这类"分子化合物"是靠配位键结合起来的，统称为配合物。

可以说，配合物是由中心原子（或离子）和配位体（阴离子或分子）以配位键的形式结合而成的复杂离子（或分子），通常称这种复杂离子为配位单元。凡是含有配位单元的化合物都称配合物。

根据上述定义 $[Co(NH_3)_6]^{3+}$，$[Co(NH_3)_5H_2O]^{3+}$，$[HgI_4]^{2-}$，$Ag(NH_3)_2^+$ 等复杂离子，因其中都含有配位键，所以它们都是配位离子。由它们组成的相应化合物如 $[Co(NH_3)_6]Cl_3$，$[Co(NH_3)_5H_2O]Cl_3$，$K_2[HgI_4]$ 和 $[Ag(NH_3)_2]Cl$ 等都是配合物。

多数配离子既能存在于晶体中，也能存在于水溶液中。例如，

$[Co(NH_3)_6]Cl_3$ 和 $K_2[HgI_4]$ 在晶体和水溶液中,都存在 $Co(NH_3)_6^{3+}$ 和 HgI_4^{2-} 配离子。但是也有些配离子,只能在固态、气态或特殊溶剂中存在,溶于水便立即离解成组分物质。例如复盐 $LiCl \cdot CuCl_2 \cdot 3H_2O$ 和 $KCl \cdot CuCl_2$ 在晶体中虽然存在 $CuCl_3^-$ 配离子,但溶于水便立即解离为 Li^+,Cu^{2+},Cl^- 和 K^+ 等离子(实际上 $CuCl_3^-$ 转化为 $Cu(H_2O)_4^{2+}$。根据定义,它们自然属于配合物范围。但并不是所有复盐都是配合物,例如,光卤石 $KCl \cdot MgCl_2 \cdot 6H_2O$ 和钾镁矾 $K_2SO_4 \cdot MgSO_4 \cdot 6H_2O$,在晶体或水溶液中都不存在 $MgCl_3^-$ 和 $Mg(SO_4)_2^{2-}$ 形式的配离子,因此这样的复盐就不属于配合物的范畴。

根据定义,NH_4^+ 离子和 SO_4^{2-} 离子固然也可以看作是配离子,但是习惯上并不把 NH_4Cl 和 Na_2SO_4 之类的化合物看成是配离子。因此上述定义是极其粗略的。

1-2 配位化合物的组成

在 $CoCl_2$ 的氨溶液中加入 H_2O_2 可以得到一种组成为 $CoCl_3 \cdot 6NH_3$ 的橙黄色晶体。将此晶体溶于水后,加入 $AgNO_3$ 溶液则立即析出 $AgCl$ 沉淀,沉淀量相当于该化合物中的氯的总量:

$$CoCl_3 \cdot 6NH_3 + 3AgNO_3 =\!=\!= 3AgCl \downarrow + Co(NO_3)_3 \cdot 6NH_3$$

显然该化合物中的氯离子都是自由的,能独立地显示其化学性质。虽然在此化合物中氨的含量很高,但是它的水溶液却呈中性或弱酸性反应,在室温下加入强碱也不产生氨气,只有热至沸腾时,才有氨气放出并析出三氧化二钴沉淀,即:

$$2(CoCl_3 \cdot 6NH_3) + 6KOH \xrightarrow{\text{沸腾}} Co_2O_3 \downarrow + 12NH_3 \uparrow + 6KCl + 3H_2O$$

此化合物的水溶液用碳酸盐或磷酸盐试验,也检验不出钴离子存在,这些试验证明,化合物中的 Co^{3+} 和 NH_3 分子已经配合,形成配离子 $[Co(NH_3)_6]^{3+}$,从而在一定程度上丧失了 Co^{3+} 和 NH_3 各自独立存在时的化学性质。在上述配合物中,Co^{3+} 称为中心离子;六个配位 NH_3 分子,叫做配位体。中心离子与配位体构成了配合物的内配位层(或称内界),通常把它们放在方括号内。内界中配位体(单基的)的总数叫配位数,Cl^- 称为外配位层(或称外界)。内外界之间是离子键,在水中全部解离。这些关系如下图所示:

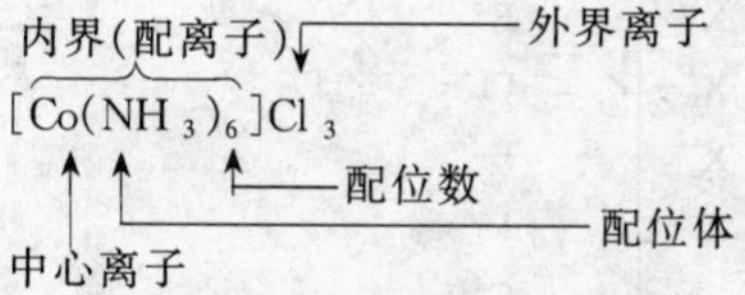

内界(配离子) ———— 外界离子
$[Co(NH_3)_6]Cl_3$
———— 配位数
———— 配位体
中心离子

同理,$K_4[Fe(CN)_6]$ 中,4 个 K^+ 为外界,Fe^{2+} 和 CN^- 共同构成内界。在配合分子 $[Co(NH_3)_3Cl_3]$ 中,Co^{3+},NH_3,Cl^- 全都处于内界,是很难离解的中性分子,它没有外界。

(1)中心离子(或原子)

配合物的中心一般都是带正电的阳离子,但也有电中性的原子甚至还有极少数的阴离子。如 $Ni(CO)_4$,$Fe(CO)_5$ $Cr(CO)_6$ 中的 Ni,Fe,Cr 都是电中性的原子,而 $HCo(CO)_4$ 中的 Co 按氧化态应为 -1。配合物的中心绝大多数是金属离子,而过渡金属离子最常见。此外,少数高氧化态的非金属元素也能作中心离子,如 SiF_6^{2-} 中的 $Si(Ⅳ)$,PF_6^- 中的 $P(Ⅴ)$ 等。

(2)配位体

配位体可以是阴离子,如 X^-(卤素离子),OH^-,SCN^-,CN^-,$RCOO^-$(羧酸根离子),$C_2O_4^{2-}$,Po_4^{3-} 等;也可以是中性分子,如 H_2O,NH_3,CO,醇、胺、醚等。配位体中直接同中心离子(或原子)配合的原子,叫做配位原子。配位原子必须是含有孤对电子的原子,如 NH_3 中的 N 原子,H_2O 分子中的 O 原子,配位原子常是ⅤA,ⅥA,ⅦA 主族的元素(即多电子原子)。

只含一个配位原子的配位体,叫做单基配位体(或称一齿体),如 X^-,NH_3,H_2O 等。含有多个配位原子的配位体,叫做多基配位

表 19-1

配位体 名 称	简写	化 学 式	价数 (齿数)
氟离子	X^-	F^-	1
氯离子	X^-	Cl^-	1
溴离子	X^-	Br^-	1
碘离子	X^-	I^-	1
氰根		CN^-	1
硫氰根		$-SCN^-$	1
异硫氰根		$-NCS^-$	1
氢氧根		OH^-	1
硝基		$-NO_2^-$	1
亚硝酸根		$-ONO^-$	1
乙酸根	Ac^-	CH_3COO^-	1
亚硫酸根		SO_3^{2-}	1
硫代硫酸根		$S_2O_3^{2-}$	1
水		H_2O	1
氨		NH_3	1
羰基		CO	1
吡啶	Py		1
乙二胺	en	$H_2N-CH_2-CH_2-NH_2$	2
联吡啶	DiPy		2
1,10-邻二氮菲	Phen		2
8-羟基喹啉			2
氨基乙酸根		$H_2N-CH_2-COO^-$	2
草酸根		$^-OOC-COO^-$	2
乙酰丙酮基	acac	$CH_3-\underset{O}{C}-CH=\underset{O^-}{C}-CH_3$	2

配位体名称	简写	化学式	价数(齿数)
二乙撑三胺		$H_2NCH_2CH_2NHCH_2CH_2NH_2$	3
氨三乙酸根	NTA	$N \begin{cases} CH_2COO^- \\ CH_2COO^- \\ CH_2COO^- \end{cases}$	4
乙二胺三乙酸根		$^-OOCCH_2-N-CH_2-CH_2-N \begin{cases} CH_2COO^- \\ CH_2COO^- \end{cases}$ 其中N上带H	5
乙二胺四乙酸根	EDTA	$\begin{cases} ^-OOCCH_2 \\ ^-OOCCH_2 \end{cases} N-CH_2-CH_2-N \begin{cases} CH_2COO^- \\ CH_2COO^- \end{cases}$	6

（或称多齿体），如乙二胺 $H_2N-CH_2-CH_2-NH_2$（简写作 en）及草酸根等，其配位情况可示意如下（箭头为配位键的指向）：

$$H_2N-(CH_2)_2-NH_2$$

这类多基配位体能和中心原子（离子）M 形成环状结构，有点象螃蟹的双螯钳住东西起螯合作用一样，因此，称这种多基配位体为螯合剂。

与螯合剂不同，有些配位体虽然也具有两个或多个配位原子，但在一定条件下，仅有一种配位原子与金属配位，这类配位体叫做两可配位体。例如硝基（$-NO_2^-$，以 N 配位）与亚硝酸根（$-O-N=O^-$，以 O 配位），又如硫氰根（SCN^-，以 S 配位）与异硫氰根（NCS^-，以 N 配位）它们都是两可配位体。

配合物内界中的配位体种类可以相同，也可以不同。

配位体中多数是向中心离子（或原子）提供孤电子对，但有些没有孤电子对的配位体却能提供出 π 键上的电子,例如乙烯(C_2H_4)、环戊二烯离子($C_5H_5^-$)、苯(C_6H_6)等。这些不饱和烃与过渡金属形成的配合物,其性质比较特殊。常见的配位体列于表 19-1 中。

(3) 配位数

直接同中心离子(或原子)配位的原子数目叫中心离子(或原子)的配位数。只含有一个配位原子的配位体称为单基配位体,中心离子(或原子)同单基配位体结合的数目就是该中心离子(或原子)的配位数。例如,$[Ag(NH_3)_2]^+$ 中 Ag^+ 离子的配位数为 2,$[Cu(NH_3)_4]^{2+}$ 中 Cu^{2+} 离子的配位数为 4,$[Fe(CN)_6]^{4-}$ 中 Fe^{2+} 离子的配位数为 6。含有二个以上配位原子的配位体叫多基配位体,中心离子(或原子)同多基配位体配合时,配位数等于同中心离子(或原子)配位的原子数目。例如,乙二胺分子中含有二个配位 N 原子,故在 $[Pt(en)_2]Cl_2$ 中 Pt^{2+} 的配位数为 $2 \times 2 = 4$,而配位体只有两个,余此类推。

中心离子的配位数一般为 2,4,6,8 等,其中最常见的是 4 和 6,配位数为 5 和 7 的并不常见。

和元素的化合价一样,中心离子的配位数的大小决定于中心离子和配位体的性质——它们的电荷、体积、电子层结构以及它们之间相互影响的情况和配合物形成时的条件,特别是浓度和温度。一般地讲,中心离子的电荷越高,则吸引配位体的数目越多。例如,$PtCl_6^{2-}$ 和 $PtCl_4^{2-}$;$Cu(NH_3)_2^+$ 和 $Cu(NH_3)_4^{2+}$ 等等。不同电荷的中心离子与电荷为 -1 的配位离子所形成的配合物,较常见的配位数如下(不常见的加括号)

中心离子的电荷	+1	+2	+3	+4
常见的配位数	2	4(6)	6(4)	6(8)

配位体的负电荷增加时,一方面增加了中心离子与配位体之间的引力,但另一方面又增加了配位体彼此间的斥力,总的结果使配位数减小。例如 $Zn(NH_3)_6^{2+}$ 和 $Zn(CN)_4^{2-}$;SiF_6^{2-} 和 SiO_4^4 相比就证实了这一点。

中心离子的半径越大,在引力允许的条件下,其周围可容纳的配位体越多,即配位数也就越大。例如,Al^{3+} 离子的半径大于 B^{3+} 离子的半径,它们的氟配合物分别是 AlF_6^{3-} 和 BF_4^-。但如果中心离子半径过大,反而会减弱它和配位体的结合,使得配位数降低,例如 $CdCl_6^{4-}$ 和 $HgCl_4^{2-}$。因此,具体情况要具体分析。

配位体的半径越大,中心离子周围容纳的配位体就越少,配位数也越小。例如离子半径 $F^-<Cl^-<Br^-$,它们和 Al^{3+} 的配离子分别是 AlF_6^{3-}、$AlCl_4^-$ 和 $AlBr_4^-$。

一般来讲,增大配位体的浓度,有利于形成高配位数的配合物,例如,SCN^- 与 Fe^{3+} 形成的配合单元的配位数可以从 1 递变到 6。

温度升高时,常使配位数减小。这是因为热振动加剧时,中心离子与配位体间的配位键减弱的缘故。

综上所述,影响配位数的因素是极其复杂的。但一般地讲,在一定范围的外界条件下,某一中心离子有一个特征的配位数。

（4）配离子的电荷

配离子的电荷数等于中心离子和配位体总电荷的代数和。例如在 $Co(NH_3)_6^{3+}$,$Co(H_2O)_6^{2+}$,$Cu(NH_3)_4^{2+}$ 和 $Cu(en)_2^{2+}$ 中,由于配位体都是中性分子,所以配离子的电荷(和中心离子的电荷相等)依次为 $+3,+2,+2$ 和 $+2$;在 $[Co(NH_3)_5Cl]^{2+}$,$[Co(NH_3)_4Cl_2]^+$,$[Co(NH_3)_3Cl_3]$,$[Co(NH_3)_2Cl_4]^-$,$[Co(NH_3)Cl_5]^{2-}$ 和 $[CoCl_6]^{3-}$ 中由于配位体中有带负电荷的 Cl^- 离子(中心离子为 Co^{3+}),所以在这些配合物中配离子的电荷依次由 $+2$ 递减到 -3。如果形成的是

带有正电荷或负电荷的配离子,那么为了保持配合物的电中性,必然有电荷相等符号相反的外界离子同配离子结合。因此,由外界离子的电荷也可以标出配离子的电荷,例如,$K_3[Fe(CN)_6]$ 和 $K_4[Fe(CN)_6]$ 中的配离子电荷分别是 -3 和 -4。

1-3 配合物的命名

由于配合物比较复杂,命名也较困难,至今仍有一些配合物还沿用习惯名称,例如把 $K_4[Fe(CN)_6]$ 叫黄血盐或亚铁氰化钾,K_2PtCl_6 叫氯铂酸钾等。由于大量复杂配合物的不断涌现,有必要进行系统命名,下面仅对较简单的配合物命名原则予以简介。

对整个配合物的命名,与一般无机化合物的命名原则相同。若配合物的外界酸根是一个简单离子的酸根(如 Cl^-),便叫某化某;若外界酸根是一个复杂阴离子(如 SO_4^{2-}),便叫某酸某;若外界为氢离子在配阴离子后加酸字,如 $H[PtCl_3NH_3]$ 叫做三氯一氨合铂酸;若外界为 OH^- 离子则称氢氧化某,如 $[Cu(NH_3)_4](OH)_2$ 叫氢氧化四氨合铜。配合物命名比一般无机化合物复杂的地方在于配合物的内界要按下列顺序依次命名:

配位体数→配位体名称→合→中心离子(氧化数)。如 $Cu(NH_3)_4^{2+}$ 配离子为四氨合铜(Ⅱ)离子。阴离子配离子命名顺序为:阴离子配体→中性分子配体→合→中心离子→酸;阳离子配离子的命名顺序为:外界阴离子→化→酸性原子团→中性分子配体→中心离子;中性配合物的命名顺序为:酸性原子团→中性分子配体→中心离子。若配离子中的配体不止一种,则命名顺序为:无机配体在前,有机配体在后;同类配体的名称按配位原子的元素符号在英文字母中的顺序排列;同类配体若配位原子相同,则含原子数少的配体排在前面;同类配体,若配体中含有原子数目相同,则在结构式中与配位原子相连原子的元素符号在英文字母中排在前面的先读。

下面列举一些命名实例

$H_2[SiF_6]$	六氟合硅(IV)酸
$K_2[Co(SO_4)_2]$	二硫酸根合钴(II)酸钾
$[CrCl_2(NH_3)_4]\cdot Cl\cdot 2H_2O$	二水合一氯化二氯四氨合铬(III)
CiS-$[PtCl_2(Ph_3P)_2]$	顺式二氯二(三苯基膦)合铂(I)
$K[PtCl_3NH_3]$	三氯一氨合铂(II)酸钾
$[Co(NH_3)_5H_2O]Cl_3$	三氯化五氨一水合钴(III)
$[Pt(NO_2)(NH_3)(NH_2OH)(Py)]Cl$	

一氯化一硝基一氨一羟胺一吡啶合铂(II)

$[Pt(NH_2)(NO_2)(NH_3)_2]$ 一氨基一硝基二氨合铂(II)

1-4 配合物的类型

配合物的范围极广,主要可以分以下几类:

(1) 简单配位化合物

简单配位化合物是指由单基配位体与中心离子配位而成的配合物。这类配合物通常配位体较多,在溶液中逐级离解成一系列配位数不同的配离子。例如:

$$Cu(NH_3)_4^{2+} \rightleftharpoons Cu(NH_3)_3^{2+} + NH_3$$
$$Cu(NH_3)_3^{2+} \rightleftharpoons Cu(NH_3)_2^{2+} + NH_3$$
$$Cu(NH_3)_2^{2+} \rightleftharpoons Cu(NH_3)^{2+} + NH_3$$
$$Cu(NH_3)^{2+} \rightleftharpoons Cu^{2+} + NH_3$$

这种现象叫逐级离解现象。这种配合物也被称为维尔纳型配合物。

(2) 螯合物

具有环状结构的配合物叫螯合物或内配合物。一种配位体有二个或二个以上的配位原子(称多基配位体)同时与一个中心离子结合。配体中两个配位原子之间相隔二到三个其它原子,以便与中心离子形成稳定的五元环或六元环。例如乙二胺 $\overset{\cdot\cdot}{H_2N}$——

$\overset{\cdots}{CH_2}-CH_2-NH_2$ 就能和 Cu^{2+} 形成如下的螯合物：

$$\left[\begin{array}{c} H_2C-\overset{H_2}{N} \quad \overset{H_2}{N}-CH_2 \\ \mid \quad \quad \searrow Cu \swarrow \quad \quad \mid \\ H_2C-\underset{H_2}{N} \quad \underset{H_2}{N}-CH_2 \end{array} \right]^{2+}$$

　　中性分子与阴离子具有不同的配位功能。例如乙二胺分子中的氨基(—NH_2)氮原子只能提供孤电子对以满足中心离子的配位数,而羧酸的酸根离子 $\left[\begin{array}{c} O \\ \parallel \\ -C-\overset{\cdots}{O}\overset{\cdots}{:} \end{array} \right]^{-}$ (或其它酸性基如肟基=$N-OH$ 脱去 H^+ 后的 $=N-\overset{\cdots}{O}\overset{\cdots}{:}^{-}$ 离子)则既有羧氧—$\overset{\cdots}{O}\overset{\cdots}{:}^{-}$ 可提供孤电子对与中心离子配位,又有负电荷可以中和中心离子的正电荷(也就是满足电价),可以生成中性分子"内配盐"。如氨基乙酸的酸根离子 $NH_2-CH_2-COO^-$ 和 Cu^{2+} 就能生成如下的内配盐：

$$\left[\begin{array}{c} O=C-O \quad \quad \overset{H_2}{N}-CH_2 \\ \mid \quad \quad \searrow Cu \swarrow \quad \quad \mid \\ H_2C-\underset{H_2}{N} \quad \quad O-C=O \end{array} \right]^{0}$$

式中 Cu^{2+} 离子周围和 O 之间的两个没有箭头的短线代表既满足配位数又满足电价形成的键。内配盐是电中性的,也可叫中性螯合物。螯合物中配位体数目虽少,但由于形成环状结构,远较简单配合物稳定,而且形成的环越多越稳定。螯合物多具有特殊的颜色,难溶于水,易溶于有机溶剂。由于螯合物结构复杂,用途广泛,它常被用于金属离子的沉淀、溶剂萃取、比色定量分析等工作中。

　　(3) 多核配合物

一个配位原子同时与二个中心离子结合所形成的配合物称多核配合物,例如,

$$\left[(H_3N)_4Co\diagdown\!\!\!\!\!\begin{matrix}H\\O\\\\O\\H\end{matrix}\!\!\!\!\!\diagup Co(NH_3)_4\right]^{4+}$$

在这个配合物中,配位原子 O 同时连结二个中心离子,那么,含有这种原子的配位体称为中继基,做为中继基的配位体一般为—OH, —NH$_2$,—O—,—O$_2$—,Cl$^-$ 等。现在发现这类配合物为数甚多。例如,Pb(ClO$_4$)$_2$ 在水中水解成 Pb(OH)ClO$_4$,实际上它的结构为

$$\left[Pb\diagdown\!\!\!\!\!\begin{matrix}H\\O\\\\O\\H\end{matrix}\!\!\!\!\!\diagup Pb\right](ClO_4)_2;气相的 AlCl_3 \left[\begin{matrix}Cl\\\ \\Cl\end{matrix}\diagup Al\diagdown\begin{matrix}Cl\\ \\Cl\end{matrix}\diagdown Al\diagup\begin{matrix}Cl\\ \\Cl\end{matrix}\right]$$

和 FeCl$_3$ 也是多核配合物,类似这种结构的配合物还有很多,在此就不一一列举了。

（4）多酸型配合物

若一个含氧酸中的 O^{2-} 被另一含氧酸取代,则形成多酸型配合物,若二个含氧酸根相同,则形成的酸为同多酸,例如 PO$_4^{3-}$ 中的一个 O^{2-} 被另一个 PO$_4^{3-}$ 取代形成 P$_2$O$_7^{2-}$,这个配合物中二个中心离子相同。如果酸根中的一个 O^{2-} 被其它酸取代,则这时所形成的酸为杂多酸,例如,PO$_4^{3-}$ 中的一个 O^{2-} 被 Mo$_3$O$_{10}^{2-}$ 所取代而成 [PO$_3$(Mo$_3$O$_{10}$)]$^{3-}$。由于配合物中,中心离子不同,这种配合物被称为杂多酸。实际上多酸型配合物是多核配合物的特例。多酸氧化能力增强,因此可将它用于氧化反应中。除上述外,还有一些其它类型的配合物。

1-5 空间结构与异构现象

(1) 配合单元的空间结构

当配位体在中心原子周围配位时,为了减小配位体(尤其是阴离子配位体)之间的静电排斥作用(或成键电子对之间的斥力),以达到能量上的稳定状态,配位体要互相尽量远离,因而在中心原子周围采取对称分布的状态,配合单元的空间结构测定证实了这种设想。例如,配位数为 2 时,采用直线形;为 3 时,采取平面三角形;为 4 时,采取四面体或平面正方形;为 6 时,经常采取正八面体等空间结构。表 19-2 中列出了不同配位数的配合单元的空间结构。

表 19-2 不同配位数的配合单元的空间结构

配位数	配合单元的空间结构	实 例
2	直线形	$Cu(NH_6)_2^+$, $Ag(NH_3)_2^+$, $Ag(CN)_2^-$
3	平面三角形	HgI_3^-(极少)
4	四面体	$ZnCl_4^{2-}$, $Cd(NH_3)_4^{2+}$ $Cd(CN)_4^{2-}$, $CoCl_4^{2-}$
	平面正方形	$PtCl_4^{2-}$, $PdCl_4^{2-}$ $[PtCl_2(NH_3)_2]$, $Ni(CN)_4^{2-}$

配位数	配合单元的空间结构	实　　例
5	三角双锥 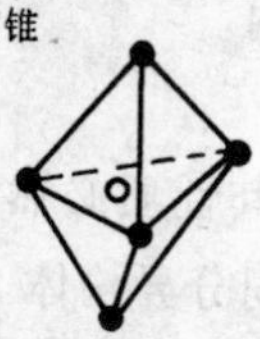	$Fe(CO)_5$，$CuCl_5^{3-}$ $Ni(CN)_5^{3-}$（较少）
	正方锥形 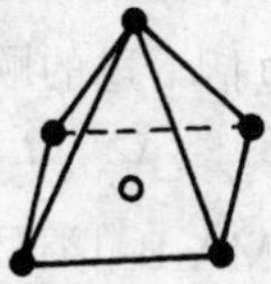	$[VO(AcAc)_2]$， $[Ni(PEt_3)_2Br_3](Et=C_2H_5^-)$
6	正八面体 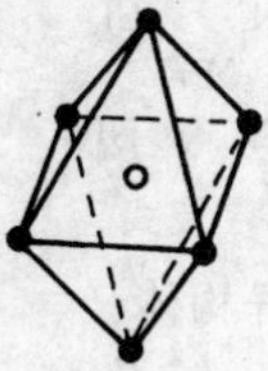	$Co(NH_3)_6^{3+}$，$PtCl_6^{2-}$ $[CrCl_2(NH_3)_4]^+$，AlF_6^{3-} SiF_6^{2-}…（最多）
7	五角双锥 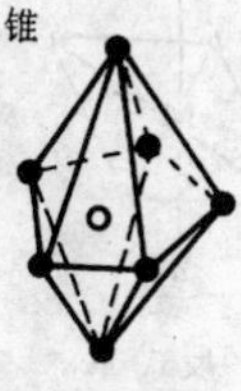	ZrF_7^{3-}，UF_7^{3-} $[UO_2F_5]^{3-}$ （较少）

说明：图中"○"代表中心离子，"●"代表配位体

　　从表 19-2 看出，不仅配位数不同时，配合单元的空间结构不同，即使配位数相同，由于中心离子和配位体的种类以及相互作用的情况不同，而空间结构也可能不同。例如 $ZnCl_4^{2-}$ 为四面体，而 $PtCl_4^{2-}$ 则为平面正方形。

配位数大于 6 的配合物常出现在第二、第三过渡系（包括镧系和锕系）的金属离子的配合物中，其空间结构比较复杂，又不常见，故配位数为 7 以上的配合物未列入表内。

（2）配合物的异构现象

化学式相同而结构不同的化合物其性质必然不同，这种现象叫做同分异构现象。这些化合物称为同分异构体。配合物的多种异构现象，大部分是由于立体结构不同或内界组成和配位体的连接方式不同而引起的。配位体在中心原子周围因排列方式不同而产生的异构现象，叫立体异构现象，它包括下述的顺－反异构与旋光异构。

（a）顺－反异构　平面正方形的 $[MA_2B_2]$ 类型配合物可有顺式和反式两种异构体。例如，$[PtCl_2(NH_3)_2]$ 有下列两种异构体：

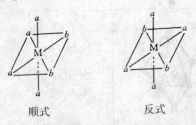

八面体 Ma_4b_2 也有如下的顺－反异构体：

顺式　　　　　　　　反式

顺式指同种配位体处于相邻位置，反式指同种配位体处于对角位置。$[PtCl_2(NH_3)_2]$ 的顺－反异构体都是平面正方形，两者的性质不同，顺式者为棕黄色，偶极矩 $\mu > 0$，溶解度（298K）为 0.252 3 g/100 g 水，反式者为淡黄色，$\mu = 0$，溶解度（298K）更小，为 0.036 6g/100 g 水，两者的化学反应性能也不相同。例如顺式者经过 Ag_2O 处理使其转变为顺式$[Pt(OH)_2(NH_3)_2]$后,由于两个氢氧根处于相邻位置,故可被草酸根离子取代而成$[Pt(NH_3)_2C_2O_4]$。但反式者虽经Ag_2O处理使其转变为反式$[Pt(OH)_2(NH_3)_2]$,由于两个氢氧根处于对角位置,故与$C_2O_4^{2-}$不起反应。过去正是利用化学反应性能的这种差别,反证了两者是平面正方形,而不是四面体结构。因为如果是四面体,就没有相邻与对角位置的差别,也就不能产生顺-反异构体,因而不能产生与$C_2O_4^{2-}$反应上的差别。

（b）旋光异构　　由于配位体在中心离子周围的不同排列而产生的立体异构现象中,除了顺-反异构外,还包括旋光异构。旋光异构体对普通的化学试剂和一般的物理检查都不能表现差异,但却有旋转偏振光的本领,这叫做旋光活性(或光学活性)。我们知道,光是由许多不同波长和振幅的电磁波组成(电场和磁场相互垂直),即使单色光也仍然在许多不同平面上振动。在单一平面上振动的光,称为平面偏振光(简称偏振光)。旋光异构体的特点是当偏振光通过它们(或它们的溶液)时,偏振光的偏振面(和振动方向垂直的面)就会旋转一定的角度θ,如图19-1所示。

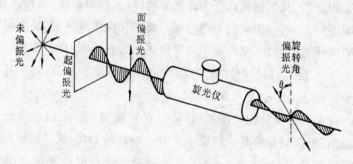

图 19-1　旋光异构体对偏振光旋转的示意图

下面再看旋光异构体在立体结构上的特点。

$[CrBr_2(NH_3)_2(H_2O)_2]^+$可有如下的多种异构体:

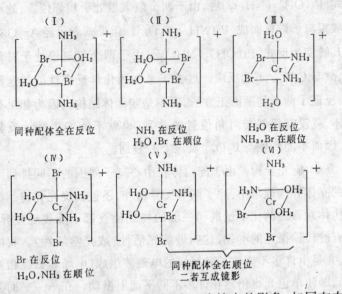

（Ⅰ）　同种配体全在反位

（Ⅱ）　NH₃ 在反位　H₂O,Br 在顺位

（Ⅲ）　H₂O 在反位　NH₃,Br 在顺位

（Ⅳ）　Br 在反位　H₂O,NH₃ 在顺位

（Ⅴ）　（Ⅵ）　同种配体全在顺位　二者互成镜影

　　所谓（Ⅴ）与（Ⅵ）互成镜影,是指两者互为镜中的影象,如同左右手一样,倘若都是手心向前(或向后),两者是不能重合的。当一种结构与另一种结构不能重合而互为镜影时,两者对偏振光的旋转方向是相反的,此二物彼此互为旋光异构体(或称对映体,这种特征,也叫手性)。当一束偏振光通过某一旋光异构体溶液时,偏振面如果顺时针方向旋转,则溶液中的异构体称为右旋体,在名称前冠以字头 d-;反之,如反时针方向旋转,该异构体称为左旋体,在名称前面冠以字头 1-。

　　对于具有反位配位体的（Ⅱ）→（Ⅳ）,虽然也可以绘出每一个镜影图,但因只要将其中的任一个沿 z 轴旋转 180°,就可以和另一个互相重合,因而实际上彼此是等同的。只有配位体全在顺位（Ⅴ）和（Ⅵ）,无论怎样旋转也不能重合而互为镜影,故能形成旋光异构体。因此,$[CrBr_2(NH_3)_2(H_2O)_2]^+$ 总共似应有 6 个异构体,但若考虑（Ⅴ）与（Ⅵ）的化学性质一般相同(这类旋光异构体的生物化学活性则不一定相同),而又通常只以外消旋混合物(即等量的左右旋混合物,分离比较困难)出现,故具有通式为 $MX_2Y_2Z_2$ 的配合单元,其顺-反异构体的总数为 5 种,对映体只算成一种。下表中列出了内界组成与异构体数量的关系。

表 19-3　配合物内界组成同异构体数量的关系

配合单元类型	立体异构体数目	实　　　　例
MX_4	1	$Pt[(NH_3)_4]Cl_2,K_2[PtCl_4]$
MX_3Y	1	$[Pt(NH_3)_3Cl]Cl,K[PtCl_3NH_3]$
MX_2Y_2	2	$[PtCl_2(NH_3)_2]$
MX_2YZ	2	$[PtClNO_2(NH_3)_2]$
$MXYZK$	3	$[PtClBrNH_3Py]$
MX_6	1	$[Pt(NH_3)_6]Cl_4,K_2[PtCl_6]$
MX_5Y	1	$[PtCl(NH_3)_5]Cl_3,K[PtCl_5NH_3]$
MX_4Y_2	2	$[PtCl_2(NH_3)_4]Cl_2,[PtCl_4(NH_3)_2]$
MX_3Y_3	2	$[PtCl_3(NH_3)_3]Cl$
MX_4YZ	2	$[PtClNO_2(NH_3)_4]Cl_2$
MX_3Y_2Z	3	$[PtCl_3(OH)(NH_3)_2]$
$MX_2Y_2Z_2$	5	$[PtCl_2(OH)_2(NH_3)]$

　　说明:表中 X、Y、Z、K 分别代表中心离子 M 的单价配位体,为简洁起见,省去了配离子的电荷。

　　显然,内界中配位体的种类越多,形成的立体异构体的数目也越多。在历史上曾利用是否生成异构体和异构体多少,以判断配合单元为某种几何结构。例如 $[PtBrCl(NH_3)Py]$ 若为四面体,则不应有异构体;若为平面正方形,则应有三种异构体。实验证明有异构体存在,由此可知它是平面正方形结构。虽然现在已能用 X-射线或其它方法更精确地测定配位化合物的空间结构,但作为一种辅助方法,此法仍具有一定的意义。

　　配位化合物尚有许多其它异构现象,不再一一列举。

§19-2 配合物的化学键理论

中心离子与配位体是怎么结合、又是靠什么力结合起来的？为什么中心离子只能同一定数目的配位体结合，并具有一定的空间构型？为什么有的配离子稳定、有的不稳定？它们的颜色和磁性如何等等，都是本节要说明的问题。

2-1 价键理论

价键理论是从电子配对法的共价键引伸并由鲍林将杂化轨道理论应用于配位化合物而形成的。其主要内容如下：

中心离子(或原子)M 必须具有空轨道，以接纳配位体授予的孤电子对，形成 σ 配位共价键($M \leftarrow L$)，简称 σ 配键。例如在 $[Co(NH_3)_6]^{3+}$ 中是 Co^{3+} (d^6)的空轨道接受:NH_3 分子中 N 原子提供的孤电子对形成 $Co \leftarrow NH_3$ 配位键，得到了稳定的六氨合钴配离子。

$$
\left[
\begin{array}{c}
NH_3 \\
\downarrow \quad NH_3 \\
H_3N \longrightarrow Co \longleftarrow NH_3 \\
\uparrow \quad \\
H_3N \quad NH_3
\end{array}
\right]^{3+}
$$

当配位体接近中心离子时，为了增加成键能力，中心离子(或原子)M 用能量相近的空轨道(如第一过渡系金属 $3d$, $4s$, $4p$, $4d$)杂化，配位体 L 的孤电子对填到中心离子(或原子)已杂化的空轨道中形成配离子。配离子的空间结构、配位数及稳定性等主要决定于杂化轨道的数目和类型。

中心离子利用哪些空轨道进行杂化，这既和中心离子的电子层结构有关，又和配位体中配位原子的电负性有关。对过渡金属离子来说，原属内层的 $(n-1)d$ 轨道尚未填满，而外层的 ns, np, nd 是空轨道。它们有两种利用空轨道进行杂化的方式：

一种是配位原子的电负性很大,如卤素、氧等,不易给出孤电子对,它们对中心离子影响较小,使中心离子的结构不发生变化,仅用外层的空轨道 ns, np, nd 进行杂化生成能量相同、数目相等的杂化轨道与配位体结合。这类配合物叫做外轨型配合物。例如,$[FeF_6]^{3-}$ 配离子,Fe^{3+} 离子的电子层结构是:

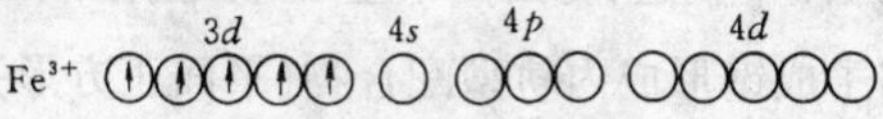

而 F^- 离子的电子层结构为 $2s^2 2p^6$,可表示为 $[:\overset{..}{\underset{..}{F}}:]^-$。$Fe^{3+}$ 离子可吸引 6 个 F^- 离子,每个 F^- 离子将各自的孤电子对填入到 Fe^{3+} 离子的 6 个空轨道内,形成 6 个配位键,如下图所示:

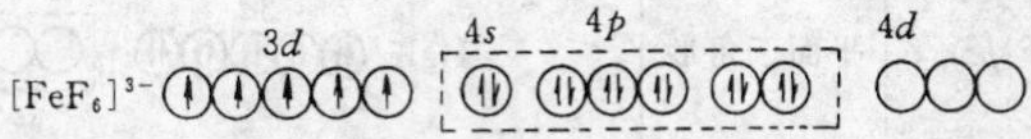

虚线框中的 6 个 $sp^3 d^2$ 杂化的空轨道可以接受 6 个配位体提供的 6 对电子,形成八面体配合物。这类外轨型配合物的键能小,不稳定,在水中易离解。

另一种是配位原子的电负性较小,如碳(CN^-,以 C 配位)、氮($-NO_2^-$,以 N 配位)等,较易给出孤电子对,对中心离子的影响较大使电子层结构发生变化,$(n-1)d$ 轨道上的成单电子被强行配对,腾出内层能量较低的 d 轨道与 n 层的 s, p 轨道杂化,形成能量相等、数目相同的杂化轨道来接受配位体的孤电子对,形成内轨型配合物。例如 $[Fe(CN)_6]^{3-}$ 配离子中的 Fe^{3+} 离子在配位体 CN^- 离子的影响下,$3d$ 轨道中的 5 个成单电子重排占据 3 个轨道,剩余 2 个空的 $3d$ 轨道同外层的 $4s$, $4p$ 轨道形成 $d^2 sp^3$ 杂化轨道而与 6 个 CN^- 成键,形成八面体配合物。即:

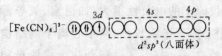

$$[Fe(CN)_6]^{3-} \qquad d^2sp^3（八面体）$$

这类内轨型配合物的键能大、稳定,在水中不易离解。

基于同样的理由,$[Ni(CN)_4]^{2-}$配离子中Ni^{2+}离子的 8 个 $3d$ 电子强行配对进入 4 个轨道,腾出一个空 d 轨道,形成 dsp^2 杂化轨道与 4 个 CN^- 离子成键形成内轨型配合物(平面正方形)。作为

表 19 - 4　杂化轨道类型与配合单元空间结构的关系

配位数	杂化轨道	空间结构	实　例
2	sp	直线形	$Cu(NH_3)_2^+$
3	sp^2	平面三角形	HgI_3^-
4	sp^3	四面体	$Cd(SCN)_4^{2-}$
	dsp^2 或 sp^2d	正方形	$Ni(CN)_4^{2-}$
5	dsp^3	三角双锥	$Fe(CO)_5$
	d^4s	正方锥形	$VO(AcAc)_2$
6	d^2sp^3 或 sp^3d^2	正八面体	$Co(NH_3)_6^{3+}$

对比,在$[Zn(CN)_4]^{2-}$配离子中,因Zn^{2+}离子为$3d^{10}$结构,只能用外层空轨道所形成的sp^3杂化轨道来成键(四面体),因而它不如$[Ni(CN)_4]^{2-}$配离子稳定。

必须指出,形成内轨型配合物时,要违反洪特规则使原来的成单电子强行在同一d轨道中配对,在同一轨道中电子配对时所需要的能量,叫做成对能(用P表示)。形成内轨型配合物的条件是M与L之间成键放出的总能量在克服成对能后仍比形成外轨型配合物的总键能大。杂化轨道类型与配合单元空间结构的关系见表$19-4$。

采用何种方法可以判断配合物是内轨型还是外轨型呢?主要区别是内轨型配合物中心离子成键d轨道单电子数减少,而外轨型配合物中心离子成键d轨道单电子数未变。

形成内轨型配合物时,由于中心离子的成单电子数一般会减少,比自由离子的磁矩相应降低,所以通常可由磁矩的降低来判断内轨型配合物的生成。

物质的永磁矩主要是电子的自旋造成的,此外还有轨道磁矩。永磁矩μ与原子或分子中未成对电子数n有如下近似关系

$$\mu_s = \sqrt{n(n+2)}\,\mu_B$$

式中μ_B的单位是玻尔磁子(B.M.),

$$1\mathrm{B.M.} = \frac{e\hbar}{2mc}$$

式中m是电子的质量,c为真空中光速,$\hbar = h/2\pi$。物质磁矩的大小反映了原子或分子中未成对电子数目的多少。例如FeF_6^{3-}为外轨型配合物,其中心离子Fe^{3+}的电子排布与自由状态时相同,为

未成对的电子数是5,按上式计算,$\mu = 5.92\mathrm{B.M.}$,而实验测得μ

$=5.88 \mathrm{B.M.}$,两者大致相等。$Fe(CN)_6^{3-}$ 为共价配合物,中心离子 Fe^{3+} 只剩一个未配对 d 电子,计算 μ 为 $1.73 \mathrm{B.M.}$,实验测得 μ 等于 $2.3 \mathrm{B.M.}$,两者也大致相符。

因此,我们可按磁矩的大小来判断形成的配合物是内轨型还是外轨型。如实验测得 $Fe(CN)_6^{4-}$ 和 $Fe(CN)_5(NH_3)^{3-}$ 等配离子的磁矩都等于零,所以它们是内轨型配合物。配离子 $Fe(H_2O)_6^{2+}$ 的磁矩是 $5.3 \mathrm{B.M.}$,因此判断其中心离子 Fe^{2+} 的电子结构为

所以 $Fe(H_2O)_6^{2+}$ 为外轨型配合物。可见用磁矩判断是符合实际的。

鲍林于 1948 年对化合物的稳定性方面提出了"电中性原理"。该原理指出:"在形成一个稳定的分子或配离子时,其电子结构是竭力设法使每个原子的净电荷基本上等于零(既在 -1 到 $+1$ 的范围内)"。例如六氨合钴(Ⅲ)离子 $Co(NH_3)_6^{3+}$,如果 Co—N 键是极端的离子型键,则全部电荷 $3+$ 都将放在 Co^{3+} 上;如果是极端的共价键,这样就使 Co^{3+} 共得到 6 个电子而变成具有 -3 的电荷。故若用极端的共价键形成配离子时,将会造成大量负电荷在中心原子上的积累,这在电负性的概念上是不可能的,因而这样的极端共价键也不稳定。事实上,以配位键形成配离子时,键总是有部分离子性,或者说配位键是极性共价键。也就是说,电子对不是均等地在 Co 和 N 之间共用,而是更强烈地被 N 所吸引。这样就阻止了负电荷在 Co 原子上的大量积累,并保持着 N 比 Co 有较大的电负性,同时体现了电中性原理对稳定性的要求。实验证明,在 $+2$ 和 $+3$ 氧化态的过渡金属离子的配合物中,金属元素是接近电中性的。

对于形成零价或甚至 -1 价的低价金属配合物的情况,同样符合电中性原理的要求。例如金属羰基合物 $Ni(CO)_4$、$Fe(CO)_5$、$Cr(CO)_6$ 等是零价金属与 CO 生成的配合物。这些羰基合物的形成显然是不能用静电引力来说明,而必须认为主要是共价键。但如果单用配位体提供孤电子对,金属提供空轨道来说明零价金属与 CO 的成键也是有困难的。因为它在接受电子对时会造成金属原子上大量负电荷的积累而不稳定。现在的问题是有没有其它方法可以消除金属原子上负电荷的积累。为了合理地说明金属羰基合物的生成,提出了"反馈 π 键"的概念。

当配位体给出电子对与中心元素形成 σ 键时,如果中心元素的某些 d 轨道(如 d_{xy}、d_{yz}、d_{xz})有孤电子对,而配位体有空的 π 分子轨道(如 CO 中有空的 $π^*$ 轨道)或空的 p 或 d 轨道,而两者的对称性又合适时,则中心元素的孤对 d 电子也可以反过来给予配位体形成所谓的"反馈 π 键",它可用下式简示:

$$M \underset{\text{反馈 π 键}}{\overset{\sigma}{\rightleftarrows}} L$$

例如 CO 的 $π^*{}_{2p_z}$ 为空的反键轨道,与中心原子 M 的填充电子的 d_{xz} 轨道有相同的对称性,可按如下方式重叠形成反馈 π 键:

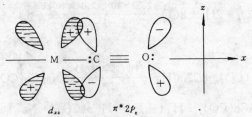

图 19-2　金属羰基合物中反馈 π 键的形成

d-$pπ$ 键或 d-$dπ$ 键可用类似的方式形成。反馈 π 键既可消除金属原子上负电荷的积累,又可双重成键,从而增加了稳定性,使低价态的金属羰基合物得以形成。$Ni(CO)_4$ 中,零价的 Ni 原子提供

sp^3 杂化轨道,在接受 4 个 CO 分子中 C 上的 4 对电子形成 σ 键的同时又形成了反馈 π 键。在这样的金属羰基合物中

$$M \underset{\pi}{\overset{\sigma}{\rightleftharpoons}} C$$

所形成的键具有部分双键的性质,它比共价单键的键能大,键长短(羰基合物中 M—C 键的键长均小于 M 和 C 的共价单键半径之和),配合物的稳定性比仅用 σ 配键要大。由于中心离子的电子对填入到 CO 分子的反键轨道中,结果削弱了 CO 分子中 C 与 O 间的键能,使 CO 的活性增大。

能形成反馈 π 键的 π 接受配位体,除 CO 外,尚有 CN^-、$-NO_2^-$,NO,N_2,R_3P(膦),R_3As(胂),C_2H_4 等等。它们不是有空的 π^* 轨道就是有空的 p 或 d 轨道,可以接受金属反馈的 $d\pi$ 电子。一般地说,金属离子的电荷越低,d 电子数越多(易将 d 电子反馈给配位体),配位原子的电负性越小(易给出电子对形成 σ 配键,同时也有空的 π 轨道),越有利于反馈 π 键的形成。基于上述理由,这些 π 接受配位体在形成配合物时,有稳定过渡金属不常见的低价态(如零价甚至负价)的作用。这已由零价或低价金属羰基合物的合成得到证实。例如:

$$2CoCO_3 + 2H_2 + 8CO \xrightarrow[393\sim423K]{2.53\times10^4\sim3.04\times10^4\,kPa} CO_2(CO)_8$$
$$+ 2CO_2 + 2H_2O$$

$$Co_2(CO)_8 + 2Na/Hg \xrightarrow[\text{回流}]{THF(四氢呋喃)} 2Na[Co(CO)_4]$$

$$NaCo(CO)_4 + H^+(aq) \longrightarrow HCo(CO)_4 + Na^+(aq)$$

$$HCo(CO)_4 \Longrightarrow H^+ + [Co(CO)_4]^-$$

或:$$2Co^{2+}(aq) + 11CO + 12OH^- \xrightarrow{KCN(aq)} 2[Co(CO)_4]^-$$
$$+ 3CO_3^{2-} + 6H_2O$$

$Mn_2(CO)_{10}$，$[Mn(CO)_5]^-$，$Cr(CO)_6$，$Fe(CO)_5$，$Fe(CO)_4^{2-}$ 等均已制得。

与上面的 π 接受体能稳定金属的低价态相反，以 O^{2-}，OH^-，F^- 等配位时，能稳定金属的高价态。因为只有电负性很大，吸引电子能力很强的元素如氟、氧等，才能与金属结合使其保持在高氧化态(高的形式电荷)，而不会让电子从这些非金属原子上完全转移以致使金属被还原或非金属被氧化，从而使配合物分解。

综上所述价键理论主要解决了中心离子与配位体间的结合力(σ 配位键)、中心离子(或原子)的配位数(等于杂化轨道数)、配合离子的空间构型(决定于杂化轨道的数目和类型)、稳定性(共价大于电价)及某些配离子的磁性。价键理论虽然成功的解释了一些问题，但也有一定的局限性。价键理论只是定性理论，不能定量或半定量地说明配合物的性质。例如，第四周期过渡元素与同一种配体配位形成八面体配离子的稳定性的次序为 $d^0 < d^1 < d^2 < d^3 < d^4 > d^5 < d^6 < d^7 < d^8 < d^9 > d^{10}$，这一规律价键理论无法解释；只能说明基态的性质，对激发态则无能为力。例如对配合物的颜色(吸收光谱)无法解释；很难解决夹心型配合物如二茂铁、二苯铬等的结构；对于磁矩的说明也有一定的局限性，例如 $Cu(H_2O)_4^{2+}$ 经 X-射线测定为平面正方形，如按价键理论解释似应为 dsp^2 杂化的内轨型配离子：

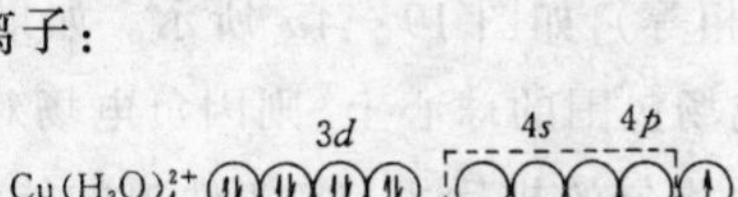

按此则应有 1 个 $3d$ 电子激发到能量较高的 $4p$(或 $5s$)轨道，因而此电子较易失去而生成 $Cu(H_2O)_4^{3+}$，但事实是 Cu(Ⅱ)比 Cu(Ⅲ)稳定得多。这又是为什么呢？价键理论没有充分考虑到配体对中心离子的影响，实际上在配合物中，配位体对中心离子的 d 电子

影响很大,它不仅影响电子云的分布,也影响 d 轨道能量的变化。而这种变化与配合物的性质密切相关。价键理论虽然有时也考虑到这种影响,但这种影响有多大?对配合物的形成起多大作用?直到从理论上定量的估计出这种影响大小之后,才比较好的解决了这些问题。

2-2 晶体场理论

1929 年皮塞(Bethe,H.)首先提出了晶体场理论(crystal field theory,CFT),这一理论将金属离子和配位体之间的相互作用完全看作静电的吸引和排斥,同时考虑到配位体对中心离子 d 轨道的影响,它在解释配离子的光学、磁学等性质方面很成功。

晶体场理论的主要内容如下:

(1)配位体对中心离子的影响

配位体与中心离子间除了存在静电的吸引和排斥以外,配位体场对中心离子的 d 轨道也有很大的影响。中心离子 d 轨道具有 5 种伸展方向不同能量相同的简并轨道,在配位体场影响下,5 个 d 轨道会分裂成两组以上能量不同的轨道。分裂的情况主要决定于配位体的空间分布。

下面以 $Ti(H_2O)_6^{3+}$ 为例说明由配体形成八面体场时,d 轨道的分裂情况。Ti^{3+}(d^1)在没有电场(自由离子状态)时,5 个 d 轨道是简并的(能量相等),如图 19-4a 所示。如果将 Ti^{3+} 离子放在球形对称的负电场包围的球心上,则因负电场对 5 个简并的 d 轨道中的电子产生均匀的排斥力,使 d 轨道的能量有所升高,但不会发生分裂(图 19-4b)。如果 6 个水分子处于 Ti^{3+} 离子周围,占据八面体的六个顶点形成八面体(不是球形对称)配离子时(图 19-3 及图 19-4),从图 19-3 看出,$d_{x^2-y^2}$ 和 d_{z^2} 轨道和配位体 L 处于迎头相碰的状态。如果 Ti^{3+} 的 1 个 d 电子处于这些轨道(以 d_γ 表示),将受到带负电配位体较大的静电排斥,因而它们的能量

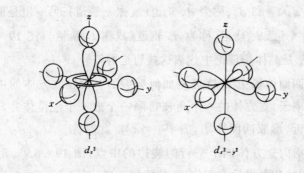

d_{z^2} $\qquad$ $d_{x^2-y^2}$

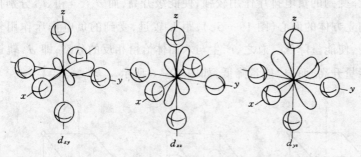

d_{xy} $\qquad$ d_{xz} $\qquad$ d_{yz}

图 19-3 正八面体场中对各个 $3d$ 轨道的作用情况

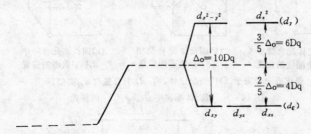

a 自由离子 $\qquad$ b 球形对称的静电场 $\qquad$ c 八面体的电场

图 19-4 正八面体场中 d 轨道的分裂(Δ_o 下标 o 为八面体)

较球形场升高;而 d_{xy}, d_{yz}, d_{xz} 三个轨道(以 d_ε 表示)因正好处在配位体的空隙中间,受斥力较小,从而这些轨道的能量较球形场时降低,即 5 个简并的 d 轨道在八面体场中分裂成二组:一组是能量

较高的 $d_{x^2-y^2}$ 和 d_z，称为 d_γ 轨道（或称 e_g 轨道）；另一组是能量较低的 d_{xy}，d_{yz}，d_{xz} 轨道，称为 d_ε 轨道（或称 t_{2g} 轨道）（图 19-4c）。d_γ 和 d_ε 是晶体场理论中代表这些轨道的符号。

在四面体场中 d 轨道是如何分裂的？设在立方体的中心放置金属离子，立方体的八个角顶每隔一个放一个配位体并向中心离子趋近，形成四面体场（图 19-5a）。此时，d_{xy}，d_{yz}，d_{xz} 三个轨道分别指向立方体四个平行的棱边的中点（图 19-5b），距 L 较近，受到的负电排斥作用较强，使能级升高，而 $d_{x^2-y^2}$ 和 d_{z^2} 分别指向立方体的面心（图 19-5c），距 L 较远，受到的负电排斥作用较弱，使能量降低。总之，产生与八面体恰恰相反的分裂，即 d_ε 轨道能量升高，而 d_γ 能量降低，如图 19-6 所示。

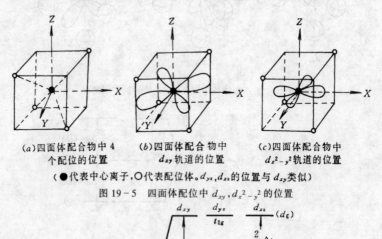

(a) 四面体配合物中 4
个配位的位置

(b) 四面体配合物中
d_{xy} 轨道的位置

(c) 四面体配合物中
$d_{x^2-y^2}$ 轨道的位置

（●代表中心离子。○代表配位体。d_{yz}，d_{xz} 的位置与 d_{xy} 类似）

图 19-5　四面体配位中 d_{xy}，$d_{x^2-y^2}$ 的位置

图 19-6　正四面体场中 d 轨道的分裂（Δ_t 下标 t 表示四面体）

最后,再看平面正方形场中 d 轨道的分裂情况。设有 4 个 L 沿 $\pm x$ 和 $\pm y$ 轴方向,向中心的 M^{n+} 离子趋近时,因 $d_{x^2-y^2}$ 轨道中的电子受 L 的负电排斥作用最强,能级升高最多,其次是 d_{xy} 轨道;而 $d_{z^2}^2$ 和简并的 d_{yz}、d_{xz} 的能量降低。总之,5 个 d 轨道分裂成四组,如图 19-7 所示。

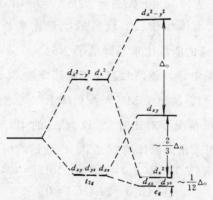

图 19-7 正方形场中 d 轨道的分裂

(2) 晶体场的分裂能

中心离子 d 轨道在配位体的影响下,一方面因空间排布不同,使分裂情况不同;另一方面,由于配位体场强弱不同,而使分裂程度也不同。在晶体场理论中,把 d 轨道分裂后,最高能级同最低能级间的能量差叫分裂能。以 Δ 表示,如为八面体的分裂能则以 Δ_0 或 10 Dq 表示。假定它的大小与晶体场的强度成正比,场强越强,则 Δ_0(或 10 Dq)的值越大,亦即同一金属离子的配合物 ML_6,如 L 提供的负电场越强,则 10 Dq 对应的能量值也越大。Δ_0 值一般可由晶体或溶液的光谱数据直接求得。根据量子力学中的重心不变原理,即分裂后的 d_γ 和 d_ε 的总能量的代数和为零。换言之,以球形场中 5 个简并的 d 轨道的总能量作为 0 Dq(重心),则在八面体场中,2 个 d_γ 轨道升高的总能量(正值)和 3 个 d_ε 轨

道降低的总能量(负值)的代数和为零,即:

$$E(d_\gamma) - E(d_\varepsilon) = \Delta_o (= 10 \text{ Dq}) \tag{1}$$

$$2E(d_\gamma) - 3E(d_\varepsilon) = 0 \tag{2}$$

联立解(1)和(2)得:

$$E(e_g) = E(d_\gamma) = 3/5\Delta_o = 6 \text{ Dq}$$

$$E(t_{2g}) = E(d_\varepsilon) = -2/5\Delta_o = -4 \text{ Dq}$$

由此看出,在八面体场中,d_γ 轨道的能量比重心升高了 $3/5\Delta_o$ ($=6$Dq),d_ε 轨道的能量比重心降低了 $2/5\Delta_o$ ($=-4$Dq)。但四面体不象八面体场中 d 轨道与 L 迎头相碰那样强,其分裂能 Δ_t 小于 Δ_o。计算表明,当金属离子 M^{n+} 与配位体 L 二者之间的距离也和八面体场相同的情况下对比时,Δ_t 仅为 Δ_o 的 4/9。同理,根据重心不变原理即可求出四面体场中 d_ε 与 d_γ 轨道的相对能量。

$$\Delta_t = E(d_\varepsilon) - E(d_\gamma) = 4/9\Delta_o \times 10\text{Dq} = 4.45\text{Dq} \tag{3}$$

$$3E(d_\varepsilon) + 2E(d_\gamma) = 0 \tag{4}$$

联立解(3)和(4)得:

$$E(t_{2g}) = E(d_\varepsilon) = 1.78\text{Dq}, E(e_g) = E(d_\gamma) = -2.67\text{Dq}$$

同理也可以算出正方形场中的四组轨道的相对能量为:

$$E(d_{x^2-y^2}) = 12.28\text{Dq}$$

$$E(d_{xy}) = 2.28\text{Dq}$$

$$E(d_{z^2}) = -4.28\text{Dq}$$

$$E(d_{yz}, d_{xz}) = -5.14\text{Dq}$$

Δ_s(下标 s 表示平面正方形) $= 17.42$Dq。现将上述计算结果绘入图 19-8 以便比较。

必须指出,这些能级图严格地讲只能用于 1 个 d 电子的情况,多于 1 个电子的体系,因电子－电子相互作用而变得复杂,有时能级甚至颠倒。此外,更重要的是分裂能 Δ 仅占组成配合物的总结合能的一小部分(5%～10%)。例如 $Ti(H_2O)_6^{3+}$ 的 Δ_o 约为

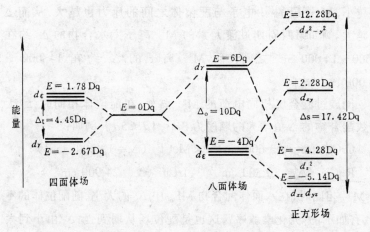

图 19-8　Δ值在不同场中的相对大小

$251.04 \mathrm{kJ} \cdot \mathrm{mol}^{-1}$，而 Ti^{3+} 的水合能约为 $4\ 184 \mathrm{kJ} \cdot \mathrm{mol}^{-1}$。但是却不能因此而小看 Δ 的意义，它正是晶体场理论的核心。

(3) 分裂能与配位体种类的关系

分裂能 Δ 的大小主要依赖于配合物的几何构型、中心离子的电荷和 d 轨道的主量子数 n，此外还同配位体的种类有很大关系。

一般来讲，配合物的几何构型同分裂能 Δ 的关系如下：

平面正方形＞八面体＞四面体

这已由前述的 $17.42 \mathrm{Dq} > 10 \mathrm{Dq} > 4.45 \mathrm{Dq}$ 可以看出。又如：

平面正方形　　$Ni(CN)_4^{2-}$ 的 $\Delta = 35\ 500\ \mathrm{cm}^{-1}$[①]

八面体　　　　$Fe(CN)_6^{4-}$ 的 $\Delta = 33\ 800\ \mathrm{cm}^{-1}$

八面体　　　　$MnCl_6^{4-}$ 的 $\Delta = 7\ 600\ \mathrm{cm}^{-1}$

四面体　　　　$CoCl_4^{2-}$ 的 $\Delta = 3\ 100\ \mathrm{cm}^{-1}$

中心离子的正电荷越高，对配位体的引力越大，M—L 的核间

---

① 　cm^{-1} 是一种能量单位，它同其它能量单位的关系是 $1\ \mathrm{cm}^{-1} = 1.239\ 77 \times 10^{-4}$ $\mathrm{eV} = 1.986 \times 10^{-23} \mathrm{J}$

距越小，M 外层的 d 电子与配位体之间的斥力也越大，从而 Δ 也越大。例如第四周期过渡元素的 M^{2+} 离子六水合物的 Δ_o 约在 $7\,500 \sim 14\,000\ cm^{-1}$ 之间，而 M^{3+} 离子的 Δ_o 约在 $14\,000 \sim 21\,000\ cm^{-1}$ 之间。

同族过渡金属相同电荷的 M^{n+} 离子，在配位体相同时，绝大多数配合物的 Δ 值增大的顺序为 $3d < 4d < 5d$。例如：

$CrCl_6^{3-}\ (\Delta_o = 13\,600\ cm^{-1}) < MoCl_6^{3-}\ (\Delta_o = 19\,200\ cm^{-1})$

$RhCl_6^{3-}\ (\Delta_o = 20\,300\ cm^{-1}) < IrCl_6^{3-}\ (\Delta_o = 24\,900\ cm^{-1})$

当 M^{n+} 相同时，在八面体配合物 ML_6 中 Δ 的大小，随配位体的不同，有如下的"光化学顺序"，这也是配位场从弱到强，Δ_o 由小到大的顺序：

$I^- < Br^-\,(0.76) < Cl^-\,(0.80) < -SCN^- < F^-\,(0.9) \sim$ 尿素 $(0.91) < OH^- \sim -O-N=O^-$（亚硝酸根）$< C_2O_4^{2-}\,(0.98) < H_2O$ $(1.00) < -NCS^-\,(1.02) < EDTA^{4-} <$ 吡啶 $(1.25) \sim NH_3\,(1.25)$ $< en\,(1.28) < SO_3^{2-} <$ 联吡啶 $(1.33) \sim 1,10 -$ 邻二氮菲 $< -NO_2^-$ （硝基）$< CN^-\,(1.5 \sim 3.0)$。

这一序列称为光谱化学序列。括号内的数值是以 H_2O 的 Δ_o 为 1.00 时的相对值。

Dq 值大的配位场对中心原子的作用大，称为强场，Dq 值小的配位场对中心原子的作用小，称为弱场。大体上可从 NH_3 开始算作强场。

从此序列可以粗略地看出，按配位原子来说 Δ 的大小为：

$$卤素 < 氧 < 氮 < 碳$$

（4）晶体场的稳定化能（CFSE）

以八面体场为例，d 轨道分裂为低能的 d_ε 和高能的 d_γ 轨道，1 个 d 电子若进入 d_γ 轨道，能量将比未分裂前升高 $\frac{3}{5}\Delta_o\,(= 6Dq)$，

使配合物变得较不稳定;若进入 d_ε 轨道能量比未分裂前降低 $\frac{2}{5}\Delta$。

($= -4Dq$),使配合物变得较为稳定。d 电子从未分裂前的 d 轨道进入分裂后的 d 轨道所产生的总能量下降值,叫做晶体场的稳定化能(CFSE)。它给配合物带来了额外的稳定性,所谓"额外"是指除中心离子与配位体由静电吸引形成配合物的结合能之外,d 轨道的分裂使 d 电子进入能量低的 d_ε 轨道而带来的额外的稳定性。根据 d_γ 和 d_ε 的相对能量和进入其中的电子数,就可以算出配合物的晶体场稳定化能。设进入 d_ε 轨道的电子数为 r_ε 进入 d_γ 轨道的电子数为 n_γ,则八面体配合物的稳定化能可由下式计算:

$$\text{CFSE(八面体)} = -\frac{2}{5}\Delta_\circ \times n_\varepsilon + \frac{3}{5}\Delta_\circ \times n_\gamma$$
$$= -(0.4 n_\varepsilon - 0.6 n_\gamma)\Delta_\circ$$

可以看出,八面体配合物的稳定化能,既和 $\Delta_\circ$ 的大小有关,又和 n_ε 和 n_γ 的数目有关。当 $\Delta_\circ$ 一定时,则 n_ε 相对于 n_γ 的数目越大,即进入 d_ε 低能轨道的电子数越多,则稳定化能越大,而配合物也越稳定。必须指出,由于分裂能 Δ 远远小于从气态金属离子(即自由离子)与配位体形成配合物时的能量(结合能),故稳定化能也比结合能小一个数量级左右。尽管如此,配合物的稳定性及许多其它性质都与稳定化能有关。

同理,四面体配合物的稳定化能可由下式计算:

$$\text{CFSE(四面体)} = -\frac{3}{5}\Delta_t \times n_\gamma + \frac{2}{5}\Delta_t \times n_\varepsilon$$
$$= -(0.6 n_\gamma - 0.4 n_\varepsilon)\Delta_t$$

表 19-5 中列出了 d^n ($n = 0 \to 10$)离子在几种常见配位场的弱场与强场中的稳定化能。

从下表可知,在弱场的情况下 d^0,d^5,d^{10} 型离子的稳定化能均为零。除上述情况外,无论在弱场或强场中,稳定化能的顺序是:

表 19 – 5　过渡金属络离子的稳定化能(CFSE)

d^n	离　　子	弱场 CFSE/Dq			强场 CFSE/Dq		
		正方形	正八面体	正四面体	正方体	正八面体	正四面体
d^0	Ca^{2+} , Sc^{3+}	0	0	0	0	0	0
d^1	Ti^{3+}	-5.14	-4	-2.67	-5.14	-4	-2.67
d^2	Ti^{2+} , V^{3+}	-10.28	-8	-5.34	-10.28	-8	-5.34
d^3	V^{2+} , Cr^{3+}	-14.56	-12	-3.56	-14.56	-12	-8.01
d^4	Cr^{2+} , Mn^{3+}	-12.28	-6	-1.78	-19.70	-16	-10.68
d^5	Mn^{2+} , Fe^{3+}	0	0	0	-24.84	-20	-8.90
d^6	Fe^{2+} , Co^{3+}	-5.14	-4	-2.67	-29.12	-24	-6.12
d^7	Co^{2+} , Ni^{3+}	-10.28	-8	-5.34	-26.84	-18	-5.34
d^8	Ni^{2+} , Pd^{2+} , Pt^{2+}	-14.56	-12	-3.56	-24.56	-12	-3.56
d^9	Cu^{2+} , Ag^{2+}	-12.28	-6	-1.78	-12.28	-6	-1.78
d^{10}	Cu^+ , Ag^+ , Au^+ Zn^{2+} , Cd^{2+} , Hg^{2+}						

说明:本表中计算的稳定化能均未扣除成对能(P),而且是以八面体的$\triangle_o$为基准比较所得的相对值

正方形＞八面体＞四面体。在弱场中,正方形与八面体的稳定化能的差值,以d^4,d^9型离子为最大;在强场中,以d^8型离子的差值为最大。在弱场中,d^1与d^6,d^2与d^7,d^3与d^8,d^4与d^9等相差5个d电子的各对的稳定化能分别相等。这是因为在弱场中,无论何种几何形态的场,多出的5个电子根据重心不变原理对稳定化能没有贡献。

综上所述,晶体场理论的核心内容是配位体的静电场与中心离子作用引起的d轨道的分裂和d电子进入低能轨道时所产生的稳定化能。

(5)晶体场理论的应用

(a)决定配合物的自旋状态　在八面体场中,d^1,d^2、d^3型离子,按洪特规则,其d电子只能分占三个简并的d_ϵ低能轨道,即只能有一种d电子的排布方式。至于d^4,d^5,d^6,d^7型离子,则分别

有如下的两种可能排布：$d_\varepsilon^3 d_\gamma^1$ 组态的高自旋态是指尽量分占轨道

d^4 型

d_γ ↑ ○   ↑   ○ ○

d_ε ↑ ↑ ↑ Δ_0 ↑↓ ↑

$d_\varepsilon^3 d_\gamma^1$ 组态 d_ε^4 组态

（高自旋态）   （低自旋态）

而具有最多自旋平行的成单电子的状态，d_ε^4 组态的低自旋态是指电子尽量先进入低能轨道 d_ε。1 个电子由 d_ε 进入 d_γ 所需的能量为 Δ_0，在同一轨道上与另一电子成对克服排斥所需的能量为 P，d^4 型离子在八面体场中究竟采取高自旋或低自旋，将由 P 和 Δ_0 的相对大小来决定。当 $P > \Delta_0$ 时，因电子成对需要能量高，故采取高自旋态；反之，当 $P < \Delta_0$ 时，则因跃迁进入 d_γ 轨道需要能量较高，而采取低自旋态。

对于 d^5 型离子，高自旋态为 $d_\varepsilon^3 d_\gamma^2$，需要的能量为 $2\Delta_0$。低自旋态为 d_ε^5，需要的能量为 $2P$。所以，究竟采取何种自旋态，还是要看 P 和 Δ_0 的相对大小。对于 d^6，d^7 型离子也可作类似的分析。

d^5 型

d_γ ↑ ↑   ○ ○

d_ε ↑ ↑ ↑   ↑↓ ↑↓ ↑

$d_\varepsilon^3 d_\gamma^2$ d_ε^5

（高自旋）   （低自旋）

d^6 型

d_γ ↑ ↑   ○ ○

d_ε ↑↓ ↑ ↑   ↑↓ ↑↓ ↑↓

$d_\varepsilon^4 d_\gamma^2$ d_ε^6

（高自旋）   （低自旋）

d^7 型

d_γ ↑ ↑   ↑ ○

d_ε ↑↓ ↑↓ ↑   ↑↓ ↑↓ ↑↓

$d_\varepsilon^5 d_\gamma^2$ $d_\varepsilon^6 d_\gamma^1$

（高自旋）   （低自旋）

对于 d^8，d^9 型离子，在八面体场中则只能有一种组态。

总之,八面体配合物中只有 d^4, d^5, d^6, d^7 四种离子才有高、低自旋两种可能的排布。高自旋态(因 $P > \Delta_o$)即是 Δ_o 较小的弱场排列,不够稳定,成单电子多而磁矩高。低自旋态(因 $P < \Delta_o$)即是 Δ_o 较大的强场排列较稳定,成单电子少而磁矩低。对比稳定性时,高自旋与外轨型,低自旋与内轨型似有对应关系。但二者是有区别的。高、低自旋是从稳定化能出发的,内、外轨是从内外层轨道的能量不同出发的。

实验证明,对于第一过渡系金属离子的四面体配合物,因 $\Delta_t = \dfrac{4}{9}\Delta_o$,即 Δ_t 较小,常常不易超过 P,而尚未发现低自旋配合物。

表 19-6 中列出了水溶液中 d^4—d^7 型离子的八面体配合物的 Δ_o 和 P。

表 19-6 $d^4 \to d^7$ 型离子的 $M(H_2O)_6^{2+\sim3+}$ 的 Δ_o 和 P

d^n	离子	$\Delta_o/\mathrm{cm}^{-1}$	P/cm^{-1}	离子	$\Delta_o/\mathrm{cm}^{-1}$	P/cm^{-1}
d^4	Cr^{2+}	13 900	23 500	Mn^{3+}	21 000	28 000
d^5	Mn^{2+}	7 800	25 500	Fe^{3+}	13 700	30 000
d^6	Fe^{2+}	10 400	17 600	Co^{3+}	13 000*	21 000
d^7	Co^{2+}	9 300	22 500		23 000**	

* CoF_6^{3-} 的值;

** $Co(NH_3)_6^{3+}$ 的值。

现在看看 $Fe(H_2O)_6^{3+}$ 与 $Fe(CN)_6^{3-}$ 各应采取何种自旋态。由表 19-6 知,$Fe(H_2O)_6^{3+}$ 的 $\Delta_o = 13\ 700\ \mathrm{cm}^{-1}$,$P = 30\ 000\ \mathrm{cm}^{-1}$,因 $P > \Delta_o$,故为高自旋态。$Fe(CN)_6^{3-}$ 由光化学顺序知,$\Delta_o(CN^-)$ 约为 $\Delta_o(H_2O)$ 的 1.5~3.0 倍,如取 2.5 倍,则

$$\Delta_o(CN^-) = 2.5 \times 13\ 700 \approx 34\ 250\ \mathrm{cm}^{-1}\ (> P)$$

故应为低自旋配合物。

第五周期和第六周期的 $4d$ 和 $5d$ 过渡金属比同族的第四周期

$3d$ 金属离子易生成低自旋配合物,这是由于 $4d,5d$ 轨道的空间范围比 $3d$ 大,能容纳一对电子而斥力较小,即 P 较小($P<\Delta_。$)。

(b)决定配离子的空间结构 已知八面体配离子的稳定化能既和分裂能的大小有关,又和 d 电子数及其在 d_e 与 d_γ 轨道中的分布有关。对于 d^0(全空)、d^{10}(全满)及弱场中的 d^5(半满)型过渡金属的配离子,其稳定能均为 0Dq。例如当为八面体弱场中的 $d_e^3 d_\gamma^2$ 组态时,它的

$$CFSE = -(0.4n_e - 0.6n_\gamma)\Delta_。$$
$$= -(0.4\times3 - 0.6\times2)\Delta_。= 0Dq$$

d^0,d^{10} 可类推。强场中的 d^5 型,其稳定化能不为零。从表 19-5 知,除了上述的 d^0、d^{10} 及 d^5(弱场)这几种情况外,其余 d 电子数的过渡金属配离子的稳定化能,无论何种空间结构均不为零,而且稳定化能愈大(即 CFSE 的负值愈大),则配离子愈稳定。按此比较,除 d^0,d^{10},d^5(弱场)没有稳定化能的额外增益外,相同金属离子和相同配位体的配离子的稳定性似应有如下顺序:

平面正方形＞正八面体＞正四面体

但实际情况却是正八面体配离子更常见些(即更稳定)。这主要是由于正八面体配离子可以形成 6 个配位键,而平面正方形配离子只形成 4 个配位键,总键能前者大于后者之故,何况稳定化能的这些差别与总键能相比时是很小的一部分,因而正八面体配离子更常见。只有两者的稳定化能的差值最大时,才有可能形成正方形配离子。由表 19-5 知,只有弱场中的 d^4,d^9 型离子以及强场下的 d^8 型离子,才是差值最大的情况,例如弱场中 Cu^{2+}(d^9)离子形成接近正方形的 $Cu(H_2O)_4^{2+}$ 和 $Cu(NH_3)_4^{2+}$,强场中的 Ni^{2+}(d^8)离子形成正方形的 $Ni(CN)_4^{2-}$。

比较正八面体和正四面体的稳定化能可以看出,只有 d^0,d^{10} 及 d^5(弱场)时二者才相等,因此这三种组态的配离子在适合的条

件下才能形成四面体。例如 d^0 型的 $TiCl_4$，d^{10} 型的 $Zn(NH_3)_4^{2+}$ 和 $Cd(CN)_4^{2-}$ 及弱场 d^5 型的 $FeCl_4^-$ 等。

（c）解释配合物的颜色　含 d^1 到 d^9 的过渡金属离子的配合物一般是有颜色的。例如：

$$d^1 \qquad\qquad d^2 \qquad\qquad d^3 \qquad\qquad d^4$$
$$Ti(H_2O)_6^{3+} \quad V(H_2O)_6^{3+} \quad Cr(H_2O)_6^{3+} \quad Cr(H_2O)_6^{2+}$$
紫红　　　　　绿　　　　　紫　　　　　天蓝

$$d^5 \qquad\qquad\qquad d^6 \qquad\qquad\qquad d^7$$
$$Mn(H_2O)_6^{2+} \qquad Fe(H_2O)_6^{2+} \qquad Co(H_2O)_6^{2+}$$
肉红　　　　　　　淡绿　　　　　　　粉红

$$d^8 \qquad\qquad\qquad d^9$$
$$Ni(H_2O)_6^{2+} \qquad Cu(H_2O)_4^{2+}$$
绿　　　　　　　蓝

晶体场理论认为这些配离子，由于 d 轨道没有充满，电子能吸收光能在 d_ε 和 d_γ 轨道之间发生电子跃迁［例如 d^9 型，$d_\varepsilon^6 d_\gamma^3$（基态）$\xrightarrow{h\nu} d_\varepsilon^5 d_\gamma^4$（激发态）］。这种跃迁称为 $d-d$ 跃迁。即：

$$E(d_\gamma) - E(d_\varepsilon) = \Delta = h\nu = h \times \frac{c}{\lambda}$$

式中光能为 $h\nu$，h 为普朗克常数（$h = 6.626\ 196 \times 10^{-24} J \cdot s^{-1}$），$c$ 为光速（$c = 2.997\ 9 \times 10^{10} cm \cdot s^{-1}$），$\lambda$ 为波长（以 cm 表示）。因 h 与 c 均为常数，即光能与波数 $\frac{1}{\lambda}$（单位为 cm^{-1}）成正比，故光能的单位也可用波数来表示。

这些配离子吸收光的能量，一般在 10 000—30 000cm^{-1} 范围内，它包括全部可见光（14 286—25 000cm^{-1}），因而能显颜色。例如 $Ti(H_2O)_6^{3+}$，它的最大吸收峰约相当于 20 400cm^{-1} 处（蓝色区），最少吸收的光区在紫和红区，故显紫红色，如图 19-9。晶体场理论认为这是由于 $Ti(H_2O)_6^{3+}$ 中的 d 电子在吸收光能后，由 d_ε 轨

道跃迁到 d_γ 轨道,这种跃迁所吸收的能量恰好等于 d_ε 与 d_γ 轨道之间的分裂能 Δ,即:

$$\Delta = 10\mathrm{Dq} = 20\,400\mathrm{cm}^{-1}$$

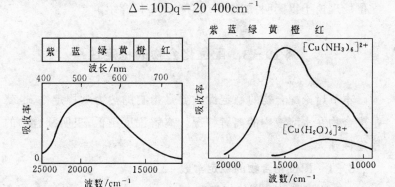

图 $19-9$ $\mathrm{Ti}(\mathrm{H}_2\mathrm{O})_6^{3+}$ 的吸收光谱　图 $19-10$ $[\mathrm{Cu}(\mathrm{H}_2\mathrm{O})_4]^{2+}$ 和 $[\mathrm{Cu}(\mathrm{NH}_3)_4]^{2+}$
水溶液的吸收光谱

又如图 $19-10$ 所示,$\mathrm{Cu}(\mathrm{H}_2\mathrm{O})_4^{2+}$ 显蓝色,吸收峰约在 $12\,600\mathrm{cm}^{-1}$ 处(吸收橙红色光为主),而 $\mathrm{Cu}(\mathrm{NH}_3)_4^{2+}$ 显很深的蓝紫色,吸收峰约在 $15\,100\mathrm{cm}^{-1}$ 处(吸收橙黄色光为主)。由光化学顺序知,NH_3 是比 $\mathrm{H}_2\mathrm{O}$ 更强的配位体,$\Delta_{(\mathrm{NH}_3)} > \Delta_{(\mathrm{H}_2\mathrm{O})}$,故 $\mathrm{Cu}(\mathrm{NH}_3)_4^{2+}$ 的吸收区向波长较短的黄绿色区移动,从而显更深的蓝紫色。至于无水 CuSO_4,则因 SO_4^{2-} 离子的 Δ 很小,吸收区移到了红外区,故不显色。

晶体场理论在其它方面也有应用,本课程中不再介绍。

晶体场理论的优点是能对配合物的光学、磁学性质作出合理的解释。例如对于平面正方形的 $\mathrm{Cu}(\mathrm{H}_2\mathrm{O})_4^{2+}$ 就没有价键理论中的 dsp^2 杂化要将 1 个 $3d$ 电子激发至 $4p$(或 $5s$)轨道,而需要很高的激发能这一矛盾,因而比价键理论有所前进。但其主要缺点是只考虑了中心离子与配位体之间的静电作用,没有考虑二者之间一定程度的共价结合。例如对 $\mathrm{Ni}(\mathrm{CO})_4$,$\mathrm{Fe}(\mathrm{CO})_5$,$\mathrm{Fe}(\mathrm{C}_5\mathrm{H}_5)_2$

等以共价为主的配合物就无法说明;对于光化顺序中 X⁻,OH⁻ 离子为何场强比中性分子 H_2O 还要低也难给予解释。这些都要靠配位场理论予以阐明,配位场理论在此不作介绍了。

§19-3 配位化合物的稳定性

本节讨论配合物的稳定性主要是指它的热力学稳定性,也就是配合物在水溶液中的离解情况。离解程度越低,表明配合物的稳定性越大。

3-1 配位化合物的稳定常数

(1) 稳定常数和不稳定常数

我们知道,当向硝酸银溶液中加入氨水时,首先生成白色的氢氧化银沉淀,继续向溶液中加氨水,则白色沉淀消失形成 $Ag(NH_3)_2^+$ 的无色溶液。此时若向溶液中加入氯化钠,则没有氯化银沉淀产生,这似乎说明溶液中的 Ag^+ 离子全部被配合成 $Ag(NH_3)_2^+$。但加碘化钾就有碘化银沉淀析出,通硫化氢也有硫化银沉淀生成。这一事实表明溶液中还有游离的 Ag^+ 离子存在。换句话说,Ag^+ 离子并没有完全被配合。可以认为,溶液中即存在 Ag^+ 离子和 NH_3 分子的配合反应,又存在 $Ag(NH_3)_2^+$ 的离解反应,配合与离解反应最后达到平衡,这种平衡可称为配合平衡:

$$Ag^+ + 2NH_3 \rightleftharpoons Ag(NH_3)_2^+$$

依据化学平衡的一般原理,其平衡常数表达式为:

$$K_{稳} = \frac{[Ag(NH_3)_2^+]}{[Ag^+][NH_3]^2} = 1.6 \times 10^7$$

或

$$\lg K_{稳} = 7.2$$

此平衡常数叫做 $Ag(NH_3)_2^+$ 的生成常数。该常数越大,说明生成配离子的倾向越大,而离解的倾向就越小,即配离子越稳定。所以

也把它叫做 $Ag(NH_3)_2^+$ 的稳定常数。一般用 $K_{稳}$ 或 $\lg K_{稳}$ 表示。因测定方法和条件的不同,其数值常有差异。一些常见配合物的稳定常数分类列入表 19－7 中。稳定常数的大小,直接反映了配离子稳定性的大小。例如 $Ag(NH_3)_2^+$ 和 $Ag(CN)_2^-$ 的 $K_{稳}$ 分别为 1.6×10^7 和 1.0×10^{21},可见后者比前者稳定得多。事实正是这样,如前所述,加碘化钾于 $Ag(NH_3)_2^+$ 溶液中,可因生成碘化银的沉淀而破坏 $Ag(NH_3)_2^+$ 离子,但在同样条件下却不能破坏 $Ag(CN)_2^-$

表 19－7　一些常见配合物的稳定常数

配离子	$K_{稳}$	$\lg K_{稳}$	配离子	$K_{稳}$	$\lg K_{稳}$
1:1			$Ni(en)_3^{2+}$	2.1×10^{18}	18.33
AgY^{3-} *	2.0×10^7	7.3	$Fe(C_2O_4)_3^{3-}$	1.6×10^{20}	20.2
MgY^{2-}	5.0×10^8	8.7	1:4		
CaY^{2-}	5.0×10^{10}	10.7	$Co(SCN)_4^{2-}$	1.0×10^3	3.0
FeY^{2-}	2.0×10^{14}	14.3	$Cu(NH_3)_4^{2+}$	4.8×10^{12}	12.68
CdY^{2-}	4.0×10^{16}	16.6	$Cu(CN)_4^{3-}$	2.0×10^{30}	30.30
NiY^{2-}	4.0×10^{18}	18.6	$Zn(NH_3)_4^{2+}$	2.9×10^9	9.46
CuY^{2-}	6.0×10^{18}	18.8	$Zn(CN)_4^{2-}$	5.0×10^{16}	16.70
HgY^{2-}	6.3×10^{21}	21.8	$CdCl_4^{2-}$	6.3×10^2	2.80
FeY^-	1.2×10^{25}	25.1	$Cd(SCN)_4^{2-}$	3.8×10^2	2.58
CoY^-	1.0×10^{36}	36.0	CdI_4^{2-}	2.6×10^5	5.41
1:2			$Cd(NH_3)_4^{2+}$	1.3×10^7	7.12
$Ag(NH_3)_2^+$	1.6×10^7	7.2	$HgCl_4^{2-}$	1.2×10^{15}	15.1
$Ag(en)_2^+$	5.0×10^7	7.70	HgI_4^{2-}	6.8×10^{29}	29.83
$Ag(SCN)_2^-$	3.7×10^7	7.57	$Hg(CN)_4^{2-}$	2.5×10^{41}	41.4
$Ag(S_2O_3)_2^{3-}$	2.9×10^{13}	13.46	1:6		
$Ag(CN)_2^-$	1.0×10^{21}	21.0	$Co(NH_3)_6^{2+}$	1.3×10^5	5.11
$Cu(en)_2^{2+}$	4.0×10^{19}	19.6	$Co(NH_3)_6^{3+}$	1.4×10^{35}	35.15
$Cu(NH_3)_2^+$	7.2×10^{10}	10.86	$Ni(NH_3)_6^{2+}$	5.5×10^8	8.74
$Cu(CN)_2^-$	1.0×10^{24}	24.0	$Cd(NH_3)_6^{2+}$	1.4×10^5	5.14
$Au(CN)_2^-$	2.0×10^{38}	38.3	AlF_6^{3-}	6.9×10^{19}	19.84
1:3			$Fe(CN)_6^{4-}$	1.0×10^{35}	35.0
$Fe(SCN)_3$	2.0×10^3	3.3	$Fe(CN)_6^{3-}$	1.0×10^{42}	42.0
$Al(C_2O_4)_3^{3-}$	2.0×10^{16}	16.3			

* Y^{4-} = EDTA 的酸根离子。

离子,这一点可通过计算得到证明。

例 19 - 1 比较在 $0.10\,\mathrm{mol\cdot dm^{-3}}\,Ag(NH_3)_2^+$ 溶液中含有 $0.10\,\mathrm{mol\cdot dm^{-3}}$ 的氨水和在 $0.10\,\mathrm{mol\cdot dm^{-3}}\,Ag(CN)_2^-$ 溶液中含有 $0.10\,\mathrm{mol\cdot dm^{-3}}$ 的 CN^- 离子时,溶液中的 Ag^+ 离子浓度($K_{稳,Ag(NH_3)_2^+} = 1.6 \times 10^7$,$K_{稳,Ag(CN)_2^-} = 1.0 \times 10^{21}$)。

解:第一步先求 $Ag(NH_3)_2^+$ 和氨水的混合溶液中的 Ag^+ 离子浓度 $[Ag^+]$。

设 $[Ag^+] = x$,根据配合平衡,有如下关系:
$$Ag^+ + 2NH_3 \Longrightarrow Ag(NH_3)_2^+$$
$$x \quad 0.10 + 2x \quad 0.10 - x$$

NH_3 过量时离解受到抑制,此时 $0.10 - x \approx 0.10, 0.10 + 2x \approx 0.10$。
$$\frac{[Ag(NH_3)_2^+]}{[Ag^+][NH_3]^2} = \frac{0.10}{x(0.10)^2} = \frac{1}{0.1x} = 1.6 \times 10^7$$

$\therefore\quad x = 6.3 \times 10^{-7}\,\mathrm{mol\cdot dm^{-3}}$,即 $[Ag^+] = 6.3 \times 10^{-7}\,\mathrm{mol\cdot dm^{-3}}$ 第二步计算 $Ag(CN)_2^-$ 和 CN^- 混合溶液中的 $[Ag^+]$。

设 $[Ag^+] = y$,与上面的计算相似
$$Ag^+ + 2CN^- \Longrightarrow Ag(CN)_2^-$$
$$y \quad 0.10 + 2y \quad 0.10 - y$$
$$\frac{[Ag(CN)_2^-]}{[Ag^+][CN^-]^2} = \frac{0.10}{y(0.10)^2} = \frac{1}{0.10y} = 1.0 \times 10^{21}$$

$\therefore\quad y = 10^{-20}\,\mathrm{mol\cdot dm^{-3}}$,即 $[Ag^+] = 10^{-20}\,\mathrm{mol\cdot dm^{-3}}$

计算结果表明,在水溶液中 $Ag(CN)_2^-$ 比 $Ag(NH_3)_2^+$ 离子更难离解,即 $Ag(CN)_2^-$ 更稳定。

如果在上述混合溶液中含有 $0.10\,\mathrm{mol\cdot dm^{-3}}$ 的 I^- 离子,由于 AgI 的溶度积 $K_{sp}^\ominus = 8.3 \times 10^{-17}$,所以在 $Ag(NH_3)_2^+$ 的溶液中会产生 AgI 的沉淀($0.10 \times 6.3 \times 10^{-7} > 8.3 \times 10^{-17}$),而在 $Ag(CN)_2^-$ 溶液中不会产生 AgI 的沉淀($0.10 \times 10^{-20} < 8.3 \times 10^{-17}$)。

应当着重指出,在用 $K_稳$ 比较配离子的稳定性时,配离子类型必须相同才能比较,否则会出错误。例如 CuY^{2-} 和 $Cu(en)_2^{2+}$ 的

$K_稳$ 分别为 6.0×10^{18} 和 4.0×10^{19},表面看来,似乎后者比前者稳定,事实恰好相反,这是因为前者是 1:1 型,后者是 1:2 型。对于不同类型的配离子,只能通过计算来比较它们的稳定性。

除了可用 $K_稳$ 表示配离子的稳定性以外,早期的教科书或文献中,也常用不稳定常数。如配离子 $Cu(NH_3)_4^{2+}$ 在水中的离解平衡为:

$$Cu(NH_3)_4^{2+} \Longrightarrow Cu^{2+} + 4NH_3$$

其平衡常数表达式为:

$$K_{不稳} = \frac{[Cu^{2+}][NH_3]^4}{[Cu(NH_2)_4^{2+}]}$$

这个平衡常数叫 $Cu(NH_3)_4^{2+}$ 离子的离解常数或不稳定常数,因为它越大则表示配离子越容易离解,即越不稳定。

很明显,$K_稳$ 与 $K_{不稳}$ 之间存在如下关系:

$$K_稳 = \frac{1}{K_{不稳}}$$

使用时必须注意,不要混淆 $K_稳$ 与 $K_{不稳}$。

(2) 逐级稳定常数

配离子的生成是分步进行的,相应地在溶液中有一系列的配合平衡及相应的逐级稳定常数 $k_1, k_2, k_3, \cdots, k_n$ 和累积稳定常数 $\beta_1, \beta_2, \cdots, \beta_n$ 两种,其关系如下:

平衡关系	逐级稳定常数	累积稳定常数
$M + L \rightleftharpoons ML$	$k_1 = \dfrac{[ML]}{[M][L]}$	$\beta_1 = k_1 = \dfrac{[ML]}{[M][L]}$
$ML + L \rightleftharpoons ML_2$	$k_2 = \dfrac{[ML_2]}{[ML][L]}$	$\beta_2 = k_1 k_2 = \dfrac{[ML_2]}{[M][L]^2}$
$\cdots$	$\cdots$	$\cdots$
$ML_n + L \rightleftharpoons ML_n$	$k_n = \dfrac{[ML_n]}{[ML_{n-1}][L]}$	$\beta_n = k_1 \cdot k_2 \cdots k_n = \dfrac{[ML_n]}{[M][L]^n}$

以 $Zn(NH_3)_4^{2+}$ 的累积常数与其逐级稳定常数为例,它们的计算关系如下:

平衡关系	β	$\lg\beta$	$\lg k_n$
$Zn^{2+} + NH_3 \rightleftharpoons$ $Zn(NH_3)^{2+}$	$\beta_1 = \dfrac{[Zn(NH_3)^{2+}]}{[Zn^{2+}][NH_3]}$	$\lg\beta_1 = 2.37$	$\lg k_1 = 2.37$
$Zn^{2+} + 2NH_3 \rightleftharpoons$ $Zn(NH_3)_2^{2+}$	$\beta_2 = \dfrac{[Zn(NH_3)_2]^{2+}}{[Zn^{2+}][NH_3]^2}$	$\lg\beta_2 = 4.81$	$\lg k_2 = \lg\beta_2 - \lg\beta_1$ $= 2.44$
$Zn^{2+} + 3NH_3 \rightleftharpoons$ $Zn(NH_3)_4^{2+}$	$\beta_3 = \dfrac{[Zn(NH_3)_3]^{2+}}{[Zn^{2+}][NH_3]^3}$	$\lg\beta_3 = 7.31$	$\lg k_3 = \lg\beta_3 - \lg\beta_2$ $= 2.50$
$Zn^{2+} + 4NH_3 \rightleftharpoons$ $Zn(NH_3)_4^{2+}$	$\beta_4 = \dfrac{[Zn(NH_3)_4]^{2+}}{[Zn^{2+}][NH_3]^4}$	$\lg\beta_4 = 9.46$	$\lg k_4 = \lg\beta_4 - \lg\beta_3$ $= 2.15$

k_1, k_2, k_3, k_4 是配离子的逐级稳定常数。很明显,逐级稳定常数的乘积就是该配离子的总稳定常数:

$$k_1 \cdot k_2 \cdot k_3 \cdot k_4 = K_稳$$

即 $\quad (2.34 \times 10^2)(2.75 \times 10^2)(3.16 \times 10^2)(1.41 \times 10^2)$

$$= K_稳 = 2.87 \times 10^9$$

一些配离子的逐级稳定常数的对数值列于表 19−8 中。

表 19−8　某些配离子的逐级稳定常数(对数值)

配 离 子	$\lg k_1$	$\lg k_2$	$\lg k_3$	$\lg k_4$	$\lg k_5$	$\lg k_6$
$Zn(NH_3)_4^{2+}$	2.37	2.44	2.5	2.15		
$Hg(NH_3)_4^{2+}$	8.8	8.7	1.0	0.78		
$Zn(en)_3^{2+}$	5.92	5.15	1.80			
$Ag(NH_3)_2^+$	3.27	3.90				
$Cu(NH_3)_4^{2+}$	4.15	3.50	2.89	2.13		
$Cu(en)_2^{2+}$	10.55	9.05				
$Ni(NH_3)_6^{2+}$	2.8	2.2	1.73	1.19	0.75	0.03
AlF_6^{3-}	6.13	5.02	3.85	2.74	1.63	0.47

由上表可知,配离子的逐级稳定常数之间一般差别不大,除少数例外,常是比较均匀地逐级减小,如 $Ni(NH_3)_6^{2+}$ 的 $\lg k_1 > \lg k_2 \cdots$

$>\lg k_6$,这是因为后面配合的配位体受到前面已经配合的配位体的排斥之故。特别是配位体带有电荷时斥力更大,逐级的差别也较大。

3-2 影响配位化合物稳定性的因素

配合反应的实际应用主要在于配合物的稳定性。为了弄清影响配合物稳定性的有关规律,就要考虑和研究影响配合物的各种因素。从总体上看分内因和外因二个方面,内因是指中心离子(或原子)与配位体的性质,外因是指溶液的酸度、浓度、温度、压力等。

(1) 软硬酸碱简介

(a) 酸碱的分类

根据广义酸、碱定义,配合物中接受电子的形成体如 Fe^{3+},H^+,Ag^+ 等是酸,给电子的配体如 X^-,OH^-,NH_3,CO 等是碱,配合反应广义上看就是酸碱反应。显然,酸碱越容易进行反应,生成的配合物就越稳定。虽然由于酸碱的受授电子的能力不同配合物的稳定性有很大差别,但是仍然存在一定的规律,表 19-9 比较了几种离子同卤离子配合物的一级稳定常数 $\lg k_1^\ominus$。

表 19-9 卤离子配合物的稳定常数,$\lg k_1$

酸,形成体 ＼ 配体,碱	F^-	Cl^-	Br^-	I^-
Fe^{3+}	6.04	1.41	0.49	—
H^+	3.6	-7	-9	-9.5
Zn^{2+}	0.77	-0.19	-0.6	-1.3
Pb^{2+}	<0.8	1.75	1.77	1.92
Ag^+	-0.2	3.4	4.2	7.0
Hg^{2+}	1.03	6.72	8.94	12.87

从表 19-9 可以看出,像 Fe^{3+},H^+,Ca^{2+} 等极化能力小也不容易变形的离子,它们的卤离子配合物的稳定性随卤素原子半径增

加变形性增大而降低。另一类像 Hg^{2+} 和 Ag^+ 等极化能力强度变形性大的离子,它们的卤离子配合物的稳定性随卤素原子半径增加变形性增大而增大。其余金属则处于两类之间,它们的配合物稳定程度变化不大。实验表明这种现象具有一定普遍意义。因此,根据极化能力和变形性的大小把酸碱分为硬酸和软酸;硬碱和软碱。

硬酸:属于硬酸的金属一般都是主族元素,它们极化能力小也不易变形,它们同不同配位原子形成配合物的稳定性有如下的顺序:

$$F \gg Cl > Br > I$$
$$O \gg S > Se > Te$$
$$N \gg P > As > Sb > Bi$$

属于这类酸的有:H^+,Li^+,Na^+,K^+,Be^{2+},Mg^{2+},Ca^{2+},Sr^{2+},Mn^{2+},Fe^{3+},Cr^{3+},Co^{3+},Al^{3+},Ga^{3+},Ln^{3+},La^{3+},Ti^{4+},Zr^{4+},Si^{4+},As^{3+},Sn^{4+} 等。

软酸:属于软酸的金属一般都是副族元素,它们极化能力强变形性大,并有易于激发的 d 电子,它们同不同配位原子形成配合物的稳定性有如下的顺序:

$$F \ll Cl < Br < I$$
$$O \ll S \sim Se \sim Te$$
$$N \ll P > As > Sb > Bi$$

属于这类酸的有:Cu^+,Ag^+,Au^+,Cd^{2+},Hg^{2+},Hg^+,Tl^+,Tl^{3+},Pd^{2+},Pt^{2+},Pt^{4+},M^0(金属原子)。

硬碱:不容易给出电子的配位体都是硬碱,它们的配位原子电负性高、变形性小、难于氧化,容易同硬酸结合成较稳定的配合物,属于这类的配体有:H_2O,OH^-,F^-,O^{2-},CH_3COO^-,PO_4^{3-},SO_4^{2-},CO_3^{2-},ClO_4^-,NO_3^-,ROH,NH_3,N_2H_4 等。

软碱:容易给出电子的配体都是软碱,它们的配位原子电负性低、变形性大,易于氧化,容易同软酸结合成稳定的配合物;属于这类的配体有:$RSH, RS^-, I^-, SCN^-, S_2O_3^{2-}, S^{2-}, CN^-, CO, C_2H_4, H^-, R_3P$ 等。

介于软硬之间的酸、碱称为交界酸和交界碱。

交界酸:$Fe^{2+}, Co^{2+}, Ni^{2+}, Cu^{2+}, Zn^{2+}, Pb^{2+}, Sn^{2+}, Sb^{3+}, Cr^{2+}, Bi^{3+}$ 等。

交界碱:$C_6H_5NH_2, C_2H_5N, N_3^-, Br^-, NO_2^-, SO_3^{2-}, N_2$ 等。

应当指出:一种元素的分类不是固定的,它随电荷不同而改变。例如,Fe^{3+} 和 Sn^{4+} 为硬酸,Fe^{2+} 和 Sn^{2+} 则为交界酸;Cu^{2+} 为交界酸,Cu^+ 则为软酸。SO_4^{2-} 为硬碱,SO_3^{2-} 则为交界碱,$S_2O_3^{2-}$ 为软碱。结合在酸碱上的基团对酸碱的软硬分类也有影响。BH_3 为软酸,BF_3 为硬酸,$B(CH_3)_3$ 为交界酸。NH_3 为硬碱,$C_6H_5NH_2$ 则为交界碱。甚至连溶剂也影响这种分类。因此,要确定酸碱的软硬性质,必须明确它们的具体状态。

(b) 软硬酸碱原则

关于酸碱反应现在只有一个经验的总结,就是软硬酸碱(SHAB)原则:"硬亲硬,软亲软,软硬交界就不管"。硬酸与硬碱,如 Fe^{3+} 和 H^+ 与 F^- 反应;软酸与软碱,如 Ag^+ 和 Hg^{2+} 与 I^- 反应,都可以形成最稳定的配合物。硬酸与软碱,或软酸与硬碱并不是不形成配合物,而是形成的配合物不够稳定。至于交界的酸碱就不论对象是软还是硬,都同它反应,所产生的配合物的稳定性差别不大。

下面我们将结合硬软酸碱理论,并主要从中心离子和配位体的性质方面来讨论影响配合物稳定性的因素。

(2) 中心离子(或原子)的影响

中心离子按电子层结构分为如下的三类:

(a) 类($2e^-$ 或 $8e^-$)外层阳离子   这类阳离子的价层结构,除 Li^+,Be^{2+},B^{3+} 三者为 $1s^2$ 外,其余全是 ns^2np^6(n 为 2—6)的稀有气体型(也可以说是 d^0 型)组态,它们属于硬酸,与 F^-,OH^-,O^{2-} 等硬碱易配位(硬亲硬),结合力主要为静电引力。其离子势 $\phi = z/r$ 越大,生成配合物越稳定,$K_稳$ 也越大,如表 19-10 所示。由表所列数据可以看出:$M(OH)^{(n-1)+}$ 配离子的稳定常数随离子势的增大而增大。

表 19-10   离子势同 $K_稳$ 之间的关系

M^{n+}	离子半径/pm	离子势	$K_{M(OH)^{(n-1)+}}^{n+}$
Li^+	60	0.017	2
Ca^{2+}	99	0.020	3×10
Y^{3+}	93	3.032	1×10^7
Th^{4+}	102	0.039	1×10^{10}

从周期表中所处的位置来说,这类离子为 $IA(M^+)$,$IIA(M^{2+})$,$IIIB(M^{3+})$,$IVB(M^{4+})$(也包括 B^{3+},Al^{3+},Si^{4+} 等)$8e^-$ 型离子。例如下列离子同氨基酸(以羧氧配位)形成的配合物,其稳定性的顺序如下:

$Cs^+ < Rb^+ < K^+ < Na^+ < Li^+$;

$Ba^{2+} < Sr^{2+} < Ca^{2+} < Mg^{2+}$;

$La^{3+} < Y^{3+} < Sc^{3+} < Al^{3+}$;

$La^{3+} < Ce^{3+} < Pr^{3+} < Nd^{3+} < Sm^{3+} < Eu^{3+} <$

$Gd^{3+} < Tb^{3+} < Dy^{3+} < Ho^{3+} < Er^{3+} < Tm^{3+} <$

$Yb^{3+} < Lu^{3+}$

这是因为在各系列中正电荷相同,但半径逐渐减小,离子势增大,从而使形成配合物的稳定性逐渐增大。IA 与 IIA 离子很难形成配合物,也是因为离子势太小的缘故。

(b) 类($18e^-$ 或 $18+2e^-$)阳离子 $18e^-$ 型和 $18+2e^-$ 型阳离子

的价电子层结构依次为 $(n-1)s^2(n-1)p^6(n-1)d^{10}$（或简称 d^{10} 型），$(n-1)s^2(n-1)p^6(n-1)d^{10}ns^2$ $(n=4,5,6)$。18e$^-$ 型者如ⅠB (Cu^+,Ag^+,Au^+)，ⅡB$(Zn^{2+},Cd^{2+},Hg^{2+})$离子，除 Zn^{2+} 外，全是软酸。因其对核电荷的屏蔽作用比 8e$^-$ 型者小，d 电子数已满，极化力和变形性均大于 8e$^-$ 型的(a)类阳离子。$18+2e^-$ 型者如 Sn^{2+}，Pb^{2+}，Sb^{3+}，Bi^{3+} 均接近软酸，但比 18e$^-$ 型者稍硬，故划入交界酸。

总之，18e$^-$ 型和 $18+2e^-$ 型阳离子是软酸和接近软酸的交界酸。它们和软碱易生成稳定的共价配合物（软亲软），故其配合物的稳定性大于(a)类。举例来说，当电荷相同，半径接近，配位体相同的情况下，配合物的稳定性有如下顺序：

$$Cu^+(18e^-) > Na^+(8e^-);$$
$$Cd^{2+}(18e^-) > Ca^{2+}(8e^-);$$
$$In^{3+}(18e^-) > Sc^{3+}(8e^-)$$

又如 HgX_4^{2-} 的稳定性按 $F^- \to I^-$ 的顺序增大，正是因为 Hg^{2+}（软酸）与 I^-（软碱）结合时符合软亲软的原则之故。18e$^-$ 型离子最易与 S^{2-} 和 CN^- 配合，也是这个缘故。而软亲软的情况意味着 M—L 之间键的共价性愈显著，则配合物愈稳定。另外还须指出，(a)类和(b)类阳离子都只能用外层轨道杂化，生成外轨型配合物。这也是影响它们的配合物稳定性的一个因素。

(c) 类（9→17e$^-$）阳离子 从电子层结构说，它们介于 8e$^-$（硬酸）和 18e$^-$（软酸）之间，应该属于交界酸。它们是 $d^1 \to d^9$ 型的过渡金属离子。如其电荷越高，d 电子数越少，则变形性愈小（亦即轨道重叠形成共价键的可能性小），愈接近同周期中左侧 8e$^-$ 型的硬酸；而电荷越低，d 电子数越多，则变形性愈大，愈接近同周期中右侧的 18e$^-$ 型的软酸。因此，常见的 +2，+3 氧化态的过渡金属离子大多数属于交界酸，随 d 电子数的多少不同，有少数属于硬酸或软酸。例如：

$$V^{2+} \quad Cr^{3+} \quad Mn^{2+} \quad Fe^{3+} \quad Fe^{2+} \quad Co^{2+} \quad Ni^{2+} \quad Pd^{2+} \quad Pt^{2+} \quad Cu^{2+}$$

$$d^3 \quad \underbrace{d^3 \quad d^5 \quad d^5}_{\text{硬酸}} \quad d^6 \quad d^7 \quad d^8 \quad \underbrace{d^8 \quad d^8}_{\text{软酸}} \quad d^9$$

（未注明者均为交界酸。）

电荷高，d 电子数少的离子，例如：

$$Ti^{4+} \quad V^{4+} \quad V^{5+} \quad Nb^{5+} \quad Ta^{5+} \quad Mo^{5+} \quad U^{6+} \cdots$$

$$d^0 \quad d^1 \quad d^0 \quad d^0 \quad d^0 \quad d^1 \quad d^0$$

中心原子（或离子）与配位体之间的作用以静电引力占优势，与 (a) 类($8e^-$)的硬酸性质接近，同 F^-、OH^- 等硬碱的配合能力强，但同 S^{2-}，CN^- 等软碱的配合能力差。反之，电荷较低，d 电子数较多的离子如 Fe^{2+}，Co^{2+}，Ni^{2+}，Pd^{2+}，Pt^{2+}，Cu^{2+} 等，则以离子的变形和极化占优势，与 (b) 类($18e^-$)的软酸性质接近，与 S^{2-} 和 CN^- 等软碱的配合能力强，与 F^- 和 OH^- 等硬碱的配合能力差。

另外，d^5（如 Mn^{2+} 和 Fe^{3+}）型离子，因是半充满稳定态，变形性较小，性质与 (a) 类接近，故其配合能力一般小于其同周期后面的相同价态而 d 电子数较多的过渡金属离子。例如 Mn^{2+} 和 Fe^{3+} 在氨水中均与 OH^-（硬碱）生成氢氧化物沉淀，但其后面的 Ni^{2+}，Co^{3+} 则与 NH_3 配合生成 $[Ni(NH_3)_6]^{2+}$ 和 $[Co(NH_3)_6]^{3+}$。

总之，对于 (c) 类的 $d^1 \rightarrow d^9$ 型过渡金属离子的配合物为何比 (a) 类离子的配合物稳定，其原因如用离子极化概念和价键理论的观点来说，可以认为是 (c) 类离子的有效核电荷比 $8e^-$ 型的 (a) 类为高，极化力强，且 d 亚层未满，可以生成内轨型配合物。如用晶体场理论的观点来说，$8e^-$（d^0）、$18e^-$（d^{10}）、$18+2e^-$ 型的阳离子的电子云是球形对称的，电子云密度在各个方向都相等，配位体的静电场对这些离子不能引起 d 轨道的分裂。$d^1 \rightarrow d^9$（除 d^5 外）型离子的电子云为非球形对称，电子云密度在各方向也不均匀，配位场影响大。例如在八面体场中，d 轨道分裂产生了 Δ_o，d 电子

分布在低能的 d_ε 轨道上就产生了额外的稳定能(CFSE),稳定能越大,则配合物越稳定。

大量事实证明,从 $Ca^{2+} \rightarrow Zn^{2+}$ 的 M^{2+} 离子的八面体配合物,其稳定性大小的一般顺序如下:

$$d^0 < d^1 < d^2 < d^3 \gtreqless d^4 > d^5 < d^6 < d^7 < d^8 \gtreqless d^9 > d^{10}$$

Ca^{2+} Ti^{2+} V^{2+} Cr^{2+} Mn^{2+} Fe^{2+} Co^{2+} Ni^{2+} Cu^{2+} Zn^{2+}

(与 d^1 对应的 Sc^{2+} 因不存在故未列入)

由以上顺序知, d^0, d^5, d^{10} 型离子的配合物不稳定,而 d^3, d^6 或 d^4, d^9 型离子的配合比较稳定。从表 19-5 看出弱场中,正八面体配合物的晶体场稳定化能与 d 电子数对应的顺序如下:

$$d^0 < d^1 < d^2 < d^3 < d^4 > d^5 < d^6 < d^7 < d^8 > d^9 > d^{10}$$

CFSE/Dq: 0 -4 -8 -12 -6 0 -4 -8 -12 -6 0

它和上一顺序基本符合。这就对 d^0, d^5, d^{10} 时配合物最不稳定(CFSE $= 0$)和 d^3, d^8 时最稳定(CFSE $= 12Dq$)得到了合理的说明,而且这一顺序也是对晶体场理论的有力支持。至于 $d^4(Cr^{2+})$ 和 $d^9(Cu^{2+})$ 型离子的配合物有时比 d^3 和 d^8 型更稳定的原因是 d^4 和 d^9 在八面体场中,生成了四短两长键的变形八面体,其能量比正八面体更低之故。

(3) 配位体的影响

配合物的中心离子与配位体间形成配位键的强度从配位体的角度说受下列因素的影响。

(a) 配位原子的电负性 配位原子的电负性越大,吸引电子的能力越强,则给出电子对和中心元素配合的能力就越弱。

对 $2e^-$ 或 $8e^-$ 外层的(a)类阳离子来说,配位原子的电负性越大,则配合物越稳定(即硬亲硬)。其稳定性有下列顺序:

$$N \gg P > As > Sb$$

$$O \gg S > Se > Te$$

$$F > Cl > Br > I$$

这可由 AlF_6^{3-} 比 $AlCl_6^{3-}$ 稳定,BF_4^- 比 BCl_4^- 稳定看出。

对 $18e^-$ 及 $18+2e^-$ 型的(b)类阳离子说,恰和(a)类相反,配位原子的电负性越小,配合物越稳定(即软亲软)。其稳定性有下列顺序:

$$N \ll P$$

$$O \ll S \sim Se \sim Te$$

$$F \ll Cl < Br < I$$

总之 $\qquad\qquad C, S, P > N > O > F$

例如 $HgCl_4^{2-}$,$HgBr_4^{2-}$,HgI_4^{2-} 的 $K_{稳}$ 依次增大,$Ag(NH_3)_2^+$ 不如 $Ag(CN)_2^-$ 稳定。进一步说,对 d 电子较多电荷较低的过渡金属离子的配合物,往往因为配位原子如 P 和 As 有空 d 轨道,CN^- 和 CO(以 C 配位)等有空的 π^* 轨道,能接受中心离子(或原子)中 t_{2g} 轨道中的电子对形成反馈 π 键,从而增加了配合物的稳定性。

(b) 配位体的碱性　　从路易士酸碱理论来讲,金属离子 M^{n+} 与 H^+ 类似,二者都是酸,都有与提供孤电子对的配位体 L(碱)结合的趋势,而且 L 的碱性越强,亦即 L 与 H^+ 结合的趋势越强时,按理 L 也应该和 M^{n+} 有较强的配合能力。

$$H^+ + L \Longrightarrow HL(略去电荷)$$

其平衡常数式为:

$$K_{稳}^H = \frac{[HL]}{[H^+][L]}$$

可以看出,$K_{稳}^H$ 越大,即 L 加合 H^+ 的趋势越大,则 L 的碱性越强。$K_{稳}^H$ 也可看作 HL 的酸式电离常数的倒数,表 19－11 中列出了 $\lg K_{稳}^H$ 和 $\lg K_{稳}^{Ag}$(Ag^+ 与 L 配合的 $\lg K$)的对比关系。

表 19 – 11　配位体的碱性与配合物的稳定性的比较

配　位　体	$\lg K$		$\lg K_{稳}^{A}$	
β – 萘胺[*]	4.28	碱性增强	1.62	稳定性增强
吡啶(Py)	5.31		2.11	
NH_3	9.26		7.24	
乙二胺(en)	10.11		7.70	

[*] 　β – 萘胺的结构为

由上表知,当配位原子相同(如上表中的 N)时,配位体的碱性越强,即对 H^+ 和 M^{n+} 离子的结合力越强,配合物的 $K_{稳}$ 也越大。

(a) 和 (b) 是从不同角度说明了配位体提供电子对的难易对配合物稳定性的影响。

(c) 螯合效应　对于同一种配位原子,多价配位体与金属离子形成螯合物时,由于形成螯环,比单价配位体形成的配合物稳定性高。这种由于螯环的形成而使螯合物具有特殊稳定性的作用,叫螯合效应。螯合效应的原因主要是单价配位体取代水合配离子中的水分子时,溶液中的总质点数不变;但多价螯合剂取代水分子时,每个螯合剂分子可取代出两个或多个水分子,取代后总质点数增加,使体系的混乱度增加,熵值增大之故。例如:

$$Cd(H_2O)_4^{2+} + 4CH_3NH_2 \Longrightarrow Cd(CH_3NH_2)_4^{2+} + 4H_2O \quad (1)$$

$$Cd(H_2O)_4^{2+} + 2En \Longrightarrow Cd(en)_2^{2+} + 4H_2O \quad (2)$$

式(1)中,反应前后的质点总数均为 5;式(2)中,质点数由反应前的 3 个增加为反应后的 5 个。从 $\Delta G^{\ominus} = \Delta H^{\ominus} - T\Delta S^{\ominus} = -2.30RT\lg K_{稳}$ 的关系式可知,如果配位体改变时对 $\Delta H^{\ominus}$ 的影响不大,则螯合后 $\Delta S^{\ominus}$ 越大,$\Delta G^{\ominus}$ 即越小,从而 $K_{稳}$ 就越大,螯合物就越稳定。在上例中,因都是形成 Cd—N 键,CH_3NH_2 与 en 在组成与结构上都相似,故 $\Delta H^{\ominus}$ 几乎没有变化,因 $\Delta S^{\ominus}$ 增大,使 $Cd(CH_3NH_2)_4^{2+}$ 和

$Cd(en)_2^{2+}$ 的 $\lg K_{\text{稳}}$ 分别为 6.52 和 10.6。

在螯合物中形成环的数目越多,稳定性越高。这是因为环的数目愈多,则动用的配位原子愈多,配合后与中心离子脱开的几率愈小,因而更稳定。这种影响可由表 19-12 看出。

表 19-12　环的数目对螯合物稳定性的影响

配　位　体	Cu^{2+} 的配合物	$\lg K_{\text{稳}}$
氨　NH_3	$Cu(NH_3)_4^{2+}$	12.67
乙二胺 (en)　$\begin{array}{l}CH_2-NH_2\\CH_2-NH_2\end{array}$		19.6
三乙撑 四胺 (Trien)　$\begin{array}{l}CH_2CH_2NH_2\\CH_2-NH\\CH_2-NH\\CH_2CH_2NH_2\end{array}$		20.4

由表 19-2 知,$Cu(NH_3)_4^{2+}$ 没有形成螯环,最不稳定;$Cu(en)_2^{2+}$ 有两个五元环,比较稳定;而 $Cu(Trien)^{2+}$ 有三个五元环,最稳定。乙二胺四乙酸阴离子(EDTA)含有 6 个配位原子,它与金属离子能形成 5 个五元环,成为一类最稳定的配合物。因此,EDTA 是一种很好的螯合剂,例如它和不易生成配合物的 $8e^-$ 外层的 Ca^{2+} 离子能形成稳定的螯合物,其结构为:

CaY²⁻ 型配合物

$$Ca^{2+} + Y^{4-} \rightleftharpoons [CaY]^{2-}$$

其中包括四个 五元环,和一个 五元环。

除了上述的环的数目外,螯环的大小也是影响稳定性的一个重要因素。大多数情况下,五、六元环最稳定。可由表 19-13 看出。由表 19-13 知,五元环具有最大的稳定性。因为此时环的空间张力最小。

表 19-13　Ca^{2+} 与四元羧酸($^-OOCH_2)_2N(CH_2)_nN(CH_2COO^-)_2$
配合物的 $\lg K_稳$ 与环的大小的关系

n	环的大小	$\lg K_稳$
2	5	10.7
3	6	7.1
4	7	5.1
5	8	4.6

（d）空间位阻和邻位效应　在螯合剂的配位原子的附近,如果存在着体积较大的基团时,会阻碍和金属离子的配位,从而降低了配合物的稳定性的现象,叫空间位阻。简称位阻。位阻出现在

配位原子的邻位上时特别显著,称为邻位效应。例如 8 - 羟基喹啉能和 Al^{3+} 离子按下式生成内络盐的沉淀:

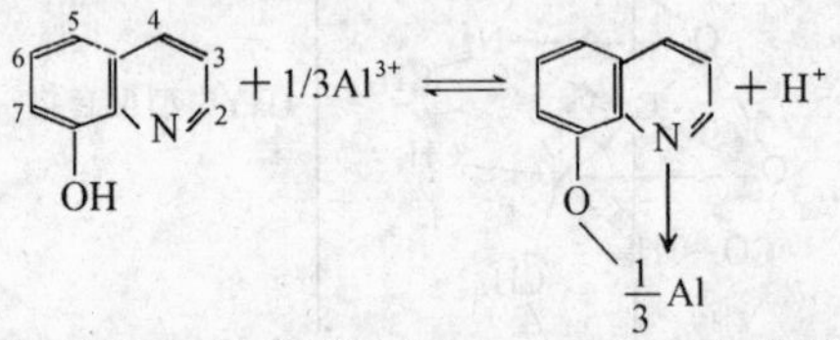

如果在它的 2 位(即 N 的邻位)引入—CH_3 等基团时,就不能和 Al^{3+} 发生沉淀。这正是—CH_3 的空间位阻的后果。如果在其它位置上引入—CH_3 则照常生成沉淀。这是因为与配位原子 N 相距较远,不产生位阻现象。比 Al^{3+} 大些的其它正三价离子如 Fe^{3+},Cr^{3+},Ga^{3+} 等与 2 - 甲基 - 8 - 羟基喹啉作用时,由于空间位阻比 Al^{3+} 小,故仍可生成沉淀。

3-3 配合平衡的移动

金属离子 M^{n+} 和配位体 L 通过配位键结合成的配合物或配离子 $ML_x^{(n-x)+}$,在水溶液中存在配合解离平衡:

$$M^{n+} + xL^- \rightleftharpoons ML_x^{(n-x)+}$$

这种平衡受外界因素的影响,外界条件变化,则平衡也随之发生移动。例如,向上述平衡体系中加入某种试剂使 M^{n+} 离子生成难溶化合物,或改变 M^{n+} 离子的氧化态,都会使平衡向左移动。若改变溶液的酸度,使 L 的浓度降低,同样使 $ML_x^{(n-x)+}$ 解离,平衡向左移动。若加入另一种配体,使它与 M^{n+} 生成更稳定的配离子,同样会使平衡遭到破坏。

由此可见,配合平衡只是一种相对的平衡状态,它同溶液的 pH 值、沉淀反应、氧化还原反应等有密切的关系,下面将分别加以讨论。

(1) 酸度的影响

(a) 酸效应 根据路易士酸碱的概念,配位体 L 都是碱,但碱的强度各自不同,如 L 为强碱(如 H_4Y 中的 Y^{4-}),则与 H^+ 的结合力很强。因此,当 $[H^+]$ 增加或 pH 值降低时,L 会结合 H^+ 变成弱酸分子从而降低 [L],使配合物的稳定性减小,离解程度增大。这一现象称为配合剂的酸效应。例如 EDTA(H_4Y)与金属离子 M^{n+} 配合时,溶液中存在下列平衡:

$$H_4Y \underset{+H^+}{\overset{-H^+}{\rightleftharpoons}} H_3Y^- \underset{+H^+}{\overset{-H^+}{\rightleftharpoons}} H_2Y^{2-} \underset{+H^+}{\overset{-H^+}{\rightleftharpoons}} HY^{3-} \underset{+H^+}{\overset{-H^+}{\rightleftharpoons}} Y^{4-} \vdots \underset{-M^{n+}}{\overset{+M^{n+}}{\rightleftharpoons}} MY^{n-4}$$

虚线左侧可看作 EDTA 单独存在时分级离解过程与 H^+ 的关系。显然,随着体系中 $[H^+]$ 增大或 pH 值降低,溶液中 $[Y^-]$ 逐渐减小,同时 $[HY^{3-}]$,$[H_2Y^{2-}]$,$[H_3Y^-]$,$[H_4Y]$ 逐渐增大,由此导致 MY^{n-4} 配离子的解离,使平衡向左移动。反之,当 $[H^+]$ 降低 pH 增大时,$[Y^{4-}]$ 增大,平衡右移。因此,对于一个弱酸酸根做为配体的配合物,在酸性介质中不稳定而易解离。对 EDTA 而言,只有当 pH>12 时,H_4Y 几乎全以 Y^{4-} 形式存在,配合物 MY^{n-4} 也很稳定,pH<12,Y^{4-} 因部分转变成 HY^{3-},HY^{2-},H_3Y^- 和 H_4Y,使平衡左移,MY^{n-4} 部分解离稳定性降低。

(b) 水解效应　大多数过渡金属离子在水溶液中,都有明显的水解作用。例如 $CuCl_4^{2-}$ 配离子,在溶液中存在如下的解离平衡:

$$CuCl_4^{2-} \rightleftharpoons Cu^{2+} + 4Cl^- \tag{1}$$

如果溶液的酸度降低,pH 增大时,Cu^{2+} 可能发生如下的水解反应:

$$Cu^{2+} + H_2O \rightleftharpoons Cu(OH)^+ + H^+ \tag{2}$$

$$Cu(OH)^+ + H_2O \rightleftharpoons Cu(OH)_2 \downarrow + H^+ \tag{3}$$

随着水解的进行,$[Cu^{2+}]$ 降低,配合平衡右移。如将(1)(2)(3)式相加,则可得 $CuCl_4^{2-}$ 配离子的水解平衡:

$$CuCl_4^{2-} + 2H_2O \Longleftrightarrow Cu(OH)_2 \downarrow + 2H^+ + 4Cl^-$$

$$K = \frac{[H^+]^2[Cl^-]^4}{[CuCl_4^{2-}]} = \frac{(K_w)^2}{K_稳 \cdot K_{sp}^{\ominus}}$$

如 $CuCl_4^{2-}$ 的 $K_稳 = 1.59 \times 10^5$；$Cu(OH)_2$ 的 $K_{sp} = 2.2 \times 10^{-20}$；$K_w = 10^{-14}$。则

$$K = 2.86 \times 10^{-14}$$

可见 $CuCl_4^{2-}$ 不易水解。如 $0.10 \, mol \cdot dm^{-3}$ $CuCl_4^{2-}$ 在 $pH = 4$ 时只有少数 $CuCl_4^{2-}$ 发生水解。设有 $x \, mol \cdot dm^{-3} CuCl_4^{2-}$ 水解。则

$$K = \frac{[10^{-4}]^2[4x]^4}{[0.1 - x]}$$

$$x = 5.75 \times 10^{-3} \, mol \cdot dm^{-3}$$

若 $CuCl_4^{2-}$ 完全解离时，$[CuCl_4^{2-}] = 10^{-5} \, mol \cdot dm^{-3}$，此时 $[Cl^-] = 0.4 \, mol \cdot dm^{-3}$，通过计算可知此时的 $pH = 8.5$。从以上计算结果可以看出，当 $pH < 4$ 时，$CuCl_4^{2-}$ 能稳定存在，随着 pH 值的增加，$CuCl_4^{2-}$ 配离子逐渐解离，当 $pH > 8.5$ 时，$CuCl_4^{2-}$ 配离子完全解离。

可见酸度对配合平衡的影响是多方面的，但通常以酸效应为主。至于在某一酸度下，以哪一个变化为主，要由配位体的碱性、金属氢氧化物的溶度积和配离子的稳定因素来决定。

(2) 对沉淀反应的影响

配合平衡与沉淀反应的关系，可看成是沉淀剂与配合剂共同争夺金属离子的过程。配合物的 $K_稳$ 越大，或沉淀的 K_{sp} 越大，则沉淀愈易被配合溶解。例如

$$AgCl(s) + 2NH_3 \Longleftrightarrow Ag(NH_3)_2^+ + Cl^-$$

的平衡常数为：

$$K = \frac{[Ag(NH_3)_2^+][Cl^-]}{[NH_3]^2} = \frac{[Ag(NH_3)_2^+][Cl^-][Ag^+]}{[Ag^+][NH_3]^2}$$

$$= K_稳 \times K_{sp}(AgCl) = 1.6 \times 10^7 \times 1.7 \times 10^{-10}$$
$$= 2.7 \times 10^{-3}$$

现在具体分析 AgCl 在氨水中的溶解情况。先求算在 $6mol \cdot dm^{-3}$ 氨水中 AgCl 的溶解度。设此时的溶解度为 $x\, mol \cdot dm^{-3}$ 配合溶解达平衡时包括如下的两个平衡：

$$AgCl(s) \rightleftharpoons Ag^+ + Cl^-$$
$$Ag^+ + 2NH_3 \rightleftharpoons Ag(NH_3)_2^+$$

(此二式相加即得配溶平衡式)

故有 $\qquad x = [Cl^-] = [Ag^+] + [Ag(NH_3)_2^+]$

因 $Ag(NH_3)_2^+$ 很稳定，Ag^+ 绝大部分已被配合，即 $[Ag^+] \ll [Ag(NH_3)_2^+]$。

近似地为 $\qquad x = [Cl^-] \approx [Ag(NH_3)_2^+]$

而 $\qquad [NH_3] = (6 - 2x)\, mol \cdot dm^{-3}$

代入平衡常数式得：

$$K = \frac{[Ag(NH_3)_2^+][Cl^-]}{[NH_3]^2} = \frac{x^2}{(6 - 2x)^2}$$

即 $\qquad \sqrt{K} = \sqrt{2.7 \times 10^{-3}} = \frac{x}{[6 - 2x]}$

$$x = 0.28(mol \cdot dm^{-3})$$

计算结果表明，AgCl 在 $6mol \cdot dm^{-3}$ 氨水中有相当大的溶解度 (在水中的溶解度为 $S = \sqrt{K_{sp}^\ominus} = \sqrt{1.7 \times 10^{-10}} \approx 1.3 \times 10^{-5} mol \cdot dm^{-3}$)。

与上同理，可求得 AgI 在 $6mol \cdot dm^{-3}$ 氨水中的溶解度。

$$AgI(s) + 2NH_3 \rightleftharpoons Ag(NH_3)_3^+ + I^-$$
$$K = K_稳 \times K_{sp(AgI)}^\ominus = 1.6 \times 10^7 \times 1.5 \times 10^{-16}$$
$$= 2.4 \times 10^{-9}$$
$$x = [I^-] \approx [Ag(NH_3)_2^+], \quad [NH_3] = 6 - 2x$$

则 $$2.4 \times 10^{-9} = \frac{x^2}{[6 - 2x]^2}$$

即 $$\sqrt{2.4 \times 10^{-9}} = \frac{x}{6 - 2x}$$

$$x = 2.9 \times 10^{-4} \text{mol} \cdot \text{dm}^{-3}$$

可见 AgI 在 $6\text{mol} \cdot \text{dm}^{-3}$ 氨水中的溶解度远远小于 AgCl。这是由于 $K_{sp(AgI)}^{\ominus} \ll K_{sp(AgCl)}^{\ominus}$ 之故。

若用 KCN 代替氨水作为 Ag^+ 的配合剂,则因生成更稳定的 $Ag(CN)_2^-$,AgI 也能很好地溶解,配合溶解反应如下:

$$AgI(s) + 2CN^- \Longrightarrow Ag(CN)_2^- + I^-$$

平衡常数式为

$$K = \frac{[Ag(CN)_2^-][I^-]}{[CN^-]^2} = K_{稳} \times K_{sp(AgI)}^{\ominus}$$

$$= 1.0 \times 10^{21} \times 1.5 \times 10^{-16} = 1.5 \times 10^5$$

再看在 $0.010\text{mol} \cdot \text{dm}^{-3}$ KCN 溶液中 AgI 的溶解情况。

$$K = 1.5 \times 10^5 = \frac{x^2}{[0.010 - 2x]^2}$$

即 $$\sqrt{1.5 \times 10^5} = \frac{x}{[0.010 - 2x]}, \quad x = 0.005 (\text{mol} \cdot \text{dm}^{-3})$$

可见即使在很稀的 KCN 溶液中,AgI 也能较好地溶解。显然,这是由于 $K_{稳(Ag(CN)_2^-)} \gg K_{稳(Ag(NH_3)_2^+)}$ 之故。

(3) 对氧化还原反应的影响

配合物的形成使金属离子 M^{n+}(水合配离子)的电极电势发生变化。电极电势的变化是通过配合使 M^{n+} 的浓度变化来达到的。金属的基本电极反应形式如下:

$$M^{n+} + ne^- \Longrightarrow M$$

根据奈斯特方程式: $\varphi = \varphi^{\ominus} + \frac{0.059}{n} \lg[M^{n+}]$

上式中若 $[M^{n+}] = 1.0\text{mol} \cdot \text{dm}^{-3}$ 时,$\varphi = \varphi^{\ominus}$;如加入配合剂 L,则

M^{n+} 被形成配离子：$M^{n+} + xL^- \rightleftharpoons ML_x^{(n-x)+}$，由于 $ML_x^{(n-x)+}$ 的形成，而使 M^{n+} 的浓度降低，导致 $\dfrac{0.059}{n}\lg[M^{n+}]$ 项变为负值，使 φ 值变小。$K_稳$ 越大，则 $[M^{n+}]$ 降低得越多，φ 值也越小，相应氧化性变弱。所以配合物的形成对 M^{n+}（氧化型）起了稳定作用。

例如 Cu^+ 与 X^- 等离子能形成一系列 1:2 的配合物：

$$Cu^+ + 2X^- \rightleftharpoons CuX_2^-$$

其中 $X^- = Cl^-, Br^-, I^-, CN^-$ 等。

$$K_稳 = \frac{[CuX_2^-]}{[Cu^+][X^-]^2}$$

当 $[CuX_2^-]$ 及 $[X^-]$ 均为 $1.0\ mol \cdot dm^{-3}$（标准情况）时，则

$$K_稳 = \frac{1}{[Cu^+]}，即 [Cu^+] = \frac{1}{K_稳}$$

由上面关系式可知：M^{n+}（金属离子）生成配合物越稳定，配离子的解离度越小，即溶液中游离的 M^{n+} 离子浓度越低，φ 值小，因此，金属离子形成配离子后，还原能力增强，氧化能力减弱。例如：

	$CuCl_2^-$	$CuBr_2^-$	CuI_2^-	$Cu(CN)_2^-$
$\lg K_稳$	5.5	5.89	8.85	24.0

$$Cu^+ + e^- \rightleftharpoons Cu \qquad \varphi^\ominus = +0.52V$$

代入 $CuCl_2^-$ 在标准情况下的 $[Cu^+]$ 值 $\left(= \dfrac{1}{K_稳}\right)$ 得：

$$\varphi = \varphi^\ominus + \frac{0.059}{1}\lg[Cu^+] = 0.52 + 0.059\lg\frac{1}{K_稳}$$

$$= 0.52 - 0.059\lg K_稳$$

$$\varphi = 0.52 - 0.059 \times 5.5 = 0.20V (< 0.52V)$$

由计算可知，Cu^+ 生成 $CuCl_2^-$ 后，$\varphi^\ominus$ 由 0.52V 降到 0.20V。

将 $CuBr_2^-, CuI_2^-, Cu(CN)_2^-$ 在标准情况下的 $[Cu^+]$ 分别代入奈斯特方程，可计算出下列各电极反应的 $\varphi^\ominus$ 值。

$$
\begin{array}{lll}
 & \varphi^{\ominus} & \\
Cu^+ + e^- \rightleftharpoons Cu & +0.52V & \\
CuCl_2^- + e^- \rightleftharpoons Cu + 2Cl^- & +0.20V & \\
CuBr_2^- + e^- \rightleftharpoons Cu + 2Br^- & +0.17V & \\
CuI_2^- + e^- \rightleftharpoons Cu + 2I^- & +0.00V & \\
Cu(CN)_2^- + e^- \rightleftharpoons Cu + 2CN^- & -0.68V &
\end{array}
$$

$K_{稳}$ 增 大 ↓　[Cu^+] 减 小 ↓　$\varphi^{\ominus}$ 减 小 ↓

从比较可知,随着 $K_{稳}$ 的增大,[Cu^+]减小,$\varphi^{\ominus}$减小,Cu^+ 的氧化能力降低,还原能力增强。换句话说,金属 Cu 在有过量 Cl^-,Br^-,I^- 或 CN^- 离子存在下,因生成 CuX_2^- 而易溶解。

因形成配合物而促进金属溶解的例子很多,例如 Au 很难溶解于单一酸,而易溶于王水。这可从下列的电极电势看出:

$$
\begin{array}{ll}
Au^{3+} + 3e^- \rightleftharpoons Au & \varphi^{\ominus} = 1.498V \\
AuCl_4^- + 3e^- \rightleftharpoons Au + 4Cl^- & \varphi^{\ominus} = 1.00V
\end{array}
$$

此外,Cu^{2+} 易氧化 I^-,故 CuI_2 不能稳定存在(易分解成 CuI 及 I_2),而 [$Cu(NH_3)_4$]I_2 却稳定;Co^{3+} 氧化能力很强,但配合物 [$Co(NH_3)_6$]Cl_3 相当稳定,也都是由于形成配合物后,高价态的中心离子的浓度大大降低,氧化性减弱 $\varphi^{\ominus}$ 减小的缘故。

§19-4　配位化合物的重要性

配位化合物的应用极为普遍,它已渗透到自然科学的各个领域,无论在实践和理论的意义上都极为重要。本节只选某几个方面扼要介绍。

4-1　在无机化学方面的应用

(1) 湿法冶金

可以用配合剂的溶液直接从矿石中把金属浸取出来,再用适当的还原剂还原成金属。例如早在 40 年代,有些国家已研究出 NiS 等矿石在加压下的氨溶液中浸取,随后在加压下用氢还原得镍粉。

$$NiS + 6NH_3(aq) \xrightarrow{\text{加压}} Ni(NH_3)_6^{2+} + S^{2-}$$

$$Ni(NH_3)_6^{2+} + H_2 \xrightarrow{\text{加压}} Ni(\text{粉}) + 2NH_4^+ + 4NH_3$$

其它如 Au 的提取至今多是利用 CN^- 配合成 $Au(CN)_2^-$，再以 Zn 还原成单质金。

$$4Au + 8CN^- + 2H_2O + O_2 \Longrightarrow 4Au(CN)_2^- + 4OH^-$$

$$Zn + 2Au(CN)_2^- \Longrightarrow 2Au + Zn(CN)_4^{2-}$$

(2) 分离和提纯

由于制备高纯物质的需要,对于那些性质相近的稀有金属,常是利用生成配合物来扩大一些性质上的差别,从而达到分离、提纯的目的。例如 Zr^{4+} 与 Hf^{4+} 的离子半径几乎相等,性质非常相似。但在 $0.125\ mol \cdot dm^{-3}$ HF 中 K_2ZrF_6 与 K_2HfF_6 的溶解度分别为 1.86 和 3.74 克($20℃$,$100g\ H_2O$ 中),后者约为前者的二倍,曾利用这种差别用分级结晶法制取无铪的锆。又如三价稀土元素离子,半径相差很小(平均约 1 pm),分离极为困难。近年来利用它们和含氧螯合剂螯合能力的不同,因此可用萃取分离法对稀土元素进行分离。较轻较大的稀土金属离子如 La^{3+},Ce^{3+},Pr^{3+},Nd^{3+} 等可以同二苯基 $-18-$ 冠 $-6(C_{20}H_{24}O_6$ 简称冠醚)生成易溶于有机溶剂的 $Ln(NO_3)_3 \cdot C_{20}H_{24}O_6$ 型螯合物:

螯合物中 La^{3+} 周围有 6 个五元环,与氧原子形成八面体配位。这种较大的八面体空穴(冠醚的空穴半径为 320—360 pm)只能和半径较大的轻稀土离子如:La^{3+},Ce^{3+},Pr^{3+},Nd^{3+} 等生成稳定的配合物,而与半径较小的中、重稀土离子不能形成稳定的配合物。这样轻稀土可被萃取到有机相中(若用冠醚作成吸附柱时,则轻稀土留在吸附柱上),重稀土仍留在水中,从而达到分离的目的。

(3) 设计合成具有特殊功能的分子

Underhill 教授领导的研究小组设计的"分子金属"中,每个分子中的金属原子都在某一方向上排齐成行,电子就可以沿着这一金属原子链流动。如何使这些金属原子进行组合而恰到好处地堆砌起来,现已发现硫和硒是连结金属的理想选择。如图 19-10 所示:该图表明每个分子都是平面型的,中间有一个铂金属原子,它周围有四个硫原子。每个铂原子的上面和下面各有一个属于上一层或下一层分子的铂原子。所以,有很多条可供电子穿越的"铂-硫原子链"贯穿整个晶体。这些分子金属导电性能的优劣不仅取决于金属原子之间的间距,还取决于不同堆砌方式中相邻分子间硫原子互相靠近的程度。显然,这就要求化学家要精心设计,调节分子的结构,使电子可依设计者的意图在晶体中流动。这类"分子金属"可望对未来的"分子计算机"有很大的影响。类似的配合物还有金属卟啉配合物制成的 LB 膜,光储材料,抗癌药物等。

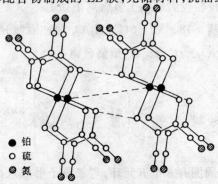

● 铂
○ 硫
◍ 氮

图 19-11 Underhill 教授设计的一种"分子金属",用 X 射线法测定的结构图。
平面状的分子呈层状堆砌,因而电子能够横向地在分子之间穿越。

4-2 在分析化学方面的应用

在分析化学中无论定性的检出或定量的测定,经常用到配合物的一些特殊性质

（1）检验离子的特效试剂

通常利用螯合剂与某些金属离子生成有色难溶的内络盐,作为检验这些离子的特征反应。例如二甲基二肟是 Ni^{2+} 的特效试剂,在严格的 pH 值和氨的浓度条件下,它与 Ni^{2+} 反应生成鲜红色沉淀。又如 Cu^{2+} 的特效试剂（铜试剂）,学名 $N、N'$ - 二乙胺基二硫代甲酸钠,它与 Cu^{2+} 在有氨的溶液中生成棕色螯合物沉淀,反应如下：

$$2(C_2H_5)_2N-C\overset{S}{\underset{SNa}{\Big\langle}} +Cu^{2+}\longrightarrow$$

$$[(C_2H_5)_2N-C\overset{S}{\underset{S}{\Big\langle}}Cu\overset{S}{\underset{S}{\Big\rangle}}C-N(C_2H_5)_2]+2Na^+$$

（2）隐蔽剂

多种金属离子共同存在时,要测定其中某一金属离子,其它金属离子往往会与试剂发生同类反应而干扰测定。例如, Cu^{2+} 和 Fe^{3+} 离子都会氧化 I^- 离子成为 I_2。因此在用 I^- 离子来测定 Cu^{2+} 时,共同存在的 Fe^{3+} 会产生干扰,如果加入 F^- 或 PO_4^{3-} 离子,使与 Fe^{3+} 配合生成稳定的 FeF_6^{3-} 或 $Fe(HPO_4)^+$ 就能防止 Fe^{3+} 的干扰。这种防止干扰的作用称为隐蔽作用。配合剂 NaF 和 H_3PO_4 称为隐蔽剂。

（3）有机沉淀剂

近年来发现某些有机螯合剂能和金属离子在水中形成溶解度极小的内络盐沉淀,它具有相当大的分子量和固定的组成。少量的金属离子便可产生相当大量的沉淀,这种沉淀还有易于过滤和

洗涤的优点,因此利用有机沉淀剂可以大大提高重量分析的精确度。例如,8-羟基喹啉能从热的 $HAc - Ac^-$ 缓冲溶液中定量沉淀 Cu^{2+},Ca^{2+},Al^{3+},Fe^{3+},Ni^{2+},Co^{2+},Zn^{2+},Mn^{2+} 等离子。这样就可使上述离子同 Ca^{2+},Sr^{2+} 等离子分离出来。反应通式如下:

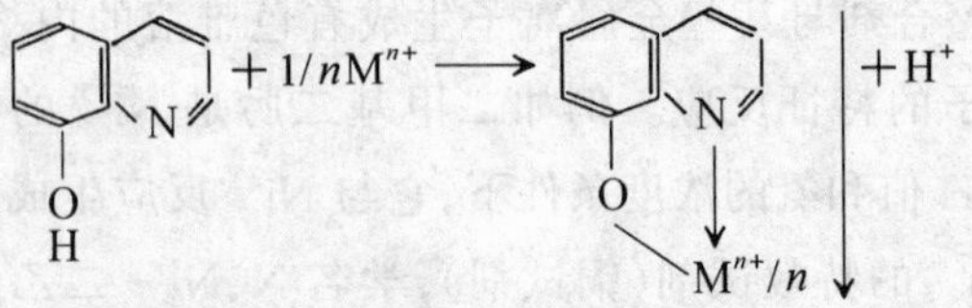

式中 n 为金属离子的电荷数,沉淀的通式只是一种简示式。显然,如 $n=1$,则生成 $ML(1:1)$;如 $n=2$ 则生成 $ML_2(1:2)$,余类推。

(4) 萃取分离

当金属离子与有机螯合剂形成内络盐时,一方面由于它不带电,另一方面又由于有机配位体在金属离子的外围且极性很小,具有疏水性。因而内络盐难溶于水,易溶于有机溶剂(如 $CHCl_3$、汽油等)。利用这一性质就可将某些金属离子从水溶液(水相)中萃取到有机溶剂(有机相)中,从而达到分离金属的目的。这一方法叫做萃取。萃取不仅是生产中分离稀有金属的一个重要手段,它在分析化学中也得到广泛应用。在水相与有机相之间存在着如下的平衡关系:

$$M^{n+} + H_n R(螯合剂) \Longrightarrow MR(螯合物) + n H^+$$

$$MR(水相) \Longrightarrow MR(有机相)$$

一定温度下,两相间的平衡常数 K_D 为:

$$K_D = \frac{[MR]_{(有)}}{[MR]_{(水)}}$$

K_D 通常称为分配系数,它实际是螯合物在有机相和水相的溶解度的比值。一般地说,MR 的 $K_{稳}$ 越大,K_D 也越大,萃取效率越高。控制 pH 值,选择溶剂,利用不同金属离子的螯合物的 K_D 差别,就可以有效地将金属离子分离。例如在含有 Fe^{3+},La^{3+},Ca^{2+} 的水溶液中,用 $0.10\ mol \cdot dm^{-3}$ 乙酰丙酮(acac) – 苯萃取时,因螯合物 $M(acac)_3$ 的 $K_稳$ 按上述离子的顺序降低且差别较大,故 Fe^{3+} 优先进入有机相中,经几次操作,即可完全分离。

4-3 配合催化

长期以来,过渡金属被用作有机合成的催化剂。这种催化剂的作用可大致示意如下:

$$M\quad +:A \Longrightarrow M:A$$

催化剂　　配合剂　　中间配合物

(反应物之一)

$$M:A+\quad B = AB + M$$

另一反应物 产物

反应物之一的 A 先和作为催化剂的过渡金属(离子或原子)配合成中间配合物 M:A;M:A 的形成使 A 分子内部的一些键有所削弱,但 M:A 之间的键又不是太强(因太强时,就难和另一反应物 B 进行反应生成产物 AB 了),即 M:A 的活化能较低,当它和另一反应物分子 B 碰撞时,生成产物 AB,重新放出过渡金属 M。从开始到反应终了,M 没有化学变化,M 仅起了催化剂以加速反应的作用。

这种配合催化作用具有引人注目的优点。例如活性高,选择性能好(即只催化所希望的反应,而副反应产物少),反应条件温和(不需太高的温度和压力),中间体容易分离或测定,从而便于作深入的研究,促进有预见性的催化理论的发展。近年来在石油化学方面,应用配合催化的例子层出不穷。例如 C_2H_4 用 $PdCl_2$ 催化,在常温常压下,较易氧化成 CH_3CHO。其化学计量的循环反应式如下:

$$C_2H_4 + PdCl_2 + H_2O \Longrightarrow CH_3CHO + Pd + 2HCl \qquad (1)$$

$$Pd + 2CuCl_2 \Longrightarrow PdCl_2 + 2CuCl \qquad (2)$$

$$+) \ 2CuCl + \frac{1}{2}O_2 + 2HCl \Longrightarrow 2CuCl_2 + H_2O \qquad (3)$$

$$C_2H_4 + \frac{1}{2}O_2 \Longrightarrow CH_3CHO$$

其中 $CuCl_2$ 可认为是 $PdCl_2$ 的助催化剂。比较公认的反应机理是:在水溶液中首先是 C_2H_4 和 Pd^{2+} 配合成 $[(C_2H_4)PdH_2OCl_2]$,然后它水解成 $[(C_2H_4)Pd(OH)Cl_2]^-$ 离子。由于 C_2H_4 分子与 Pd^{2+} 离子配合后,其中的双键 $\left[\underset{}{>}C=C\underset{}{<} \right]$ 在 Pd^{2+} 的影响下而被削弱。一般地说,配合后的双键键长比配合前伸长 2 pm 左右,双键的键能约减少 $1 \ kJ \cdot mol^{-1}$。因而乙烯配合后即被活化,为打开双键进行加成反应创造了条件。这样,$[(C_2H_4)Pd(OH)Cl_2]^-$ 离子就变得不稳定,在水溶液中很快发生重排、分解生成 CH_3CHO。

$$\xrightarrow{\text{分解}} CH_3CHO + Pd + HCl + Cl^-$$

分解的同时 Pd^{2+} 被还原成 Pd,Pd 又和 $CuCl_2$ 以及空气中的 O_2 按前面化学计量式中的(2)和(3)反应,重新生成 $PdCl_2$,继续循环使用。

上式中从 C_2H_4 双键处指向 Pd^{2+} 的箭头,意味着 C_2H_2 提供双键中的 π 电子与 Pd^{2+} 的空 d 轨道形成 σ 键,它不像前面讲到的配位体用末端配位原子的孤电子对形成的 σ 配键(这叫端基配合),而是以成键的 π 电子从侧面向中心离子配位,故称为侧基配合。

在上式中乙烯双键的中心占据 Pd^{2+} (d^8) 的平面正方形配位的一个角顶,如虚线所示。许多不饱和烃如 C_2H_4, C_2H_2, $C_5H_5^-$ (环戊二烯离子), C_6H_6 等常是采用提供 π 电子的侧基配位方式。

4－4 生物化学中的配位化合物

金属配合物在生物化学中的应用非常广泛而且极端重要。许多酶(生物化学反应的高效专一的催化剂和调节剂)的作用与其结构中含有配位的金属离子有关。生物体中能量的转换、传递或电荷转移,化学键的形成或断裂以及伴随这些过程出现的能量变化和分配等,常与金属离子和有机体生成复杂的配合物所起的作用有关。例如,以 Mg^{2+} 为中心的大环配合物叶绿素能进行光合作用,将太阳能转换成化学能。能输送 O_2 的血红素是 Fe^{2+} 卟啉配合物,煤气中毒可能是 CO 与血红素中的 Fe^{2+} 生成更稳定的配合物,从而失去了输送 O_2 的功能。维生素 B_{12} 中的钴,它是抗恶性贫血因子在它的结构里,连接钴的卟啉环缺少一个碳桥,它又叫做钴啉。这些金属离子本身不能进行微妙的生物化学反应来充当炼丹家的作用,但把它们装饰到生物体内的四吡咯大环上,再加上一个精致的蛋白质外壳,它们就能创造化学家们羡慕的各种生化奇迹。至少有九十种酶及胰岛素中存在 Zn^{2+} 能固定空气中 N_2 的植物固氮酶是铁、钼的蛋白质配合物。近年来随着仿生化学的发展,在固氮酶及光合作用的化学模拟方面,国内外均进行了大量研究并取得了一定的成绩。例如,从 1965 年第一个分子 N_2 的配合物 $[Ru(NH_3)_5N_2]X_2$ ($X = X^-$, BF_4^-, PF_6^- …) 制出后,目前全世界已合成了数以百计的这类配合物,并提出了许多固氮酶的理论模型。虽然由于化学模拟的分子 N_2 配合物对 N_2 的活化还不够,距离实现常温常压合成氨的工业生产为期尚远,但已初现曙光。在太阳能利用方面也研制出了一些能光解水放出氢的配合物,如近几年

来发现 $[Ru(BPy)_3]^{2+}$ 或类似的配合物在配合其它物质的催化剂体系中,于阳光照射下可以分解水放出氢。有人曾提出过仿叶绿素的生物膜光解水的理论模型。此外,为了摹拟血红素中的 Fe^{2+} 能可逆地生成双氧配合物,近年来,对于过渡金属双氧配合物和分子氧的活化的研究进展很快。在医药方面的应用,1969 年首次报道顺式 $[Pt(NH_3)_2Cl_2]$ 具有抗动物肿瘤活性的能力;已知 EDTA 的钙盐是排除人体内 U,Th,Pu 等放射性元素的高效解毒剂。

除上述几个方面的应用外,在其它尖端技术如激光材料、超导体、抗癌药的研究,工业生产如染色、鞣革、硬水软化、矿石浮选等方面都离不开配位化学。

习　题

1. 某物质的实验式为 $PtCl_4 \cdot 2NH_3$,其水溶液不导电,加入 $AgNO_3$ 亦不产生沉淀,以强碱处理并没有 NH_3 放出,写出它的配位化学式。

2. 下列化合物中哪些是配合物?哪些是螯合物?哪些是复盐?哪些是简单盐?

(1) $CuSO_4 \cdot 5H_2O$ 　　　　　　(2) K_2PtCl_6

(3) $Co(NH_3)_6Cl_3$ 　　　　　　　(4) $Ni(en)_2Cl_2$

(5) $(NH_4)_2SO_4 \cdot FeSO_4 \cdot 6H_2O$ 　(6) $Cu(NH_2CH_2COO)_2$

(7) $Cu(OOCCH_3)_2$ 　　　　　　(8) $KCl \cdot MgCl_2 \cdot 6H_2O$

3. 命名下列各配合物和配离子:

(1) $(NH_4)_3[SbCl_6]$ 　　　　　　(2) $Li[AlH_4]$

(3) $[Co(en)_3]Cl_3$ 　　　　　　　(4) $[Co(H_2O)_4Cl_2]Cl$

(5) $[Cr(H_2O)_4Br_2]Br \cdot 2H_2O$ 　(6) $[Cr(H_2O)(en)(C_2O_4)(OH)]$

(7) $[Co(NO_2)_6]^{3-}$ 　　　　　　(8) $[Co(NH_3)_4(NO_2)Cl]^+$

(9) $[Cr(Py)_2(H_2O)Cl_3]$ 　　　　(10) $[Ni(NH_3)_2(C_2O_4)]$

4. 指出下列配合物的空间构型并画出它们可能存在的立体异构体:

(1) $[Pt(NH_3)_2(NO_2)Cl]$ 　　　　(2) $[Pt(Py)(NH_3)ClBr]$

(3) $[Pt(NH_3)_2(OH)_2Cl_2]$ 　　　(4) $NH_4[Co(NH_3)_2(NO_2)_4]$

(5) $[Co(NH_3)_3(OH)_3]$ 　　　　　(6) $[Ni(NH_3)_2Cl_2]$

(7) $[Cr(en)_2(SCN)_2]SCN$ (8) $[Co(en)_3]Cl_3$

(9) $[Co(NH_3)('en)Cl_3]$ (10) $[Co(en)_2(NO_2)_2]Cl_2$

5. 某金属离子在八面体弱场中的磁矩为 4.90 B. M。而它在八面体强场中的磁矩为零,该中心金属离子可能是哪个?

6. 根据实验测得的有效磁矩,判断下列各种配离子中哪几种是高自旋的? 哪几种是低自旋的? 哪几种是内轨型的? 哪几种是外轨型的?

(1) $Fe(en)_2^{2+}$ 5.5 B. M.

(2) $Mn(SCN)_6^{4-}$ 6.1 B. M.

(3) $Mn(CN)_6^{4-}$ 1.8 B. M.

(4) $Co(NO_2)_6^{4-}$ 1.8 B. M.

(5) $Co(SCN)_4^{2-}$ 4.3 B. M.

(6) $Pt(CN)_4^{2-}$ 0 B. M.

(7) $K_3[FeF_6]$ 5.9 B. M.

(8) $K_3[Fe(CN)_6]$ 2.4 B. M.

7. 已知 $[Pd(Cl)_2(OH)_2]$ 有两种不同的结构,成键电子所占据的杂化轨道应该是哪种杂化轨道?

8. 应用软硬酸碱理论解释在稀 $AgNO_3$ 溶液中依次加入 $NaCl$, NH_3, KBr, Na_2SrO_3, KI, KCN, Ag_2S 产生沉淀、溶解交替的原因?

9. 预测下列各组所形成的二组配离子之间的稳定性的大小,并简单说明原因:

(1) Al^{3+} 与 F^- 或 Cl^- 配合;

(2) Pd^{2+} 与 RSH 或 ROH 配合;

(3) Cu^{2+} 与 NH_3 或 ⬡ 配合;

(4) Cu^{2+} 与 NH_2CH_2COOH 或 CH_3COOH 配合。

10. 在 $0.1\ mol \cdot dm^{-3}\ K[Ag(CN)_2]$ 溶液中,加入 KCl 固体使 Cl^- 的浓度为 $0.10\ mol \cdot dm^{-3}$,有何现象发生?

$$(K_{sp,AgCl}^{\ominus} = 1.8 \times 10^{-10}, K_{稳,Ag(CN)_2^-} = 1.25 \times 10^{21})$$

11. 在 $1\ dm^{-3}\ 6mol \cdot dm^{-3}$ 的 NH_3 水中加入 $0.01\ mol$ 固体 $CuSO_4$,溶解后,在此溶液中再加 $0.01\ mol$ 固体的 $NaOH$,铜氨配合物能否被破坏? ($K_{稳,Cu(NH_3)_4} = 2.09 \times 10^{13}$;$K_{sp,Cu(OH)_2} = 2.2 \times 10^{-20}$)

12. 当 NH_4SCN 及少量 Fe^{3+} 同存于溶液中达到平衡时,加入 NH_4F 使

$[F^-] = [SCN^-] = 1 \ mol \cdot dm^{-3}$，问此时溶液中$[FeF_6]^{3-}$与$[Fe(SCN)_3]$的浓度比为多少？$(5 \times 10^{12})$

$$(K_{稳,Fe(SCN)_3} = 2.0 \times 10^3, K_{稳,[FeF_6]^{3-}} = 1 \times 10^{16})$$

13. 欲使 1×10^{-5} mol 的 AgI 溶于 $1 \ cm^{-3}$ 氨水，试从理论上推算，氨水的最低浓度为多少？$(K_{稳,Ag(NH_3)_2^+} = 1.12 \times 10^7; K_{sp,AgI}^{\ominus} = 9.3 \times 10^{-17})$

$$(310.10 \ mol \cdot dm^{-3})$$

14. 已知 $Au^+ + e^- = Au$ 的 $\varphi^{\ominus} = 1.691 \ V$，求 $Au(CN)_2^- + e^- \rightleftharpoons Au + 2CN^-$ 的 $\varphi^{\ominus}$ 值是多少？$(K_{稳,Au(CN)_2^-} = 2 \times 10^{38})$ $(-0.57V)$

15. 一个铜电极浸在一种含有 $1.00 \ mol \cdot dm^{-3}$ 氨和 $1.00 \ mol \cdot dm^{-3}$ $Cu(NH_3)_4^{2+}$ 配离子的溶液里，若用标准氢电极作正极，经实验测得它和铜电极之间的电势差为 $0.0300 \ V$。试计算 $Cu(NH_3)_4^{2+}$ 配离子的稳定常数（已知 $\varphi^{\ominus}_{Cu^{2+}/Cu} = 0.34 \ V$）。 (3.49×10^{12})

16. 为什么在水溶液中，Co^{3+} 离子能氧化水，$[Co(NH_3)_6]^{3+}$ 却不能氧化水？

$$K_{稳,Co(NH_3)_6^{2+}} = 1.38 \times 10^5; K_{稳,Co(NH_3)_6^{3+}} = 1.58 \times 10^{35}; K_{b,NH_3} = 1.8 \times 10^{-5}$$

$$\varphi^{\ominus}_{Co^{3+}/Co^{2+}} = 1.808V; \varphi^{\ominus}_{O_2/H_2O} = 1.229V; \varphi^{\ominus}_{O_2/OH^-} = 0.401 \ V)$$

17. 在 $1.0 \ mol \cdot dm^{-3}$ 的 HCl 溶液中加入 $0.010 \ mol \cdot dm^{-3}$ 的 $Fe(NO_3)_3$ 后，溶液中有关配离子中哪种配离子浓度最大？（已知该体系逐级稳定常数为：$k_1 = 4.2, k_2 = 1.3, k_3 = 0.040, k_4 = 0.012$）

第二十章　过渡金属(Ⅰ)

§ 20 – 1　引　言

过渡元素可定义为:具有部分充填 d 或 f 壳层电子的元素,它包括周期系第四、五、六周期从ⅢB族到Ⅷ族的元素,共有 8 个直列,如表 20 – 1 方框内的元素以及周期表底端的镧系和锕系元素。这些元素都是金属,也称为过渡金属。人们也常将铜副族元素作为过渡金属,这是因为当它们呈显某些氧化态时,d 轨道的电子并未全部充满,如 Cu^{2+} 具有 $3d^9$ 组态,Ag^{2+} 具有 $4d^9$ 组态,Au^{3+} 具有 $5d^8$ 组态,且它们的化学行为与其它过渡金属十分相似。

表 20 – 1　过　渡　金　属

ⅠA	ⅡA	ⅢB	ⅣB	ⅤB	ⅥB	ⅦB	Ⅷ			ⅠB	ⅡB
Li	Be										
Na	Mg										
K	Ca	Sc	Ti	V	Cr	Mn	Fe	Co	Ni	Cu	Zn
Rb	Sr	Y	Zr	Nb	Mo	Tc	Ru	Rh	Pd	Ag	Cd
Cs	Ba	La	Hf	Ta	W	Re	Os	Ir	Pt	Au	Hg
Er	Ra	Ac									

根据电子结构的特点又可把过渡元素分为外过渡族元素(或 d 区元素)及内过渡元素(或 f 区元素)两大组。外过渡族元素包括镧系中的镧、锕系中的锕和除镧系锕系以外的其它过渡元素。在这些元素的中性原子中,d 轨道中没有全部填满电子,f 轨道中为全空(四、五周期)或全满(第六周期)。内过渡族元素指镧系和锕系元素,它们的中性原子或呈某些氧化态时,电子陆续填充 f 轨

道。

ⅢB族的钪 Sc,钇 Y,镧 La 和其它镧系元素在性质上非常相似,常将它们总称为稀土元素。

本章重点介绍 d 区过渡金属中的钛 Ti、钒 V、铬 Cr、钼 Mo、钨 W 和锰 Mn。

§20-2 钛 副 族

2-1 钛副族概述

周期系第ⅣB族钛副族包括钛、锆、铪三种元素。它们在地壳中的丰度(质量分数)如下:

钛 Ti	锆 Zr	铪 Hf
0.63%	0.02%	4.5×10^{-4} %

由于钛在自然界存在的分散性和金属钛提炼的困难,它一直被人们认为是一种稀有金属。可是钛在地壳中的丰度是 0.63%,居元素分布序列中的第十位,仅次于氧、硅、铝、铁、钙、钠、钾、镁、氢,比常见的锌、铅、锡、铜要多得多,不但在地壳中蕴藏量丰富,而且分布面也很广。钛的主要矿物有钛铁矿 $FeTiO_3$ 和金红石 TiO_2,其次是钒钛铁矿。锆和铪是稀有金属,锆分散地存在于自然界中,主要矿物有锆英石 $ZrSiO_4$。铪常与锆共生,锆英石中平均约含 2% 铪,最高含铪 7%。

钛族元素的基本性质汇列于表 20-2 中。

钛族元素原子的价电子层结构为 $(n-1)d^2 ns^2$,由于 d 轨道在全空 (d^0) 的情况下,原子的结构比较稳定,所以除了最外层的两个 s 电子参加成键以外,次外层的两个 d 电子也容易参加成键,因此钛、锆、铪的最稳定氧化态是 +4,其次是 +3,至于 +2 氧化态则比较少见。在个别配位化合物中,钛还可以呈现低氧化态 0 和 -1。锆、铪生成低氧化态的趋势比钛小。由于钛族元素的原子失去 4 个

表 20-2 钛族元素的基本性质

性 质 ＼ 元 素	钛	锆	铪
元素符号	Ti	Zr	Hf
原子序数	22	40	72
相对原子质量	47.90	91.22	178.49
价电子层结构	$3d^2 4s^2$	$4d^2 5s^2$	$5d^2 6s^2$
主要氧化数	$+3, +4$	$+4$	$+4$
共价半径/pm	136	145	144
M^{4+} 离子半径/pm	68	80	79
第一电离势/$kJ \cdot mol^{-1}$	658	660	654
电负性	1.54	1.33	1.30
$\varphi^{\ominus}$/V $MO_2 + 4H^+ + 4e^- \rightleftharpoons$ $M + 2H_2O$	-0.86	-1.43	-1.57

电子需要较高的能量,所以它们的 M(Ⅳ)化合物主要以共价键结合(但氧化物如 TiO_2 被认为是离子型的)。在水溶液中常以 MO^{2+} 形式存在,且容易水解。

由于镧系收缩,铪的离子半径与锆接近,因此它们的化学性质极相似,造成锆和铪分离上的困难。

钛族元素的电势图如图 20-1。

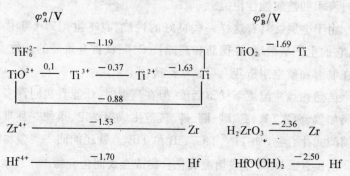

图 20-1 钛族元素的电势图

钛族元素单质的某些物理性质列入表 20-3 中。

表 20-3 钛、锆、铪单质的某些物理性质

物理性质	钛	锆	铪
密度/g·cm^{-3}	4.54	6.506	13.31
熔点/K	1 933 ± 10	2 125 ± 2	2 500 ± 20
沸点/K	3 560	4 650	4 875

金属钛是一种新兴的结构材料,锆和铪主要应用于原子反应堆中。钛的密度为 4.54g·cm^{-3},比钢轻(钢的密度为 7.9g·cm^{-3})。可是,钛的机械强度同钢相似。铝的密度虽小(2.7g·cm^{-3}),但机械强度较差。钛恰好兼有钢和铝的优点。钛是热和电的良导体。高纯度的钛具有良好的可塑性,越纯可塑性越大。液体钛几乎能溶解所有的金属,因此可以和多种金属形成合金。将钛加入钢中制得的钛钢坚韧而有弹性。

在酸性溶液中,$\varphi_{Ti^{2+}/Ti}^{\ominus} = -1.63 \text{V}$,$\varphi_{TiO_2/Ti}^{\ominus} = -0.88 \text{V}$。从标准电极电势来看,钛是还原性强的金属,但因在钛的表面容易形成致密的、钝性的氧化物保护膜,使得钛具有优良的抗腐蚀性,特别是对海水的抗腐蚀性很强。

由于金属钛具有这样一些良好的性能,自本世纪四十年代以来,它的生产量激增,在国防和高能技术中,钛占有重要的地位,目前在航海和航空制造业上得到广泛应用。

虽然在通常温度下钛不活泼,但在高温时,钛能直接同许多非金属如氢、卤素、氧、氮、碳、硼、硅、硫等生成很稳定、很硬并且难熔的填隙式化合物,如 TiN,TiC,TiB 和 TiB$_2$。钛还能同一些金属如 Al,Sb,Be,Cr,Fe 等生成填隙式化合物或金属间化合物。

在室温下,钛不与无机酸反应,但能溶于热盐酸和热硝酸中。钛不与热碱溶液反应。钛的最好的溶剂是氢氟酸或含有氟离子的酸(将氟化物加入酸中),这是因为氟离子与钛的配位作用改变了

标准电极电势的原因($\varphi^{\ominus}_{TiF_6^{2-}/Ti} = -1.19V$)。

$$Ti + 6HF = TiF_6^{2-} + 2H^+ + 2H_2 \uparrow$$

用金属钠或镁还原四氯化钛可以制取金属钛。

$$TiCl_4 + 4Na = Ti + 4NaCl$$

$$\Delta G^{\ominus} = -946.42 \text{kJ} \cdot \text{mol}^{-1} + 0.273 T(\text{K}^{-1} \cdot \text{kJ} \cdot \text{mol}^{-1}) \quad (1)$$

$$TiCl_4 + 2Mg = Ti + 2MgCl_2$$

$$\Delta G^{\ominus} = -540.57 \text{kJ} \cdot \text{mol}^{-1} + 0.188 T(\text{K}^{-1} \cdot \text{kJ} \cdot \text{mol}^{-1}) \quad (2)$$

制取金属钛比较方便的方法是于~1 070K,在氩气氛中用熔融的镁还原四氯化钛蒸气。根据(2)式算出,在1 070K,反应的吉布斯自由能 $\Delta G^{\ominus} = -339.41 \text{kJ} \cdot \text{mol}^{-1}$。这说明,在1 070K,反应仍旧可以自发向右进行。反应后,用盐酸浸取产物,除去残余的镁和氯化镁。也可以在高真空的条件下或者在~1 270K蒸去残余的镁和氯化镁。这样得到的是多孔性的海棉状钛。再通过电弧熔融或感应熔融,制得钛锭。

2-2 钛的重要化合物

(1)二氧化钛

在自然界中 TiO_2 有三种晶型,其中最重要的是金红石型。金红石型是一种典型的晶体构型,属四方晶系(见图20-2),其中 Ti 的

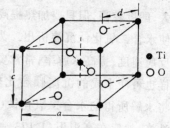

图20-2 金红石晶型

配位数为6,6个 O 配位在 Ti 的周围形成八面体结构,O 的配位数为3。自然界中的金红石是红色或桃红色晶体,有时因含有微量的 Fe,Nb,Ta,Sn,Cr,V 等杂质,而呈黑色。

钛白是经过化学处理制造出来的纯净的二氧化钛,它是重要的化工原料。制取钛白的方法主要有两种:一种是用干燥的氧气在923—1 023K对四氯化钛进行气相氧化:

$$TiCl_4 + O_2 \rule[0.5ex]{2em}{0.4pt} TiO_2 + 2Cl_2$$

另一种是硫酸法,在此法中,首先使磨细的钛铁矿同浓硫酸(浓度在 80% 以上,温度在 343—353K)在不断地通入空气并搅拌的条件下进行反应,制得可溶性硫酸盐:

$$FeTiO_3 + 2H_2SO_4 \rule[0.5ex]{2em}{0.4pt} TiOSO_4 + FeSO_4 + 2H_2O$$

由于这一反应是放热的,反应剧烈时,温度可上升到 473K 左右。用水浸取固相物,得钛盐水溶液,通称钛液。

制取钛白时,关键的一环是使钛液水解,制得水合二氧化钛沉淀:

$$TiOSO_4 + 2H_2O \rule[0.5ex]{2em}{0.4pt} TiO_2 \cdot H_2O \downarrow + H_2SO_4$$

根据中和－水解平衡移动原理可知,钛液的浓度、酸度及温度均能影响水解反应的进行,浓度越小,酸度越小,温度越高,水解反应越容易发生。因此,钛液的水解有稀释水解、加碱中和水解和加热水解三种方法。目前大量应用的是加热水解法。虽然钛液浓度较大,酸度较高,但只要加热提高钛液的温度,也能促使水解的发生,使水合二氧化钛沉淀析出。为了提高钛液的温度,以便加快水解反应速度,提高水解率,常常要在加压的条件下进行加热水解。这样也可使生成的沉淀颗粒比较紧密,产品钛白有较好物理性能。将水解所得的水合二氧化钛(一般称为偏钛酸,即 β 型钛酸)过滤洗涤,然后在高温下(1 173~1 223K)煅烧,即得产品钛白。二氧化钛受热时为浅黄色,冷下来呈白色。

在制取钛白的过程中,需要测定钛液中 Ti(Ⅳ)的含量。测定时首先往钛液中加铝片,将 Ti(Ⅳ)还原为 Ti^{3+}:

$$3Ti(Ⅳ) + Al \rule[0.5ex]{2em}{0.4pt} 3Ti^{3+} + Al^{3+}$$

然后,通过测定 Ti^{3+},得知钛液中 Ti(Ⅳ)的含量。

Ti^{3+} 离子有还原性,其还原能力比 Sn^{2+} 离子还要强。根据

$$TiO^{2+}(水) + 2H^+ + e^- \rule[0.5ex]{2em}{0.4pt} Ti^{3+} + H_2O \quad \varphi^\ominus = +0.1 \text{ V}$$

$$Fe^{3+} + e^- \Longrightarrow Fe^{2+} \qquad \varphi^\ominus = +0.771 \text{ V}$$

Ti^{3+} 离子可以还原 Fe^{3+} 离子:

$$Ti^{3+} + Fe^{3+} \Longrightarrow Ti(\text{IV}) + Fe^{2+}$$

根据这个反应,以 KSCN 为指示剂,用标准的 Fe^{3+} 溶液,以滴定法测定溶液中 Ti^{3+} 的含量。滴定时,Fe^{3+} 稍一过量,即与 SCN^- 生成血红色的 $[FeSCN]^{2+}$,表示反应已达终点。

钛白的用途很广泛。由于它化学性质稳定,物理性能优异,兼有铅白的遮盖性能和锌白的持久性能,常用来作高级白色颜料,在造纸工业中作填充剂,合成纤维中作消光剂。

将二氧化钛与碳酸钡一起熔融(加入氯化钡或碳酸钠作助熔剂)得偏钛酸钡:

$$TiO_2 + BaCO_3 \Longrightarrow BaTiO_3 + CO_2 \uparrow$$

偏钛酸钡具有显著的“压电性能”,用于超声波发生装置中。

二氧化钛不溶于水或稀酸,但能溶于热浓硫酸或熔化的硫酸氢钾中,如:

$$TiO_2 + H_2SO_4 \Longrightarrow TiOSO_4 + H_2O$$

二氧化钛溶于浓硫酸所得溶液虽然是酸性的,但加热煮沸也能发生水解,得到不溶于酸、碱的水合二氧化钛(即 β 型钛酸)。若加碱于新制备的钛盐的酸性溶液,得到新鲜水合二氧化钛(即 α 型钛酸),其反应活性比 β 钛酸大,能溶于稀酸,也能溶于浓碱。溶于浓氢氧化钠后,从溶液中可以结晶析出化学式为 $Na_2TiO_3 \cdot nH_2O$ 的水合钛酸盐。

(2) 四氯化钛

四氯化钛是钛的一种重要卤化物,以它为原料,可以制备一系列钛化合物和金属钛。

将二氧化钛(金红石矿)与炭粉压制成团并经过焦化,加热到 1 070—1 170K,可按下式进行氯化制得气态四氯化钛,冷凝得四氯化钛液体：

$$TiO_2 + 2Cl_2 + 2C \Longrightarrow TiCl_4 \uparrow + 2CO \uparrow$$

这一反应对提炼钛来说是很重要的,因为用镁或钠可简便地把四氯化钛还原为金属钛。反应体系中必须加碳的原因是因为反应：

$$TiO_2(s) + 2Cl_2(g) \Longrightarrow TiCl_4(g) + O_2(g)$$

的 $\Delta H^{\ominus} = 149$ kJ·mol^{-1}, $\Delta S^{\ominus} = 41$ J·K^{-1}·mol^{-1}。因此,即使把反应温度升高到 3 000K,反应还是不能向右进行,但是有碳参加的 TiO_2 氯化反应,其 $\Delta H^{\ominus} = -72.1$ kJ·mol^{-1}, $\Delta S^{\ominus} = 220$ J·K·mol^{-1},因此,在碳过量和升高温度的条件下,反应能顺利地向右进行。

二氧化钛与 $COCl_2$, $SOCl_2$, $CHCl_3$ 或 CCl_4 等氯化试剂的反应也可用于制取四氯化钛,如：

$$TiO_2 + CCl_4 \xrightarrow{770K} TiCl_4 \uparrow + CO_2 \uparrow$$

四氯化钛是分子结晶,在常温下是一种无色的液体,熔点为250K,沸点为 409K,具有刺激性的嗅味。$TiCl_4$ 在水中或潮湿空气中都极易水解,将它暴露在空气中会发烟：

$$TiCl_4 + 2H_2O \Longrightarrow TiO_2 + 4HCl$$

式中 TiO_2 代表 $TiO_2 \cdot nH_2O$,如果水量不足或溶液中 HCl 浓度不大,$TiCl_4$ 就部分水解,生成 $[TiO_2Cl_4]^{4-}$ 或 $[TiOCl_5]^{3-}$。如果溶液中 HCl 已饱和,水解将被抑止,$TiCl_4$ 将与 Cl$^-$ 离子反应生成配离子 $[TiCl_6]^{2-}$。利用 $TiCl_4$ 的水解性,可用于制作烟幕弹。$TiCl_4$ 也是有机聚合反应的催化剂。

在灼热的管式电炉中,可用过量氢气还原四氯化钛,得到紫色粉末状三氯化钛：

$$2TiCl_4 + H_2 \Longrightarrow 2TiCl_3 + 2HCl$$

用锌处理四氯化钛的盐酸溶液,也可得三氯化钛,从溶液中可以析出六水合三氯化钛 $TiCl_3 \cdot 6H_2O$ 的紫色晶体：

$$2TiCl_4 + Zn \Longrightarrow 2TiCl_3 + ZnCl_2$$

如果在 $TiCl_3$ 浓溶液中加无水乙醚，并通入氯化氢至饱和，则在乙醚层中得到绿色的六水合三氯化钛。紫色和绿色是两种异构体，紫色异构体的配位式是 $[Ti(H_2O)_6]Cl_3$，绿色异构体的结构式是 $[Ti(H_2O)_5Cl]Cl_2 \cdot H_2O$。

（3）钛（Ⅳ）的配位化合物

Ti^{4+} 离子具有较高的正电荷和较小的半径（68pm），电荷半径的比值较大，因此 Ti^{4+} 离子有很强的极化力，以至在 $Ti(Ⅳ)$ 的水溶液中不存在简单的水合配离子 $[Ti(H_2O)_6]^{4+}$，只存在碱式的氧基盐。在配位能力很弱的酸中，如高氯酸溶液中，与 $Ti(Ⅳ)$ 配位的可以有水分子，但在溶液中存在的也并非 $[Ti(H_2O)_6]^{4+}$，而是 $[Ti(OH)_2(H_2O)_4]^{2+}$ 离子。因为：

$$[Ti(H_2O)_6]^{4+} \Longrightarrow [Ti(OH)_2(H_2O)_4]^{2+} + 2H^+$$

配离子 $[Ti(OH)_2(H_2O)_4]^{2+}$ 大致是八面体形，可将它简写为 TiO^{2+}（水），TiO^{2+} 就是通常所说的钛酰离子。在溶液中简单的 TiO^{2+} 离子并不存在，存在的是水合氢氧配离子。加碱于 $Ti(Ⅳ)$ 的酸性溶液，生成水合二氧化钛沉淀，这一过程相当于从 $[Ti(OH)_2(H_2O)_4]^{2+}$ 再除去两个质子，反应式如下：

$$[Ti(OH)_2(H_2O)_4]^{2+} \Longrightarrow [Ti(OH)_4(H_2O)_2] + 2H^+$$

显而易见，$[Ti(OH)_4(H_2O)_2]$ 相当于 $TiO_2 \cdot 4H_2O$。

在晶体中并不存在简单的 TiO^{2+} 离子。二氧化钛与热浓硫酸反应，慢慢生成硫酸钛氧基 $TiOSO_4$，或称硫酸钛酰，从溶液中可以析出 $TiOSO_4 \cdot H_2O$ 结晶。在 $TiOSO_4 \cdot H_2O$ 晶体中存在由钛原子和氧原子相间结合而成的锯齿形的 $(TiO)_n^{2n+}$ 长链，如图 20-3 所示。

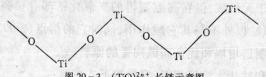

图 20-3 $(TiO)_n^{2n+}$ 长链示意图

Ti(IV)还能同很多种配位体形成配位化合物,如$[\mathrm{TiF}_6]^{2-}$,$[\mathrm{TiCl}_6]^{2-}$,$[\mathrm{Ti(NH_3)_6}]^{4+}$等。

在 Ti(IV)的溶液中加入过氧化氢,呈现特征的颜色。在强酸性溶液中显红色,在稀酸或中性溶液中显橙黄色,利用这一灵敏的显色反应可以进行钛或过氧化氢的比色分析。pH 小于 1 时,有色配离子是单核离子$[\mathrm{Ti(O_2)OH(H_2O)_4}]^+$,pH 在 1—3 之间时,单核配离子缩聚为含 $\mathrm{Ti_2O_5^{2+}}$ 单元的双核配离子,其结构可能是

其中钛的配位数是 6,配位的还有水分子或溶液中其它配位体。Ti(IV)的化合物一般都是无色的,它与过氧化氢生成的配位化合物所以显色是由于 $\mathrm{O_2^{2-}}$ 离子的变形性较强的缘故。

2-3 锆和铪的化合物

由于镧系收缩的影响,使锆和铪两者的原子半径和离子半径非常接近,因而它们的化学性质也非常相似。锆、铪在化合物中主要呈 +4 氧化态。由于属 d^0 结构,所以它们的盐几乎都是无色的。它们形成 $\mathrm{MX_4}$ 型的卤化物和 $\mathrm{MO_2}$ 型的氧化物,氢氧化物(水合二氧化物)的碱性要比酸性大,酸碱性之间的差别,比钛更显著。

它们的化合物中、氧化物、卤化物及其配位化合物比较重要。

二氧化锆是硬的白色粉末,不溶于水,常温时的稳定晶型是单斜晶系,在 1 273K 以上转变为正方系晶型。未经高温处理的二氧化锆能溶于无机酸,但在高温制得的二氧化锆却有很高的化学惰性,除氢氟酸以外不与其它酸作用,同时它的熔点(2 973K)很高,因此它是制造坩埚和优良高温陶瓷的原料。

锆盐和钛盐水溶液相似,容易按下式水解:

$$ZrOCl_2 + (x+1)H_2O \Longrightarrow ZrO_2 \cdot xH_2O + 2HCl$$

得到的二氧化锆水合物 $ZrO_2 \cdot xH_2O$，是一种含水量不定的白色凝胶，也称为 α - 型锆酸。它可以溶解在稀酸中，容易生成溶胶，即被吸附的酸或碱所胶溶。在加热条件下产生的沉淀叫做 β - 型锆酸，它含有少量的水，并难溶于酸中，这些情况和钛酸的两种构型相似。

二氧化锆的水合物 $ZrO_2 \cdot xH_2O$ 有微弱的两性，它的酸性比 $TiO_2 \cdot xH_2O$ 更弱。它和强碱熔融时，生成晶状的偏锆酸盐 $M_2^I ZrO_3$ 和锆酸盐 $M_4^I ZrO_4$。碱金属的锆酸盐在水中的溶解度很小，和其它弱酸盐一样，它们在水溶液中也容易水解：

$$Na_2ZrO_3 + 3H_2O \Longrightarrow Zr(OH)_4 \downarrow + 2NaOH$$

在浓的强碱中加锆盐，并不生成组成固定的锆酸盐，所得到的是吸附了碱金属氢氧化物的二氧化锆水合物的沉淀。

锆的重要卤化物有四氯化锆、氯化锆酰和四氟化锆及其配合物。

四氯化锆为白色晶体粉末，在 604K 升华，密度为 $2.8g \cdot cm^{-3}$，在潮湿空气中产生盐酸烟雾，遇水剧烈水解：

$$ZrCl_4 + 9H_2O \Longrightarrow ZrOCl_2 \cdot 8H_2O + 2HCl$$

水解所得到的产物是水合氯化锆酰，难溶于冷浓盐酸中，但能溶于水。从溶液中结晶析出的是四方形棱晶或针状晶体的 $ZrOCl_2 \cdot 8H_2O$，这可用于锆的鉴定和提纯。它可用作纺织品防水剂，防汗剂和防臭剂。

四氯化锆和碱金属氯化物配合，生成 $M_2^I ZrCl_6$ 型配合物。

四氟化锆是一种具有高折射率的无色单斜晶体，密度为 4.6 $g \cdot cm^{-3}$，几乎不溶于水，它和碱金属氟化物作用生成 $M_2^I ZrF_6$ 型配合物。其中最重要的为 $K_2[ZrF_6]$，它在热水中的溶解度比在冷水中大得多，化学性质稳定。在冶炼中利用 $K_2[ZrF_6]$ 的可溶性，将

锆英石 $ZrSiO_3$ 与氟硅酸钾烧结,以氯化钾为填充剂,在 923—973K 发生下列反应:

$$ZrSiO_4 + K_2SiF_6 =\!=\!= K_2[ZrF_6] + 2SiO_2$$

用质量分数为 1% 的盐酸在 358K 左右进行沥取,沥取液冷却后便结晶析出氟锆酸钾。

六氟合锆酸铵 $(NH_4)_2[ZrF_6]$ 在稍加热下分解,释出 NH_3 和 HF,留下四氟化锆:

$$(NH_4)_2[ZrF_6] =\!=\!= ZrF_4 + NH_3\uparrow + 2HF\uparrow$$

四氟化锆在 873K 开始升华,利用这一特性可把锆与铁及其它杂质分离。

由于 Zr 和 Hf 的化学性质极为相似,造成锆和铪分离上的困难。可利用锆和铪的含氟配合物的溶解度差别来分离锆、铪。例如在 293K,100 0g 0.125 $mol \cdot dm^{-3}$ 的 HF 中可溶解 1.86g K_2ZrF_6,3.74g K_2HfF_6。但这种分离方法需要很长时间,手续较烦琐。目前主要应用溶剂萃取和离子交换等方法分离锆和铪。

§20-3　钒　副　族

3-1　钒副族概述

周期系第 VB 族钒副族包括钒、铌、钽 3 种元素。它们在地壳中的丰度(质量分数)如下:

<table>
<tr><td>钒 V</td><td>铌 Nb</td><td>钽 Ta</td></tr>
<tr><td>0.015%</td><td>2.4×10^{-3}%</td><td>2.0×10^{-4}%</td></tr>
</table>

钒族元素在自然界中分散而不集中,提取和分离比较困难,因而被列为稀有金属,富集的钒矿不多。钒主要以 +3 及 +5 两种氧化态存在于矿石中,钒钛铁矿中的钒呈三价,五价钒一般形成独立的矿物,比较重要的钒矿有钒酸钾铀矿 $K(UO_2)VO_4 \cdot 3/2H_2O$ 和钒铅矿 $Pb_5(VO_4)_3Cl$。铌和钽由于五价离子半径极为相近,在自然

界中总是共生的。主要的矿物是共生的铌铁矿或钽铁矿 $Fe[(Nb,Ta)O_3]_2$,铌、钽的其它产源是与稀土元素,或与铀矿,钨锰铁矿共生。

钒族元素的基本性质汇列于表 20-4 中。

表 20-4 钒族元素的基本性质

性　质 ＼ 元　素	钒	铌	钽
元素符号	V	Nb	Ta
原子序数	23	41	73
相对原子质量	50.94	92.91	180.95
价电子层结构	$3d^3 4s^2$	$4d^3 5s^2$	$5d^3 6s^2$
主要氧化数	$+2, +3,$ $+4, +5$	$+3,$ $+5$	$+5$
共价半径/pm	122	134	134
M^{5+} 离子半径/pm	59	70	69
第一电离势/$kJ \cdot mol^{-1}$	650	664	761
电负性	1.63	1.60	1.50
$\varphi^{\ominus}/V$　$MO_2^+ + 4H^+ + 5e^- \Longrightarrow$ 　　　　　$M \downarrow + 2H_2O$	-0.25		
$M_2O_5 + 10H^+ + 10e^- \Longrightarrow$ 　　　　$2M \downarrow + 5H_2O$		-0.64	-0.81

钒族元素的价电子层结构为 $(n-1)d^3 ns^2$,5 个价电子都可以参加成键,因此最高氧化态为 $+5$,相当于 d^0 的结构。$+5$ 是钒族

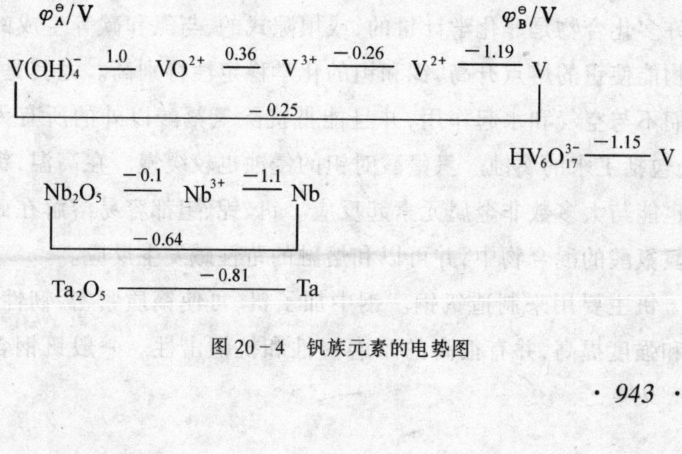

$$\varphi_A^{\ominus}/V \qquad\qquad\qquad\qquad\qquad\qquad \varphi_B^{\ominus}/V$$

$$V(OH)_4^- \xrightarrow{\ 1.0\ } VO^{2+} \xrightarrow{\ 0.36\ } V^{3+} \xrightarrow{\ -0.26\ } V^{2+} \xrightarrow{\ -1.19\ } V$$
$$\underset{-0.25}{\underline{\qquad\qquad\qquad\qquad\qquad}}$$

$$HV_6O_{17}^{3-} \xrightarrow{\ -1.15\ } V$$

$$Nb_2O_5 \xrightarrow{\ -0.1\ } Nb^{3+} \xrightarrow{\ -1.1\ } Nb$$
$$\underset{-0.64}{\underline{\qquad\qquad\qquad\qquad}}$$

$$Ta_2O_5 \xrightarrow{\qquad -0.81 \qquad} Ta$$

图 20-4 钒族元素的电势图

元素最稳定的一种氧化态。钒族元素的其它氧化态还有 $+9$、$+3$、$+2$，在某些配位化合物中，还可以呈显低氧化态 $+1,0$ 和 -1。按 V, Nb, Ta 的顺序，高氧化态的稳定性依次增强，低氧化态的稳定性依次减弱。铌、钽和锆、铪一样，由于半径相近，性质非常相似。

钒族元素的电势图如图 $20-4$。

钒族元素单质的某些物理性质列入表 $20-5$ 中。

表 20-5 钒、铌、钽单质的某些物理性质

物理性质	钒	铌	钽
密度/g·cm^{-3}	6.11	8.57	16.654
熔点/K	2 163 ± 10	2 741 ± 10	3 269
沸点/K	3 653	5 015	5 698 ± 100

由于钒族各金属比同周期的钛族金属有较强的金属键，因而，具有较高的熔点和沸点。

从电极电势看，钒族金属是强还原剂，但由于容易呈钝态，因而在室温下化学活泼性较低。块状钒在常温下能抗空气、海水、苛性碱、硫酸、盐酸的腐蚀，但溶于氢氟酸、浓硫酸、硝酸和王水中。在高温时，钒能和大多数非金属化合，例如，在 933K 以上，钒被氧化，生成物由低价氧化物到高价的五氧化二钒。钒与非金属生成的许多化合物是非化学计量的，或填隙式的，与氮和碳等生成的化合物能使钒的熔点升高，铌和钽的化学稳定性特别高。尤其是钽，它们不与空气和水起作用，并且能抵抗除氢氟酸以外的所有无机酸，包括王水的腐蚀。氢氟酸对钽的侵蚀也较缓慢。在高温，铌和钽也能与大多数非金属元素起反应。钒、铌、钽都容易溶解在硝酸和氢氟酸的混合物中，并可以和熔融的苛性碱发生反应。

钒主要用来制造钒钢。钢中加了钒，可使钢质紧密，韧性、弹性和强度提高，并有很高的耐磨损性和抗撞击性。一般钒钢含钒

量为 0.1%—0.2%，它是汽车和飞机制造业中特别重要的材料。铌主要用于合金钢的制造。钽的最重要用途是用于化学工业中的耐酸设备。

3-2 钒的重要化合物

V^{5+} 离子比 Ti^{4+} 离子具有更高的正电荷和更小的半径（59pm），因而具有更大的电荷半径比。在水溶液中不存在简单的 V^{5+} 离子，氧化数为 +5 的钒是以钒氧基（VO_2^+，VO^{3+}）或含氧酸根（VO_4^{3-}，VO_3^-）等形式存在。由于在钒和氧之间存在着较强的极化效应，当这些含氧化合物吸收部分可见光后，集中在氧原子一端的电子可向钒（V）跃迁，所以氧化数为 +5 的钒的化合物一般都有颜色。

（1）五氧化二钒

在工业上用氯化焙烧法处理钒铅矿，提取五氧化二钒。此法是将食盐和钒铅矿在空气中焙烧，这时矿石中所含的 V_2O_5 成分发生下述反应：

$$V_2O_5 + 2NaCl + \frac{1}{2}O_2 \Longrightarrow 2NaVO_3 + Cl_2$$

用水浸出偏钒酸钠，将溶液酸化，有红棕色水合五氧化二钒沉淀析出。煅烧，可得工业级五氧化二钒。

如要制取较高级的五氧化二钒，可用碳酸钠溶液将上述红棕色水合五氧化二钒溶解，然后往溶液中加入铵盐（如氯化铵），溶解度很小的偏钒酸铵自溶液中沉淀析出。将偏钒酸铵加热至 700K，制得纯度较高的五氧化二钒。

$$2NH_4VO_3 \stackrel{\triangle}{\Longrightarrow} V_2O_5 + 2NH_3 + H_2O$$

五氧化二钒也可以通过三氯氧化钒的水解来制备：

$$2VOCl_3 + 3H_2O \Longrightarrow V_2O_5 + 6HCl$$

五氧化二钒显橙黄色或砖红色，无嗅，无味，有毒。它大约在

923K 熔融,冷却时结成橙色正交晶系的针状晶体。它的结晶热很大,当迅速结晶时会因灼热而发光。五氧化二钒微溶于水,每 100g 水能溶解 0.07gV$_2$O$_5$,溶液呈淡黄色。

五氧化二钒比二氧化钛具有较强的酸性和较弱的碱性以及较强的氧化性,它主要显酸性,易溶于碱,溶于强碱性溶液生成正钒酸盐。

$$V_2O_5 + 6NaOH \Longrightarrow 2Na_3VO_4 + 3H_2O$$

生成的正钒酸根离子是水合离子,可表示为 $[VO_2(OH)_4]^{3-}$,相当于 $(VO_4^{3-}) \cdot 2H_2O$。

由于五氧化二钒也具有微弱的碱性,所以它还能溶解在强酸中,在强酸性溶液中(pH < 1)能生成淡黄色的钒二氧基 VO$_2^+$ 离子,VO$_2^+$ 离子也是水合离子。

五氧化二钒是一个较强的氧化剂,溶于盐酸能发生下列氧化还原反应:

$$V_2O_5 + 6HCl \Longrightarrow 2VOCl_2 + Cl_2 + 3H_2O$$

五氧化二钒是接触法制取硫酸的催化剂,在它的催化作用下,二氧化硫被氧化为三氧化硫。把 V$_2$O$_5$ 加入玻璃中可防止紫外线透过,它也是许多有机反应的催化剂。

(2) 钒酸盐和多钒酸盐

钒酸盐有偏钒酸盐 M^{I}VO$_3$ 和正钒酸盐 M$_3^I$VO$_4$。多钒酸盐有 M$_4^I$V$_2$O$_7$,M$_3^I$V$_3$O$_9$ 等。

正钒酸根离子 VO$_4^{3-}$ 的基本构型同 ClO$_4^-$、SO$_4^{2-}$ 和 PO$_4^{3-}$ 等含氧酸根离子一样,都是四面体构型。但是 V—O 之间的结合并不十分牢固,其中的 O^{2-} 离子可以同 H$^+$ 离子结合成水。简单的正钒酸根离子 VO$_4^{3-}$ 只存在于强碱性溶液中,向正钒酸盐 M$_3^I$VO$_4$ 的溶液中加酸,使 pH 值逐渐下降,会生成不同聚合度的多钒酸盐:

$$VO_4^{3-} \xrightarrow{H^+} V_2O_7^{4-} \xrightarrow{H^+} V_3O_9^{3-} \xrightarrow{H+}$$

V:O   1:4   1:3.5   1:3

$$V_{10}O_{28}^{6-} \xrightarrow{H^+} H_2V_{10}O_{28}^{4-} \xrightarrow{H^+} VO_2^+$$

1:2.8   1:2.8   1:2

从这里我们看到,随着 H^+ 离子浓度的增加,多钒酸根中的氧逐渐被 H^+ 离子夺走而使酸根中钒与氧的比值依次下降。到 pH<1 时,溶液中主要是 VO_2^+ 离子。上述聚合平衡如下:

$$2VO_4^{3-} + 2H^+ \Longrightarrow 2HVO_4^{2-} \Longrightarrow V_2O_7^{4-} + H_2O$$

$$3V_2O_7^{4-} + 6H^+ \Longrightarrow 2V_3O_9^{3-} + 3H_2O$$

$$10V_3O_9^{3-} + 12H^+ \Longrightarrow 3V_{10}O_{28}^{6-} + 6H_2O$$

$$[V_{10}O_{28}]^{6-} + H^+ \Longrightarrow [HV_{10}O_{28}]^{5-}$$

$$[HV_{10}O_{28}]^{5-} + H^+ \Longrightarrow [H_2V_{10}O_{28}]^{4-}$$

$$[H_2V_{10}O_{28}]^{4-} + 14H^+ \Longrightarrow 10VO_2^+ + 8H_2O$$

随着 pH 值的下降,聚合度增大,溶液颜色逐渐加深,从无色到黄色再到深红色。如果加入足够量的酸,溶液中存在稳定的黄色的 VO_2^+。

应当指出:钒酸根离子在溶液中聚合的情况除了同 pH 有密切的关系以外,还同钒酸根浓度的大小有密切关系。例如,向浓的钒酸盐溶液中加酸到 pH 大约为 2 时,会沉淀出红棕色的五氧化二钒水合物。进一步加酸,这一沉淀又会重新溶解,生成含 VO_2^+ 离子的黄色溶液。

上述一系列平衡只有当溶液中钒的总浓度大于 10^{-4} mol·dm^{-3} 才能存在。低于这一浓度,溶液中存在的是单体的钒酸根和酸式钒酸根离子。并存在下列平衡:

$$VO_4^{3-} + H^+ \Longrightarrow HVO_4^{2-}$$

$$HVO_4^{2-} + H^+ \Longrightarrow H_2VO_4^-$$

$$H_2VO_4^- + H^+ \Longrightarrow H_3VO_4$$

$$H_3VO_4 + H^+ \Longrightarrow VO_2^+ + 2H_2O$$

VO_4^{3-} 根离子中的 O^{2-} 离子也可以被其它阴离子取代,例如,在钒酸盐的溶液中加过氧化氢,如溶液是弱碱性、中性或弱酸性时,得到黄色的二过氧钒酸根阴离子 $[VO_2(O_2)_2]^{3-}$;如溶液是强酸性时,得到红棕色的过氧钒阳离子 $[V(O_2)]^{3+}$。两者之间存在下述平衡:

$$[VO_2(O_2)_2]^{3-} + 6H^+ \rightleftharpoons [V(O_2)]^{3+} + H_2O_2 + 2H_2O$$

在酸性溶液中,钒酸盐是一个强氧化剂,它的标准电极电势为:

$$VO_2^+ + 2H^+ + e^- \rightleftharpoons VO^{2+} + H_2O \quad \varphi^\ominus = +1.0 \text{ V}$$

VO_2^+ 可以被 Fe^{2+}、草酸、酒石酸和乙醇等还原剂还原为 VO^{2+}。

$$VO_2^+ + Fe^{2+} + 2H^+ \rightleftharpoons VO^{2+} + Fe^{3+} + H_2O$$

$$2VO_2^+ + H_2C_2O_4 + 2H^+ \xrightarrow{\text{加热}} 2VO^{2+} + 2CO_2 + 2H_2O$$

上述反应可用于氧化还原容量法测定钒。

3-3 铌和钽的化合物

和锆、铪一样,铌、钽由于原子半径相似,性质非常相似。

铌和钽最稳定的氧化态为 +5。它们的低氧化态不稳定,最常见的铌、钽化合物主要是它们的氧化物,含氧酸盐、卤化物和它们的配合物。

铌、钽在空气中加热氧化成五氧化二铌 Nb_2O_5 和五氧化二钽 Ta_2O_5。

$$4Nb + 5O_2 \xrightarrow{\text{加热}} 2Nb_2O_5 \quad \Delta_f H^\ominus = -1\,845 \text{kJ·mol}^{-1}$$

$$4Ta + 5O_2 \xrightarrow{\text{加热}} 2Ta_2O_5 \quad \Delta_f H^\ominus = -2\,046 \text{kJ·mol}^{-1}$$

从 $\Delta_f H^\ominus$ 看出这两个化合物很稳定,尤其是 Ta_2O_5,它甚至在熔化时也不分解,而且不被氢还原。

Nb_2O_5 和 Ta_2O_5 也可以由"铌酸"和"钽酸"脱水制备。将 Nb_2O_5 或 Ta_2O_5 和碳酸钠共熔,得到偏铌酸钠 $NaNbO_3$ 或钽酸钠 Na_3TaO_4。用硫酸将铌酸盐或钽酸盐溶液酸化,沉淀出白色胶状

的 $Nb_2O_5 \cdot nH_2O$ 或 $Ta_2O_5 \cdot nH_2O$。它们都具有不定组成的含水量,通常叫做"铌酸"和"钽酸"。实际上,是否有固定的自由酸存在,这一问题还没有解决。在形成多酸方面铌和钒酸盐相似,存在着 $M_8^{(1)}Nb_6O_{19} \cdot mH_2O$ 型式的多酸盐,钽也有同样组成的多酸盐。

常见的卤化物有氯化物和氟化物。将金属铌和钽在氯气中加热或它们的氧化物同过量四氯化碳在隔绝空气条件下作用,即得 $NbCl_5$ 和 $TaCl_5$。

五氯化铌在氧气中加热分解为三氯氧化铌 $NbOCl_3$,它是白色丝光针状晶体,约在 673K 时升华。它能被水分解:

$$2NbOCl_3 + (n+3)H_2O =\!=\!= Nb_2O_5 \cdot nH_2O + 6HCl$$

三氯氧化铌生成两个类型的配合物 $M[NbOCl_4]$ 和 $M_2[NbOCl_5]$。五氯化钽在氧气中加热不生成 $TaOCl_3$。$TaCl_5$ 也没有形成配合物的倾向。五氯化钽被水解时,直接生成钽酸凝胶 $Ta_2O_5 \cdot nH_2O$。

Nb_2O_5 和 Ta_2O_5 同液态氟化氢作用生成 NbF_5 和 TaF_5,它们容易同 HF 作用形成配合物。根据 IIF 的量和浓度不同可生成 M_2NbF_7,M_2TaF_7,或 M_2NbOF_5。

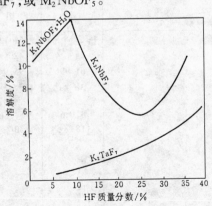

图 20-5　铌、钽的氟化物在 HF 中的溶解度(298K)

氟氧铌酸钾 K_2NbOF_5 和氟钽酸钾 K_2TaF_7 的溶解度与溶液中氢氟酸的浓度有关(图20-5)。当 HF 的浓度增加时，K_2TaF_7 的溶解度增大，但对铌的化合物来说，就比较复杂了。在 HF 的浓度到达 7% 以前，K_2NbOF_5 的溶解度是一直增加的，当 HF 浓度达到 7% 时，K_2NbOF_5 即转变为 K_2NbF_7，再继续增加溶液中 HF 的浓度时，K_2NbF_7 的溶解度却降低了。过去曾利用 K_2NbF_7 和 K_2TaF_7 在 HF 溶液中溶解度的不同分离铌和钽。

§20-4 铬 副 族

4-1 铬副族概述

周期系第 ⅥB 族(铬副族)包括铬、钼和钨 3 种元素。它们在地壳中的丰度(质量分数)如下：

铬 Cr	钼 Mo	钨 W
$1.0 \times 10^{-2}\%$	$1.5 \times 10^{-4}\%$	$1.55 \times 10^{-4}\%$

表 20-6　铬族元素的基本性质

性 质 ＼ 元 素	铬	钼	钨
元素符号	Cr	Mo	W
原子序数	24	42	74
相对原子质量	51.996	95.94	183.9
价电子层结构	$3d^54s^1$	$4d^55s^1$	$5d^46s^2$
主要氧化数	+2, +3, +6	+3, +5, +6	+5, +6
共价半径/pm	118	130	130
离子半径/pm			
M^{3+}	64		
M^{4+}		75	
M^{6+}	52	62	62
第一电离势/$kJ \cdot mol^{-1}$	652.8	685.0	770
电负性	1.66	2.16	2.36

地壳中丰度较低的钼和钨,在我国的蕴藏量极为丰富。最重要的铬矿是铬铁矿 $Fe(CrO_2)_2$,我国的钼矿主要有辉钼矿 MoS_2,钨矿主要有黑钨矿(钨锰铁矿)$[(Fe^{II}、Mn^{II})WO_4]$和白钨矿 $CaWO_4$。

铬族元素的基本性质汇列于表 20-6 中。

铬、钼、钨的价电子层结构分别是 $3d^54s^1$,$4d^55s^1$,$5d^46s^2$。这三种元素原子中的 6 个价电子都可以参加成键,因此,它们的最高氧化态都是 +6。和所有 d 区元素一样,它们的 d 电子也可以部分参加成键,从而表现出具有多种氧化态的特性。这三种元素的氧化态除 +6 外,还有 +5,+4,+3,+2。对铬来说,常见氧化态是 +6,+3,+2;对钼和钨来说,常见氧化态则是 +6,+5,+4。在某些配位化合物中,铬、钼、钨还可能呈现低氧化态 +1,0,-1,-2 甚至 -3。

下面是铬、钼、钨的元素电势图和吉布斯自由能-氧化态图。

对照这三种元素的吉布斯自由能-氧化态图(图 20-7),可以明显看出:铬族元素的最高氧化态(+6)按铬、钼、钨的顺序稳定

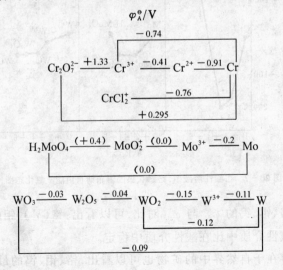

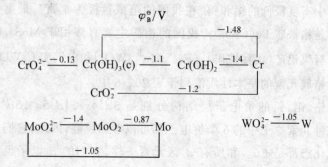

图 20-6　铬、钼、钨的元素电势图

性增强。在酸性溶液中,铬(Ⅵ)具有强氧化性;钼(Ⅵ)的氧化性很弱;钨(Ⅵ)的氧化性更弱。钼(Ⅵ)和钨(Ⅵ)只有与强还原剂反应时才能被还原。在酸性溶液中,铬以 +3 氧化态最稳定,而钨则以 +6 氧化态最稳定。

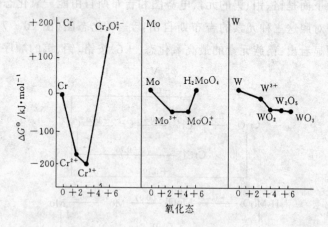

图 20-7　在酸性溶液中,铬、钼、钨的吉布斯自由能-氧化态图

将铬、钼、钨的 $\varphi_A^{\ominus}$ 与 $\varphi_B^{\ominus}$ 对比,可以看出:铬(Ⅵ)、钼(Ⅵ)、钨(Ⅵ)在碱性介质中比在酸性介质中稳定。

从存在于自然界中的矿物也可以看出,铬、钼、钨的最高氧化态依次趋向于稳定。铬铁矿$[Fe(CrO_2)_2]$中铬的氧化数为 $+3$，辉钼矿(MoS_2)中钼的氧化数为 $+4$，黑钨矿$[(Fe^{II}, Mn^{II})WO_4]$和白钨矿$(CaWO_4)$中钨的氧化数为 $+6$。

由于镧系收缩，在铬族元素中，钼和钨彼此更为相似。

铬族元素单质的某些物理性质列入表 20-7 中。

表 20-7　铬、钼、钨单质的某些物理性质

物理性质	铬	钼	钨
密度/$g \cdot cm^{-3}$	7.20	10.22	19.3
熔点/K	$2\,130 \pm 20$	2 890	$3\,683 \pm 20$
沸点/K	2 945	4 885	5 933

铬是银白色有光泽的金属，粉末状的钼和钨是深灰色的，致密块状的钼和钨是银白色并带有金属光泽。含有杂质的铬硬而脆，高纯度的铬软一些，有延展性。铬族元素的原子可以提供 6 个价电子形成较强的金属键，因此它们的熔点、沸点是同周期中最高的一族。钨的熔点是金属中最高的。钼和钨的硬度也很大。由于具有这些优良的特性，钼丝、钨丝在氢气氛或真空中用作加热元件，在灯泡中用作灯丝。钼、钨和其它金属制成的合金在军工生产和高速工具钢中应用很广。

在酸性溶液中，$\varphi^{\ominus}_{Cr^{2+}/Cr} = -0.91V$，$\varphi^{\ominus}_{Cr^{3+}/Cr} = -0.74V$。从标准电极电势来看，铬的还原性相当强。实际上，当铬没有被钝化的时候，确实相当活泼，很容易将铜、锡、镍等从它们的盐溶液中置换出来，也很容易溶于盐酸、硫酸和高氯酸。由于铬的钝化，王水和硝酸（不论浓或稀）都不能溶解铬。

在铬的表面上容易形成一层钝态的薄膜，所以铬有很强的抗腐蚀性。由于光泽度好，抗腐蚀性强，常将铬镀在其它金属表面上。铬同铁、镍能组成各种性能的抗腐蚀的不锈钢，在化工设备的

制造中占重要地位。

在酸性溶液中, $\varphi_{Mo^{3+}/Mo}^{\ominus} = -0.2V$, $\varphi_{W^{3+}/W}^{\ominus} = -0.11V$。与铬相比,钼和钨的化学性质较稳定,在钼和钨的表面上也容易形成一层钝态的薄膜。

在常温下,钼和钨对于空气和水都是稳定的。钼与稀酸、浓盐酸都不起作用,但与浓硝酸、热浓硫酸以及王水作用。除王水外,在盐酸、硫酸和硝酸中,不管浓的或稀的,冷的或热的,钨都不溶解。要使钼和钨溶解,可以使它们形成配位化合物。例如,在浓磷酸中,由于生成 12 - 钨磷酸 $H_3[P(W_3O_{10})_4]$ 而能促使钨溶解。此外,钨(Ⅵ)能与氟离子生成稳定的配位化合物而进入溶液,所以钨还能溶解于 $HNO_3 - HF$ 中。

在高温下,钼和钨与碳形成碳化物 Mo_2C,WC 或 W_2C,与氮形成氮化物 WN_2,Mo_2N 或 MoN。

我国钼和钨的蕴藏量极为丰富。以辉钼矿为原料,制得三氧化钼后,用碳或铝还原三氧化钼可制得金属钼,这种钼用于制造钼合金。

$$MoO_3 + 2Al \xrightarrow{\text{灼热}} Mo + Al_2O_3$$

高纯度的钼是用氢气作还原剂来制备的,这种还原分为两个阶段:

$$MoO_3 + H_2 \xrightarrow{723-923K} MoO_2 + H_2O$$

$$MoO_2 + 2H_2 \xrightarrow{1\,223-1\,373K} Mo + 2H_2O$$

还原出来的钼是粉状的,可利用粉末冶金法,将粉末加压成型,然后在氢气流中加热或利用电热烧结。

以黑钨矿为原料,制得三氧化钨后,再用氢气还原三氧化钨,即得粉末状钨:

$$WO_3(s) + 3H_2(g) \xrightarrow{923-1\,093K} W(s) + 3H_2O(g)$$

有关的热力学数据列表如下。根据下面的数据，可以算出在 298K 和 101.325kPa 下上述反应的吉布斯自由能变化：

	$WO_3(s)$	$H_2(g)$	$W(s)$	$H_2O(g)$
$\Delta_f H^{\ominus}/kJ \cdot mol^{-1}$	-840.31	0	0	-241.84
$\Delta_f G^{\ominus}/kJ \cdot mol^{-1}$	-763.45	0	0	-228.61
$S^{\ominus}/J \cdot K^{-1} \cdot mol^{-1}$	83.26	130.58	33.47	188.74

$$\Delta G^{\ominus} = (\sum \Delta_f G^{\ominus})_{产物} - (\sum \Delta_f G^{\ominus})_{反应物}$$
$$= 3 \times (-228.61) - (-763.45)$$
$$= +77.62 kJ \cdot mol^{-1}$$

$\Delta G^{\ominus}$ 的正值表明，在室温和 101.325kPa 下，H_2 不能还原 WO_3。

可利用上表数据，近似估算在热力学上 H_2 能还原 WO_3 的最低温度是多少。假定 $\Delta H^{\ominus}$ 和 $\Delta S^{\ominus}$ 都不随温度而变，那末

$$\Delta G^{\ominus} = \Delta H^{\ominus} - T\Delta S^{\ominus} \approx \Delta H^{\ominus}_{298K} - T\Delta S^{\ominus}_{298K}$$
$$= \{(\sum \Delta_f H^{\ominus}_{298K})_{产物} - (\sum \Delta_f H^{\ominus}_{298K})_{反应物}\}$$
$$- T\{(\sum S^{\ominus}_{298K})_{产物} - (\sum S^{\ominus}_{298K})_{反应物}\}$$
$$= \{3 \times (-241.84) - (-840.31)\} \times 10^3$$
$$- T\{(3 \times 188.74 + 33.47) - (83.26 + 3 \times 130.85)\}$$
$$= 114.79 \times 10^3 J \cdot mol^{-1} - 123.88 T(J \cdot K^{-1} \cdot mol^{-1})$$

当 $\Delta G^{\ominus} = 0$ 时

$$T = \frac{114.79}{123.88} \times 10^3 = 927(K)$$

近似估算结果表明，在 927K，反应的平衡常数 K 为 1。温度再高，K 就更大，在热力学上 H_2 就能顺利还原 WO_3。实际生产上，用 H_2 还原 WO_3 的反应是在 923—1 093K 下进行。结果得到黑色的金属钨粉。要制备各种形状的块状钨，可以将钨粉加压成型，然后通电流利用电热烧结。

4-2 铬的重要化合物

在吉布斯自由能-氧化态图中,最稳定的质点是处于图中曲线上的最低点。从铬的吉布斯自由能-氧化态图(图 20-7)可以明显看出:在酸性溶液中,Cr^{3+} 离子最稳定,Cr^{2+} 离子是强还原剂,而 $Cr_2O_7^{2-}$ 离子则是很强的氧化剂。

将铬的 $\varphi_A^{\ominus}$ 与 $\varphi_B^{\ominus}$ 对比,则可看到:虽然 Cr^{3+} 离子在酸性溶液中是稳定的,不易被氧化,但 $Cr(Ⅲ)$ 在碱性溶液中却有较强的还原性,较易被氧化。

(1) 氧化数为 +6 的铬的化合物

Cr^{6+} 离子比同周期的 Ti^{4+} 离子、V^{5+} 离子具有更高的正电荷和更小的半径(52pm),因此,不论在晶体中还是在溶液中都不存在简单的 Cr^{6+} 离子。$Cr(Ⅵ)$ 总是以氧化物(CrO_3)、含氧酸根(CrO_4^{2-}、$Cr_2O_7^{2-}$)、铬氧基(CrO_2^{2+})等形式存在。铬($Ⅵ$)的价电子层结构为 $3d^0$,但铬($Ⅵ$)的化合物都显颜色。显色的原因是由于 $Cr(Ⅵ)$ 有较强的正电场,在 CrO_3,CrO_4^{2-},$Cr_2O_7^{2-}$ 或 CrO_2^{2+} 中的 $Cr—O$ 之间有较强的极化效应,当这些含氧化合物吸收部分可见光后,集中在氧原子一端的电子向 $Cr(Ⅵ)$ 跃迁,而且这种跃迁比向 $Ti(Ⅳ)$ 和 $V(Ⅴ)$ 的跃迁更容易。

$Cr(Ⅵ)$ 的化合物有较大的毒性。

(a) 三氧化铬 在工业上和实验室中,常见的 $Cr(Ⅵ)$ 化合物是它的含氧酸盐,重铬酸钾 $K_2Cr_2O_7$(俗称红矾钾),重铬酸钠 $Na_2Cr_2O_7$(俗称红矾钠)。分别向这两个化合物的浓溶液中加入浓硫酸,都会析出暗红色三氧化铬 CrO_3 的针状结晶。在工业上制取三氧化铬是利用红矾钠与浓硫酸的作用:

$$Na_2Cr_2O_7 + 2H_2SO_4 =\!=\!= 2NaHSO_4 + 2CrO_3 + H_2O$$

在三氧化铬的晶体中,含有基本结构单元 CrO_4 四面体,CrO_4 四面体通过共用一个角顶氧原子彼此相连而构成长链。这种结构使得三氧化铬的熔点较低,为 470K。

三氧化铬的热稳定性较差,超过熔点后逐步分解:

$$CrO_3 \longrightarrow Cr_3O_8 \longrightarrow Cr_2O_5 \longrightarrow CrO_2 \longrightarrow Cr_2O_3$$

最后产物是 Cr_2O_3。

$$4CrO_3 \xrightarrow{707—784K} 2Cr_2O_3 + 3O_2$$

三氧化铬易溶于水,在 288K,每 100g 水能溶 166g 三氧化铬。三氧化铬溶于水生成铬酸(H_2CrO_4),因此,称 CrO_3 为铬酸酐,大量地用于电镀工业中。将三氧化铬溶于碱得铬酸盐。三氧化铬是一种强氧化剂,遇到有机物(如酒精)时,猛烈反应以至着火,常用作织品媒染、鞣革和清洁金属。

(*b*)铬酸、铬酸盐和重铬酸盐 三氧化铬溶于水生成铬酸,溶液呈黄色。铬酸是中强酸。不过,这个化合物只存在于水溶液中。铬酸在水溶液中分两步电离,第二步电离是较弱的:

$$H_2CrO_4 \Longrightarrow H^+ + HCrO_4^- \quad K_1 = 4.1$$
$$HCrO_4^- \Longrightarrow H^+ + CrO_4^{2-} \quad K_2 = 10^{-5.9}$$

CrO_4^{2-} 离子中的铬 - 氧键较强,所以它不象 VO_4^{3-} 离子那样容易形成各种多酸,但是在酸性溶液中也能形成比较简单的多酸根离子,最重要的是重铬酸根离子 $Cr_2O_7^{2-}$。在溶液中,CrO_4^{2-} 同 $Cr_2O_7^{2-}$ 存在下列平衡:

$$CrO_4^{2-} + H^+ \Longrightarrow HCrO_4^- \qquad (20-1)$$

$$\frac{[HCrO_4^-]}{[CrO_4^{2-}][H^+]} K' = 10^{5.9}$$

$$2HCrO_4^- \Longrightarrow Cr_2O_7^{2-} + H_2O \qquad (20-2)$$

$$\frac{[Cr_2O_7^{2-}]}{[HCrO_4^-]^2} K'' = 10^{2.2}$$

$2 \times$ 式(20-1)+式(20-2)得:

$$2CrO_4^{2-} + 2H^+ \Longrightarrow Cr_2O_7^{2-} + H_2O \qquad (20-3)$$

$$K = \frac{[\text{Cr}_2\text{O}_7^{2-}]}{[\text{CrO}_4^{2-}]^2[\text{H}^+]^2} = \frac{[\text{Cr}_2\text{O}_7^{2-}]}{[\text{HCrO}_4^-]^2} \times \frac{[\text{HCrO}_4^-]^2}{[\text{CrO}_4^{2-}]^2[\text{H}^+]^2}$$
$$= K'' \times (K')^2 = 10^{2.2} \times (10^{5.9})^2 = 10^{10}$$

在酸性溶液中，$\text{Cr}_2\text{O}_7^{2-}$ 占优势；在中性溶液中，$\dfrac{[\text{Cr}_2\text{O}_7^{2-}]}{[\text{CrO}_4^{2-}]^2} = 1$；在碱性溶液中，$\text{CrO}_4^{2-}$ 占优势。CrO_4^{2-} 离子显黄色，$\text{Cr}_2\text{O}_7^{2-}$ 离子显橙红色。从式 20-3 的平衡来看，向溶液中加酸，平衡向右移动，CrO_4^{2-} 离子浓度降低，$\text{Cr}_2\text{O}_7^{2-}$ 离子浓度增大，溶液颜色从黄变为橙红；向溶液中加碱；平衡向左移动，$\text{Cr}_2\text{O}_7^{2-}$ 离子浓度降低，CrO_4^{2-} 离子浓度增大，溶液颜色从橙红变为黄色。由此可见，CrO_4^{2-} 离子和 $\text{Cr}_2\text{O}_7^{2-}$ 离子的互相转化，取决于溶液的 pH 值。

CrO_4^{2-} 离子呈四面体构型。$\text{Cr}_2\text{O}_7^{2-}$ 离子由两个 CrO_4 四面体组成，这两个 CrO_4 四面体通过共用一个角顶氧原子彼此相连。

末端 Cr—O 键长：161pm

桥联 Cr—O 键长：178pm

$\angle \text{CrOCr} = 131°$

图 20-8　$\text{Na}_2\text{Cr}_2\text{O}_7$ 中 $\text{Cr}_2\text{O}_7^{2-}$ 离子的结构

根据式(20-3)可知重铬酸盐在水溶液中水解显酸性。除了加酸或加碱可以使式(20-3)的平衡移动外，向溶液中加入 Ba^{2+}，Pb^{2+}，Ag^+ 离子，也能使平衡向生成 CrO_4^{2-} 的方向移动，因为这些阳离子的铬酸盐有较小的溶度积。所以不论是向铬酸盐溶液中加入这些离子，还是向重铬酸盐溶液中加入这些离子，生成的都是这些离子的铬酸盐沉淀而不是重铬酸盐沉淀：

$\text{Ba}^{2+} + \text{CrO}_4^{2-} =\!=\!= \text{BaCrO}_4 \downarrow$（黄色）　　$K_{sp}^\ominus = 1.2 \times 10^{-10}$

$\text{Pb}^{2+} + \text{CrO}_4^{2-} =\!=\!= \text{PbCrO}_4 \downarrow$（黄色）　　$K_{sp}^\ominus = 2.8 \times 10^{-13}$

$2\text{Ag}^+ + \text{CrO}_4^{2-} =\!=\!= \text{Ag}_2\text{CrO}_4 \downarrow$（砖红色）　　$K_{sp}^\ominus = 2.0 \times 10^{-12}$

在酸性溶液中,$Cr_2O_7^{2-}$ 离子是强氧化剂。但在碱性溶液中,CrO_4^{2-} 离子的氧化性要弱得多:

$$Cr_2O_7^{2-} + 14H^+ + 6e^- \Longrightarrow 2Cr^{3+} + 7H_2O \qquad \varphi_A^\ominus = +1.33V$$

$$CrO_4^{2-} + 4H_2O + 3e^- \Longrightarrow Cr(OH)_3(s) + 5OH^- \qquad \varphi_B^\ominus = -0.13V$$

例如,在冷溶液中,$K_2Cr_2O_7$ 可以氧化 H_2S,H_2SO_3 和 HI:

$$Cr_2O_7^{2-} + 3H_2S + 8H^+ \Longrightarrow 2Cr^{3+} + 3S \downarrow + 7H_2O$$

$$Cr_2O_7^{2-} + 3SO_3^{2-} + 8H^+ \Longrightarrow 2Cr^{3+} + 3SO_4^{2-} + 4H_2O$$

$$Cr_2O_7^{2-} + 6I^- + 14H^+ \Longrightarrow 2Cr^{3+} + 3I_2 + 7H_2O$$

加热时,重铬酸钾与浓盐酸反应,使 Cl^- 离子氧化逸出 Cl_2:

$$K_2Cr_2O_7 + 14HCl \Longrightarrow 2KCl + 2CrCl_3 + 3Cl_2 + 7H_2O$$

在分析化学中,常用 $K_2Cr_2O_7$ 来测定铁的含量:

$$Cr_2O_7^{2-} + 6Fe^{2+} + 14H^+ \Longrightarrow 6Fe^{3+} + 2Cr^{3+} + 7H_2O$$

在这些反应中,$Cr(VI)$ 的还原产物都是 $Cr(III)$ 盐。这一结果在铬的吉布斯自由能-氧化态图中是显而易见的。从该图可明显看出:在酸性溶液中,Cr^{3+} 离子是铬的最稳定状态,在 $Cr_2O_7^{2-} - Cr^{3+}$,$Cr_2O_7^{2-} - Cr^{2+}$,$Cr_2O_7^{2-} - Cr$ 三个电对中,$Cr_2O_7^{2-} - Cr^{3+}$ 电对连线的斜率最大,由 $Cr_2O_7^{2-}$ 生成 Cr^{3+} 时,吉布斯自由能降低最多,所以 $Cr_2O_7^{2-}$ 的还原产物都是 Cr^{3+}。

重铬酸钾的饱和溶液与浓硫酸混合后,即得实验室里常用的铬酸洗液,铬酸洗液的氧化性很强,在实验室中用于洗涤玻璃器皿上附着的油污。

常见的铬酸盐是铬酸钾 K_2CrO_4 和铬酸钠 Na_2CrO_4,它们都是黄色的晶状固体,最重要的 $Cr(VI)$ 化合物是重铬酸钾 $K_2Cr_2O_7$ 和重铬酸钠 $Na_2Cr_2O_7$,它们都是橙红色晶体。工业上,重铬酸钠是从铬铁矿制得的(制法见后)。重铬酸钾则是由氯化钾和重铬酸钠的复分解来制取:

$$2KCl + Na_2Cr_2O_7 \Longrightarrow K_2Cr_2O_7 + 2NaCl$$

$Na_2Cr_2O_7$ 的溶解度比 $K_2Cr_2O_7$ 大得多(293K 时,$Na_2Cr_2O_7$ 的溶解度为 180g/100g 水,而 $K_2Cr_2O_7$ 的溶解度仅为 12g/100g 水)。在室温下 $K_2Cr_2O_7$ 的溶解度虽很小,但当温度升高时,却增大很多(273K 时,4.6g/100g 水;373K 时,94.1g/100g 水)。温度对 NaCl 的溶解度影响很小,因此,如果在高温时将 KCl 与 $Na_2Cr_2O_7$ 的饱和溶液混合,在低温时 $K_2Cr_2O_7$ 就会先结晶析出,析出的 $K_2Cr_2O_7$ 是不含结晶水的,可以通过重结晶法提纯,纯的 $K_2Cr_2O_7$ 用作基准的氧化试剂。$K_2Cr_2O_7$ 除了作分析试剂以外,也是工业上常用的试剂,用于制造安全火柴,烟火、炸药、漂白脂肪与腊,干电池去极化剂和木材上色等。

(c) 氯化铬酰(或称二氯二氧化铬) 氯化铬酰 CrO_2Cl_2 是深红色液体,外观似溴,沸点为 390K,能与 CCl_4,CS_2 以及 $CHCl_3$ 互溶。CrO_2Cl_2 是四面体形的共价分子。

将重铬酸钾和氯化钾的细粉混合后置于蒸馏瓶中,慢慢滴入浓硫酸,并在沙浴上小心加热,生成的 CrO_2Cl_2 就可以被蒸馏出来:

$$K_2Cr_2O_7 + 4KCl + 3H_2SO_4 =\!=\!= 2CrO_2Cl_2 + 3K_2SO_4 + 3H_2O$$

氯化氢与三氧化铬反应,也可以生成 CrO_2Cl_2:

$$CrO_3 + 2HCl =\!=\!= CrO_2Cl_2 + H_2O$$

在钢铁分析中,当铬干扰其他元素的分析测定时,需在溶解试样时加入 NaCl,并加入高氯酸($HClO_4$)蒸发至冒烟,铬生成易挥发的 CrO_2Cl_2 而被除去:

$$Cr_2O_7^{2-} + 4Cl^- + 6H^+ =\!=\!= 2CrO_2Cl_2 + 3H_2O$$

氯化铬酰不见光时较稳定,遇水即水解:

$$2CrO_2Cl_2 + 3H_2O =\!=\!= H_2Cr_2O_7 + 4HCl$$

(d) 过氧基配位化合物 与钛、钒相似,高氧化态的铬也形成过氧基配位化合物。在重铬酸盐的酸性溶液中加入少许乙醚和过

氧化氢溶液,并摇荡,乙醚层呈现蓝色:

$$Cr_2O_7^{2-} + 4H_2O_2 + 2H^+ \Longrightarrow 2CrO(O_2)_2 + 5H_2O$$

在分析化学中常用这个反应来检验铬。蓝色化合物的化学式是:$[CrO(O_2)_2(C_2H_5)_2O]$。X 光分析数据指出,在铬(Ⅵ)的周围有四个配位体呈四面体排布,过氧基配位体的 O—O 轴面对着中心原子铬。过氧基离子 O_2^{2-} 是一种 π 配位体。$[CrO(O_2)_2((C_2H_5)_2O)]$ 的结构如图 20-9(a)所示。

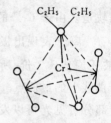 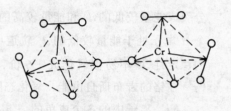

(a)$[CrO(O_2)_2(C_2H_5)_2O]$ 的结构　　　　(b)$[Cr_2O_{12}]^{2-}$ 的可能的结构

图　20-9

将 30% 的过氧化氢在 273K 时小心地加到重铬酸钾溶液中,结果生成蓝色的 $K_2[Cr_2O_{12}]$。配离子 $[Cr_2O_{12}]^{2-}$ 结构可能如图 20-9(b)所示,在配离子 $[Cr_2O_{12}]^{2-}$ 中似乎有 5 个过氧基离子和两个氧离子分别与两个 Cr(Ⅵ)配位,其中一个过氧基离子作为桥基,铬的氧化数是 +6。

过氧基配位化合物在室温下不稳定,例如 $[Cr_2O_{12}]^{2-}$ 在碱性溶液中分解为铬酸盐和氧:

$$2[Cr_2O_{12}]^{2-} + 4OH^- \Longrightarrow 4CrO_4^{2-} + 2H_2O + 5O_2$$

在酸性溶液中分解为三价铬盐和氧:

$$[Cr_2O_{12}]^{2-} + 8H^+ \Longrightarrow 2Cr^{3+} + 4H_2O + 4O_2$$

(2)氧化数为 +3 的铬的化合物

Cr^{3+} 离子的价壳层电子结构为 $3d^3 4s^0 4p^0$,而最外电子层有

11 个电子($3s^2 3p^6 3d^3$),属于不规则(9—17)电子层结构,这种结构对原子核的屏蔽作用比 8 电子层结构小,从而使 Cr^{3+} 离子有较高的有效正电荷。此外,Cr^{3+} 的离子半径也较小(64pm)。所以,Cr^{3+} 离子的基本特征是有较强的正电场和空的 d 轨道,并具有 d^3 的电子构型。这些特征决定了 Cr^{3+} 离子具有以下基本特性。

Cr^{3+} 离子的配合能力较强,容易同 H_2O,NH_3,Cl^-,CN^-,$C_2O_4^{2-}$ 等配位体生成配位数为 6 的配位化合物。

在配位化合物中,如在 $[Cr(H_2O)_6]Cl_3$ 中,Cr^{3+} 离子的 d 轨道分裂成能量较低的 d_ε 和能量较高的 d_r 两组轨道。由于 Cr^{3+} 的 3 个 d 电子处于能量较低的 d_ε 轨道中,结果 Cr^{3+} 离子表现出极大的稳定性,既不易被氧化成 +6 价,也不易被还原成 +2 价,所以 Cr^{3+} 在铬的吉布斯自由能 - 氧化态图中位于曲线上的最低点。

Cr^{3+} 离子中的 3 个成单的 d 电子,吸收部分可见光可以发生 $d - d$ 跃迁,所以它的化合物都显颜色。

水合三氧化二铬表现出明显的两性。铬(Ⅲ)盐在水中能水解。

(a) 三氧化二铬　用硫还原重铬酸钠,可得绿色的三氧化二铬。

$$Na_2Cr_2O_7 + S \longrightarrow Cr_2O_3 + Na_2SO_4$$

将重铬酸铵加热分解,也可得到同样的产物:

$$(NH_4)_2Cr_2O_7 \longrightarrow N_2 + Cr_2O_3 + 4H_2O$$

Cr_2O_3 与 Al_2O_3 同晶,具有两性。Cr_2O_3 能溶于酸中,溶于硫酸得紫色的硫酸铬(Ⅲ):

$$Cr_2O_3 + 3H_2SO_4 \longrightarrow Cr_2(SO_4)_3 + 3H_2O$$

Cr_2O_3 也能溶于浓的强碱中,溶于氢氧化钠生成深绿色的亚铬酸钠:

$$Cr_2O_3 + 2NaOH + 3H_2O \longrightarrow 2NaCr(OH)_4$$

灼烧过的 Cr_2O_3 不溶于酸中,但可用熔融法使它变为可溶性的盐,如:

$$Cr_2O_3 + 3K_2S_2O_7 \Longrightarrow Cr_2(SO_4)_3 + 3K_2SO_4$$

Cr_2O_3 微溶于水,熔点很高,为 2 263K。Cr_2O_3 是冶炼铬的原料,由于它呈绿色,也可用作绿色颜料。它的硬度较大,可用作研磨料。

向铬(Ⅲ)盐溶液中加碱,析出灰蓝色水合三氧化二铬的胶状沉淀。水合三氧化二铬($Cr_2O_3 \cdot nH_2O$)也具有两性,既溶于酸也溶于浓碱:

$$Cr_2O_3 \cdot nH_2O + 6H_3O^+ \Longrightarrow 2[Cr(H_2O)_6]^{3+} + (n-3)H_2O$$

$$Cr_2O_3 \cdot nH_2O + 6OH^- \Longrightarrow 2[Cr(OH)_6]^{3-} + (n-3)H_2O$$

通常将 $[Cr(H_2O)_6]^{3+}$ 简写为 Cr^{3+},将 $[Cr(OH)_6]^{3-}$ 简写为 CrO_2^-。无论是 Cr^{3+} 还是 CrO_2^-,在水中都有水解作用。

虽然 Cr^{3+} 在酸性溶液中是稳定的,但在碱性溶液中 CrO_2^- 却有较强的还原性:

$$CrO_4^{2-} + 2H_2O + 3e^- \Longrightarrow CrO_2^- + 4OH^- \qquad \varphi_B^\ominus = -0.13V$$

在碱性溶液中,亚铬酸盐可以被过氧化氢或过氧化钠氧化成铬酸盐:

$$2CrO_2^- + 3H_2O_2 + 2OH^- \Longrightarrow 2CrO_4^{2-} + 4H_2O$$

$$2CrO_2^- + 3Na_2O_2 + 2H_2O \Longrightarrow 2CrO_4^{2-} + 6Na^+ + 4OH^-$$

在酸性溶液中,Cr^{3+} 的还原性就弱得多了:

$$Cr_2O_7^{2-} + 14H^+ + 6e^- \Longrightarrow 2Cr^{3+} + 7H_2O \qquad \varphi_A^\ominus = +1.33V$$

只有象过硫酸铵、高锰酸钾这样的很强的氧化剂,才能将 Cr^{3+} 氧化:

$$S_2O_8^{2-} + 2e^- \Longrightarrow 2SO_4^{2-} \qquad \varphi_A^\ominus = +2.0V$$

$$MnO_4^- + 8H^+ + 5e^- \Longrightarrow Mn^{2+} + 4H_2O \qquad \varphi_A^\ominus = +1.51V$$

它们的反应如下:

$$2Cr^{3+} + 3S_2O_8^{2-} + 7H_2O \xrightarrow[\text{加热}]{Ag^+ \text{催化}} Cr_2O_7^{2-} + 6SO_4^{2-} + 14H^+$$

$$10Cr^{3+} + 6MnO_4^- + 11H_2O \xrightarrow{\text{加热}} 5Cr_2O_7^{2-} + 6Mn^{2+} + 22H^+$$

（b）硫酸铬（Ⅲ）　将三氧化二铬溶于冷的浓硫酸中,得到紫色的硫酸铬 $Cr_2(SO_4)_3 \cdot 18H_2O$。此外,还有绿色的 $Cr_2(SO_4)_3 \cdot 6H_2O$,桃红色的无水 $Cr_2(SO_4)_3$。硫酸铬与碱金属硫酸盐形成铬矾 $MCr(SO_4)_2 \cdot 12H_2O(M = Na^+, K^+, Rb^+, Cs^+, NH_4^+, Tl^+)$。用二氧化硫还原重铬酸钾的酸性溶液,可以制得铬钾矾:

$$K_2Cr_2O_7 + H_2SO_4 + 3SO_2 =\!=\!= K_2SO_4 \cdot Cr_2(SO_4)_3 + H_2O$$

铬矾广泛地应用于鞣革工业和纺织工业。

（c）铬（Ⅲ）的配位化合物　Cr(Ⅲ)形成配位化合物的能力很强,除少数例外,Cr(Ⅲ)的配位数都是 6,其单核配位化合物的空间构型为八面体,Cr^{3+} 离子提供 6 个空轨道,形成六个 d^2sp^3 杂化轨道:

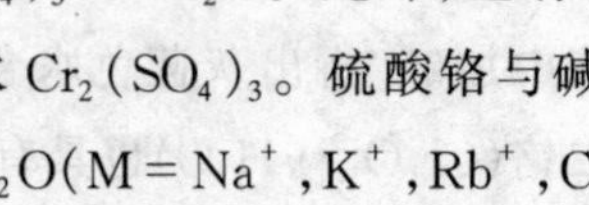

凡能够提供电子对,起路易斯碱作用的离子或分子,都能作为配位体与 Cr(Ⅲ)配位,形成配阴离子或配阳离子或中性配合分子。但是铬(Ⅲ)的配位化合物所以为数众多,不仅是因为有大量的离子或分子可以作它的配位体,而且还由于存在许多同分异构现象。此外,铬(Ⅲ)还能形成许多桥联多核配位化合物。

实验式为 $CrCl_3 \cdot 6H_2O$ 的配位化合物有三种水合异构体:紫色的$[Cr(H_2O)_6]Cl_3$,淡绿色的$[Cr(H_2O)_5Cl]Cl_2 \cdot H_2O$ 和暗绿色的反式 $-[Cr(H_2O)_4Cl_2]Cl \cdot 2H_2O$。蒸发 $CrCl_3$ 溶液,析出暗绿色晶体,其实验式为 $CrCl_3 \cdot 6H_2O$。用水将晶体溶解,加入硝酸银,在 $CrCl_3 \cdot 6H_2O$ 配合分子中只有一个氯离子与 Ag^+ 形成 AgCl 沉淀出

来,在干燥器中用浓硫酸将晶体脱水,则有两个水分子可以去掉。这些结果证明,在$CrCl_3 \cdot 6H_2O$中,有四个水分子和两个氯离子是和中心离子直接配位,形成配合物的内界。因此,暗绿色晶体的配位式应为:

$$[Cr(H_2O)_4Cl_2]Cl \cdot 2H_2O$$

如将暗绿色溶液冷却到273K以下,并通入HCl气体,则析出紫色晶体,用上面的方法可以证明它的配位式为$[Cr(H_2O)_6]Cl_3$。用乙醚处理紫色晶体的溶液,并通以HCl气体后,就析出另外一种淡绿色晶体,其配位式为$[Cr(H_2O)_5Cl]Cl_2 \cdot H_2O$。三者之间的转化关系表示如下:

$$[Cr(H_2O)_4Cl_2]Cl \cdot 2H_2O \underset{}{\overset{冷却\ HCl}{\rightleftharpoons}} [Cr(H_2O)_6]Cl_3$$

　　暗绿色　　　　　　　　　　紫色

$$\overset{乙醚\ HCl}{\rightleftharpoons} [Cr(H_2O)_5Cl]Cl_2 \cdot H_2O$$

　　　　　　　　　　　　　淡绿色

$[Cr(H_2O)_6]^{3+}$中的水分子除被Cl^-置换外,还可以被其它配位体置换,例如被氨置换形成氨或水－氨配位化合物:

$$[Cr(H_2O)_6]^{3+}; \qquad [Cr(NH_3)_2(H_2O)_4]^{3+};$$

　　紫　　　　　　　　　　紫红

$$[Cr(NH_3)_3(H_2O)_3]^{3+}; \quad [Cr(NH_3)_4(H_2O)_2]^{3+};$$

　　浅红　　　　　　　　　　橙红

$$[Cr(NH_3)_5H_2O]^{3+}; \qquad [Cr(NH_3)_6]^{3+};$$

　　橙黄　　　　　　　　　　黄

在这里我们看到,随着内界的水分子逐渐被氨分子所取代,配离子的颜色逐渐向长波方向移动。这种现象可以用晶体场理论加以解释。根据晶体场理论,在Cr(Ⅲ)的八面体配离子中,$3d$轨道由于受配位体的影响而分裂成能量较低的d_ε轨道和能量较高的d_γ轨道,Cr^{3+} 离子的 3 个 d 电子总是处于能量较低的 d_ε 轨道中。如果配离子的 $3d$ 轨道的分裂能 Δ_o 越大,那么处于 d_ε 轨道中的电子越不容易被激发,激发时需要吸收波长短即能量较高的紫色光部分,这时配离子显黄或红色。相反,如果分裂能 Δ 越小,那么处于 d_ε 轨道中的电子就越容易被激发,激发时只需吸收波长长即能量较低的红光或黄光部分,这时配离子显紫色或紫红色。已知分裂能 Δ 与配位体的场强有关,NH_3 分子的场强约为 H_2O 分子的 1.25 倍,因此在 $[Cr(NH_3)_6]^{3+}$ 中的 d 轨道分裂能 Δ_o 大于 $[Cr(H_2O)_6]^{3+}$ 中的分裂能 Δ_o,从而前者显黄色而后者显紫色。

最重要的异构现象是立体异构,即几何异构和光学异构。如 $K[Cr(C_2O_4)_2(H_2O)_2]$ 的阴离子有顺式和反式两种几何异构体(图 20－10)。顺式异构体表现出紫-绿二色性,而反式异构体显紫红色。

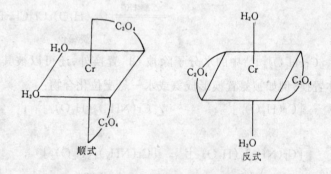

图 20－10　$[Cr(C_2O_4)_2(H_2O)_2]^-$ 离子的顺式和反式异构体

铬(Ⅲ)还能形成许多桥联多核配位化合物,以 OH^-,O^{2-},SO_4^{2-},CH_3COO^-,$HCOO^-$ 等为桥,把两个或两个以上的 Cr^{3+} 离子连接起来。例如,铬(Ⅲ)盐在水溶液中的水解:

$$[Cr(H_2O)_6]^{3+} + H_2O \rightleftharpoons [Cr(OH)(H_2O)_5]^{2+} + H_3O^+$$

$$pK = 3.89$$

降低酸度,可进一步缩合成多核配位化合物:

$$[Cr(H_2O)_6]^{3+} + [Cr(H_2O)_5OH]^{2+} \Longrightarrow$$

$$\left[(H_2O)_5Cr \overset{\overset{\displaystyle H}{\underset{\displaystyle O}{|}}}{\diagup \diagdown} Cr(H_2O)_5\right]^{5+} + H_2O$$

$$2[Cr(H_2O)_5OH]^{2+} \Longrightarrow \left[(H_2O)_4Cr \overset{\overset{\displaystyle H}{\underset{\displaystyle O}{|}}}{\diagup \diagdown}_{\underset{\underset{\displaystyle H}{\displaystyle O}}{|}} Cr(H_2O)_4\right]^{4+} + 2H_2O$$

继续加碱,开始析出灰蓝色胶状沉淀 $Cr(OH)_3 \cdot nH_2O$(实际上是不定量水组成的水合三氧化二铬 $Cr_2O_3 \cdot nH_2O$)。$Cr(OH)_3 \cdot nH_2O$ 能溶于过量的碱中,生成 $[Cr(OH)_6]^{3-}$ 离子。

在水溶液中 Cr^{3+} 和 Al^{3+},Fe^{3+} 有许多类似的地方,主要是因为电荷相同,Cr^{3+} 和 Fe^{3+} 的离子半径也很相近(Cr^{3+} 63pm,Fe^{3+} 64pm)。例如它们都能和 H_2O 组成一定配位数的水合离子,都容易形成矾,遇适量的碱都生成 $M(OH)_3 \cdot nH_2O$(实际上是 $M_2O_3 \cdot nH_2O$)胶体沉淀等。不过,它们之间也有不少差异,它们的胶体氢氧化物颜色各不相同:$Cr(OH)_3$ 灰蓝色,$Fe(OH)_3$ 红棕色,$Al(OH)_3$ 白色。它们的氢氧化物虽都具有两性,但以 $Al(OH)_3$ 的两性最显著,其次是 $Cr(OH)_3$,而 $Fe(OH)_3$ 仅微具两性(以碱性为主)。此外,Cr^{3+} 能同氨形成配位化合物,而 Al^{3+} 和 Fe^{3+} 在水溶液中不形成氨配位化合物。在碱性介质中 Cr(Ⅲ)可以被氧化成 Cr(Ⅵ)化合物,而在同样条件下,Fe^{3+} 的还原性则弱得多,Al^{3+} 根本不能形成更高氧化态。可以利用这些差异来鉴别和分离 Cr^{3+}、Al^{3+} 和 Fe^{3+}。

4-3 钼和钨的重要化合物

我国的钼矿和钨矿在储量和产量方面都在世界上占重要地位。由于镧系收缩,钼和钨彼此更相似。钼和钨的常见氧化态是 +6,+5 和 +4,最重要的是氧化数为 +6 的化合物。

(1) 三氧化钼和三氧化钨

室温下三氧化钼 MoO_3 是白色固体,加热时转变为黄色。1 070K 熔融为深黄色液体,即使在低于熔点的情况下,也有显著的升华现象。

三氧化钼具有一种少见的层状结构,这种层状结构是由畸变了的 MoO_6 八面体所形成的平行链所组成。每层中的八面体沿一个方向靠共用边相连,在其它的方向上靠共用角顶氧原子相连,在二维空间无限扩展形成层状结构。

在 820~920K 焙烧辉钼矿,有三氧化钼生成:

$$2MoS_2 + 7O_2 =\!=\!= 2MoO_3 + 4SO_2$$

焙烧过的矿中,除含有三氧化钼外,还含有其它杂质。将烧结块用氨水浸取,三氧化钼转化为可溶性的钼酸铵进入浸取液:

$$MoO_3 + 2NH_3 \cdot H_2O =\!=\!= (NH_4)_2MoO_4 + H_2O$$

用盐酸酸化钼酸铵溶液,就会析出钼酸沉淀:

$$(NH_4)_2MoO_4 + 2HCl =\!=\!= H_2MoO_4 \downarrow + 2NH_4Cl$$

将钼酸加热至 673—723K,即分解产生三氧化钼:

$$H_2MoO_4 =\!=\!= MoO_3 + H_2O$$

三氧化钨 WO_3 是深黄色固体,加热时转变为橙黄色。熔点为 1 450K。

常温下,三氧化钨是由 WO_6 八面体通过共用角顶氧原子在三维空间无限扩展而形成。

用碱熔法处理黑钨矿,在空气的参与下发生下述反应:

$$4FeWO_4 + 4Na_2CO_3 + O_2 =\!=\!= 4Na_2WO_4 + 2Fe_2O_3 + 4CO_2$$

$$6MnWO_4 + 6Na_2CO_3 + O_2 \stackrel{}{=\!=\!=} 6Na_2WO_4 + 2Mn_3O_4 + 6CO_2$$

用水浸取钨酸钠,过滤后,用盐酸酸化钨酸钠溶液,得到黄色的钨酸沉淀,将钨酸加热脱水则得黄色的三氧化钨:

$$Na_2WO_4 + 2HCl =\!=\!= H_2WO_4 \downarrow + NaCl$$

$$H_2WO_4 \xrightarrow{773K} WO_3 + H_2O$$

三氧化钼和三氧化钨都是酸性氧化物,难溶于水,作为酸酐,却不能通过它们与水的反应来制备钨酸和钼酸,这一点和三氧化铬不同。三氧化钼和三氧化钨溶于氨水和强碱溶液,生成相应的盐:

$$MoO_3 + 2NH_3 \cdot H_2O =\!=\!= (NH_4)_2MoO_4 + H_2O$$

$$WO_3 + 2NaOH =\!=\!= Na_2WO_4 + H_2O$$

WO_3 主要用于制备金属钨和钨酸盐,也可用于处理防火织品,它同二硫化钼结合可以形成高硬度抗磨损的自身润滑涂料。

(2) 钼酸和钨酸及其简单盐

三氧化钼和三氧化钨溶于碱溶液形成简单的钼酸盐和钨酸盐。在一定的 pH 范围内,简单钼酸盐和钨酸盐能结晶析出。例如,在三氧化钼的浓氨水溶液中能析出 $(NH_4)_2MoO_4$。简单钼酸盐和钨酸盐的化学式是 $M_2^IMoO_4$ 和 $M_2^IWO_4$,不论是在固体盐中,还是在它们的水溶液中,MoO_4^{2-} 离子和 WO_4^{2-} 离子的构型都是四面体。只有碱金属、铵、铍、镁、铊的简单钼酸盐和钨酸盐能溶于水,其它金属的盐都难溶于水。在可溶性盐中,最重要的是钠盐 Na_2MoO_4,Na_2WO_4 和铵盐 $(NH_4)_2MoO_4$。在难溶盐中,$PbMoO_4$ 可用于 Mo 的重量分析测定。

将钼酸盐或钨酸盐溶液酸化,降低其 pH 值至弱酸性,MoO_4^{2-} 离子或 WO_4^{2-} 离子将逐渐缩聚成多酸根离子,如 $Mo_7O_{24}^{6-}$,$Mo_8O_{26}^{4-}$,$HW_6O_2^{5-}$,$W_{12}O_{41}^{10-}$ 等。多酸根离子的形成和溶液的 pH 值有密切关系,一般 pH 值越小,聚合度越大。同 CrO_4^{2-} 离子相比，MoO_4^{2-} 离子和 WO_4^{2-} 离子的一个重要特征就是更容易形成多酸根离子。

在浓硝酸溶液中，简单钼酸盐可转化为黄色的水合钼酸 H_2MoO_4。往简单钨酸盐的热溶液中加强酸，析出黄色的钨酸 H_2WO_4；在冷溶液中加过量酸，则析出白色的胶体钨酸 $H_2WO_4 \cdot xH_2O$。白色的钨酸经长时间煮沸后，就转变为黄色。与铬酸不同，钼酸和钨酸的重要特点之一就是它们在水中的溶解度较小。例如在 291K 时，每升水中大约只能溶解 1g 钼酸。

钼酸和钨酸实际上都是水合氧化物。如 H_2MoO_4 和 H_2WO_4 实际上是 $MoO_3 \cdot H_2O$ 和 $WO_3 \cdot H_2O$；$H_2MoO_4 \cdot H_2O$ 和 $H_2WO_4 \cdot H_2O$ 实际上是 $MoO_3 \cdot 2H_2O$ 和 $WO_3 \cdot 2H_2O$。在晶体中它们都含有共用角顶氧原子的 MoO_6 八面体。$MoO_3 \cdot 2H_2O$ 含有由 MoO_6 八面体共用角顶氧原子所形成的片层，最好将 $MoO_3 \cdot 2H_2O$ 写成 $[MoO_{4/2}O(H_2O)] \cdot H_2O$，有一个 H_2O 分子与 Mo 结合，而另一个 H_2O 分子以氢键结合在晶格中。

与铬酸盐不同，钼酸盐和钨酸盐的另一个特性是氧化性很弱，这可从元素电势图以及吉布斯自由能－氧化态图明显看出。在酸性溶液中，只能用强还原剂才能将 H_2MoO_4 还原到 Mo^{3+}。例如向 $(NH_4)_2MoO_4$ 溶液中加入浓盐酸，再用金属锌还原。溶液最初显蓝色，然后还原为绿色的 $MoCl_5$，最后生成棕色 $MoCl_3$：

$$2(NH_4)_2MoO_4 + 3Zn + 16HCl =\!=\!=$$
$$2MoCl_3 + 3ZnCl_2 + 4NH_4Cl + 8H_2O$$

钨酸盐的氧化性就更弱了。

当简单钼酸盐或钨酸盐被缓和地还原时，生成深蓝色的钼蓝或钨蓝。它们是 5 价和 6 价钼或钨的氧化物－氢氧化物混合体。例如，用 $Sn(II)$ 将 $Mo(VI)$ 部分还原，可以得到钼蓝，钼蓝的组成介于 $MoO(OH)_3$ 和 MoO_3 之间。

钼酸铵在酸性溶液中与 H_2S 作用,能沉淀出棕色的三硫化钼:

$$(NH_4)_2MoO_4 + 3H_2S + 2HCl \xrightarrow{\hspace{1cm}} MoS_3 \downarrow + 2NH_4Cl + 4H_2O$$

将 H_2S 通入钨酸盐溶液中,氧可被硫置换,生成一系列的硫代钨酸盐:

$$WO_4^{2-} \longrightarrow WO_3S^{2-} \longrightarrow WO_2S_2^{2-} \longrightarrow WOS_3^{2-} \longrightarrow WS_4^{2-}$$

将硫代钨酸盐溶液酸化,生成亮棕色的 WS_3 沉淀。

(3) 钼、钨的同多酸和杂多酸及其盐

钼、钨化学的一个重要特点是能够形成众多的多钼(Ⅵ)酸、多钨(Ⅵ)酸以及其它的盐。既能形成同多酸和同多酸盐,又能形成杂多酸和杂多酸盐。

同多酸根阴离子的形成和溶液的 pH 值有密切关系,一般,pH 值越小,缩合度越大。将三氧化钼的氨水溶液酸化,降低其 pH 值,当 pH 值降到大约为 6 时,生成 $Mo_7O_{24}^{6-}$ 离子:

$$7MoO_4^{2-} + 8H^+ \xrightarrow{\hspace{1cm}} Mo_7O_{24}^{6-} + 4H_2O$$

可以得到仲钼酸铵 $(NH_4)_6Mo_7O_{24}\cdot 4H_2O$,它是实验室里常用的试剂,也是一种微量元素肥料。将溶液稍微再酸化,则形成八钼酸根离子 $Mo_8O_{26}^{4-}$。

酸化钨酸盐溶液,降低其 pH 值,也可以形成多钨酸根阴离子,其中最重要的是 $HW_6O_{21}^{5-}$ 离子和 $W_{12}O_{41}^{10-}$ 离子。不论是在溶液中还是在晶体中,这些离子在某种程度上都是水合的。例如,已经证明,在化学式为 $(NH_4)_{10}W_{12}O_{41}\cdot 11H_2O$ 的结晶中,存在 $H_2W_{12}O_{42}^{10-}$ 离子。

钼或钨还可形成杂多酸及杂多酸盐。将含有钼酸盐(或钨酸盐)的溶液和杂多酸盐中杂原子的含氧酸盐溶液加在一起,酸化并加热,可制得钼(或钨)的杂多酸盐。例如,将用硝酸酸化的 $(NH_4)_2MoO_4$ 溶液加热至约 323K,加入 Na_2HPO_4 溶液,可生成

12-钼磷酸铵的黄色晶状沉淀：

$$12MoO_4^{2-} + 3NH_4^+ + HPO_4^{2-} + 23H^+ =\!\!=\!\!=$$

$$(NH_4)_3[P(Mo_{12}O_{40})] \cdot 6H_2O\downarrow + 6H_2O$$

这个反应用于定性鉴定 MoO_4^{2-}。

钼和钨的多酸根阴离子,其基本结构单元是八面体形的 MoO_6 和 WO_6,如图 20-11(a) 中的简图所示。图 20-11(b) 表示 7 钼酸根离子 $Mo_7O_{24}^{6-}$ 的结构,每个八面体与相邻的八面体各通过两个氧原子以边相连接。图 20-11(c) 是通式为 $[X^{n+}M_{12}O_{40}]^{(8-n)-}$ 的 12-钼或 12-钨杂多酸根阴离子的结构。根据 X 射线分析结果得知,以杂原子 X 为中心的四面体 XO_4 是整个杂多酸配合阴离子的中心,它被 MoO_6(或 WO_6)八面体所围绕。每三个八面体共用三个边构成一组,每一组 MoO_6(或 WO_6)八面体含有 $3 \times \left(\dfrac{1}{3} + 4 \times \dfrac{1}{2} + 1\right) = 10$ 个氧原子,故成为 Mo_3O_{10}。每一组的共用

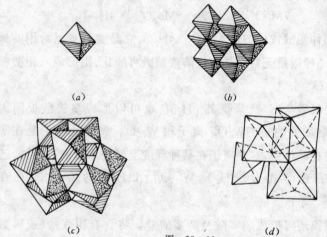

(a) (b)

(c) (d)

图 20-11

$(a)MoO_6$ 或 WO_6 八面体,(b) 仲钼酸根离子 $[Mo_7O_{24}]^{6-}$ 的结构,(c) 通式为 $[X^{n+}M_{12}O_{40}]^{(8-n)-}$ 的 12-M_0 或 12-W 杂多酸根阴离子的结构,(d) 在 $[X^{n+}M_{12}O_{40}]^{(8-n)-}$ 杂多酸根阴离子中 M_3O_{10} 组的共用角与 XO_4 四面体共用一个角顶氧原子

角和四面体的一个角连接起来[见图20-11(d)],因此共有12个八面体。每一组中的每个八面体与其它组中相邻的八面体还共用一个角顶氧原子[见图(20-11)(c)]。12-钼或12-钨杂多酸根阴离子的通式可写为$[X^{n+}(M_3O_{10})_4]^{(8-n)-}$,12-钼磷酸可写为$H_3[P(Mo_3O_{10})_4]\cdot 30H_2O$,12-钼硅酸可写为$H_4[Si(Mo_3O_{10})_4]\cdot 30H_2O$。在12-钼或12-钨杂多酸根阴离子中有较大的空隙可以夹杂水分子和阳离子,因此,它们常形成水合物,它们的难溶盐是很好的阳离子交换剂。

§20-5 锰副族

5-1 锰副族概述

周期系第ⅦB族锰副族包括锰、锝、铼三种元素。在重金属中,锰在地壳中的丰度仅次于铁,为0.085%。锰的主要矿石是软锰矿MnO_2,其它矿石还有黑锰矿Mn_3O_4,水锰矿$Mn_2O_3\cdot H_2O$以及褐锰矿$3Mn_2O_3\cdot MnSiO_3$,近年在深海中发现了大量的锰矿。在

表20-8　锰族元素的基本性质

性　质 　　　　元　素	锰	锝	铼
元素符号	Mn	Tc	Re
原子序数	25	43	75
相对原子质量	54.94	97	186.2
价电子层结构	$3d^5 4s^2$	$4d^6 5s^1$	$5d^5 6s^2$
主要氧化数	$+2, +3, +4,$ $+6, +7$	$+4, +6, +7$	$+3, +4,$ $+6, +7$
共价半径/pm	117	127	128
离子半径/pm			
M^{2+}	80		
M^{7+}	46	—	56
第一电离势/$kJ\cdot mol^{-1}$	717.4	702	760
电负性	1.55	1.9	1.9

自然界中虽然已发现了锝,但主要还是由人工核反应来制得。铼是一种非常稀少通常与钼伴生的元素。

锰族元素的基本性质汇列于表 20-8 中。

锰族元素的价电子层结构为 $(n-1)d^5ns^2$,其中 Tc 为 $4d^65s^1$。这些元素的价电子层中的 7 个电子都可以参加成键,所以最高氧化态为 +7。同其他副族元素性质递变的规律一样,从 Mn 到 Re 高氧化态趋向于稳定,Re_2O_7 和 Tc_2O_7 性质相似,比 Mn_2O_7 稳定得多。它们溶于水形成 $HMnO_4$,$HTcO_4$ 和 $HReO_4$,其氧化性和酸性按下列顺序递变:

$$HMnO_4 \qquad HTcO_4 \qquad HReO_4$$

$\xrightarrow{\text{酸 性 增 强}}$

$\xleftarrow{\text{氧 化 性 增 强}}$

低氧化态的稳定性恰好相反,锰以 Mn^{2+} 为最稳定,而锝(Ⅱ)和铼(Ⅱ)只在少数配位化合物中稳定,并不存在简单的离子。下面着重分析锰的各氧化态的性质。

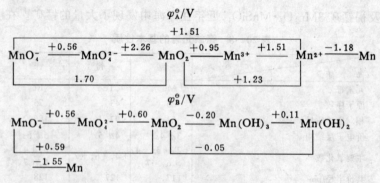

图 20-12 锰的电势图

锰的最高氧化态为 +7,相当于 d^0 的结构,其它氧化态还有 +6,+5,+4,+3 和 +2,在某些配位化合物中,还可以呈显低氧化态 +1,0,-1,-2 和 -3。锰的常见氧化态是 +7,+6,+4,+3

和 +2，比较重要的是 +7 价、+4 价和 +2 价的化合物。

在图 20-13(a) 中，Mn^{2+} 离子处于图中曲线的最低点，这说明在酸性溶液中，Mn^{2+} 离子是锰的最稳定氧化态，其它各氧化态在反应中都可以自发地形成 Mn^{2+} 离子。Mn^{3+} 离子位于 Mn^{2+} 离子和 MnO_2 的连线的上方，因此，Mn^{3+} 离子可以发生歧化反应形成 Mn^{2+} 离子和 MnO_2：

$$2Mn^{3+} + 2H_2O \Longrightarrow Mn^{2+} + MnO_2 + 4H^+$$

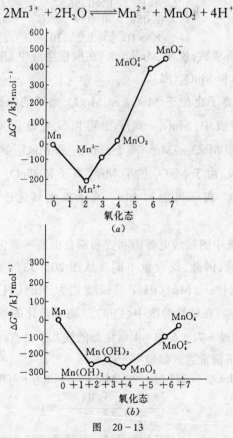

图 20-13

(a) 在酸性溶液中锰的吉布斯自由能－氧化态图

(b) 在碱性溶液中锰的吉布斯自由能－氧化态图

这个歧化反应在常温进行的程度如何？可由计算反应的平衡常数来判断：如果将上述反应组成原电池，则原电池的正极是 Mn^{3+}/Mn^{2+} 电对所组成的电极，负极是 MnO_2/Mn^{3+} 组成的电极。此原电池的标准电动势 $E^{\ominus}$ 为：

$$E^{\ominus} = \varphi^{\ominus}_{Mn^{3+}/Mn^{2+}} - \varphi^{\ominus}_{MnO_2/Mn^{3+}} = (+1.51) - (+0.95)$$
$$= +0.56V$$

依
$$\lg K = \frac{nE}{0.059} = \frac{1 \times 0.56}{0.059} = 9.5$$
$$K = 10^{9.5} = 3.2 \times 10^9$$

这样大的平衡常数，说明 Mn^{3+}（水）在酸性溶液中，几乎完全歧化成 Mn^{2+}（水）和 MnO_2（固）。

MnO_4^{2-} 离子也位于 MnO_2 和 MnO_4^- 离子的连线的上方，因此，在酸性溶液中，MnO_4^{2-} 离子也可以发生歧化反应，转变为 MnO_4^- 离子和 MnO_2。Mn^{2+} 离子、MnO_2 和 MnO_4^- 离子不发生歧化反应。相反，由于 MnO_2 位于 Mn^{2+} 离子和 MnO_4^- 离子的连线的下方，MnO_4^- 离子可能和 Mn^{2+} 离子发生氧化还原反应析出 MnO_2。

碱性溶液中的锰的电势图和吉布斯自由能－氧化态图与酸性溶液中的不同，因此，反应也不同。从图 20－13(b) 可以明显看出，在碱性条件下，$Mn(OH)_3$ 可以歧化为 $Mn(OH)_2$ 和 MnO_2。MnO_2 最稳定。在碱性溶液中，MnO_4^{2-} 离子歧化的倾向比在酸性溶液中小，通过 +7，+6 和 +4 氧化态的线几乎是直线，这意味着，歧化反应的平衡常数近似地等于1。

$$3MnO_4^{2-} + 2H_2O \Longrightarrow 2MnO_4^- + MnO_2 + 4OH^-$$

$$K = \frac{[MnO_4^-]^2[OH^-]^4}{[MnO_4^{2-}]^3} \approx 1$$

因此，锰的 +7，+6，+4 三种氧化态，在碱性溶液中能以相当的浓度共存。

如果在浓 KOH 溶液中,上列歧化平衡向左移动,MnO_4^{2-} 的歧化反应不但不能进行,相反地 MnO_4^- 却可将 MnO_2 氧化,制得 K_2MnO_4。但只要加入甚至是很弱的酸,就会使 MnO_4^{2-} 歧化为 MnO_4^- 和 MnO_2:

$$3MnO_4^{2-} + 4H^+ === 2MnO_4^- + MnO_2 + 2H_2O$$

锰族元素单质的某些物理性质汇列于表 20-9 中。

表 20-9　锰、锝、铼单质的某些物理性质

物理性质	锰	锝	铼
密度/$g \cdot cm^{-3}$	$\alpha 7.44$	11.50	21.02
	$\beta 7.29$		
	$\gamma 7.21$		
熔点/K	$1\,517 \pm 3$	2\,445	3\,453
沸点/K	2\,235	5\,150	5\,900

金属锰外形似铁,粉末状的锰是灰色,致密的块状锰是银白色。铼的外表与铂相同,纯铼相当软,有良好的延展性。在形成金属键时锰族元素也可以提供较多的单电子(仅次于铬族)构成较强的金属键,因此也是难熔金属。

锰在空气中或加热时燃烧生成 Mn_3O_4(类似 Fe_3O_4,是 $MnO \cdot Mn_2O_3$ 的混合氧化物)。铼燃烧生成 Re_2O_7。

从下面的标准电极电势,可以看出锰是活泼金属:

$$Mn^{2+} + 2e^- \rightleftharpoons Mn \qquad \varphi_A^\ominus = -1.18V$$

金属锰容易溶解在稀的,非氧化性酸中生成 Mn(Ⅱ)盐:

$$Mn + 2H^+ === Mn^{2+} + H_2 \uparrow$$

锝和铼不溶于盐酸而溶于浓硝酸,生成高锝酸和高铼酸:

$$3M + 7HNO_3 === 3HMO_4 + 7NO \uparrow + 2H_2O (M = Tc, Re)$$

因此,锝和铼是比较稳定的金属。锰和热水反应形成 $Mn(OH)_2$,并放出氢气。在室温下,锰对于非金属并不很活泼,在高温时,它

能够同卤素、氧、硫、硼、碳、硅、磷等直接化合。在 1 473K 以上，锰与氮化合形成氮化物 Mn_3N_2；与铁相似，熔融的锰溶解碳后形成碳化物 Mn_3C；锰与硫共热则形成 MnS；锰不与氢作用。在有氧化剂存在时，锰同熔融的碱作用生成锰酸盐：

$$2Mn + 4KOH + 3O_2 \xmash{\overset{熔融}{=\!=\!=}} 2K_2MnO_4 + 2H_2O$$

这个反应表明，高氧化态锰的含氧酸具有酸性。

锰主要用于钢铁工业中生产锰合金钢，锰的合金有广泛的用途。锰矿和铁矿的混合物在高炉里用焦炭还原，可制造锰铁（60%—90% Mn）和镜铁（15%—22% Mn），在钢铁工业中它是去氧剂和去硫剂。锰可以代替镍制造不锈钢。在镁和铝的合金中加入锰，其抗腐蚀性和机械性能均有所改进。锰铜镍合金的膨胀系数很大，电阻温度系数很小。铜锰合金的机械强度很大。

5-2 氧化数为 +7 的锰的化合物

锰(Ⅶ)的价电子层结构为 $3d^0$，没有成单 d 电子，MnO_4^- 似乎应当无色，事实上高锰酸盐无论在溶液中还是在晶体中都呈深紫色。和 VO_4^{3-}，CrO_4^{2-} 等离子显色一样，是因为在 MnO_4^- 离子中，Mn—O 之间有较强的极化效应，当 MnO_4^- 吸收部分可见光后使 O^{2-} 离子一端的电子向 Mn(Ⅶ)跃迁，这种跃迁比 VO_4^{3-} 和 CrO_4^{2-} 中的电子跃迁更加容易，一般只需吸收能量低的红光、黄光即可，所以 MnO_4^- 呈紫色。在结构上，MnO_4^- 离子呈四面体形。

在锰(Ⅶ)的化合物中，最重要的是高锰酸钾 $KMnO_4$，其次是高锰酸钠 $NaMnO_4 \cdot 3H_2O$，后者的溶解度很大，不容易提纯。需要纯净的高锰酸盐时，一般都使用 $KMnO_4$。$KMnO_4$ 是良好的氧化剂，用来漂白毛、棉和丝，或使油类脱色。它是一种大规模生产的无机盐。

以软锰矿为原料制取 $KMnO_4$，分两步进行，第一步是将 +4 价锰氧化为 +6 价锰，第二步是使 +6 价锰歧化制得含 +7 价锰的

$KMnO_4$。具体过程如下：

将软锰矿和苛性钾混合，在 473—543K 下加热熔融并通入空气，可制得绿色的锰酸钾 K_2MnO_4。如果加入氧化剂 $KClO_3$ 或 KNO_3 共熔，以代替空气中的氧，转化反应可以进行得更快：

$$2MnO_2 + 4KOH + O_2 \Longrightarrow 2K_2MnO_4 + 2H_2O$$

$$3MnO_2 + 6KOH + KClO_3 \Longrightarrow 3K_2MnO_4 + KCl + 3H_2O$$

下一步是如何使锰酸钾转变为高锰酸钾。MnO_4^{2-} 有进行歧化反应的倾向：

$$3MnO_4^{2-} + 2H_2O \Longrightarrow MnO_2 + 2MnO_4^- + 4OH^-$$

或 $$3MnO_4^{2-} + 4H^+ \Longrightarrow MnO_2 + 2MnO_4^- + 2H_2O$$

在碱性溶液中，平衡移向左方，溶液呈绿色，MnO_4^{2-} 歧化的倾向很小。在强碱性介质中，锰酸钾是稳定的，不会转变为高锰酸钾。如果向溶液中加酸，使溶液的碱性降低，平衡就向右移动，绿色的 MnO_4^{2-} 歧化而成紫色的 MnO_4^- 和 MnO_2。这样便可制得高锰酸钾。在酸性溶液的吉布斯自由能-氧化态图中，MnO_4^{2-} 离子位于 MnO_2 和 MnO_4^- 离子的连线的上方，歧化的倾向很大。通过计算，便可说明这一点。MnO_4^{2-} 的歧化反应是下面两个半反应的总和：

$$2MnO_4^{2-} \Longrightarrow 2MnO_4^- + 2e^- \qquad \Delta G^\ominus = +2 \times 54.4 kJ \cdot mol^{-1}$$

$$+ MnO_4^{2-} + 4H^+ + 2e^- \Longrightarrow MnO_2 + 2H_2O \qquad \Delta G^\ominus = -2 \times 218.1 kJ \cdot mol^{-1}$$

$$\overline{3MnO_4^{2-} + 4H^+ \Longrightarrow MnO_2 + 2MnO_4^- + 2H_2O}$$

$$\Delta G^\ominus = -328.1 kJ \cdot mol^{-1}$$

因为 $$\Delta G^\ominus = -RT\ln K$$

因此 $$\lg K = \frac{328.1 kJ \cdot mol^{-1}}{8.314 \times 10^{-3} kJ \cdot mol^{-1} \cdot K^{-1} \times 298K \times 2.303}$$

$$= 57.5$$

$$K = 10^{57.5} = 3.16 \times 10^{57}$$

如此大的平衡常数说明，只要加入甚至是很弱的酸，使溶液变为酸性,就会促进歧化的进行,锰酸钾几乎完全歧化为高锰酸钾和二氧化锰。生产上是向 MnO_4^{2-} 的碱性溶液中通入 CO_2 或加入醋酸之类的弱酸来促进 MnO_4^{2-} 的歧化,从而制得高锰酸钾:

$$3K_2MnO_4 + 2CO_2 =\!=\!= 2KMnO_4 + MnO_2 + 2K_2CO_3$$

用这样的方法制备高锰酸钾,产率最高只有 66.7%,因为有 1/3 的锰被还原为 MnO_2。制备高锰酸钾的最好的方法是电解锰酸钾,以镍板为阳极,铁板为阴极,将含有约 $80g\cdot dm^{-3}$ 的 K_2MnO_4 进行电解,可以得到 $KMnO_4$:

在阳极: $\qquad 2MnO_4^{2-} - 2e^- =\!=\!= 2MnO_4^-$

在阴极: $\qquad H_2O + 2e^- =\!=\!= H_2 \uparrow + 2OH^-$

总的电解反应为:

$$2K_2MnO_4 + 2H_2O = 2KMnO_4 + 2KOH + H_2 \uparrow$$

这种电解氧化法不但产率高,而且副产品 KOH 可用于锰矿的氧化焙烧,比较经济。

高锰酸钾是一个较稳定的化合物。但加热到 473K 以上时,会分解并放出氧气:

$$2KMnO_4 \xrightarrow{\triangle} K_2MnO_4 + MnO_2 + O_2$$

高锰酸钾的溶液并不十分稳定,在酸性溶液中它明显地分解:

$$4MnO_4^- + 4H^+ =\!=\!= 3O_2 \uparrow + 2H_2O + 4MnO_2 \downarrow$$

在中性或微碱性溶液中,特别是在黑暗处,分解很慢。实践证明,日光对高锰酸钾的分解有催化作用,因此,配制好的高锰酸钾溶液需要保存在棕色瓶中。

高锰酸钾的氧化能力和还原产物,随溶液的酸度而有所不同。这可以从有关的电极电势看出来。

在酸性溶液中,MnO_4^- 是很强的氧化剂,本身被还原为 Mn^{2+}:

$$MnO_4^- + 8H^+ + 5e^- =\!=\!= Mn^{2+} + 4H_2O \qquad \varphi_A^{\ominus} = +1.51V$$

$$MnO_4^- + 5Fe^{2+} + 8H^+ \underline{\quad\quad} Mn^{2+} + 5Fe^{3+} + 4H_2O$$

(此反应可用于铁的定量测定)

$$2MnO_4^- + 16H^+ + 10Cl^- \underline{\quad\quad} 2Mn^{2+} + 5Cl_2 + 8H_2O$$

(此反应可用于实验室制 Cl_2)

$$2MnO_4^- + 6H^+ + 5H_2C_2O_4 \underline{\quad\quad} 2Mn^{2+} + 10CO_2 + 8H_2O$$

(此反应可用于标定 $KMnO_4$ 溶液的浓度)

在 Mn^{2+} 离子的酸性溶液中加入焦磷酸盐,可以用高锰酸盐定量测定 Mn^{2+}:

$$4Mn^{2+} + MnO_4^- + 8H^+ + 15(H_2P_2O_7)^{2-} \underline{\quad\quad}$$
$$5[Mn(H_2P_2O_7)_3]^{3-} + 4H_2O$$

在碱性、中性或微酸性溶液中,高锰酸根仍旧是氧化剂,本身被还原为 MnO_2:

$$MnO_4^- + 2H_2O + 3e^- \underline{\quad\quad} MnO_2 + 4OH^- \qquad \varphi_B^{\ominus} = +0.59V$$

$$2MnO_4^- + I^- + H_2O \underline{\quad\quad} 2MnO_2 + IO_3^- + 2OH^-$$

在强碱性溶液中,当高锰酸根过量时,还原产物是锰酸根 MnO_4^{2-}:

$$MnO_4^- + e^- \underline{\quad\quad} MnO_4^{2-} \qquad \varphi_B^{\ominus} = +0.58V$$

$$2MnO_4^- + SO_3^{2-} + 2OH^- \underline{\quad\quad} 2MnO_4^{2-} + SO_4^{2-} + H_2O$$

向浓硫酸中加入少量高锰酸钾,生成一种亮绿色溶液,其中含有平面三角形的 MnO_3^+ 离子:

$$KMnO_4 + 3H_2SO_4 \underline{\quad\quad} K^+ + MnO_3^+ + H_3O^+ + 3HSO_4^-$$

如果向浓硫酸中加入较大量的高锰酸钾,就产生一种危险的爆炸性的棕色油状物 Mn_2O_7。用四氯化碳可以萃取 Mn_2O_7,在四氯化碳中,Mn_2O_7 相当稳定和安全。Mn_2O_7 溶于大量冷水形成紫色的高锰酸 $HMnO_4$,它只存在于溶液中,可浓缩至浓度为 20% 不致分解,$HMnO_4$ 不但是一个强酸,而且还是一个强氧化剂。

5-3　氧化数为 +4 的锰的化合物

锰(Ⅳ)的氧化物 MnO_2 在常况下很稳定,但锰(Ⅳ)的盐不稳

· 981 ·

定。

二氧化锰是一种重要的氧化物,显弱酸性,呈黑色粉末状,以软锰矿形式存在于自然界。二氧化锰有很重要的用途,是一种广泛采用的氧化剂。将它加入到熔态的玻璃中可以除去带色杂质(硫化物和亚铁盐)。制造干电池时,将它加入干电池中可以消除极化作用,氧化在电极上产生的氢。二氧化锰还是一种催化剂,如可以加快氯酸钾或过氧化氢的分解速度和油漆在空气中的氧化速度。此外,二氧化锰也是制造锰(Ⅱ)盐的原料。

二氧化锰在中性介质中很稳定;在碱性介质中倾向于转化成锰(Ⅵ)酸盐;在酸性介质中是一个强氧化剂,倾向于转化成 Mn^{2+},例如:

$$MnO_2 + 4HCl(浓) =\!=\!= MnCl_2 + 2H_2O + Cl_2$$

在 383K,将二氧化锰溶解于浓硫酸中,可得硫酸锰(Ⅲ)并放出氧气:

$$4MnO_2 + 6H_2SO_4 =\!=\!= 2Mn_2(SO_4)_3 + 6H_2O + O_2$$

四价锰盐不稳定,在酸性溶液中很容易还原为低价化合物。用强氧化剂也可以将它们氧化为高价化合物,在碱性溶液中,空气里的氧就能将它们氧化为锰酸盐。

四价锰可以形成比较稳定的配位化合物。二氧化锰用 HF 和 KHF_2 处理,可以得到金黄色的 $K_2[MnF_6]$ 晶体:

$$MnO_2 + 2KHF_2 + 2HF =\!=\!= K_2[MnF_6] + 2H_2O$$

除 $K_2[MnF_6]$ 外,四价锰还可形成 $Li_2[MnF_6]$,$Na_2[MnF_6]$,$Rb_2[MnF_6]$,$Cs_2[MnF_6]$,$Ca[MnF_6]$,$Sr[MnF_6]$,$Ba[MnF_6]$ 以及相应的 $K_2[MnCl_6]$,$Rb_2[MnCl_6]$,$Cs_2[MnCl_6]$,$(NH_4)_2[MnCl_6]$。目前已经制得少数锰的过氧配位化合物,它们是 $K_2H_2[Mn(O)(O_2)_3]$,$K_3H[Mn(O)(O_2)_3]$ 和 $K_2H_2[Mn(O_2)_4]$。

5-4 氧化数为 +2 的锰的化合物

从锰的吉布斯自由能 - 氧化态图可明显看出,在酸性溶液中,Mn^{2+} 离子是锰的最稳定状态,因为 Mn^{2+} 离子的价电子层构型为 $3d^5$,恰好半充满。只有在高酸度的热溶液中,如过二硫酸铵或铋酸钠等强氧化剂($\varphi^{\ominus} > +1.51V$)才能将 Mn^{2+} 离子氧化成 MnO_4^- 离子。

$$2Mn^{2+} + 5S_2O_8^{2-} + 8H_2O \xrightarrow[Ag^+\ 催化]{加热} 2MnO_4^- + 10SO_4^{2-} + 16H^+$$

$$2Mn^{2+} + 5NaBiO_3 + 14H^+ \xrightarrow{加热} 2MnO_4^- + 5Na^+ + 5Bi^{3+} + 7H_2O$$

由于 MnO_4^- 离子是紫色的,这两个反应用于定性检出 Mn^{2+} 离子。

从碱性溶液中的吉布斯自由能 - 氧化态图可看出,在碱性溶液中,Mn(Ⅱ)的稳定性比在酸性溶液中差。它很容易被氧化为稳定的 Mn(Ⅳ)。例如,向锰(Ⅱ)盐溶液中加入强碱,可析出白色的氢氧化锰(Ⅱ)$Mn(OH)_2$,它与空气一接触,立即被氧气氧化成棕色的 $MnO(OH)_2$:

$$Mn^{2+} + 2OH^- =\!=\!= Mn(OH)_2 \downarrow 白$$

$$2Mn(OH)_2 + O_2 =\!=\!= 2MnO(OH)_2\ 棕$$

在碱性溶液中,$\varphi^{\ominus}_{MnO_2/Mn(OH)_2} = -0.05V$,而 $\varphi^{\ominus}_{O_2/OH^-} = +0.401V$,后者大于前者,所以氧气能迅速将 $Mn(OH)_2$ 氧化。

Mn^{2+} 离子的价电子层构型为 $3d^5$,它的大多数配位化合物是高自旋的,并且呈八面体型,5 个 d 电子的分布呈球形对称。

在大多数八面体晶体场中,因为 Mn^{2+} 离子是 d 电子构型为高自旋的 $d_\varepsilon^3 d_\gamma^2$,电子从能量较低的 d_ε 能级跃迁到能量较高的 d_γ 能级时,其自旋方向要发生改变(见图 20-14),这种跃迁是自旋 - 禁阻的,发生这种跃迁的概率很小,即对光吸收的概率很小,或者说对光的吸收很弱。因此,Mn(Ⅱ)的高自旋八面体型配位化合物的颜色极淡,几乎无色,大多为很淡的粉红色。

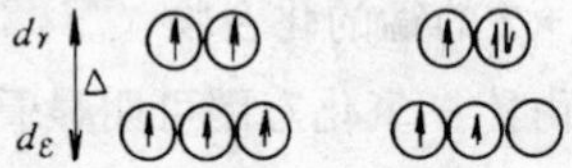

图 20－14　高自旋的 d^5 电子构型中的一个电子从 d_ε 能级激发到 d_γ 能级

Mn（Ⅱ）也有少数四面体型的配位化合物。在四面体晶体场中，虽然电子的 $d-d$ 跃迁也是自旋－禁阻的，但由于分裂能不同，使跃迁比较容易。因此，高自旋的四面体型配位化合物的颜色较深，呈黄绿色。

除硫化锰（Ⅱ）、磷酸锰（Ⅱ）和碳酸锰（Ⅱ）微溶于水外，多数二价锰盐如卤化锰、硝酸锰以及硫酸锰等皆易溶于水。强酸根的二价锰盐在溶液中只有微弱的水解作用。

在碳的参与下，二氧化锰与浓硫酸作用得硫酸锰：

$$2MnO_2 + C(煤) + 2H_2SO_4 \Longrightarrow 2MnSO_4 \cdot H_2O + CO_2$$

无水硫酸锰是白色的。自溶液中可析出淡粉红色的晶体，实验条件不同可有七水、五水、四水或一水合物。它们的转变温度如下：

$$MnSO_4 \cdot 7H_2O \overset{282K}{\Longrightarrow} MnSO_4 \cdot 5H_2O \overset{299K}{\Longrightarrow} MnSO_4 \cdot 4H_2O$$

$$\overset{300K}{\Longrightarrow} MnSO_4 \cdot H_2O$$

硫酸锰在二价锰盐中是最稳定的，红热时也不分解。而硫酸铁（Ⅱ），硫酸镍（Ⅱ）等硫酸盐却易分解。利用这个特性可以纯化硫酸锰。先灼烧硫酸锰，再用水溶解，过滤除去其中的铁和镍，即可制得纯硫酸锰。它在农业上用作促进种子发芽的药剂。

将碳酸锰 $MnCO_3$ 溶于硝酸中，在室温下蒸发，六水合硝酸锰自溶液中析出。加热到 298K 以上，部分脱水变为 $Mn(NO_3)_2 \cdot 3H_2O$。它的热稳定性不如硫酸锰，在高温下按下式分解：

$$Mn(NO_3)_2 \Longrightarrow MnO_2 + 2NO_2$$

因此，硝酸锰可用于制备化学纯的二氧化锰。

加硫化铵于锰（Ⅱ）盐溶液中，得深肉色的硫化锰 $MnS \cdot nH_2O$ 沉淀。无水 MnS 呈绿色，溶度积为 1.4×10^{-15}，难溶于水，但溶于弱酸性溶液中，甚至像醋酸这样的弱酸也可以使它溶解，因此它不能在酸性介质中沉淀。

很多含有结晶水的锰（Ⅱ）盐，例如 $MnSO_4 \cdot 7H_2O$，以及 $Mn(ClO_4)_2 \cdot 6H_2O, Mn(NO_3)_2 \cdot 6H_2O$ 等都含有 $[Mn(H_2O)_6]^{2+}$ 离子，它是高自旋的，当 Mn^{2+} 离子同强场配位体结合时，也可以形成低自旋配位化合物，如 $[Mn(CN)_6]^{4-}$ 离子。

锰（Ⅱ）的低自旋的配离子比高自旋的配离子更容易被氧化成锰（Ⅲ）的配离子，这可能是因为 $Mn(Ⅲ)$ 配离子的稳定化能 (CFSE) 比锰（Ⅱ）配离子的稳定化能更大的缘故。

§20-6　生产实例分析——重铬酸钠的生产

重铬酸钠（$Na_2Cr_2O_7 \cdot 2H_2O$）俗称红矾钠，它是一种重要的无机盐产品。在常温下它是含有两个分子结晶水的橙红色单斜晶体，密度为 $2.52g \cdot cm^{-3}$，温度高于 357.6K 时，变为无水晶体。无水重铬酸钠的熔点为 593K，易溶于水，具有强氧化性，强腐蚀性并有毒。

红矾钠用于制造铬酐，红矾钾及其它含铬化合物。可作氧化剂。在印染、鞣革、颜料、电镀、选矿、医药、纺织等工业方面有广泛的用途。

红矾钠的生产方法有两种：一是硫酸法，另一种是碳化法。我国目前主要是采用硫酸法。

生产红矾钠的主要原料是铬铁矿，可简明地用 $FeO \cdot Cr_2O_3$ 或 $Fe(CrO_2)_2$ 来表示。铬铁矿除含有 35%—55% Cr_2O_3 外，还含有 Al_2O_3, MgO, SiO_2, CaO 等杂质。Cr_2O_3 的含量一般要在 35% 以上才符合生产要求。

除铬铁矿外,生产红矾钠的原料还需要纯碱 Na_2CO_3;白云石 $CaCO_3 \cdot MgCO_3$,石灰石 $CaCO_3$,硫酸和矿渣。

用硫酸法生产红矾钠大体分六步,现分别讨论如下:

(1)铬铁矿氧化煅烧 如前所述,在酸性介质中将 Cr^{3+} 离子氧化成 $Cr_2O_7^{2-}$ 离子是比较困难的,但在碱性介质中用较弱的氧化剂就能将 $Cr(Ⅲ)$ 氧化成 $Cr(Ⅵ)$。因此,铬铁矿氧化煅烧的主要目的是将难溶于水的铬铁矿在碱性介质中熔融煅烧,利用空气中的氧进行高温氧化,使铬铁矿中的铬被氧化成可溶性的 Na_2CrO_4,基本反应如下:

$$4Fe(CrO_2)_2 + 8Na_2CO_3 + 7O_2 =\!\!=\!\!= 8Na_2CrO_4 + 2Fe_2O_3 + 8CO_2$$

生产时,首先以一定重量比的矿粉、纯碱、白云石、石灰石和矿渣混合起来配成生料(或叫炉料)。然后将生料放入回转窑。上述反应在常温下反应速度极慢,可以认为基本上不进行。怎样加快反应速度并使平衡最大限度地向生成 Na_2CrO_4 的方向移动呢?首先是将铬铁矿的粒度粉碎到足够细小(300 目),再就是通入足够的空气,同时升高温度。因为这个反应是吸热的,所以升高温度可以加快反应速度并有利于平衡向生成铬酸钠的方向移动。930K 左右,由于铬酸钠与纯碱生成低共熔物,炉料中出现液相,反应转为固-液反应,这时,细小的铬铁矿颗粒分散到液相中,大大增加了铬铁矿与碳酸钠的接触面积,同时空气中的氧也比较容易地扩散到矿粒表面与铬铁矿接触,从而使反应速度加快。因为反应是在衬有耐火材料的回转窑中进行的,所以进料的窑尾温度一般控制在 670—720K,而出料的头部则控制在大约 1 370—1 470K。此时的转化率达 85% 以上。

随着反应的进行,Na_2CrO_4 逐渐增多,液相也逐渐增多,这对生产十分不利,因为氧气通过液膜的速度随液膜增厚而减慢,结果会使反应速度减慢。此外,由于液相的增多,炉料易粘附在炉壁上,妨碍炉料的运动;铬铁矿的细小颗粒容易在液态碳酸钠中结块,与氧气的接触减少。这些也都会降低反应速度。为了解决这些矛盾,在配料时,除了铬铁矿、碳酸钠以外,还加入一些基本上不与铬铁矿反应的白云石、石灰石以及少量矿渣。因为加入这些物质以后,可使一部分液态物粘附在它们的表面上,使炉料保持容易流动的状态,同时使铬铁矿颗粒表面的液膜厚度减小,使氧气容易透过液膜同矿石反应。白云石和石灰石这两种碳酸盐在 1 073—1 173K 时分解为氧化钙或氧化镁,并产生大量二氧化碳气体,产生的二氧化碳从下往上穿过炉料,起到搅拌炉料的作用,使炉料疏松,增加同氧的接触面积。生成的氧化钙能与杂质氧化铝、氧化硅、氧化铁反应,生成不溶或难溶的钙化合物,降低了纯碱由于副反应的消耗。生成的氧化镁,其熔点很高,可防止炉料结块,此外,炉渣(含有 3%—6% 的 Cr_2O_3 和大量的 Fe_2O_3)还能提高炉料的导热性。

由于炉料中组分较多,在铬铁矿煅烧的过程中,除主反应外,还有一些副反应发生。在碱量不足或钙量过多时,易生成难溶的铬酸钙:

$$2Cr_2O_3 + 4CaO + 3O_2 =\!=\!= 4CaCrO_4$$

当炉料中钙量不足或碱量过多时,易生成可溶的铝酸钠、硅酸钠与铁(Ⅲ)酸钠:

$$Al_2O_3 + Na_2CO_3 =\!=\!= 2NaAlO_2 + CO_2 \uparrow$$
$$SiO_2 + Na_2CO_3 =\!=\!= Na_2SiO_3 + CO_2 \uparrow$$
$$Fe_2O_3 + Na_2CO_3 =\!=\!= 2NaFeO_2 + CO_2 \uparrow$$

以上均为对生产不利的反应,这些反应或造成铬的损失,或影响浸取液的质量,或使碳酸钠消耗量增加。在这些副反应中,由于生成铬酸钙的速度较慢,故对生产影响不大。要减少这些反应的发生,关键在于提供合理的配方并强化煅烧。适量氧化钙和氧化镁与杂质反应生成不溶或难溶的钙化合物：

$$Al_2O_3 + CaO =\!=\!= Ca(AlO_2)_2$$

$$SiO_2 + CaO =\!=\!= CaSiO_3$$

$$Fe_2O_3 + CaO =\!=\!= Ca(FeO_2)_2$$

$$Fe_2O_3 + MgO =\!=\!= Mg(FeO_2)_2$$

这样，既可以减少纯碱的消耗，又可以大大提高浸取液的质量。

（2）浸取　煅烧后的熟料成分比较复杂，大体可以分为两大类：

一类是可溶于水的铬酸钠 Na_2CrO_4，偏铝酸钠 $NaAlO_2$，硅酸钠 Na_2SiO_3，铁（Ⅲ）酸钠 $NaFeO_2$ 以及未反应的碳酸钠等。其中铁（Ⅲ）酸钠遇水强烈水解，沉淀出氢氧化铁。

$$NaFeO_2 + 2H_2O =\!=\!= NaOH + Fe(OH)_3 \downarrow$$

偏铝酸钠、硅酸钠虽然都有水解倾向，但由于溶液显强碱性而抑制了它们的水解。

另一类是难溶化合物，包括未转化的铬铁矿，难溶钙化合物以及未反应的氧化镁和氧化钙，其中氧化镁和氧化钙在水浸时转变为微溶的氢氧化物：

$$MgO + H_2O =\!=\!= Mg(OH)_2$$

$$CaO + H_2O =\!=\!= Ca(OH)_2$$

这些难溶化合物，以及由铁（Ⅲ）酸钠水解而生成的氢氧化铁形成了大量的矿渣。

浸取的目的是将熟料中的铬酸钠用水浸取出来以获得铬酸钠浸取液。在浸取过程中，熟料中的偏铝酸钠，硅酸钠以及未反应的碳酸钠同时进入浸取液。

（3）中和除杂　怎样从浸取液中除去这些杂质呢？大家知道，偏铝酸钠是一个弱酸强碱盐，在溶液中能发生水解，析出难溶于水的胶状氢氧化铝沉淀：

$$NaAlO_2 + 2H_2O \Longrightarrow Al(OH)_3 \downarrow + NaOH$$

但是,在碱性溶液中,上述水解作用受到抑制。要促进偏铝酸钠的水解,必须加入一定量的酸使溶液的 pH 值降低(通常是用重铬酸钠酸性母液)。工业上是先用水将浸取液稀释,并加热至接近沸腾,在不断搅拌下,将预热至 353—363K 的重铬酸钠酸性母液缓缓加入,调 pH 至 7—8。$Al(OH)_3$,$Fe(OH)_3$ 和 $Cr(OH)_3$ 沉淀完全的 pH 值分别为 4.7,3.7 和 5.6。在 pH 值为 7—8 时,不但可以保证偏铝酸钠的水解达到完全程度,而且还可以使浸取液中的杂质 Cr^{3+} 和 Fe^{3+} 也以氢氧化物的形式沉淀出来:

$$Cr^{3+} + 3OH^- \Longrightarrow Cr(OH)_3 \downarrow$$
$$Fe^{3+} + 3OH^- \Longrightarrow Fe(OH)_3 \downarrow$$

加热到接近沸腾,一方面可以促进水解,另一方面可以起到破坏胶体的作用。在较长时间加热的情况下,硅也可以除去,反应如下:

$$2Na_2SiO_3 + 2NaAlO_2 + 4H_2O$$
$$\Longrightarrow Na_2O \cdot Al_2O_3 \cdot 2SiO_2 \cdot 2H_2O \downarrow + 4NaOH$$

所有这些固态杂质经过滤除去。洗涤过的杂质统称为铝渣。

(4)中性蒸发和硫酸酸化 将上面所得的中性滤液蒸发浓缩,然后进行酸化。酸化的目的是使铬酸钠转变为重铬酸钠。如前所述,CrO_4^{2-} 离子同 $Cr_2O_7^{2-}$ 离子在溶液中存在如下平衡:

$$2CrO_4^{2-} + 2H^+ \Longrightarrow Cr_2O_7^{2-} + H_2O \qquad K = 1 \times 10^{14}$$

酸化是转化的必要条件,增加溶液的酸度,平衡向生成 $Cr_2O_7^{2-}$ 的方向移动。如果酸度不足,CrO_4^{2-} 离子转化不完全,由于 Na_2CrO_4 的溶解度小于 $Na_2Cr_2O_7 \cdot 2H_2O$,Na_2CrO_4 可能先结晶析出,影响产品质量。如果酸度过高,在溶液中可能形成多铬酸根离子如 $Cr_3O_{10}^{2-}$ 和 $Cr_4O_{13}^{2-}$ 等。所以加酸量必须适当。

除了加酸量必须适当以外,加什么酸也是一个需要注意的问题。为了保持溶液的强酸性,显然应当加强酸。如果用硝酸酸化,则形成的硝酸钠很难与重铬酸钠结晶分离,给分离工作带来困难。如果用盐酸酸化,因为盐酸是一种还原性的强酸,而 $Cr_2O_7^{2-}$ 离子在酸性溶液中又是一种强氧化剂,$Cr_2O_7^{2-}$ 离子可能被还原成 Cr^{3+} 离子。由于硫酸既没有还原性,而且形成的硫酸钠的溶解度又比重铬酸钠小得多,便于同重铬酸钠分离,所以一般使用硫酸酸化。反应如下:

$$2Na_2CrO_4 + H_2SO_4 \Longrightarrow Na_2Cr_2O_7 + Na_2SO_4 + H_2O$$

在铬酸钠转化为重铬酸钠的同时,生成的硫酸钠有一部分自溶液中结晶析出。

(5)酸性蒸发进一步分离硫酸钠　酸化时有一部分硫酸钠自溶液中结晶析出,还有一部分硫酸钠留在溶液中。也就是说,在酸性溶液中含有两种主要的盐:重铬酸钠与硫酸钠。酸性蒸发的目的就是进一步除净硫酸钠,并为下一步提供纯净的重铬酸钠过饱和溶液。

硫酸钠的溶解度比重铬酸钠小得多,在高度浓缩的重铬酸钠溶液中,硫酸钠的溶解度更小。例如,398K 时,在质量分数为 77% $Na_2Cr_2O_7$ 的溶液中,只发现含 0.28%—0.33% Na_2SO_4。下面是 371K 时 Na_2SO_4 在 $Na_2Cr_2O_7$ 溶液中的溶解度数据:

$Na_2Cr_2O_7$ 质量浓度/$g \cdot dm^{-3}$ (换算为 CrO_3)	300	370	550	680	980	1 100
Na_2SO_4 溶解度/$g \cdot dm^{-3}$	143	86	34	23	12	8

这些数据说明,在蒸发过程中,随着 $Na_2Cr_2O_7$ 浓度的增大,几乎所有的 Na_2SO_4 都将结晶析出。

生产上是将澄清后的酸化液分别进行两次蒸发以除净硫酸钠。

(6)重铬酸钠的结晶　由于重铬酸钠的溶解度随温度的下降

而减小,将蒸发除去硫酸钠后的酸液降温至 313K 以下,$Na_2Cr_2O_7 \cdot 2H_2O$ 便结晶出来, 离心使母液与晶体分离, 即得橙红色晶体红矾钠。

§20-7 无机物的颜色

颜色是物质的基本性质之一,人们可以用颜色的差异识别物质;根据颜色的变化判断化学反应进行的情况;根据显色的规律合成出色彩绚丽的物质。可见物质的颜色在化学上是何等的重要,但是物质为什么有颜色? 为什么不同的物质呈现不同的颜色? 显色的规律如何? 这里准备就物质显色的本质、机理和规律作一简单介绍。

7-1 物质显色的若干规律

我们知道同一种物质常因条件的不同会呈现出不同的颜色,如:金绿玉矿($Al_{2-x}Cr_xBeO_4$)在白炽灯下显红色,在太阳光中显绿色;深海中的贝壳在海底看是绿色,拿出海面则显红色;单质硫在常温下是淡黄色,温度升高颜色变深,在液氮的温度下几乎变成白色;K^+离子无色,但在火焰中却呈现紫色。以下所总结的有关物质颜色的若干规律是指在常温、太阳光下物质所呈现的颜色。

表 20-10　一些水合离子的颜色

d 电子数	1	2	3	4	5	6	7	8	9
	Ti^{3+} 紫	Ti^{2+} 黑	V^{2+} 紫	Cr^{2+} 蓝	Mn^{2+} 桃红	Fe^{2+} 绿	Co^{2+} 桃红	Ni^{2+} 绿	Cu^{2+} 蓝
		V^{3+} 绿	Cr^{3+} 蓝	Mn^{3+} 紫	Fe^{3+} 红	Co^{3+} 淡紫	蓝		

f 电子数	1	2	3	4	5	6	7	8	9	10	11	12	13
	Ce^{3+} 无色	Pr^{3+} 黄绿	Nd^{3+} 红紫	Pm^{3+} 粉红	Sm^{3+} 淡黄	Eu^{3+} 粉红	Gd^{3+} 无色	Tb^{3+} 粉红	Dy^{3+} 淡黄	Ho^{3+} 黄	Er^{3+} 桃	Tm^{3+} 淡绿	Yb^{3+} 无色

（1）绝大多数具有 d^{1-9} 电子组态的过渡元素和 f^{1-13} 电子组态的稀土元素的化合物都有颜色。

一些过渡元素和稀土元素离子的颜色和 d、f 电子数的关系如表 20-10 所示：

由上表可见绝大部分 M^{2+} 和 M^{3+} 过渡金属离子和 M^{3+} 稀土金属离子都有颜色，其中 d^5 或 f^7 电子组态离子常显浅色或无色。

（2）除 CuF（红）和 BrF（红）等少数氟化物以外，多数氟化物均无色；3，4，5，6 主族的 5，6 周期各元素的溴化物、碘化物几乎都有颜色，$18e^-$ 结构的铜副族的溴化物和碘化物也都有颜色，如表 20-11 所示。

表 20-11　部分卤化物的颜色

氟化物	GaF_3（白）	GeF_4（无）	AsF_5（无）	SeF_6（无）	BrF_5（无）
	InF_3（白）	SnF_4（无）	SbF_5（无）	TeF_6（无）	IF_7（无）
	TlF_3（白）	PbF_4（白）	BiF_5（白）		
溴、碘化物	$CuBr$（黄）	$GaBr_3$（白）	GeI_4（黄）	$SbBr_3$（白）	$SeBr_4$（黄）	ICl（红）
	CuI（棕黄）	GaI_3（黄）	$GeBr_2$（黄）	$BiBr_3$（黄）	$SeBr_2$（红）	ICl_3（黄）
	$AgBr$（黄）	$InBr_3$（白）	GeI_2（橙）	AsI_3（红）	$TeBr_4$（橙）	$BrCl$（黄）
	AgI（黄）	InI_3（黄）	SnI_4（黄）	SbI_3（红）	$TeBr_2$（棕）	IBr（紫）
	$AuBr$（灰黄）	$TlBr_3$（黄）	SnI_2（红）	BiI_3（黑）	TeI_4（灰黑）	
	AuI（柠檬黄）	TlI_3（黑）	PbI_2（黄）			

应指出 Zn，Cd；Hg 的卤化物除 HgI_2（红）以外都是无色的；而铜副族除 CuCl 和 AgCl 外多数是有颜色的。表中物质为气、液态无色时用（无）表示，固态物无色时常用（白）表示。

（3）主族元素的含氧酸根离子绝大部分是无色的，但过渡元素的含氧酸根离子多数是有色的。

如卤素、硫属、氮族和碳族的各种含氧酸和它们碱金属、碱土金属含氧酸盐除 $NaBiO_3$ 为黄色、$KBiO_3$ 为红紫外都是无色的。而具有 d^0 电子组态的过渡金属含氧酸根离子 VO_3^-，CrO_4^{2-}，MnO_4^- 它们的颜色分别为黄色、橙色、紫色。此外，具有 d^{1-2} 电子组态酸根离子也有颜色,它们分别是 MnO_4^{2-} 绿色、CrO_4^{3-} 暗绿色、$V_8O_{42}^{12-}$ 棕色、MnO_4^{3-} 亮蓝色、Na_4CrO_4 深绿色、Ba_2CrO_4 蓝黑色、$BaFeO_4$ 洋红色。过渡金属含氧酸根离子的颜色还表现出另一些规律:同族内随原子序数的增加酸根的颜色变浅成无色,如:

VO_4^{3-}	黄色	CrO_4^{2-}	橙黄	MnO_4^-	紫色
NbO_4^{3-}	无色	MoO_4^{2-}	淡黄	TcO_4^-	淡红
TaO_4^{3-}	无色	WO_4^{2-}	淡黄	ReO_4^-	淡红

含 TcO_4^- 和 ReO_4^- 离子的溶液是无色的,浓缩后晶体是红色的。还有过渡金属酸根中的 O^{2-} 离子比较容易被过氧根离子 O_2^{2-} 或 S^{2-} 所取代形成过氧酸根或硫代酸根,取代后的酸根常有深色。例如,过钛酸 H_4TiO_5 棕黄色,$[V(O)_2]^{3+}$ 红棕色,$[VO_2(O_2)_2]^{3-}$ 黄色,$[Nb(O_2)_4]^{3-}$ 淡黄色,$[Cr_2O_{12}]^{2-}$ 蓝色,WSO_3^{-} 淡黄,$WS_2O_2^{-}$ 黄色,WS_4^{2-} 橙色,VS_4^{3-} 樱红色。

(4) 同种元素在同一化合物中存在不同氧化态时,这种混合价态的化合物常呈现颜色,而且该化合物的颜色比相应的单一价态化合物的颜色深。

在酸中向 $CuCl_2$(绿色)溶液加入铜屑加热可以获得无色的 $CuCl$ 溶液,然而在反应过程中由于存在 $Cu(I)[CuCl_3]$ 中间体而使溶液一度出现棕褐色的现象。此外,由 $AuCl$(淡黄)和 $AuCl_3$(红)形成的 $Au[AuCl_4]$(暗红),由 $[PtenCl_2]$(淡黄)和 $[PtenCl_4]$ 组成的 $[PtenCl_3]_2$(红色),由反式 $Pt(NH_3)_2Br_2$(黄)和反式 $Pt(NH_3)_2Br_4$(橙)组成的 $[Pt(NH_3)_2Br_3]_2$(黑),Fe^{3+} 和 $[Fe(CN)_6]^{4-}$(黄色)组成的 $KFe[Fe(CN)_6]$(蓝),由 NH_4^+、$[SbBr_6]^{3-}$ 和 $[SbBr_6]^-$ 组成的 $[(NH_4)_2SbBr_6]_2$(暗棕)以及由 $Sn(II)Sn(IV)$、$Pd(II)Pd(IV)$、$Bi(I)Bi(V)$ 等所形成的混合价化合物都有较深的颜色。

(5) 3,4,5,6 主族中 5 和 6 周期各元素的氧化物大部分是有色的;4,5,6周期各元素的硫化物几乎都有颜色,多数不稳定的卤素氧化物也是有色的,如表 20 - 12 所示。

表 20 - 12　部分氧化物和硫化物的颜色

氧化物	Ga_2O_3(白)	GeO(黑)	As_2O_3(白)	SO_2(无)	Cl_2O_6(深红)
	In_2O_3(黄)	GeO_2(白)	As_2O_5(白)	SO_3(白)	Cl_2O(黄红)
	Tl_2O_3(褐)	SnO(黑)	Sb_2O_3(白)	SeO_2(白)	ClO_2(浅黄)
		SnO_2(白)	Sb_2O_5(淡黄)	SeO_3(白)	Br_2O(深棕)
		PbO(红黄)	Bi_2O_3(淡黄)	TeO_2(白)	I_2O_4(黄)
		PbO_2(深褐)		TeO_3(桔红)	I_4O_9(黄)
硫化物	Ga_2S_3(黄)	GeS(棕红)	As_2S_3(鲜黄)	P_2S_3(灰黄)	
	In_2S_3(黄红)	GeS_2(白)	As_2S_5(鲜黄)	P_2S_5(淡黄)	
	Tl_2S_3(黑)	SnS(棕)	Sb_2S_3(桔红)		
		SnS_2(黄)	Sb_2S_5(桔红)		
		PbS(黑)	Bi_2S_3(黑)		
		PbS_2(红褐)			

(6) 顺式异构体配合物所呈现的颜色一般比同种配合物的反式异构体的颜色偏移向短波方面(即紫色方面);四面体、平面正方形配合物的颜色比相应八面体的颜色一般也移向短波方向。例如:

顺式$[Co(NH_3)_4Cl_2]Cl$　紫色(400—430nm),

反式$[Co(NH_3)_4Cl_2]Cl$　绿色(490—540nm);

顺式$Pt(NH_3)_2Cl_2$　黄,反式$Pt(NH_3)_2Cl_2$　淡黄;

顺式$[Cr(H_2O)_2(C_2O_4)_2] \cdot 2H_2O$　紫色(400—430nm),

反式$[Cr(H_2O)_2(C_2O_4)_2] \cdot 2H_2O$　桃红(610—700nm);

顺式$[Co(en)_2Br_2]Br$　紫灰,反式$[Co(en)_2Br_2]Br$　亮绿;

顺式$[Co(NH_3)_4(NO_2)_2]NO_3$　黄棕色,

反式$[Co(NH_3)_4(NO_2)_2]NO_3$　金橙色。

再如四面体配合物 $CoCl_4^{2-}$ 所呈现的颜色(深蓝)比类似的八面体配合物 $Co(H_2O)_6^{2+}$(粉红色)向短波方向移动;四面体 $TiCl_4$ 的吸收光谱在红外部分而八面体的 $TiCl_6^{2-}$ 却在可见光区有吸收而显

黄色。

(7) 无色的晶体如果掺有杂质或发生晶格缺现时,常常显有颜色。如在 Al_2O_3 无色晶体中含有过渡金属 Fe 和 Ti 时而显蓝色(蓝宝石);如果有 Cr_2O_3 时则呈红色(红宝石)。硅酸盐是无色的,但因含有过渡金属而使许多天然硅酸盐都有颜色。钛辉石因含 Ti 而呈紫色;锰绿帘石因含 Mn 和 Fe 而呈紫红色、橙黄色、红色等多种色彩;铬绿帘石因含有 Cr 而呈翠绿色或黄色;蓝晶石中含有 Fe 而使它呈蓝色。金刚石是无色的晶体,但如其中含有 B 或 N 时,也可使其显色,有 N 时金刚石为黄色,有 B 时金刚石为蓝色。

萤石(CaF_2)是无色晶体,但纯净的萤石可呈现紫色,这是由于在晶格中存在氟离子空位在空位的附近有被束缚的电子而形成一个"F 色心"的缘故。一些碱金属卤化物的"F 色心"及呈色情况见表 20－13。

表 20－13　碱金属卤化物"F 色心"吸收峰能量与呈色关系

	氟化物	氯化物	溴化物
Li	5.3eV,无色	3.2eV,黄绿	2.7eV,棕黄
Na	3.6eV,无色	2.7eV,棕黄	2.3eV,紫色
K	2.7eV,棕黄	2.2eV,紫色	2.0eV,蓝绿
Rb	—	2.0eV,蓝绿	1.8eV,蓝绿

(8) 金属有金属光泽或呈银白色,但金属粉末却都是黑色的,如铂块为银白色,但铂黑是粉状的铂,只有个别金属有颜色,如 Ag(白),Cu(红)和 Au(黄)。

应当指出由于影响物质颜色的因素很多,上边所总结出的若干规律也是很粗糙的。但仍有一定的指导意义,为什么存在这样的规律?有必要进一步讨论。

7－2　物质呈色的原因和影响因素

(1) 物质呈色的原因

物质能显色的原因是由于可见光作用到物质上以后物质对可见光产生选择性的吸收、反射、透射、折射、散射的结果。在可见光范围,波长 λ 等于 400—730nm(相当于波数 $\bar{\nu}$ 为 25 000 cm^{-1}—13 800 cm^{-1},能量 E 相当 3.10eV—1.71eV),若选择性地吸收部分可见光后,它就会呈现出与之互补的可见光部分的颜色。图 20-15 表示了物体表面的光谱反射率与相应的呈色关系。由图可见对可见光几乎全反射时,物质呈白色;几乎全吸收时,物质呈黑色。如果在 400—600 nm 间几乎全吸收时,物质呈红色。事实上对溶液、气体而言,没有白色,只是无色;对沉淀而言,不存在无色;对纯晶体,只有无色或有色,不存在白色。

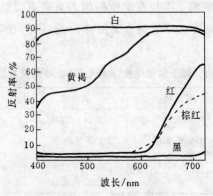

图 20-15 物体表面的光谱反射率

物质对光能够选择性吸收是由物质的微观结构决定的,即由组成物质的分子或离子的电子层结构决定的,特别是外层电子及其构型。当分子或离子的基态能量和各种激发态能量之差在可见光能量的范围($\Delta E = 1.7$—3.1eV)内,那么物质吸收可见光后,分子或离子中外层电子就可以从基态跃迁到激发态,这时物质就呈现出颜色来。ΔE 越小,吸收光波数越小,观察到的颜色越趋向紫色。反之,颜色就越趋向红色。如果基态和激发态能量差

$\Delta E < 1.7\text{eV}$ 或 $\Delta E > 3.1\text{eV}$,那么电子跃迁是在吸收红外光或紫外光等不可见光的条件下进行,这时不呈现颜色。由此可见物质显色的根本原因在于物质的基态和激发态能量差的大小。如果 ΔE 恰好在可见光能量范围那么该物质就会显色,否则是不显色的。但是物质的显色不仅决定于物质本身对可见光的选择性吸收、反射和透射,有时还要受到诸多的光学现象的影响,如散射、干涉、衍射等,而这些光学现象往往与物体的颗粒大小,表面状态等有关。由于存在这些现象,人眼观察到的光,并不一定是物质吸收光后直接反射或透射出来的光,而是经过光与物质反复作用或光与光相互作用后的结果。金属粉末几乎都呈黑色的原因,就是粉末对反射光反复散射吸收的结果。

(2) 影响物质显色的因素

由以上的讨论可知,凡是影响物质中的电子在可见光范围发生跃迁的因素,都将影响物质显色,以下仅从物质的组成,结构角度讨论物质显色的因素。

(a) $d - f$ 跃迁和 $f - f$ 跃迁

大家知道,在配位体场的影响下,过渡金属离子的 d 轨道会发生分裂,原来能量相同的 5 个 d 轨道会分裂成能量不同的两组或两组以上的轨道(图 19-8),其能量差一般相当于可见光的能量。含有 d^{1-9} 电子组态的金属离子,因为 d 轨道没有充满,d 电子在吸收可见光光子的能量后,可以在能量不同的 d 轨道之间跃迁,从而使物质显色,这种跃迁称为 $d - d$ 跃迁。同理,镧系、锕系金属离子的 f 轨道在配位体场的影响下也会发生分裂。因此,含有 f^{1-13} 电子组态的稀土金属离子,也可以在能量不同的 f 轨道之间跃迁,从而使稀土金属离子显色。这种跃迁称为 $f - f$ 跃迁。过渡金属离子和稀土金属离子显色,主要是由 $d - d$ 跃迁和 $f - f$ 跃迁引起的。具有 d^0、d^{10}、f^{14} 结构的离子(如碱金属、碱土金属和 Y^{3+},La^{3+},Cu^+,

Ag^+；Hg^{2+}，Zn^{2+}，Cd^{2+}，Lu^{3+}）无色，就是因为可见光的能量不能满足 $d-d$ 跃迁和 $f-f$ 跃迁的原因。$d-d$ 跃迁和 $f-f$ 跃迁所表现出吸收谱带有两个特点：一是它在可见光区的吸收频率；另一是它的吸收强度。现以 $Ti(H_2O)_6^{3+}$ 的吸收光谱（图 20-16）为例作进一步说明。由图 20-16 可见，$Ti(H_2O)_6^{3+}$ 离子在可见光区有一最大吸收峰，其波数相当于 20 400 cm^{-1}，吸收最少的光区是紫区和红区，因此 $Ti(H_2O)_6^{3+}$ 是紫红色的。晶体场理论认为这是由于 $[Ti(H_2O)_6]^{3+}$ 中的 d 电子在吸收光子能量后，由 d_ε 轨道跃迁到 d_γ 轨道的结果。

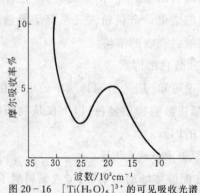

图 20-16　$[Ti(H_2O)_6]^{3+}$ 的可见吸收光谱

从图 20-16 可见谱带的吸收强度是较弱的，在最大吸收峰处其摩尔吸收率仅为 5 左右，而理论上允许的电子跃迁，其摩尔吸收率通常为 10^4-10^5 左右。这样低的吸收率表明 d 电子跃迁几率是很小的，即跃迁可能不是"允许"的而是"禁阻"的。理论上指出：不同能级之间并不是都可以发生电子跃迁，而是遵循一定的规则。选择定则指出，在光的激发下，主量子数 n 和角量子数 l 的值不发生改变的电子跃迁是禁阻的。$[Ti(H_2O)_6]^{3+}$ 中的电子正好是从 n 都等于 3，l 都等于 2 的一个 $3d$ 轨道跃迁到另一个 $3d$ 轨道，n 和 l 的值都没有改变。因此理论上看 $d-d$ 跃迁，$f-f$ 跃迁都不应发生，即跃迁强度或跃迁几率应近似为零。

事实上，$[Ti(H_2O)_6]^{3+}$ 的吸收谱带，其强度虽然很弱，但并不为零。因为有关的轨道实际上并不像静电的晶体场理论所认为的那样，只表现纯 $3d$ 轨道的特性。在 $[Ti(H_2O)_6]^{3+}$ 中，由于配位体的某些振动，使得在 d 轨道中掺和了少许 p 轨道的特性，因此，电子的跃迁不是纯的 $d-d$ 跃迁，在跃迁强度上具有少许 $p \rightarrow d$ 或 $d \rightarrow p$ 型跃迁的特点。由于 $p \rightarrow d$ 或 $d \rightarrow p$ 型跃迁是允许的，所以理论上是禁阻的跃迁可以低强度出现。但通常仍把这种跃迁称为 $d-d$ 跃迁，这种跃迁使过渡金属离子在配位化合物中呈现出颜色。这种跃迁一般是很弱的，发生这种跃迁的几率很小。

对于具有 1 个以上 d 电子的离子，$d-d$ 光谱有一个以上的吸收谱带，情况很复杂，但强度都很弱，比允许跃迁的强度弱得多。

表 20 − 14　第一过渡金属离子可见光区吸收带和摩尔吸收率

| 水合离子及颜色 | d 电子数 | 可见区最大吸收带 | | 摩尔吸收率 |
		λ/nm	$\bar{\nu}/cm^{-1}$	$\varepsilon/(dm^3 \cdot mol^{-1} \cdot cm^{-1})$
$Ti(H_2O)_6^{3+}$，紫	1	492	20 400	4
$V(H_2O)_6^{3+}$，绿	2	562	17 800	6
$Cr(H_2O)_6^{3+}$，蓝紫	3	575	17 400	13
$Cr(H_2O)_6^{2+}$，蓝	4	714	14 000	5
$Mn(H_2O)_6^{2+}$，浅红	5	529	18 900	0.02
		433	23 100	0.015
		400	25 000	0.04
$Fe(H_2O)_6^{3+}$，浅紫	5	541	18 500	0.1
		412	24 300	0.4
		407	24 600	0.6
$Co(H_2O)_6^{3+}$，蓝	6	606	16 500	40
		400	25 000	50
$Co(H_2O)_6^{2+}$，粉红	7	625	16 500(肩峰)	
		515	19 400	4.6
$Ni(H_2O)_6^{2+}$，绿	8	725	13 800	2.1
		395	25 300	5.2
$Cu(H_2O)_6^{2+}$，蓝	9	794	12 600	13

从表 20-14 中可以看到 $[Mn(H_2O)_6]^{2+}$ 离子呈很浅的粉红色，它的摩尔吸收率比任何其它二价过渡金属离子都小，说明它的 d 电子跃迁强度更弱。这是因为 Mn^{2+} 离子有 5 个 d 电子，在 $Mn(H_2O)_6^{2+}$ 中属高自旋，即有 5 个不成对电子。当发生 $d \rightarrow d$ 跃迁时，不成对电子的总自旋数发生变化：

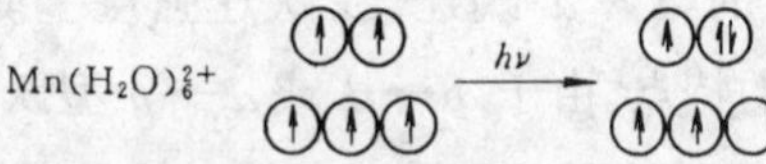

按着另一个选择定则：凡是不成对电子的总自旋数（S）发生改变的电子跃迁都是自旋禁阻的。所以 $Mn(H_2O)_6^{2+}$ 离子的 $d-d$ 跃迁是禁阻的。发生这种跃迁的几率比一般的 $d-d$ 跃迁更小，颜色就更浅。$Fe(H_2O)_6^{3+}$ 离子呈浅紫色，也是因为它的 $d-d$ 跃迁属于自旋禁阻的原因。

从表 20-14 中可以看到，金属离子的不同对 d 轨道的分裂能和电子的自旋状态，都有很大的影响，即直接影响 $d-d$ 跃迁时吸收光谱带的波数和摩尔吸收率。此外，金属离子周围配位体的种类、异构体的差别和化合物的对称性对 d 轨道的分裂能也有不同程度的影响。例如，无水 $CuSO_4$ 是无色的，$CuCl_4^{2-}$ 呈绿色，$Cu(H_2O)_4^{2+}$ 呈蓝色，$Cu(NH_3)_4^{2+}$ 则呈深紫蓝色。这是因为 SO_4^{2-} 的配位场强最弱，以致 $CuSO_4$ 的 $d-d$ 跃迁吸收谱带在红外区，因而无色。当配体由 SO_4^{2-} 依次变为 Cl^-，H_2O，NH_3 时，配位场强依次增大，$d-d$ 吸收谱带依次向短波方向移动，结果颜色由无色依次变为绿、蓝、深紫蓝色。

在强的配位场中，金属离子的 d 电子尽可能占据能量较低的轨道，形成低自旋配位化合物；而在弱的配位场中，金属离子的 d 电子尽可能平行自旋占有较多的轨道形成高自旋配位化合物。$[Mn(H_2O)_6]^{2+}$ 呈淡粉红色而 $[Mn(CN)_6]^{4-}$ 呈深紫色。这是因为

〔Mn(H$_2$O)$_6$〕$^{2+}$离子的电子配布为$d_\varepsilon^3 d_\gamma^2$，$d-d$跃迁是自旋禁阻的，而〔Mn(CN)$_6$〕$^{4-}$离子的电子配布为$d_\varepsilon^5$，当电子跃迁到$d_\gamma$轨道时，不需要改变其自旋方向，结果未成对电子的总自旋数不发生改变，$d-d$跃迁是自旋允许的。第一过渡系金属离子的自旋禁阻谱带的强度比对应的自旋允许谱带的强度通常差不多小几百倍，所以〔Mn(H$_2$O)$_6$〕$^{2+}$的颜色比〔Mn(CN)$_6$〕$^{4-}$淡得多。

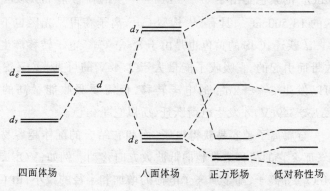

在本节7−1的(6)中我们看到顺式异构体的颜色通常比反式异构体的颜色接近短波方向，而颜色也较深。例如，顺式〔Co(NH$_3$)$_4$Cl$_2$〕为紫色，而反式为绿色。这主要是由于在〔Co(NH$_3$)$_4$Cl$_2$〕Cl中Co^{3+}离子处于不同的对称性配位场中产生不同的d轨道分裂所致，如图20−17所示。由图可见，反式〔Co(NH$_3$)$_4$Cl$_2$〕Cl基本上属于类似正方形的对称性，d轨道分裂成四组；而对称性更低的顺式结构，d轨道全部分裂，分裂后的能级间隔比反式的小很多，所以它的吸收峰波数小，即只需吸收能量低的光子即可发生$d-d$跃迁，呈现波长短的紫色。

图 20−17 d 轨道在不同对称性配位场中的分裂

配位场理论指出,当配合物不存在对称中心时,金属离子的某些 p,d 轨道,可能因为具有相同的对称性而发生 $d-p$ 轨道的混杂。例如,在无对称中心的四面体配合物中,三个 p 轨道与 d_{xy},d_{yz},d_{zx} 具有相同的对称性,在它们的分子轨道中就含有 d 和 p 轨道的混杂成分,从而使 $d-d$ 跃迁呈现部分 $d \leftrightarrow p$ 允许跃迁的特性,跃迁能低、吸收谱带多和跃迁几率大。深蓝色的 $CoCl_4^{2-}$ 和浅粉红色 $Co(H_2O)_6^{2+}$,深黄绿色的 $MnBr_4^{2-}$ 和浅红色的 $Mn(H_2O)_6^{2+}$,主要都是由于对称性不同而引起颜色上的差异。

(b) 电荷跃迁

一种化合物吸收可见光除了可能发生 $d-d$ 跃迁以外,还可能发生电子从一个原子转移到另一个原子而产生的荷移吸收带。这类电子跃迁称为电荷跃迁。这种跃迁是一种允许的电荷跃迁,对光有很强的吸收,吸收谱带的摩尔吸收率很大,数量级通常在 10^4 左右。发生这种跃迁的物质常呈现较深的颜色。

发生电荷跃迁的化合物主要是阴离子或配体上的电子移向金属离子(M←L),即电子从主要定域在配体上的轨道跃迁到主要定域在金属上的轨道。例如,Mn^{7+} 是 d^0 组态不出现 $d-d$ 跃迁,MnO_4^- 的紫色是由于 $O^{2-} \rightarrow Mn^{7+}$ 产生的荷移谱带吸收峰在可见区的 $18\,500cm^{-1}$;具有 d^{10} 构型 Cd^{2+} 离子在可见光区也不会产生 $d-d$ 跃迁,CdS 的黄色也是由于 $S^{2-} \rightarrow Cd^{2+}$ 电子转移产生荷移吸收带而引起的,它吸收了能量大于 2.4eV 的可见光。ZnS 虽然也可以发生 $S^{2-} \rightarrow Zn^{2+}$ 的电子转移,但需要吸收能量高的紫外光($\Delta E > 3.9eV$)才发生电荷跃迁,所以它呈白色。

金属离子越容易获得电子,而和它结合的配体越容易失去电子,那么它的荷移谱带越向低波数方向移动。例如,VO_4^{3-},CrO_4^{2-},MnO_4^- 等离子,随金属离子电荷的增加和半径的减小,由 O^{2-} 离子向金属离子发生电荷转移时最大吸收峰波数分别为 $36\,900cm^{-1}$,

$26\ 800\ cm^{-1}$和$18\ 500\ cm^{-1}$；在$HgCl_4^{2-}$，$HgBr_4^{2-}$和HgI_4^{2-}离子中电子由配合离子的π轨道跃迁到Ag^{2+}离子$6S$轨道的荷移谱带的波数分别约为$45\ 000cm^{-1}$，$39\ 000cm^{-1}$和$31\ 000cm^{-1}$，即按Cl^-，Br^-，I^-的顺序向低数移动。S^{2-}和O_2^{2-}离子比O^{2-}离子更易失去电子，因此过渡金属的硫代酸根和过氧酸根较它们的含氧酸根更易发生电荷跃迁，所以常呈现深色。主族元素的含氧酸(4，5，6周期)中心离子可认为是$18e^-$构型，半径又较同周期副族小很多，易产生$O^{2-}\to$中心离子电荷跃迁，因超出可见光区故不显色。

　　主要定域在金属上的π成键分子轨道的电子也可以向主要定域在配体上的π^*反键分子轨道跃迁，即$M\to L$跃迁。这是另一种类型的电荷跃迁。例如CO，NO，CN^-，吡啶、联吡啶等配体所形成的配合物，$Fe(CN)_6^{4-}$的黄色、$Fe(phen)_3^{2+}$和$Fe(bipy)_3^{2+}$的深红色都是产生于$M\to L$的电荷跃迁。金属离子越容易氧化，荷移谱带越向低波数方向移动，Cu^+和Fe^{2+}等还原性离子多产生这类电荷跃迁。

　　荷移谱还常发生在混合价的化合物中。例如$[Fe(CN)_6]^{4-}$是淡黄色，$Fe(H_2O)_6^{3+}$几乎是无色，但普鲁士蓝$KFe[Fe(CN)_6]$却显深蓝色。这是因为$[Fe(CN)_6]^{4-}$中Fe^{2+}的d电子移向外界Fe^{3+}离子的缘故。研究指出分子中原子基态$A(II)A(III)$(同种原子两种价态)和激发态$A(III)A(II)$的能量相差不大时，在$A(II)$和$A(III)$原子间会有少量的电荷迁移而产生荷移谱。$(NH_4)_2SbBr_6$的暗棕色实际上是$[SbBr_6]^{3-}$和$[SbBr_6]^-$中的Sb^{3+}和Sb^{5+}间电荷跃迁的结果，红色的$PtCl_3(EtNH_2)_4\cdot 2H_2O$其中并不含有$Pt^{3+}$离子，而是由$[Pt(EtNH_2)_4]^{2+}$(无色)和$[PtCl_2(EtNH_2)_4]^{2+}$(淡黄色)组成的盐$[Pt(EtNH_2)_4][PtCl_2(EtNH_2)_4]Cl_4\cdot 2H_2O$，$Pt^{2+}$和$Pt^{4+}$离子靠$Cl^-$离子连在一起，由于它们之间发生电荷迁移而呈红色。含有混合价的化合物都可以由荷迁移产生颜色。

荷迁移也可以发生在一个化合物中不同原子之间,如深橙红色的 Ag_2CrO_4 除了 $O^{2-} \rightarrow Cr(VI)$ 之间的荷迁移之外,还存在 Ag^+ 的 $4d$ 电子向 $Cr(VI)$ 的空 $3d$ 轨道跃迁的荷迁移;TiO_3^{2-} 离子无色,但钛铁矿 $FeTiO_3$ 因存在电子由 Fe^{2+} 向 Ti^{4+} 跃迁而呈黑色。根据上述各种荷迁移的现象可以很好地解释本节 7-1 中有关物质显色的规律(2),(3)和(4)。

(c) $n \rightarrow \pi^*$,$\pi \rightarrow \pi^*$ 跃迁

共价化合物的颜色虽然不是 $d-d$ 跃迁或电荷跃迁所引起的,但本质上仍然是价电子吸收可见光后在不同分子能级间跃迁的结果。

基态共价分子中价电子包括 σ 键电子,π 键电子和非键电子(n)。这些不同型式的基态价电子在光的激发下,由电子占据轨道跃迁到未占据轨道时,出现吸收峰。未占据轨道包括反键 σ^* 轨道和反键 π^* 轨道。共价分子中电子可能发生跃迁的轨道为 $\sigma \rightarrow \sigma^*$,$\pi \rightarrow \pi^*$,$n \rightarrow \sigma^*$ $n \rightarrow \pi^*$ 等,如图 20-18 所示。$\sigma \rightarrow \sigma^*$ 跃迁一般需要很大的能量,吸收谱带落在远紫外区($\lambda < 150$ nm)如 $SiCl_4$,PCl_5,SF_6 都属于这种跃迁,它们都是无色的。如果分子中存在孤对 p 电子,如氧、硫、卤素等,它们都占据非键轨道,所以可能出现 $n \rightarrow \sigma^*$ 和 $n \rightarrow \pi^*$ 跃迁。$n \rightarrow \sigma^*$ 跃迁所需激发能比 $\sigma \rightarrow \sigma^*$ 跃迁低,一般吸收峰出现在 $\lambda > 250$ nm 的近紫外区,如 CH_3-NH_2,

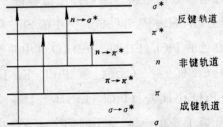

图 20-18　共价分子中电子跃迁类型

CH_3OH, H_2O, H_2S 等的吸收光谱在近紫外区,这些化合物一般也是无色的。如果在分子中还含有双键或叁键,则还可出现 $n \rightarrow \pi^*$ 跃迁,其吸收峰在较长的波长区。

有时最高占据轨道的 π 能级可能比非键轨道高,这时,$\pi \rightarrow \pi^*$ 跃迁就比 $n \rightarrow \pi^*$ 跃迁的能量还要低,吸收谱带可能落在可见区而使化合物显色。半径越大的元素形成的共价键越弱,成键轨道和非键轨道的能量较高,所以 $n \rightarrow \pi^*$, $\pi \rightarrow \pi^*$ 跃迁吸收谱带可能落在可见光区,所以它们的化合物常显色。第 5,6 周期主族元素的氧化物、硫化物常呈现颜色主要是这个原因。

(d) 带隙跃迁和晶格缺陷

许多半导体材料如 ZnS, CdS, Cu_2O 的颜色可以用电荷跃迁机理来说明,但用能带理论来解释更为简明。按能带理论来看在一些简单的氧化物、硫化物中存在有充满电子的成键轨道(价带)和空的反键轨道(导带),阴离子的轨道和充满电子的 d 轨道基本上都属价带,阳离子轨道和部分未填电子的 d 轨道基本上属于导带,如图 20-19 所示。导带与价带之间有一能量为 E_g 的禁带(参看上册图 4-49),如果禁带的 E_g 在可见光能量范围时,那么吸收可见光后电子可由价带跃迁到导带,从而呈现出颜色。这种在价带与导带之间的跃迁称为带隙跃迁。一些物质的颜色与 E_g 的关系

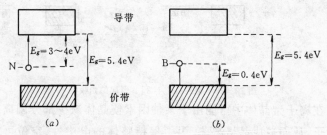

图 20-19   简单化合物的价带(充满电子)和导带(空轨道)

(a) s 区元素的阳离子(空的 d 轨道);(b) sd, p 区的阳离子(充满 d 轨道)

表 20-15　若干物质的颜色和 E_g

物质	C	Si	As	Se	Ga As	ZnO	ZnS	CdO	CdS	HgS	MgO	CuCl	AgCl
颜色	无	黑	黄	红	灰	白	白	黄	黄	红	白	白	白
E_g/eV	5.4	1.11	1.2	1.6	1.43	3.4	3.91	2.5	2.58	2.1	7.3	3.31	3.0

物质	NaCl	KCl	Al_2O_3	Ca_2O_3	Ga_2S_3	CoO	NiO	CuO	Cu_2O	Cr_2O_3	Fe_2O_3	TiO_2
颜色	无	无	白	白	黄	灰绿	绿	黑	红	绿	红棕	白
E_g/eV	8.0	7.8	8.3	4.4	2.8	2.7	3.8	1.95	2.2	3.4	2.0	3.0

如表 20-15 所示。由表可见 E_g 在 1.8~3.1eV 之间物质都显颜色、NiO 和 Cr_2O_3 的 E_g 已超出可见光范围,它们的颜色主要是 $d-d$ 跃迁引起的。Al_2O_3 的 E_g 为 8.3eV 所以是白色,但是掺杂有 Fe^{2+} 和 Ti^{4+} 的 Al_2O_3 却显蓝色,这是因为在可见光作用下发生 Fe^{2+} 离子被 Ti^{4+} 离子氧化成 Fe^{3+} 的缘故。无色的金刚石掺有 B 或 N 时显蓝或黄色,这是因为 N 比 C 多一个电子,每个 N 原子多余一个电子可激发到 C 的导带上,而激发能恰位于可见光范围之内所以金刚石呈黄色;B 比 C 少一个电子,每个 B 原子可以从 C 的价带接受一个电子,换言之,B 有空轨道可接受 C 的激发电子,使金刚石带蓝色。金刚石掺杂实际上等于减小了 E_g(见图 20-20)。

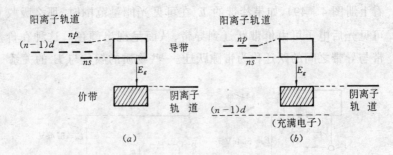

图 20-20　金刚石中 N 和 B 引起的光吸收

在离子型晶体中可能由于某种因素使晶体缺少部分阳离子或阴离子,从而造成晶格缺陷,为了保持整体的电中性,空位可能被其它离子占有。如果是阴离子缺陷而阴离子的空位被电子占有,这种缺陷称为 F 色心。如少量金属钠掺入氯化钠晶体中时,在晶格能的影响下钠电离成 Na^+e^-,从而 e^- 占据了氯离子的空位(见图 20-21)。这种电子能吸收可见光而使 NaCl 显色,碱金属卤化物的 F 色心的吸收峰能量与呈色的关系参看图 20-13。由图可见凡是吸收峰能量在 $1.8\sim3.1eV$ 之间的卤化物都有颜色。

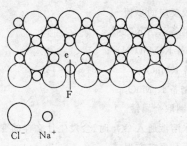

图 20-21　NaCl 中的 F 色心

习　题

1. 钛的主要矿物是什么？简述从钛铁矿制取钛白的反应原理。

2. 解释 $TiCl_3$ 和 $[Ti(O_2)OH(H_2O)_4]^+$ 有色的原因。

3. 完成并配平下列反应方程式

(1) $Ti + HF \longrightarrow$

(2) $TiO_2 + H_2SO_4 \longrightarrow$

(3) $TiCl_4 + H_2O \longrightarrow$

(4) $FeTiO_3 + H_2SO_4 \longrightarrow$

(5) $TiO_2 + BaCO_3 \longrightarrow$

(6) $TiO_2 + C + Cl_2 \longrightarrow$

4. 完成下列反应

(1) TiI_4 在真空中强热；

(2) $FeTiO_3$ 和碳的混合物在氯气中加热；

(3) 向含有 $TiCl_6^{2-}$ 的水溶液加入过量的氨；

(4) 向 VCl_3 的水溶液加入 Na_2SO_3；

(5) 将 VCl_2 的固体加到 $HgCl_2$ 水溶液中。

5. 根据下列实验写出有关的反应方程式:将一瓶 $TiCl_4$ 打开瓶塞时立即冒白烟。向瓶中加入浓 HCl 溶液和金属锌时生成紫色溶液,缓慢地加入 $NaOH$ 溶液直至溶液呈碱性,于是出现紫色沉淀。沉淀过滤后,先用 HNO_3 处理,然后用稀碱溶液处理,生成白色沉淀。

6. 利用标准电极电势数据判断 H_2S, SO_2, $SnCl_2$ 和金属 Al 能否把 TiO^{2+} 离子还原成 Ti^{3+} 离子?

7. 概述下列合成反应的步骤

(1) 由 $MnSO_4$ 制备 $K_5Mn(CN)_6$;

(2) 由 MnO_2 制备 $K_3Mn(CN)_6$;

(3) 由 MnS 制备 $KMnO_4$;

(4) 由 $MnCO_3$ 制备 K_2MnO_4;

(5) 由 $BaMnO_4$ 制取金属锰。

8. 向铬酸钾的水溶液通入 CO_2 时,会发生什么样的变化?

9. 完成并配平下列反应方程式

(1) $V_2O_5 + NaOH \longrightarrow$

(2) $V_2O_5 + HCl \longrightarrow$

(3) $VO_4^{3-} + H^+ (过量) \longrightarrow$

(4) $VO_2^+ + Fe^{2+} + H^+ \longrightarrow$

(5) $VO_2^+ + H_2C_2O_4 + H^+ \longrightarrow$

10. 钒酸根离子在水溶液中的组成取决于哪些因素?这些因素怎样影响平衡 $VO_4^{3-} \rightleftharpoons V_2O_7^{4-}$ ($V_3O_9^{3-}$, $V_{10}O_{28}^{6-}$ 等)。

11. 新生成的氢氧化物沉淀为什么会发生下列变化

(1) $Mn(OH)_2$ 几乎是白色的,在空气中变为暗褐色?

(2) 白色的 $Hg(OH)_2$ 立即变为黄色?

(3) 蓝色的 $Cu(OH)_2$,加热时为什么变黑?

12. 根据下述各实验现象,写出相应的化学反应方程式

(1) 往 $Cr_2(SO_4)_3$ 溶液中滴加 $NaOH$ 溶液,先析出葱绿色絮状沉淀,后又溶解,此时加入溴水,溶液就由绿色转变为黄色。用 H_2O_2 代替溴水,也得到同样结果。

(2) 当黄色 $BaCrO_4$ 沉淀溶解在浓 HCl 溶液中时得到一种绿色溶液。

(3) 在酸性介质中,用锌还原 $Cr_2O_7^{2-}$ 时,溶液颜色由橙色经绿色而变成蓝色。放置时又变回绿色。

(4) 把 H_2S 通入已用 H_2SO_4 酸化的 $K_2Cr_2O_7$ 溶液中时,溶液颜色由橙变绿,同时析出乳白色沉淀。

13. 若 Cr^{3+} 离子和 Al^{3+} 离子共存时,怎样分离它们? Zn^{2+} 离子也共存时,怎样分离?

14. 在含有 Cl^- 离子和 CrO_4^{2-} 离子的混合溶液中逐滴加入 $AgNO_3$ 溶液,若〔Cl^-〕及〔CrO_4^{2-}〕均为 $10^{-3}mol \cdot dm^{-3}$,那么谁先沉淀? 两者能否基本分离开?

15. 用 H_2S 或硫化物设法将下列离子从它们的混合溶液中分离出来。
$$Hg_2^{2+},Al^{3+},Cu^{2+},Ag^+,Cd^{2+},Ba^{2+},Zn^{2+},Pb^{2+},Cr^{3+}$$

16. 指出下列化合物的颜色,并说明哪些是 $d-d$ 跃迁,哪些是电荷跃迁引起的?
$$Cu(NH_3)_4SO_4(深蓝色),[Mn(CN)_6](SO_4)_2(深紫色),$$
$$顺式-[Co(NH_3)_4Cl_2]Cl(紫色),反式-[Co(NH_3)_4Cl_2]Cl(绿色),$$
$$K_2[MnBr_4](黄绿色),Mn(H_2O)_6(SO_4)(浅红色),$$
$$KFe[Fe(CN)_6](深蓝色),Ag_2CrO_4(橙红色),$$
$$BaFeO_4(洋红色),Na_2WS_4(橙色),$$
$$Au[AuCl_4](暗红色),Cu[CuCl_3](棕褐色)$$

17. 根据 $2CrO_4^{2-}+2H^+ \Longrightarrow Cr_2O_7^{2-}+H_2O$ $K=10^{14}$ 试求在 $1mol \cdot dm^{-3}$ 铬酸钾溶液中,pH 值是多少时

(1) 铬酸根离子和重铬酸根离子浓度相等;   (pH = 6.76)

(2) 铬酸根离子的浓度占 99%;   (pH = 8.15)

(3) 重铬酸根离子的浓度占 99%。   (pH = 6.15)

18. 把重铬酸钾溶液和硝酸银溶液混合在一起时,析出什么沉淀?

19. 为了从溶解有 20g 六水合氯化铬(Ⅲ)的水溶液中快速地沉淀出氯,需要 75 mL 2 $mol \cdot dm^{-3}$ 的硝酸银溶液,请根据这些数据写出六水合氯化铬(Ⅲ)的配位式(结构式)。

20. 为什么碱金属的重铬酸盐在水溶液中的 pH<7?

21. 溶液的 pH 值怎样影响铬酸根离子、钼酸根离子和钨酸根离子的组成? 在什么介质中能够存在 $Cr_2O_7^{2-}$, $Mo_7O_{24}^{6-}$, $Mo_8O_{26}^{4-}$ 离子?

22. 根据记忆,写出从钨锰铁矿制备金属钨粉的整个反应过程。

23. 利用标准电极电势,判断下列反应的方向:
$$6MnO_4^-+10Cr^{3+}+11H_2O \Longrightarrow 5Cr_2O_7^{2-}+6Mn^{2+}+22H^+$$

24. 试求下列反应的平衡常数,并估计反应是否可逆
$$MnO_4^-+5Fe^{2+}+8H^+ \Longrightarrow Mn^{2+}+5Fe^{3+}+4H_2O$$

25．用二氧化锰作原料,怎样制备:(1) 硫酸锰;(2) 锰酸钾;(3) 高锰酸钾。

26．根据下列电势图

$$MnO_4^- \xrightarrow{+1.69} MnO_2 \xrightarrow{+1.23} Mn^{2+}$$

$$IO_3^- \xrightarrow{+1.19} I_2 \xrightarrow{+0.535} I^-$$

写出当溶液的 pH=0 时,在下列条件下,高锰酸钾和碘化钾反应的方程式:

(1) 碘化钾过量;

(2) 高锰酸钾过量。

27．什么是同多酸和杂多酸? 写出仲钼酸铵,12－钨磷酸钠的分子式。绘图表示仲钼酸根,12－钨磷酸根的结构。

28．称取 10.00 g 含铬和锰的钢样,经适当处理后,铬和锰被氧化为 $Cr_2O_7^{2-}$ 和 MnO_4^- 的溶液,共 250.0 cm^3。精确量取上述溶液 10.00 cm^3,加入 $BaCl_2$ 溶液并调节酸度使铬全部沉淀下来,得到 0.054 9 g $BaCrO_4$。另取一份上述溶液 10.00 cm^3,在酸性介质中用 Fe^{2+} 溶液(0.075 mol·dm^{-3})滴定,用去 15.95 cm^3。计算钢样中铬和锰的质量分数:

(Cr:2.83%;Mn:3.29%)

29．某溶液 1 dm^3,其中含有 $KHC_2O_4 \cdot H_2C_2O_4 \cdot 2H_2O$ 50.00g。有一 $KMnO_4$ 溶液 40.00 cm^3 可氧化若干体积的该溶液,而同样这些体积的溶液刚好中和 30.00 cm^3 的 0.5 mol·dm^{-3}NaOH 溶液。试求:

(1) 该溶液的 $C_2O_4^{2-}$ 离子和 H^+ 的浓度;

(2) $KMnO_4$ 溶液的浓度(mol·dm^{-3})。

$$[C_2O_4^{2-}] = 0.39 \text{ mol·}dm^{-3};$$

$$[H^+] = 0.59 \text{ mol·}dm^{-3};$$

$$[MnO_4^-] = 0.10 \text{ mol·}dm^{-3}$$

30．根据物质的标准生成热,求算下列反应的热效应

$$(NH_4)_2Cr_2O_7(s) = N_2 \uparrow (g) + Cr_2O_3(s) + 4H_2O \uparrow (g)$$

已知:

$$\Delta H^{\ominus}_{(NH_4)_2Cr_2O_7} = -1\,807.49 \text{ kJ·}mol^{-1}$$

$$\Delta H^{\ominus}_{Cr_2O_3} = -1\,129.68 \text{ kJ·}mol^{-1}$$

$$\Delta H^{\ominus}_{H_2O} = -97.49 \text{ kJ·}mol^{-1}$$

第二十一章 过渡金属（Ⅱ）

第Ⅷ族元素包括 9 种元素，即铁、钴、镍；钌、铑、钯；锇、铱和铂。位于第 4 周期，第 1 过渡系列的 3 种Ⅷ族元素铁、钴、镍，性质很相似，称为铁系元素。位于第 5 和第 6 周期，第 2 和第 3 过渡系列的六种Ⅷ族元素，统称为铂系元素。由于镧系收缩的缘故，钌、铑、钯与锇、铱、铂较相似而与铁、钴、镍差别较显著。铂系元素被列为稀有元素，和金、银一起称为贵金属。

§21-1 铁 系 元 素

1-1 铁系元素概述

在铁系元素中以铁分布最广，约占地壳质量的 5.1%，居元素分布序列中的第四位，仅次于氧、硅、铝。钴和镍在地壳中的丰度分别是：1×10^{-3}% 和 1.6×10^{-2}%。铁的主要矿石有：赤铁矿 Fe_2O_3，磁铁矿 Fe_3O_4，褐铁矿 $2Fr_2O_3 \cdot 3H_2O$，菱铁矿 $FeCO_3$，黄铁矿 FeS_2。钴和镍在自然界常共生，重要的钴矿和镍矿是辉钴矿 $CoAsS$ 和镍黄铁矿 $NiS \cdot FeS$。

铁系元素的基本性质汇列于表 21-1 中。

铁、钴、镍三种元素原子的价电子层结构分别是 $3d^64s^2$，$3d^74s^2$ 和 $3d^84s^2$，它们的原子半径十分相近，在最外层的 $4s$ 轨道上都有两个电子，只是次外层的 $3d$ 电子数不同，分别为 6，7，8，所以它们的性质很相似。第一过渡系列元素原子的电子填充过渡到第Ⅷ族时，$3d$ 电子已超过 5 个，在一般情况下，它们的价电子全

表 21-1 铁系元素的基本性质

性质 ＼ 元素	铁	钴	镍
元素符号	Fe	Co	Ni
原子序数	26	27	28
相对原子质量	55.85	58.93	58.70
价电子层结构	$3d^6 4s^2$	$3d^7 4s^2$	$3d^8 4s^2$
主要氧化数	+2,+3,+6	+2,+3,+4	+2,+4
金属原子半径/pm	117	116	115
离子半径/pm			
M^{2+}	75	72	70
M^{3+}	60	—	—
电负性	1.83(Ⅱ)* 196(Ⅲ)	1.88(Ⅱ)	1.91(Ⅱ)

* （Ⅱ）表示 2 价离子的电负性。

部参加成键的可能性逐渐减少,因而铁系元素已不再呈现与族数相当的最高氧化态。铁的最高氧化态为 +6,其它氧化态有 +5,+4,+3,+2,在某些配位化合物中,也呈现更低的氧化态。在一般条件下,铁的常见氧化态是 +2 和 +3,与很强的氧化剂作用,铁可以生成不稳定的 +6 氧化态的化合物(高铁酸盐)。钴和镍的最高氧化态为 +4,其它氧化态有 +3 和 +2,在某些配位化合物中也呈现更低的氧化态。在一般条件下,钴和镍的常见氧化态都是 +2。钴的 +3 氧化态在一般化合物中是不稳定的,而镍的 +3 氧化态则更少见。

下面是铁系元素的电离势数据和元素电势图。

表 21-2 铁、钴、镍的电离势

	第一电离势 $kJ \cdot mol^{-1}$	第二电离势 $kJ \cdot mol^{-1}$	第三电离势 $kJ \cdot mol^{-1}$
Fe	759.4	1 561	2 957.4
Co	758	1 646	3 232
Ni	736.7	1 753.0	3 393

$$\varphi_A^{\ominus}/V$$

$$FeO^{2-}_4 \xrightarrow{+2.20} Fe^{3+} \xrightarrow{+0.771} Fe^{2+} \xrightarrow{-0.44} Fe$$

$$Co^{3+} \xrightarrow{+1.808} Co^{2+} \xrightarrow{-0.277} Co$$

$$NiO_2 \xrightarrow{+1.678} Ni^{2+} \xrightarrow{-0.25} Ni$$

$$\varphi_B^{\ominus}/V$$

$$FeO_4^{2-} \xrightarrow{+0.72} Fe(OH)_3 \xrightarrow{-0.56} Fe(OH)_2 \xrightarrow{-0.877} Fe$$

$$Co(OH)_3 \xrightarrow{+0.17} Co(OH)_2 \xrightarrow{-0.73} Co$$

$$NiO_2 \xrightarrow{+0.49} Ni(OH)_2 \xrightarrow{-0.72} Ni$$

图 21 - 1 铁系元素的电势图

从电势图可以明显看出:在酸性溶液中,Fe^{2+} 离子、Co^{2+} 离子、Ni^{2+} 离子分别是铁、钴、镍离子的最稳定状态。高氧化态的铁(Ⅵ)、钴(Ⅲ)、镍(Ⅳ)在酸性溶液中都是很强的氧化剂。空气中的氧气能将酸性溶液中的 Fe^{2+} 离子氧化为 Fe^{3+},但不能将 Co^{2+} 离子和 Ni^{2+} 离子氧化为 Co^{3+} 和 Ni^{3+} 离子。

因为在酸性溶液中 Fe^{2+} 离子较稳定,所以 Fe 与盐酸作用生成 $FeCl_2$。但在干态,Fe 直接氯化却得 $FeCl_3$,因为 Fe 的第三电离势较小。Co 和 Ni 同氯气反应不能生成三氯化物。

从铁系元素的 $\varphi^{\ominus}$ 可以看出:在碱性介质中,铁的最稳定氧化态是 +3,而钴和镍的最稳定氧化态仍是 +2;在碱性介质中将低氧化态的铁、钴、镍氧化为高氧化态比在酸性介质中容易。低氧化态氢氧化物的还原性按 $Fe(OH)_2$,$Co(OH)_2$、$Ni(OH)_2$ 的顺序依次减弱。例如,向含有 Fe^{2+} 离子的溶液中加入强碱,能生成白色 $Fe(OH)_2$ 沉淀,但空气中的氧气立即又把白色 $Fe(OH)_2$ 氧化成红棕色 $Fe(OH)_3$:

$$Fe^{2+} + 2OH^- \xrightleftharpoons{} Fe(OH)_2 \downarrow$$

$$4Fe(OH)_2 + O_2 + 2H_2O \Longrightarrow 4Fe(OH)_3 \downarrow$$

在同样条件下生成的粉红色 $Co(OH)_2$ 则比较稳定,但也能缓慢地被氧气氧化成棕褐色 $Co(OH)_3$:

$$Co^{2+} + 2OH^- \Longrightarrow Co(OH)_2 \downarrow$$

$$4Co(OH)_2 + O_2 + 2H_2O \Longrightarrow 4Co(OH)_3 \downarrow$$

而在同样条件下生成的绿色 $Ni(OH)_2$ 根本不能被空气中的氧所氧化。

铁系元素单质的某些物理性质汇列于表 21-3 中。

表 21-3 铁、钴、镍的某些物理性质

物理性质	铁	钴	镍
密度/$g \cdot cm^{-3}$	7.874	8.90	8.902
熔点/K	1 808	1 768	1 726
沸点/K	3 023	3 143	3 005

单质铁、钴、镍都是具有金属光泽的银白色金属,钴略带灰色。它们都表现有铁磁性,所以它们的合金是很好的磁性材料。铁系元素的熔点随原子序数的增加而降低,这可能是因为 $3d$ 轨道中成单电子数按 Fe、Co、Ni 的顺序逐渐减少,金属键逐渐减弱的缘故。

从图 21-1 中的标准电极电势可以看出,铁、钴、镍都是中等活泼的金属。在没有水气存在时,一般温度下,它们同氧、硫、氯、磷等非金属几乎不起作用,但在高温下却发生猛烈反应。铁与氮虽然不直接化合,却与氨作用而形成 Fe_2N。碳溶解在熔融的铁中形成 Fe_3C。

铁易溶于稀的无机酸中。当没有空气存在时,铁溶于非氧化性酸形成 Fe(Ⅱ)。当有空气存在时,或与热稀硝酸反应,则有一部分铁变为 Fe(Ⅲ)。浓硝酸或含有重铬酸盐的酸使铁钝化。铁能被热浓碱液所侵蚀,850K 左右铁与水蒸气作用生成四氧化三铁。

镍与铁相似,易溶于稀的无机酸而钴在稀的无机酸中却溶解得很慢。钴和镍都与铁相似,遇到浓硝酸呈"钝态"。但它们在碱性溶液中的稳定性比铁高。

铁是最重要的基本结构材料,铁合金用途广泛,纯铁在工业上用途甚少。化学纯的铁是用氢气还原纯氧化铁来制取,也可由羰基合铁热分解来得到纯铁。

钴和镍主要用于制造合金。如钴、铬、钨的合金具有很高的硬度,可作切削刀具或钻头。某些特种钢中含有镍,如不锈钢含9%的镍和18%的铬。镍粉可做氢化时的催化剂,镍制坩埚在实验室里是常用的。

1-2 铁

在一般条件下,铁的常见氧化态是+2和+3,在很强的氧化条件下,铁可以呈现不稳定的+6氧化态。

(1) 氧化数为+2的铁的化合物

(a) 氧化亚铁和氢氧化亚铁　在隔绝空气的条件下,将草酸亚铁加热,可以制得黑色的氧化亚铁:

$$FeC_2O_4 \Longrightarrow FeO + CO + CO_2$$

氧化亚铁呈碱性,溶于酸形成二价铁盐。

将碱加在不含空气的亚铁盐溶液中,起初得到白色胶状的氢氧化亚铁沉淀。当与空气接触时,由于氧气对它的氧化作用,颜色很快加深,最后变为棕红色的氢氧化铁(Ⅲ)。虽然氢氧化亚铁主要呈碱性,酸性很弱,但能溶于浓碱溶液形成$[Fe(OH)_6]^{4-}$离子:

$$Fe(OH)_2 + 4OH^- \Longrightarrow [Fe(OH)_6]^{4-}$$

(b) 硫酸亚铁　在隔绝空气的条件下,把纯铁溶于稀硫酸中,即生成硫酸亚铁。在工业上硫酸亚铁可用氧化黄铁矿的方法来制取:

$$2FeS_2 + 7O_2 + 2H_2O \Longrightarrow 2FeSO_4 + 2H_2SO_4$$

通过下列反应也可制取：

$$Fe_2O_3 + 3H_2SO_4 \Longrightarrow Fe_2(SO_4)_3 + 3H_2O$$

$$Fe_2(SO_4)_3 + Fe \Longrightarrow 3FeSO_4$$

在普通条件下，自溶液中析出的是浅绿色的七水合硫酸亚铁 $FeSO_4 \cdot 7H_2O$，俗称绿矾。它在农业上用作农药，主治小麦黑穗病，在工业上用于染色，制造蓝黑墨水和木材防腐、除草剂和饲料添加剂等。绿矾在空气中逐渐风化而失去一部分结晶水，加热失水可得到白色一水合硫酸亚铁，在573K时可得到白色无水硫酸亚铁，强热则分解：

$$2FeSO_4 \overset{\triangle}{\Longrightarrow} Fe_2O_3 + SO_2 + SO_3$$

硫酸亚铁易溶于水，在水中有微弱的水解，使溶液显酸性（pH＝3）：

$$Fe^{2+} + H_2O \Longrightarrow Fe(OH)^+ + H^+$$

硫酸亚铁在空气中能被氧化，生成黄色或铁锈色的碱式铁（Ⅲ）盐：

$$2FeSO_4 + \frac{1}{2}O_2 + H_2O \Longrightarrow 2Fe(OH)SO_4$$

所以，在绿矾晶体表面常有铁锈色斑点，其溶液久置后常有棕色沉淀。保存 $FeSO_4$ 溶液时，应加入足够浓度的硫酸，必要时加入几颗铁钉来防止氧化。

硫酸亚铁与碱金属硫酸盐形成复盐 $M_2^I SO_4 \cdot FeSO_4 \cdot 6H_2O$。对于空气的氧化，亚铁的复盐要稳定得多。最重要的复盐是硫酸亚铁铵 $FeSO_4 \cdot (NH_4)_2SO_4 \cdot 6H_2O$，俗称摩尔氏盐，常被用作还原试剂，在定量分析中用来标定重铬酸钾或高锰酸钾溶液的浓度。

$$10FeSO_4 + 2KMnO_4 + 8H_2SO_4 \Longrightarrow$$

$$5Fe_2(SO_4)_3 + K_2SO_4 + 2MnSO_4 + 8H_2O$$

$$6FeSO_4 + K_2Cr_2O_7 + 7H_2SO_4 \Longrightarrow$$

$$3Fe_2(SO_4)_3 + K_2SO_4 + Cr_2(SO_4)_3 + 7H_2O$$

这两个反应也可以用来分析测定铁。

（c）铁（Ⅱ）的配位化合物　大多数铁（Ⅱ）的配位化合物呈八面体形，有高自旋的也有低自旋的。例如淡绿色的$[Fe(H_2O)_6]^{2+}$离子为高自旋配位化合物，其 d 电子构型为$(d_\varepsilon)^4(d_\gamma)^2$。$Fe^{2+}$ 离子与场强比较大的配位体如氰根 CN^- 配合，则形成构型为$(d_\varepsilon)^6$的低自旋配位化合物$[Fe(CN)_6]^{4-}$（图 21-2）。

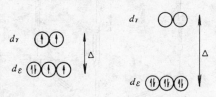

铁（Ⅱ）的高自旋配位化合物如$[Fe(H_2O)_6]^{2+}$有 4 个未成对电子，是顺磁性的

铁（Ⅱ）的低自旋配位化合物如$[Fe(CN)_6]^{4-}$没有未成对电子

图 21-2　铁（Ⅱ）的高自旋和低自旋配位化合物

含有$[Fe(CN)_6]^{4-}$配离子的重要配位化合物是六氰合铁（Ⅱ）酸钾 $K_4[Fe(CN)_6]$，又名亚铁氰化钾。将干血、铁屑和碳酸钾共热，所得固体含有氰化钾和硫化铁（Ⅱ），用热水处理后，即得到六氰合铁（Ⅱ）酸钾：

$$2KCN + FeS \underline{\quad\quad} Fe(CN)_2 + K_2S$$

$$4KCN + Fe(CN)_2 \underline{\quad\quad} K_4[Fe(CN)_6]$$

它的三水合物 $K_4[Fe(CN)_6] \cdot 3H_2O$ 是黄色晶体，俗称黄血盐。黄血盐在 373K 时失去所有结晶水，形成白色粉末，进一步加热即分解：

$$K_4[Fe(CN)_6] \underline{\quad\quad} 4KCN + FeC_2 + N_2$$

在 273K，100g 水可溶 14.5g 无水 $K_4[Fe(CN)_6]$，它在水溶液中很稳定，只含有 K^+ 和 $[Fe(CN)_6]^{4-}$ 离子，几乎检验不出 Fe^{2+} 离子的存在。黄血盐的溶液遇到 Fe^{3+} 离子立即产生名为普鲁士蓝的深

蓝色沉淀,其化学式为 $KFe[Fe(CN)_6]$

$$K^+ + Fe^{3+} + [Fe(CN)_6]^{4-} \Longrightarrow KFe[Fe(CN)_6] \downarrow$$

利用这一反应,可用黄血盐检验 Fe^{3+} 离子。普鲁士蓝的结构如图 21-3 所示。

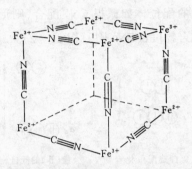

图 21-3　普鲁士蓝 $KFe[Fe(CN)_6]$ 的结构(K$^+$ 离子未表示出)

图中表示出了铁原子和氰根的排布,铁原子位于立方体的每个角顶,氰根位于立方体的每一个边上。一半铁原子是铁(Ⅱ),另一半铁原子是铁(Ⅲ)。每隔一个立方体在立方体中心含有一个 K^+ 离子。普鲁士蓝俗称铁蓝,工业上作为梁料和颜料。

π 键配位体环戊二烯离子 $C_5H_5^-$ 与铁(Ⅱ)形成的二茂铁 $(C_5H_5)_2Fe$ 是一种夹心式结构的配位化合物。溴化环戊二烯镁与二氯化铁在有机溶剂中反应可得二茂铁,它是一种橙黄色晶体:

$$2C_5H_5MgBr + FeCl_2 \Longrightarrow (C_5H_5)_2Fe + MgBr_2 + MgCl_2$$

通常认为二茂铁是由一个 Fe^{2+} 离子和两个 $C_5H_5^-$ 离子形成的铁(Ⅱ)的配位化合物。X 射线的研究结果指出,两个 $C_5H_5^-$ 环的平面是平行的,Fe^{2+} 离子夹在它们的中间[见图 21-4(b)]。图 21-4(c)表示出了 $C_5H_5^-$ 离子中的 σ 键骨架。在 $C_5H_5^-$ 离子中的每个碳原子上都有一个未参与 σ 键的电子,这些电子占据在与环的平面垂直的 p 轨道上。5 个 p 轨道重叠形成离域的 π 轨道。二茂铁

$(C_5H_5)_2Fe$ 是反磁性的,没有未成对的电子,其中的 Fe^{2+} 离子具有空的 d 轨道。可以认为,Fe^{2+} 和 $C_5H_5^-$ 环之间的键是由 $C_5H_5^-$ 环的 π 轨道与 Fe^{2+} 的空 d 轨道重叠形成。

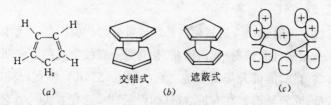

图 21-4 （a）环戊二烯 C_5H_6 的结构

（b）二茂铁($C_5H_5)_2Fe$ 的结构

（c）$C_5H_5^-$ 阴离子中的 σ 键骨架

二茂铁是燃料油的添加剂,用以提高燃烧的效率和去烟,可作导弹和卫星的涂料,高温润滑剂等。

（2）氧化数为 +3 的铁的化合物

（a）三氧化二铁和氢氧化铁 三氧化二铁具有 α 和 γ 两种不同的构型。α 型是顺磁性的,而 γ 型是铁磁性的。在自然界存在的赤铁矿是 α 型。将硝酸铁或草酸铁加热,可制得 α 型 Fe_2O_3。将 Fe_3O_4 氧化所得产物是 γ 型 Fe_2O_3。γ 型 Fe_2O_3 在 673K 以上转变为 α 型。三氧化二铁可以用作红色颜料、涂料、媒染剂、磨光粉以及某些反应的催化剂。

铁除了生成氧化亚铁和三氧化二铁之外,还生成一种 FeO 和 Fe_2O_3 的混合氧化物 Fe_3O_4（磁性氧化铁）,它具有磁性,是电的良导体,是磁铁矿的主要成分。将铁或氧化亚铁在空气或氧气中加热,或将水蒸气通过烧热的铁,都得到 Fe_3O_4：

$$3Fe + 2O_2 \Longrightarrow Fe_3O_4$$

$$6FeO + O_2 \Longrightarrow 2Fe_3O_4$$

$$3Fe + 4H_2O \Longrightarrow Fe_3O_4 + 4H_2$$

通常称为氢氧化铁的红棕色沉淀实际上是水合三氧化二铁 $Fe_2O_3 \cdot nH_2O$，习惯上把它写作 $Fe(OH)_3$。新沉淀出来的水合三氧化二铁具有两性，主要呈碱性，易溶于酸中，溶于浓的强碱溶液形成 $[Fe(OH)_6]^{3-}$ 离子。

(b) 三氯化铁　三氯化铁是比较重要的铁(Ⅲ)盐。无水三氯化铁是用氯气和铁粉(或铁刨花)在高温下直接合成的。它明显地具有共价性，能借升华法提纯。它的熔点(555K)、沸点(588K)都比较低，它容易溶解在有机溶剂(如丙酮)中，这些事实说明它具有共价性。673K 时，它的蒸气中有双聚分子 Fe_2Cl_6 存在，其结构如图 21－5 所示，氯原子在 Fe(Ⅲ)的周围呈四面体排布。在 1023K 以上，双聚分子解离为单分子。三氯化铁易潮解，易溶于水，并形成含有 2—6 个分子水的水合物。其水合晶体一般为 $FeCl_3 \cdot 6H_2O$，加热 $FeCl_3 \cdot 6H_2O$ 晶体，则水解失去 HCl 而生成碱式盐。

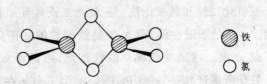

铁

氯

图 21－5　双聚分子 Fe_2Cl_6 的结构

三氯化铁以及其它三价铁盐在酸性溶液中是较强的氧化剂，可以将碘离子氧化成单质碘，将 H_2S 氧化成单质硫，还可以被 $SnCl_2$ 还原：

$$2FeCl_3 + 2KI \Longrightarrow 2KCl + 2FeCl_2 + I_2$$

$$2FeCl_3 + H_2S \Longrightarrow 2FeCl_2 + 2HCl + S$$

$$2FeCl_3 + SnCl_2 \Longrightarrow 2FeCl_2 + SnCl_4$$

用 $SnCl_2$ 来还原三价铁盐是分析化学中常用的反应。

三氯化铁在某些有机反应中用作催化剂。因为它可以使蛋白沉淀,故可作外伤止血剂。它还用于照相、印染、印刷电路的腐蚀剂和氧化剂。

（c）铁（Ⅲ）的配位化合物　大多数铁（Ⅲ）的配位化合物也呈八面体形并且是高自旋的,有 5 个未成对 d 电子,构型为 $(d_\varepsilon)^3 (d_\gamma)^2$,如 $[Fe(H_2O)_6]^{3+}$。Fe^{3+} 离子与场强比较大的配位体如氰根 CN^- 能形成构型为 $(d_\varepsilon)^5$ 的低自旋配位化合物 $[Fe(CN)_6]^{3-}$。

铁（Ⅱ）的配位化合物能被氧化成铁（Ⅲ）的配位化合物。它们的标准电极电势的大小与配位体有很大关系。改变配位体可以改变电对的标准电极电势。通过下列各步吉布斯自由能的计算,可以看到这一点:

$$[Fe(H_2O)_6]^{3+} + e^- \rightleftharpoons [Fe(H_2O)_6]^{2+} \quad \Delta G_1^\ominus = -nF\varphi_1^\ominus$$

$$[Fe(H_2O)_6]^{2+} + 6CN^- \rightleftharpoons [Fe(CN)_6]^{4-}$$
$$\Delta G_3^\ominus = -2.303\,RT\lg K''_稳$$

$$[Fe(CN)_6]^{3-} \rightleftharpoons [Fe(H_2O)_6]^{3+} + 6CN^-$$

$$+)\qquad \Delta G_4^\ominus = +2.303\,RT\lg K''_稳$$

$$\overline{[Fe(CN)_6]^{3-} + e^- \rightleftharpoons [Fe(CN)_6]^{4-} \quad \Delta G_2^\ominus = -nF\varphi_2^\ominus}$$

$$nF\varphi_2^\ominus = nF\varphi_1^\ominus + 2.303RT\lg K'_稳 - 2.303RT\lg K''_稳$$

$$\varphi_2^\ominus = \varphi_1^\ominus + \frac{2.303RT}{nF}(\lg K'_稳 - \lg K''_稳)$$

已知: $\varphi_1^\ominus = +0.771V$　$\lg K'_稳 = 24.0$　$\lg K''_稳 = 31.0$

所以: $\varphi_2^\ominus =$

$$+0.771V + \frac{2.303 \times 8.314J \cdot mol^{-1} \cdot K^{-1} \times 298K}{1 \times 9.65 \times 10^4 C \cdot mol^{-1}}(24.0 - 31.0)$$

$$= +0.771V - 0.414V$$

$$= +0.357V$$

计算结果表明:当配位体由水分子变为氰根时,Fe（Ⅲ）/Fe（Ⅱ）配位化合物电对的标准电极电势由 +0.771V 降为 +0.357V。这说明 $[Fe(CN)_6]^{4-}$ 比 $[Fe(H_2O)_6]^{2+}$ 的还原性强。或者说,配位体由水分子变为氰根增强了铁(Ⅲ)的稳定性。

用氯气来氧化六氰合铁(Ⅱ)酸钾溶液,可得六氰合铁(Ⅲ)酸钾 $K_3[Fe(CN)_6]$:

$$2K_4[Fe(CN)_6] + Cl_2 \Longrightarrow 2KCl + 2K_3[Fe(CN)_6]$$

它是深红色晶体,又名赤血盐。它的溶解度比六氰合铁(Ⅱ)酸钾大,273K 时,每 100g 水可溶解 31g 盐。赤血盐在碱性溶液中有氧化作用:

$$4K_3[Fe(CN)_6] + 4KOH \Longrightarrow 4K_4[Fe(CN)_6] + O_2 + 2H_2O$$

在中性溶液中,有微弱的水解作用:

$$K_3[Fe(CN)_6] + 3H_2O \Longrightarrow Fe(OH)_3 + 3KCN + 3HCN$$

因此使用赤血盐的溶液时,最好临用时配制。赤血盐的溶液遇到 Fe^{2+} 离子立即产生名为滕氏蓝的深蓝色沉淀:

$$K^+ + Fe^{2+} + [Fe(CN)_6]^{3-} \Longrightarrow KFe[Fe(CN)_6]\downarrow$$

利用这一反应,可用赤血盐检验 Fe^{2+} 离子。经结构研究证明,滕氏蓝的组成与结构和普鲁士蓝一样(结构如图 21-3 所示)。

Fe^{3+} 离子能与卤素离子形成配位化合物,它和 F^- 离子有较强的亲合力:

$$Fe^{3+} + F^- \Longrightarrow FeF^{2+} \qquad K_1 \approx 10^5$$
$$FeF^{2+} + F^- \Longrightarrow FeF_2^+ \qquad K_2 \approx 10^5$$
$$FeF_2^+ + F^- \Longrightarrow FeF_3 \qquad K_3 \approx 10^3$$

但是相应的 $FeCl_3$ 的各级平衡常数 K_1, K_2, K_3 分别为 $\approx 30, \approx 5$ 和 ≈ 0.1。Fe^{3+} 在很浓的盐酸中,能形成四面体的 $FeCl_4^-$ 离子。

向 Fe^{3+} 离子的溶液中加入硫氰化钾 KSCN 或硫氰化铵 NH_4SCN,溶液立即呈血红色,主要反应为:

$$[Fe(H_2O)_6]^{3+} + SCN^- \Longrightarrow [Fe(H_2O)_5SCN]^{2+} + H_2O$$

或 $\qquad Fe^{3+} + SCN^- \Longrightarrow [Fe(SCN)]^{2+}$(血红色)

所生成的配离子的通式为 $[Fe(SCN)_n]^{(3-n)}$,$n = 1-6$,这是鉴定

Fe^{3+} 离子的灵敏反应之一,这一反应也常用于 Fe^{3+} 的比色测定。

(d) Fe^{3+} 离子的水解　$[Fe(H_2O)_6]^{3+}$ 中的 Fe^{3+} 离子与 $[Mn(H_2O)_6]^{2+}$ 中的 Mn^{2+} 离子一样,d 电子构型也是高自旋的 $(d_\varepsilon)^3(d_\gamma)^2$,电子的 $d-d$ 跃迁也是自旋－禁阻的,$d-d$ 吸收的概率很小,即吸收很弱。$[Mn(H_2O)_6]^{2+}$ 离子呈淡红色,$[Fe(H_2O)_6]^{3+}$ 离子则呈很淡的紫色。但是,平时我们所看到的三价铁盐溶液的颜色却是黄色或黄棕色或红棕色。这是由 Fe^{3+} 离子的水解作用引起的,如第一步水解产物 $[Fe(OH)(H_2O)_5]^{2+}$ 离子呈黄色。

Fe^{3+} 离子的半径为 60pm,有较大的电荷半径比,因此,Fe^{3+} 离子有较高的正电场,在水溶液中明显地水解,水解过程很复杂。首先,发生逐级水解,即:

$$[Fe(H_2O)_6]^{3+} + H_2O \rightleftharpoons [Fe(OH)(H_2O)_5]^{2+} + H_3O^+$$
$$K = 10^{-3.05}$$

或　　　　　　$$Fe^{3+} + H_2O \rightleftharpoons Fe(OH)^{2+} + H^+$$

$$[Fe(OH)(H_2O)_5]^{2+} + H_2O \rightleftharpoons [Fe(OH)_2(H_2O)_4]^+ + H_3O^+$$
$$K = 10^{-6.31}$$

或　　　　　　$$Fe(OH)^{2+} + H_2O \rightleftharpoons Fe(OH)_2^+ + H^+$$

其次,随着水解的进行,同时发生各种类型的缩合反应,如:

$$[Fe(H_2O)_5OH]^{2+} + [Fe(H_2O)_6]^{3+} \rightleftharpoons$$

$$[(H_2O)_5Fe\overset{\text{H}}{\underset{}{-O-}}Fe(H_2O)_5]^{5+} + H_2O$$

$$2[Fe(H_2O)_5OH]^{2+} \rightleftharpoons [(H_2O)_4Fe\overset{\text{H}}{\underset{\text{H}}{\overset{O}{\underset{O}{<\quad>}}}}Fe(H_2O)_4]^{4+} + 2H_2O$$

总反应可写成:

$$2[Fe(H_2O)_6]^{3+} \rightleftharpoons [Fe(H_2O)_4(OH)_2Fe(H_2O)_4]^{4+} + 2H^+$$
$$K = 10^{-2.91}$$

水合铁离子双聚体的结构如图 21-6 所示。

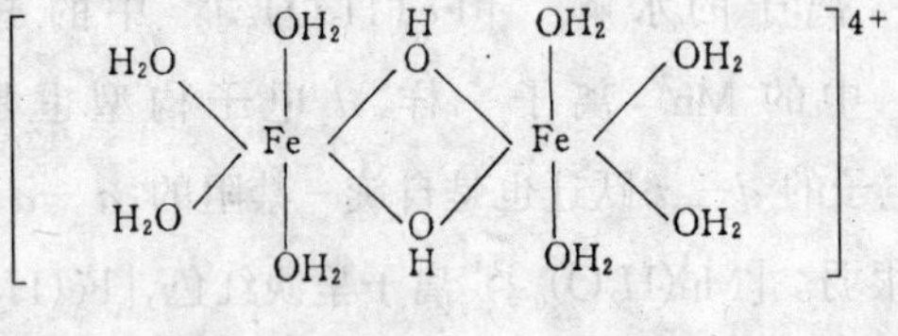

图 21-6　水合铁离子双聚体的结构

从水解平衡反应式可以看出,当溶液中酸过量时,Fe^{3+} 主要以 $[Fe(H_2O)_6]^{3+}$ 存在。pH 约为零时,溶液中含约 99% 的 $[Fe(H_2O)_6]^{3+}$。随着 pH 值的增大,水解倾向增大,溶液颜色由黄棕色逐渐变为红棕色。当 pH=2～3 时,聚合倾向增大,形成聚合度大于 2 的多聚体,最终导致生成红棕色胶状水合三氧化二铁沉淀(通常称之为氢氧化铁)。将溶液加热,颜色同样由浅变深,这说明加热也能促进 Fe^{3+} 的水解。

使 Fe^{3+} 水解析出沉淀氢氧化铁是长期以来作为一种典型的除铁方法,在冶金和化工生产中得到广泛应用。但是这种方法的主要缺点是 $Fe(OH)_3$ 具有胶体性质。不仅沉淀速度慢,过滤困难,而且使一些物质被收附而损失。通常应用凝聚剂使氢氧化铁凝聚沉降或长时间加热煮沸破坏胶体。但当 Fe^{3+} 浓度较大时,从溶液中分离氢氧化铁仍然是很困难的。

通过实践发现,如果使铁(Ⅲ)的硫酸盐在较小的 pH 条件下发生水解,由于酸度较大,不会产生氢氧化铁的沉淀,这时在溶液中只存在一些聚合的 $Fe_2(OH)_2^{4+}$、$Fe_2(OH)_4^{2+}$,这些离子能和 SO_4^{2-} 结合,生成一种浅黄色的复盐晶体,其化学式为

$$M_2Fe_6(SO_4)_4(OH)_{12} \quad (M=K^+, Na^+, NH_4^+),$$

俗称黄铁矾,如黄钠铁矾 $Na_2Fe_6(SO_4)_4(OH)_{12}$。黄铁矾在水中的溶解度小,而且颗粒大,沉淀速度快,很容易过滤,因此在水法冶金

中,已广泛采用生成黄铁矾的办法除去杂质铁。为了使杂质铁充分生成 $Na_2Fe_6(SO_4)_4(OH)_{12}$ 沉淀析出,在实际工作中,一般要控制以下三个条件:加入氧化剂如 $NaClO_3$,使所有的铁都转化为 Fe^{3+} 离子;控制 pH 值在 1.6—1.8 左右;使温度保持在 358—368K。在这种条件下 Fe^{3+} 在溶液中水解生成黄钠铁矾的反应为:

$$3Fe_2(SO_4)_3 + 6H_2O \Longrightarrow 6Fe(OH)SO_4 + 3H_2SO_4$$

$$4Fe(OH)SO_4 + 4H_2O \Longrightarrow 2Fe_2(OH)_4SO_4 + 2H_2SO_4$$

$$2Fe(OH)SO_4 + 2Fe_2(OH)_4SO_4 + Na_2SO_4 + 2H_2O \Longrightarrow$$

$$Na_2Fe_6(SO_4)_4(OH)_{12} \downarrow + H_2SO_4$$

浅黄色

(3) 氧化数为 +6 的铁的化合物

铁(Ⅵ)处于中间氧化态,既可以呈现氧化性,又可以呈现还原性。铁(Ⅵ)作为还原剂时的标准电极电势为:

$$FeO_4^{2-} + 8H^+ + 3e^- \Longrightarrow Fe^{3+} + 4H_2O \qquad \varphi_A^\ominus = +2.20V$$

$$FeO_4^{2-} + 4H_2O + 3e^- \Longrightarrow Fe(OH)_3 + 5OH^- \qquad \varphi_B^\ominus = +0.72V$$

从上述电极电势可以看出,在酸性介质中高铁酸根离子 FeO_4^{2-} 是一个强氧化剂,一般的氧化剂很难把 Fe^{3+} 离子氧化成 FeO_4^{2-}。相反,在强碱性介质中,Fe(Ⅲ)却能被一些氧化剂如 NaClO 所氧化:

$$ClO^- + H_2O + 2e^- \Longrightarrow Cl^- + 2OH^- \qquad \varphi_B^\ominus = +0.89V$$

在强碱性溶液中,用 NaClO 来氧化 $Fe(OH)_3$,得紫红色高铁酸盐溶液:

$$2Fe(OH)_3 + 3ClO^- + 4OH^- \Longrightarrow 2FeO_4^{2-} + 3Cl^- + 5H_2O$$

将 Fe_2O_3,KNO_3 和 KOH 混合并加热共融,生成紫红色高铁酸钾:

$$Fe_2O_3 + 3KNO_3 + 4KOH \Longrightarrow 2K_2FeO_4 + 3KNO_2 + 2H_2O$$

在高铁酸盐溶液中加入 $BaCl_2$ 会析出不溶的 $BaFeO_4 \cdot H_2O$,它和 $BaSO_4$ 是类似的化合物。将溶液酸化时,FeO_4^{2-} 迅速分解而转化

成 Fe^{3+}：

$$2FeO_4^{2-} + 10H^+ \longrightarrow 2Fe^{3+} + \frac{3}{2}O_2 + 5H_2O$$

1-3 钴和镍

钴和镍的常见氧化态为 +2 和 +3。钴的 +3 氧化态在一般简单化合物中是不稳定的，但在某些配位化合物中却相当稳定。镍主要呈现 +2 氧化态，它的 +3 氧化态化合物较少见。

(1) 氧化数为 +2 与 +3 的钴和镍的化合物

(a) 氧化物和氢氧化物　在隔绝空气的条件下，加热使钴（Ⅱ）或镍（Ⅱ）的碳酸盐、草酸盐或硝酸盐分解，能制得灰绿色的氧化钴（Ⅱ）CoO 或暗绿色的氧化镍（Ⅱ）NiO。CoO 和 NiO 都能溶于酸性溶液中，但难溶于水，一般不溶于碱性溶液。

在空气中加热钴（Ⅱ）的碳酸盐、草酸盐或硝酸盐，则分解生成黑色的四氧化三钴 Co_3O_4，因为在 670—770K 空气中的氧能使钴（Ⅱ）转变为钴（Ⅲ）。Co_3O_4 是 CoO 和 Co_2O_3 的混合氧化物。纯的无水氧化钴（Ⅲ）还没有得到过，只知有其一水合物 $Co_2O_3 \cdot H_2O$。$Co_2O_3 \cdot H_2O$ 大约于 570K 分解为 Co_3O_4，同时失去水 并放出氧气。纯氧化镍（Ⅲ）也没有得到过。低于 298K，用次溴酸钾的碱性溶液与硝酸镍（Ⅱ）溶液反应，镍（Ⅱ）被氧化，生成黑色沉淀 β-NiO(OH)，它易溶于酸中。用 NaOCl 碱性溶液与镍（Ⅱ）盐溶液反应，镍（Ⅱ）进一步被氧化，得黑色 $NiO_2 \cdot nH_2O$，它不稳定，对有机化合物是一个有用的氧化剂。

向钴（Ⅱ）或镍（Ⅱ）盐的水溶液中加碱，可以得到相应的氢氧化物 $Co(OH)_2$ 或 $Ni(OH)_2$ 的沉淀。如前所述，粉红色 $Co(OH)_2$ 在空气中慢慢地被氧化为棕褐色的 $Co(OH)_3$，而绿色的 $Ni(OH)_2$ 不被空气中的氧所氧化。与 $Fe(OH)_2$ 不同，$Co(OH)_2$ 的两性较显著，它既溶于酸形成钴（Ⅱ）盐，也溶于过量的浓碱溶液形成

$[Co(OH)_4]^{2-}$ 离子,$Ni(OH)_2$ 则是碱性的。

在溶液的 pH 值大于 3.5 的条件下,向钴(Ⅱ)盐溶液中加入强氧化剂,如 Cl_2,$NaOCl$ 等可制得氢氧化钴(Ⅲ)。如上所述,低于 298K,向镍(Ⅱ)盐的碱性溶液中加入氧化剂 Br_2,可制得氢氧化镍(Ⅲ)。

氢氧化钴(Ⅲ)和氢氧化镍(Ⅲ)都是强氧化剂,同盐酸反应,都能将 Cl^- 离子氧化为 Cl_2,例如:

$$2Co(OH)_3 + 6HCl \Longrightarrow 2CoCl_2 + Cl_2\uparrow + 6H_2O$$

氢氧化钴和氢氧化镍主要用于制备各种钴盐和镍盐,其中氢氧化钴还常用于漆和清漆的催干剂、蓄电池的极板。

(b)氯化钴 由于氯化钴分子中结晶水数目的不同水合氯化钴而显出不同的颜色:

$$CoCl_2\cdot 6H_2O \underset{\text{粉红}}{\overset{325K}{\Longrightarrow}} CoCl_2\cdot 2H_2O \underset{\text{紫红}}{\overset{363K}{\Longrightarrow}} CoCl_2\cdot H_2O \underset{\text{蓝紫}}{\overset{393K}{\Longrightarrow}} \underset{\text{蓝}}{CoCl_2}$$

蓝色的 $CoCl_2$ 在潮湿的空气中变为粉红色,因此,氯化钴可在变色硅胶干燥剂中用作指示剂和制显隐墨水。

从 $CoCl_2\cdot 6H_2O$ 受热失水的反应可以看出,Co^{2+} 离子的水解性能较弱,和 $AlCl_3\cdot 6H_2O$ 不同,在加热的过程中,它只是逐渐脱水,而不发生水解现象。

$CoCl_2\cdot 6H_2O$ 晶体属于单斜晶系,每个钴原子周围有 4 个水分子,这 4 个水分子分别占据在一个畸变了的正方形的角顶位置($Co—H_2O = 212pm$),与两个氯原子形成畸变了的八面体($Co—Cl = 243pm$)。其它两个水分子没有直接与钴成键。反式 $CoCl_2(H_2O)_4$ 是组成粉红色 $CoCl_2\cdot 6H_2O$ 的单元。

氯化钴主要用于电解金属钴、制备钴的化合物,此外还可用于氨的吸收剂、防毒面具和肥料添加剂等。

(c)硫酸镍 硫酸镍可利用金属镍同硫酸和硝酸的反应来制

取,也可以将氧化镍或碳酸镍溶于稀硫酸中来制取:

$$2Ni + 2HNO_3 + 2H_2SO_4 \Longrightarrow 2NiSO_4 + NO_2 + NO + 3H_2O$$

$$NiO + H_2SO_4 \Longrightarrow NiSO_4 + H_2O$$

$$NiCO_3 + H_2SO_4 \Longrightarrow NiSO_4 + H_2O + CO_2 \uparrow$$

硫酸镍一般结晶成 $NiSO_4 \cdot 7H_2O$,有时也有 $NiSO_4 \cdot 6H_2O$ 存在,它们都是绿色晶体。加热到 376K 时可失去 6 个水分子成无水盐。硫酸镍能与碱金属硫酸盐形成复盐 $M_2^INi(SO_4)_2 \cdot 6H_2O$。硫酸镍大量用于电镀、触媒和纺织品染色。

(d) 重要配位化合物 铁、钴、镍是很好的配位化合物形成体,其中以钴最典型。

一般钴盐都是以 Co^{2+} 离子存在于水溶液中,因为 Co^{2+} 离子是钴的最稳定氧化态。Co^{3+} 离子很不稳定,氧化性很强:

$$[Co(H_2O)_6]^{3+} + e^- \Longrightarrow [Co(H_2O)_6]^{2+} \qquad \varphi^\ominus = +1.84V$$

前面曾经指出,配位化合物电对的标准电极电势的大小与配位体有很大关系,改变配位体可以改变电偶的标准电极电势。当配位体由水分子变为氨分子时,Co(Ⅲ)/Co(Ⅱ)配位化合物电对的标准电极电势由 1.84V 明显下降为 +0.1V:

$$[Co(NH_3)_6]^{3+} + e^- \Longrightarrow [Co(NH_3)_6]^{2+} \qquad \varphi^\ominus = +0.1V$$

这说明 $[Co(NH_3)_6]^{2+}$ 还原性比 $[Co(H_2O)_6]^{2+}$ 强,$[Co(NH_3)_6]^{2+}$ 不稳定易被氧化,而 $[Co(NH_3)_6]^{3+}$ 则相当稳定,不易被还原。事实上,空气中的氧就能把 $[Co(NH_3)_6]^{2+}$ 氧化成 $[Co(NH_3)_6]^{3+}$:

$$2[Co(NH_3)_6]^{2+} + \frac{1}{2}O_2 + H_2O \Longrightarrow 2[Co(NH_3)_6]^{3+} + 2OH^-$$

用活性炭作催化剂,在含有 $CoCl_2$,NH_3 和 NH_4Cl 的溶液中通入空气或加入过氧化氢,自溶液中可分离出橙黄色的氯化六氨合钴 $[Co(NH_3)_6]Cl_3$:

$$4[Co(H_2O)_6]^{2+} + 20NH_3 + 4NH_4^+ + O_2 = $$
$$4[Co(NH_3)_6]^{3+} + 26H_2O$$
$$2[Co(H_2O)_6]^{2+} + 10NH_3 + 2NH_4^+ + H_2O_2 = $$
$$2[Co(NH_3)_6]^{3+} + 14H_2O$$

以上从氧化－还原稳定性的角度说明了$[Co(NH_3)_6]^{3+}$离子要比$[Co(NH_3)_6]^{2+}$离子稳定得多。下面再比较一下$[Co(NH_3)_6]^{3+}$离子与$[Co(NH_3)_6]^{2+}$离子的配合－离解稳定性：

$$K_稳 = \frac{[Co(NH_3)_6]^{2+}}{[Co^{2+}][NH_3]^6} = 1.28 \times 10^5$$

$$K'_稳 = \frac{[Co(NH_3)_6]^{3+}}{[Co^{3+}][NH_3]^6} = 1.6 \times 10^{35}$$

$K'_稳 \gg K_稳$，从配合－离解的角度来看，$[Co(NH_3)_6]^{3+}$离子也比$[Co(NH_3)_6]^{2+}$离子稳定得多。

当配位体变为氰根时，Co(Ⅲ)/Co(Ⅱ)配位化合物电对的标准电极电势进一步下降为$-0.83V$：

$$[Co(CN)_6]^{3-} + e^- = [Co(CN)_6]^{4-} \qquad \varphi^\ominus = -0.83V$$

$[Co(CN)_6]^{4-}$更不稳定，是一个相当强的还原剂，而$[Co(CN)_6]^{3-}$则比$[Co(NH_3)_6]^{3+}$还要稳定得多。将含有$[Co(CN)_6]^{4-}$的溶液稍稍加热，$[Co(CN)_6]^{4-}$就能使H^+还原产生氢气：

$$2K_4[Co(CN)_6] + 2H_2O = 2K_3[Co(CN)_6] + 2KOH + H_2 \uparrow$$

Co^{3+}离子与Fe^{2+}离子是等电子体(外层构型均为$3d^6$)但与Fe(Ⅱ)相反，几乎所有的Co(Ⅲ)的配位化合物包括$[Co(H_2O)_6]^{3+}$、$[Co(NH_3)_6]^{3+}$，$[Co(CN)_6]^{3-}$在内，都是低自旋的(d_ε^6构型)，只有F^-离子作配位体时，配位化合物才是高自旋($d_\varepsilon^4 d_\gamma^2$构型)的。

向Co^{2+}离子的溶液中加入过量的亚硝酸钾，并以少量醋酸酸化，加热后有黄色的六亚硝酸合钴(Ⅲ)酸钾$\{K_3[Co(NO_2)_6]\}$析出：

$$Co^{2+} + 7NO_2^- + 3K^+ + 2H^+ \rule[0.5ex]{2em}{0.4pt} K_3[Co(NO_2)_6] + NO + H_2O$$

向 Co^{2+} 离子的溶液中加入硫氰化钾或硫氰化铵,生成蓝色配离子 $[Co(SCN)_4]^{2-}$,它在水溶液中不稳定,易离解:

$$[Co(SCN)_4]^{2-} \rightleftharpoons Co^{2+} + 4SCN^- \qquad K_{不稳} = 10^{-3}$$

$[Co(SCN)_4]^{2-}$ 溶于丙酮或戊醇,在有机溶剂中它比较稳定,可用在比色分析上。向 $[Co(SCN)_4]^{2-}$ 的溶液中加入 Hg^{2+} 离子,则有 $Hg[Co(SCN)_4]$ 沉淀析出:

$$Hg^{2+} + [Co(SCN)_4]^{2-} \rule[0.5ex]{2em}{0.4pt} Hg[Co(SCN)_4] \downarrow$$

Co^{2+} 与配位体硝酸根 NO_3^- 能形成一种有趣的配离子,其化学式为 $[Co(NO_3)_4]^{2-}$。在配离子 $[Co(NO_3)_4]^{2-}$ 中,Co^{2+} 的配位数为8,硝酸根 NO_3^- 起双齿配体的作用。

钴(Ⅲ)除了能形成单核钴氨配位化合物以外,还能形成许多多核钴氨配位化合物。在多核钴氨配位化合物中,羟基 OH^-,氨基 NH_2^-,亚氨基 NH^{2-},过氧离子 O_2^{2-},超氧离子 O_2^- 等起着桥联的作用,把 Co^{3+} 离子连接起来。如:

$$[(NH_3)_5Co\text{—}NH_2\text{—}Co(NH_3)_5]Cl_5,$$

$$[(NH_3)_3Co(OH)_3Co(NH_3)_3]Cl_3,$$

$$[(NH_3)_4Co\underset{NH_2}{\overset{O_2}{\diagup\!\!\!\diagdown}}Co(NH_3)_4]Cl_3$$

钴的配位化合物为数众多,原因之一也是由于存在许多同分异构现象。例如,化学式为 $[CoNO_2(NH_3)_5]Cl_2$ 的配位化合物有两种键合异构体:一种是红色的 $[(ONO)Co(NH_2)_5]Cl_2$,NO_2^- 以 O 与 Co 成键;另一种是黄棕色的 $[(NO_2)Co(NH_3)_5]Cl_2$,NO_2^- 以 N 与 Co 成键。

至于化学式为 $[Co_2(OH)_2Cl_2(NH_3)_6]^{2+}$ 的配离子,则存在配位异构现象:

$$(NH_3)_4Co \begin{matrix} O \\ \diagup \ \diagdown \\ OH \end{matrix} Co(NH_3)_2Cl_2 \qquad Cl(NH_3)_3Co \begin{matrix} H \\ O \\ \diagup \ \diagdown \\ O \\ H \end{matrix} Co(NH_3)_3Cl$$

其中的 $[(NH_3)_4Co \diagup^{O}_{O}\diagdown Co(NH_3)_2Cl_2]^{2+}$ 还有下面四种立体异构

体：

上面的两种是几何异构体,下面的两种是互成镜象的光学异构体。

　　镍也能形成许多配位化合物。例如,将过量的氨水加入 Ni^{2+} 的溶液中,可形成 $[Ni(NH_3)_6]^{2+}$ 配离子。将 $Ni(OH)_2$ 溶于 HBr 并加入过量的氨水,有紫色的溴化六氨合镍(Ⅱ) $[Ni(NH_3)_6]Br_2$ 析出。

　　镍也能形成氰配位化合物。将过量的氰化钾加入 Ni^{2+} 的溶液中,可形成 $[Ni(CN)_4]^{2-}$ 配离子。四氰合镍(Ⅱ)酸钠 $Na_2[Ni(CN)_4]\cdot 3H_2O$ 为黄色;四氰合镍(Ⅱ)酸钾 $K_2[Ni(CN)_4]\cdot H_2O$ 为橙色。

　　$[Ni(NH_3)_6]^{2+}$ 和 $[Ni(CN)_4]^{2-}$ 都很稳定,不易被氧化。

$[Ni(CN_4)]^{2-}$ 的空间构型是平面正方形,Ni^{2+} 离子居中,它采用 dsp^2 杂化轨道容纳配位体的电子。

Ni^{2+} 离子常与多价配位体形成螯合物。例如,Ni^{2+} 离子与丁二酮肟在稀氨水溶液中能生成螯合物二丁二酮肟合镍(Ⅱ),它是一种鲜红色沉淀。这个反应是检验 Ni^{2+} 的特征反应:

(鲜红)

在二丁二酮肟合镍(Ⅱ)中,与 Ni^{2+} 离子配位的四个 N 原子形成平面正方形。

在水溶液中,Ni^{2+} 与乙二胺能形成三个螯环的 $[Ni(en)_3]^{2+}$。通过以下对比,可以看出,$[Ni(en)_3]^{2+}$ 的螯合效应很显著:

$$Ni^{2+} + 6NH_3 \Longrightarrow [Ni(NH_3)_6]^{2+} \qquad lgK_稳 = 8.61$$
$$Ni^{2+} + 3en \Longrightarrow [Ni(en)_3]^{2+} \qquad lgK_稳 = 18.28$$

有三个螯环的 $[Ni(en)_3]^{2+}$,其稳定常数差不多是无环的 $[Ni(NH_3)_6]^{2+}$ 的 10^{10} 倍。

$$\Delta G^\ominus = -RT\ln K_稳$$

$K_稳$ 越大,$\Delta G^\ominus$ 越负,所生成的螯合物越稳定。

(2) 铁、钴、镍的低氧化态配位化合物

铁、钴、镍的常见氧化态是 $+2$,$+3$。但在某些配位化合物中呈现低氧化态 $+1$,0,-1 或 -2。羰基配位化合物是这类配位化合物的典型代表,例如 $Fe(CO)_5$,$HCo(CO)_4$,等。在羰基配位化合物中,金属呈低氧化态。一氧化碳是很弱的路易斯碱,其碳原子中的非键电子对不容易给出,即一氧化碳与金属形成 σ 配键的能力较弱，但是它和金属形成反馈键的能力较强。形成反馈键时，金属将电子对给予配位体，只有当金属具有足够的负电荷时，它才能起电子对给予体的作用。低氧化态的金属，具有较多价电子，有利于形成反馈键。在四羰基合镍 $Ni(CO)_4$ 中，金属与羰基之间 σ 配键和反馈键的形成如图 21-7 所示。

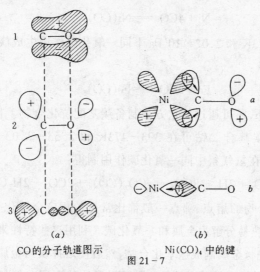

(a) (b)

CO的分子轨道图示 $Ni(CO)_4$ 中的键

图 21-7

1—成键 π 轨道；2—反键 π 轨道； $b\sigma$ 键（金属←碳）

3—未共用电子对占据的 σ 轨道　 a 反馈键（金属→碳 π 键）

在羰基化合物中，由于 σ 配键和反馈键两种成键作用同时进行，使金属与一氧化碳作用形成的羰基化合物具有很高的稳定性。

羰基配位化合物不仅在氧化态方面表现特殊，其制备、性质也比较特殊。多数羰基配位化合物可以通过金属和一氧化碳的直接化合来制备，但要求金属必须是新还原出来的具有活性的粉状物。

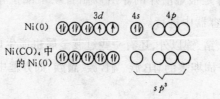

CO 的分子轨道表示式：

$$(\sigma_{1s})^2 (\sigma_{1s}^*)^2 (\sigma_{2s})^2 (\sigma_{2s}^*)^2 (\pi_{2p_y})^2 (\pi_{2p_z})^2 (\sigma_{2p})^2 (\pi_{2p_y}^*)^0 (\pi_{2p_z}^*)^0$$
$$(\sigma_{2p}^*)^0$$

镍在 325K 和 101.325kPa 下同一氧化碳作用生成无色液体四羰基合镍：

$$Ni + 4CO \rightleftharpoons Ni(CO)_4$$

铁在 373—473K 和 $2.02 \times 10^7 Pa$ 下同一氧化碳作用生成淡黄色液体五羰基合铁：

$$Fe + 5CO \rightleftharpoons Fe(CO)_5$$

除直接化合外，还可通过其它方法制备羰基配位化合物。例如，橙黄色晶体八羰基合二钴可在 393—473K 和 $2.53—3.03 \times 10^7 Pa$ 下，用碳酸钴在氢气氛中同一氧化碳作用制得：

$$2CoCO_3 + 2H_2 + 8CO \rightleftharpoons CO_2(CO)_8 + 2CO_2 + 2H_2O$$

羰基配位化合物的熔点、沸点一般都比常见的相应金属化合物低，容易挥发，受热易分解为金属和一氧化碳。利用这些特性来分离或提纯金属是先将金属制成羰基化合物，然后使之挥发与金属中的杂质分离，最后使羰基化合物分解，便得到很纯的金属。例如使五羰基合铁的蒸气在 473—523K 分解，可以得到含碳很低的纯铁粉：

$$Fe(CO)_5 \rightleftharpoons Fe + 5CO$$

这种铁粉用于制造磁铁心和催化剂。

值得特别注意的是，羰基配位化合物有毒。例如，吸入四羰基合镍，血红素便和一氧化碳化合，从而使血液把胶态镍带到全身器官，这种中毒是很难治疗的。所以制备羰基配位化合物必须在与外界隔绝的容器中进行。

除了铁、钴、镍以外，还有一些过渡金属也能生成羰基配位化合物，它们位于周期表的 ⅥB 族、ⅦB 族、Ⅷ族，如方框中的金属：

V	Cr	Mn	Fe	Co	Ni	Cu	Zn
Nb	Mo		Ru	Rh		Pd	Ag	Cd
Ta	W	Re	Os	Ir		Pt	Au	Hg

某些金属羰基配位化合物与一氧化氮作用可以生成金属羰基亚硝基配位化合物,例如:

$$Fe(CO)_5 + 2NO \Longrightarrow Fe(CO)_2(NO)_2 + 3CO$$

$$Co_2(CO)_8 + 2NO \Longrightarrow 2Co(CO)_3(NO) + 2CO$$

NO 的电子排布是 $(\sigma_{1s})^2(\sigma_{1s}^*)^2(\sigma_{2s})^2(\sigma_{2s}^*)^2(\pi_{2p_y})^2(\pi_{2p_z})^2(\sigma_{2p})^2$ $(\pi_{2p_y}^*)^1$,与 CO 相同,只是多了一个反键电子。由于多了这个电子,金属羰基亚硝基配位化合物中的亚硝基是三电子配位体。可以认为,首先是 NO 的反键轨道中的这个电子由亚硝基转移向金属,使金属在形式上带负电荷,而亚硝基在形式上变为 NO^+ 离子。NO^+ 离子与 CO 是等电子的,因而是等效的配位体。因此,在 $Co(CO)_3(NO)$ 中,Co 的氧化态为 -1;在 $Fe(CO)_2(NO)_2$ 中,Fe 的氧化态为 -2。

§21-2 铂系元素

2-1 铂系元素概述

铂系包括钌、铑、钯、锇、铱、铂 6 种元素。根据金属单质的密度,铂系元素又可分为两组:钌、铑、钯的密度约为 $12g \cdot cm^3$,称为轻铂金属;锇、铱、铂的密度约为 $22g \cdot cm^3$,称为重铂金属。铂系元素都是稀有金属,它们在地壳中的丰度估计为:

钌 Ru	铑 Rh	钯 Pd	锇 Os	铱 Ir	铂 Pt
$10^{-8}\%$	$10^{-8}\%$	10^{-7}—$10^{-6}\%$	$10^{-7}\%$	$10^{-7}\%$	$10^{-6}\%$

铂系元素几乎完全以单质状态存在,高度分散于各种矿石中,

并共生在一起。例如在原铂矿中常有锇铱存在,通常以铂为主要成分,但也有铂和钯含量近乎相等的原铂矿。

铂系元素的基本性质汇列于表 21-4 中。

表 21-4　铂系元素的基本性质

性　质 ＼ 元　素	钌	铑	钯	锇	铱	铂
元素符号	Ru	Rh	Pd	Os	Ir	Ps
原子序数	44	45	46	76	77	78
价电子层结构	$4d^7 5s^1$	$4d^8 5s^1$	$4d^{10} 5s^0$	$5d^6 6s^2$	$5d^7 6s^2$	$5d^9 6s^1$
主要氧化数	$+2,$ $+4,$ $+6,$ $+7,+8$	$+3,+4$	$+2,$ $+4$	$+2,+3,$ $+4,$ $+6,$ $+8$	$+3,+4$ $+6$	$+2,$ $+4$
相对原子质量	101.0	102.9	106.4	190.2	192.2	195.0
共价半径/pm	125	125	128	126	129	130
M^{2+} 离子半径/pm	81	80	85	88	92	124
$\dfrac{第一电离势}{kJ \cdot mol^{-1}}$	711	720	805	840	880	870
电负性	2.2	2.28	2.20	2.2	2.2	2.28
$\varphi^\ominus/V$ $M^{2+} + 2e^- \rightleftharpoons M$	0.45	0.6	0.85	0.85	1.0	1.2

从铂系元素原子的价电子层结构来看,ns 轨道除锇和铱有两个电子以外,其余都只有 1 个电子或没有电子。无论是轻铂系,还是重铂系,形成高氧化态的倾向都是从左到右逐渐降低。这一点和铁、钴、镍三元素是一致的。和其它各副族的情况一样,铂系元素的第 6 周期各元素形成高氧化态的倾向比第 5 周期相应各元素为大。

铂系元素的主要氧化态及其稳定性的递变规律如下。

$$
\begin{array}{lll}
\text{Ru} & \text{Rh} & \text{Pd} \\
+4 & +3 & +2 \\
\\
\text{Os} & \text{Ir} & \text{Pt} \\
+6,+8 & +3,+4 & +2,+4
\end{array}
$$

高定氧性化增态加稳

高氧化态稳定性降低

铂系金属单质的某些物理性质列入表 21-5 中。

表 21-5　铂系金属单质的某些物理性质

物理性质	钌	铑	钯	锇	铱	铂
密度/$g \cdot cm^{-3}$	12.41	12.41	12.02	22.57	22.42	21.45
熔点/K	2 583	2 239±3	1 825	3 318±30	2 683	2 045
沸点/K	4 173	4 000±100	3 413	5 300±100	4 403	4 100±100

铂系金属除锇呈蓝灰色外,其余都是银白色。它们都是难熔金属在每一个三元素组中,金属的熔沸点都是从左到右逐渐降低。这六种元素中,最难熔的是锇,最易熔的是钯。熔沸点的这种变化趋势与铁系金属相似,这也可能是因为 nd 轨道中成单电子数从左到右逐次减少,金属键逐渐减弱的缘故。在硬度方面,钌和锇的特点是硬度高并且脆,因此不能承受机械处理。铑和铱虽可以承受机械处理,但很困难。可是最后一对金属钯和铂,尤其是铂,极易承受机械处理。纯净的铂具有高度的可塑性,将铂冷轧,可以制得厚度为 0.002 5 mm 的箔。

铂系金属对酸的化学稳定性比所有其它各族金属都高。前两对金属钌和锇,铑和铱对酸的化学稳定性特别高,它们不仅不溶于普通强酸,甚至也不溶于王水中。钯和铂都能溶于王水,钯还能溶于硝酸(在稀硝酸中溶解较慢,浓硝酸中溶解较快)和热硫酸中。如:

$$3Pt + 4HNO_3 + 18HCl \longrightarrow 3H_2PtCl_6 + 4NO + 8H_2O$$

所有铂系金属在有氧化剂存在时与碱一起熔融,都会变成可溶性的化合物。

铂系金属在常温下对于空气及氧都是稳定的。只有粉状锇在室温下的空气中会慢慢地被氧化,生成挥发性四氧化锇 OsO_4,可以嗅到极微量的 OsO_4 的特殊气味。如果整块的锇在空气中灼热到温度超过 773K 时,金属锇则燃烧成 OsO_4。OsO_4 的蒸气没有颜色,对呼吸道有剧毒,尤其有害于眼睛,会造成暂时失明。

钌在空气中加热时形成 RuO_2。铑和钯只有在炽热高温时,才逐渐氧化成 Rh_2O_3 和 PdO,温度再上升,氧化物又将分解。铱在高温时氧化生成的是氧化物的混合物。铂对氧的作用比铂系其它金属来得稳定,在氧气中加热,金属表面生成 PtO,高温时又分解。

铂系金属不和氮作用,至于其它的非金属如硫、磷、氟、氯等必须在高温下,才能和它们起作用,生成相应的化合物。

所有的铂系金属都有一个特性,即催化活性很高。而金属细粉(如铂黑)的催化活性尤其大。大多数铂系金属能吸收气体,特别是氢气。锇吸收氢气的能力最差,块状的锇几乎不吸收氢。钯吸收氢气的能力最强,在常温下,钯溶解氢的体积比为 1:700。在真空中把金属加热到 373K,溶解的氢就完全放出。氢在铂中的溶解度很小,但是铂溶解氧的本领要比钯强得多。钯吸收氧的体积比为 1:0.07,而铂溶解氧的体积比约为 1:70。铂系金属吸收气体的性能是与它们的高度催化性能有密切关系的。

铂系金属和铁系金属一样,都容易形成配位化合物。

铂在自然界往往以金属单质的形式存在于矿物中。从天然铂矿中提取铂,所采取的方法就是利用铂容易形成配位化合物这一性质。先用王水溶解铂矿,铂转化成氯铂酸,再向氯铂酸溶液中加入铵盐,则形成氯铂酸铵沉淀,而同其它铂系元素的配位化合物分离。将干燥后的氯铂酸铵在 1 073K 加热分解,使得到海绵状金属铂。将海绵状金属铂熔炼,即可得坚实的铂块。

铂是铂系金属中最软的,其硬度随着铂中铱含量的增加而增加。铂具有很好的延展性和可锻性,它的延展性接近于银和金,但随着铂中杂质含量的增加而延性减小。

铂有很高的化学稳定性。致密的铂在空气中加热不会失去原有光泽,铂的这种性质是本族元素中最好的。铂箔、铂黑和铂海绵在干燥的氧气中加热时,表面生成PtO,高温时又分解。

铂在523K以上开始和干燥的氯作用生成$PtCl_2$。将H_2PtCl_6在氯气流中加热达573K左右即得红棕色的四氯化铂$PtCl_4$。$PtCl_4$只能在643K以下存在,加热时即行分解,在643—708K范围内分解为暗绿色的三氯化铂$PtCl_3$,在708—854K范围内分解为$PtCl_2$,在855K$PtCl_2$完全分解成Pt。

铂不溶于一般强酸及氢氟酸中,但能溶于王水而形成淡黄橙色的氯铂酸溶液。除王水外,铂也溶于盐酸－过氧化氢、盐酸－高氯酸的混合溶液中。热的浓硫酸能很慢地溶解铂生成$Pt(OH)_2 \cdot (HSO_4)_2$。

熔融的苛性碱或过氧化钠对铂的腐蚀很严重。硫或金属硫化物在加热时能与铂作用。但更容易和铂作用的是硒和碲,特别是磷或还原气氛中的磷化物和磷酸盐都很容易与铂化合。

由于铂的化学稳定性很高,又能耐高温,故常用它制成化学上的各种反应器皿或仪器零件,如铂坩埚、铂蒸发皿、铂电极、铂网等。根据铂的化学性质,在使用铂的反应器皿时,应该遵守一定的操作规则。

铂丝的电阻随温度升高而作有规律的变化,因而可以通过测量电阻来间接以测定温度,所以可用铂制作测定高温的电阻温度计。此外,在电工技术中,铂和铂铑合金是常用的热电偶,这样的热电偶常用来测定1 473—2 023K范围内的温度。还可以用铂制耐1 873K高温的电炉炉丝。

铂具有很高的催化性能,在多种化学工业中用作催化剂。如在氨氧化法制硝酸时,就是用铂作催化剂首先将氨氧化为一氧化氮。

2-2 铂和钯的重要化合物

(1) 氯铂酸及其盐

最重要的铂(Ⅳ)的配位化合物是氯铂酸及其盐。用王水溶解铂,即生成氯铂酸 $H_2[PtCl_6]$。四氯化铂溶于盐酸也生成氯铂酸,将溶液蒸发浓缩,可得橙红色晶体 $H_2[PtCl_6] \cdot 6H_2O$:

$$PtCl_4 + 2HCl \Longrightarrow H_2[PtCl_6]$$

在铂(Ⅳ)化合物中加碱,可以得到两性的氢氧化铂 $Pt(OH)_4$,它溶于盐酸得氯铂酸,溶于碱得铂酸盐:

$$Pt(OH)_4 + 6HCl \Longrightarrow H_2[PtCl_6] + 4H_2O$$

$$Pt(OH)_4 + 2NaOH \Longrightarrow Na_2[Pt(OH)_6]$$

将氯化铵或氯化钾加至四氯化铂中,可制得相应的氯铂酸铵 $(NH_4)_2[PtCl_6]$ 或氯铂酸钾 $K_2[PtCl_6]$:

$$PtCl_4 + 2NH_4Cl \Longrightarrow (NH_4)_2[PtCl_6]$$

$$PtCl_4 + 2KCl \Longrightarrow K_2[PtCl_6]$$

氯铂酸和碱金属氯化物作用,也可生成相应的氯铂酸盐。氯铂酸钠 $Na_2[PtCl_6]$ 是橙红色晶体,易溶于水和酒精。但 $(NH_4)_2[PtCl_6]$,$K_2[PtCl_6]$,$Rb_2[PtCl_6]$,$Cs_2[PtCl_6]$ 等却都是难溶于水的黄色晶体。在分析上,利用难溶氯铂酸盐的生成,可以检验 NH_4^+,K^+,Rb^+,Cs^+ 等离子。氯铂酸溶液用作镀铂时的电镀液。

用草酸钾、二氧化硫等还原剂和氯铂酸盐反应,可生成氯亚铂酸盐 $M_2[PtCl_4]$,例如:

$$K_2[PtCl_6] + K_2C_2O_4 \Longrightarrow K_2[PtCl_4] + 2KCl + 2CO_2$$

氯铂酸铵经灼烧即分解,得海绵状铂:

$$(NH_4)_2[PtCl_6] \Longrightarrow Pt + 2NH_4Cl + 2Cl_2$$

或　　$3(NH_4)_2[PtCl_6] \Longrightarrow 3Pt + 2NH_4Cl + 16HCl + 2N_2$

氯铂酸以及氯铂酸盐的内界,即 $[PtCl_6]^{2-}$ 配离子的空间构型

是八面体,其电子排布如下:

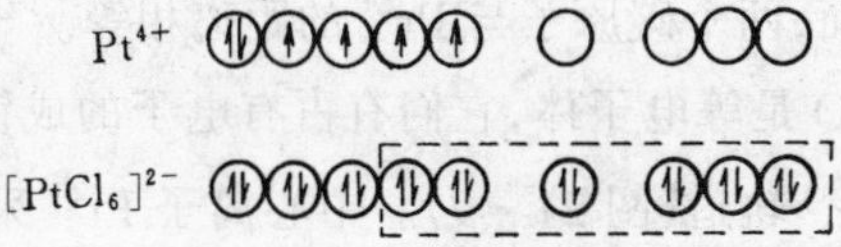

$$Pt^{4+}$$ ⇅ ⇅ ⇅ ○ ○ ○ ○

$$[PtCl_6]^{2-}$$ ⇅ ⇅ ⇅ ⇅ ⇅ ⇅ ⇅ ⇅ ⇅

[PtCl$_6$]$^{2-}$ 在水溶液里是非常稳定的配离子。当黄色的 K$_2$[PtCl$_6$] 与 KBr 或 KI 加热反应时,转化为深红色的 K$_2$[PtBr$_6$] 或黑色的 K$_2$[PtI$_6$]。[PtX$_6$]$^{2-}$ 的稳定性按如下顺序增加:

$$[PtF_6]^{2-} < [PtCl_6]^{2-} < [PtBr_6]^{2-} < [PtI_6]^{2-}$$

(2) 铂(Ⅱ)-乙烯配位化合物

PtCl$_2$·C$_2$H$_4$ 是人们制得的第一个不饱和烃与金属的配合物。这个化合物可由氯亚铂酸盐 [PtCl$_4$]$^{2-}$ 和乙烯在水溶液中反应制得,它可以被乙醚萃取。反应过程如下:

$$[PtCl_4]^{2-} + C_2H_4 \Longrightarrow [Pt(C_2H_4)Cl_3]^+ + Cl^-$$

$$2[Pt(C_2H_4)Cl_2]^- \Longrightarrow [Pt(C_2H_4)Cl_2]_2^0 + 2Cl^-$$

中性化合物 [Pt(C$_2$H$_4$)Cl$_2$]$_2$ 是一个具有桥式结构的二聚物,两个乙烯分子的排布是反式的:

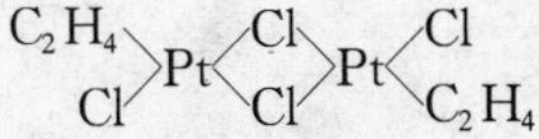

X射线分析指出,配离子 [Pt(C$_2$H$_4$)Cl$_3$]$^-$ 的构型是平面四边形(图 21-8)。Pt^{2+} 离子在四边形的中央,四个配位体占据在四个角顶

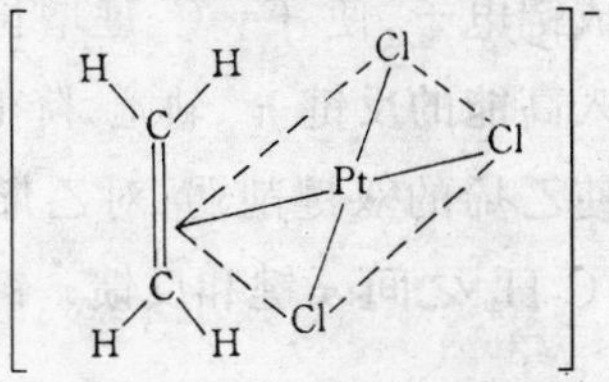

图 21-8 配离子 [Pt(C$_2$H$_4$)Cl$_3$]$^-$ 的构型

上。Pt^{2+} 离子和三个 Cl^- 离子在一个平面上,乙烯的 C=C 双键垂直于这个平面,两个碳原子与 Pt^{2+} 的距离相等。

C_2H_2 和 CO 是等电子体,它们有占有电子的成键 π 轨道和没有电子的反键 π^* 轨道(图 21-9)。中心离子 Pt^{2+} 采用 dsp^2 杂化轨道容纳配位体的电子。C_2H_4 的成键 π 轨道与 Pt^{2+} 的 dsp^2 杂化轨道重叠,形成 σ 键[图 21-10(a)]。与此同时,C_2H_4 的反键 π^* 轨道与 Pt^{2+} 的占有电子的 d 轨道重叠,电子从 Pt^{2+} 的 d 轨道进入 C_2H_4 的反键 π^* 轨道形成反馈 π 键[图 21-10(b)]。σ 键的形成

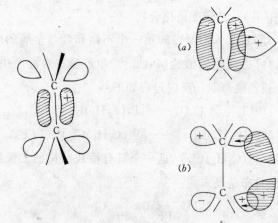

图 21-9　C_2H_4 的分子轨道图示　　图 21-10　$[Pt(C_2H_4)Cl_3]^-$ 中的键
　　　　　　　　　　　　　　　　　　　　　(a)σ 键;(b)反馈 π 键

取走了乙烯双键的成键电子,使 C=C 键增长从而变弱。反馈键的形成使电子云进入高能的反键 π^* 轨道,降低了乙烯双键的稳定性。这两个过程都使乙烯的双键削弱,对乙烯双键的作用相当于活化。现将 Pt^{2+} 与 C_2H_4 之间 σ 键和反馈 π 键的形成图示如下:

(3) 二氯化钯

在红热的条件下,把金属钯直接氯化得二氯化钯 $PdCl_2$,823K

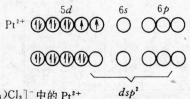

$$\text{[Pt(C}_2\text{H}_4)\text{Cl}_3]^- \text{ 中的 Pt}^{2+}$$

以上得不稳定的 $\alpha - \text{PdCl}_2$，823K 以下转变为 $\beta - \text{PdCl}_2$。$\alpha -$ PdCl_2 的结构呈扁平的链状(图 21 - 11)，$\beta - \text{PdCl}_2$ 的分子结构以 $\text{Pd}_6\text{Cl}_{12}$ 为单元(图 21 - 12)。在 $\alpha - \text{PdCl}_2$ 和 $\beta - \text{PdCl}_2$ 这两种结构中,钯(Ⅱ)都具有正方形配位的特征。

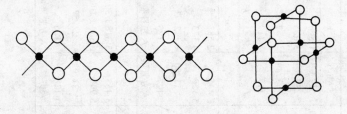

图 21 - 11 $\alpha - \text{PdCl}_2$ 的扁平链状结构   图 21 - 12 $\beta - \text{PdCl}$ 的 $\text{Pd}_6\text{Cl}_{12}$

结构单元

乙烯于常温常压下用二氯化钯作催化剂被氧化成乙醛,这是一个重要的配位催化反应,是生产乙醛的好方法。

二氯化钯水溶液遇一氧化碳即被还原成金属钯:

$$\text{PdCl}_2 + \text{CO} + \text{H}_2\text{O} =\!=\!= \text{Pd}\downarrow + \text{CO}_2 + 2\text{HCl}$$

析出的金属钯尽管量很少,但是很容易从它显示的黑色分辨出来,因此,可利用这一反应鉴定 CO 的存在。

§21 - 3   过渡金属的通性

3 - 1   过渡金属单质的某些物理性质

几乎所有的过渡元素都具有金属所特有的晶格:六方紧堆晶

表 21-6 过渡金属的某些物理性质

金　属	Sc	Ti	V	Cr	Mn	Fe	Co	Ni	Cu
熔点/K	1 812	1 933±10	2 163±10	2 130±20	1 517±3	1 808	1 768	1 726	1 356
沸点/K	3 105	3 560	3 653	2 945	2 235	3 023	3 143	3 005	2 840
密度/g·cm^{-3}	2.989	4.54	6.11	7.20	7.44	7.874	8.90	8.902	8.96
原子半径/pm	144	132	122	118	117	117	116	115	117
晶格类型	六方紧堆	六方紧堆	体心立方	体心立方	复杂	体心立方	面心立方	面心立方	面心立方

金　属	Y	Zr	Nb	Mo	Tc	Ru	Rh	Pd	Ag
熔点/K	1 796±8	2 125±2	2 741±10	2 890	2 445	2 583	2 239±3	1 825	1 234.93
沸点/K	3 610	4 650	5 015	4 885	5 150	4 173	4 000±100	3 413	2 485
密度/g·cm^{-3}	4.469	6.506	8.57	10.22	11.50	12.41	12.41	12.02	10.50
原子半径/pm	162	145	134	130	127	125	125	128	134
晶格类型	面心立方	六方紧堆	体心立方	体心立方	六方紧堆	六方紧堆	面心立方	面心立方	面心立方

金　属	La	Hf	Ta	W	Re	Os	Ir	Pt	Au
熔点/K	1 193±5	2 500±20	3 269	3 683±20	3 453	3 318±30	2 683	2 045	1 337.43
沸点/K	3 727	4 875	5 698±100	5 933	5 900	5 300±100	4 403	4 100±100	3 080
密度/g·cm^{-3}	6.145	13.31	16.654	19.3	21.02	22.57	22.42	21.45	19.32
原子半径/pm	169	144	134	130	128	126	127	130	134
晶格类型	六方紧堆	六方紧堆	体心立方	体心立方	六方紧堆	六方紧堆	面心立方	面心立方	面心立方

格或面心立方紧堆晶格或体心立方晶格(见表21－6),且表现出典型的金属性。如,有金属光泽,抗拉强度高,延展性高,机械加工性能好,导热电性高。

过渡金属与同周期碱金属、碱土金属相比,在物理性质上存在很大差别。如碱金属的密度、硬度均很小,熔沸点较低,而过渡金属一般密度大、硬度均较大,熔沸点高(表21－6)。存在这些差别的主要原因是过渡金属具有较小的原子半径,较大的相对原子质量,它们的 s 电子和 d 电子都可能参加形成金属键,因而金属键较强。

过渡金属的原子半径一般较小,这是影响单质的物理性质的主要因素之一。图21－13绘出了过渡金属的原子半径(比共价半径大10％—15％)及它们随周期和原子序数的变迁。

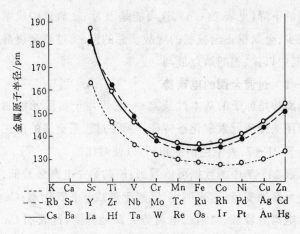

图21－13 过渡金属的原子半径

由于过渡金属的 d 轨道充填未饱和,对核电荷的屏蔽能力较差,因而在各周期自左向右有效核电荷依次增大,半径依次减小。当 d 电子充填到 $(n-1)d^{10}$ 时,由于 d^{10} 这种结构有较大的屏蔽作用,所以到铜族元素前后出现原子半径增大的现象。

由于原子半径依次减小，相对原子质量依次增大，同周期过渡金属的密度自左向右一般来说是增大的，但到铜族前后，出现密度减小的现象。在每一族内，从上到下，原子半径增大，但由于镧系收缩的原因，第3过渡系和第2过渡系同族元素的原子半径很接近，致使第3过渡系金属具有特别大的密度，其中以重铂金属的密度最大。

除 s 电子外，过渡金属次外层的 d 电子也可以作为价电子参加金属键的形成。在各过渡系列，自左向右，未成对的价电子数增多，至ⅥB族，可能提供6个单电子成键，晶格结点上粒子间的距离短，相互之间的作用力大，结果在金属晶体中形成较强的金属键，因此，在各过渡系列，铬族金属的熔点最高，硬度也很大。除了Mn 和 Tc 的熔点具有反常值以外，随后，自左向右，金属的熔点又有规则的下降(见表21-6)，这可能是因为 nd 轨道中成单电子数逐次减少，金属键逐渐减弱的缘故。总的说来，过渡金属都是难熔金属，其中以铼、钨的熔点最高。

3-2 过渡金属的电离势

电离势是原子的基本性质之一，它可用于衡量元素的化学活泼性和用来说明元素氧化态特征。第1过渡系金属的前三个电离势列于表21-7，表中包括钾和钙，以便对比。

从表21-7中的数据可以看到：K 的第一电离势较低，而第二电离势突跃地变高，这表明 K 只利于形成 +1 氧化态；Ca 的第一和第二电离势较低，而第三电离势突跃地升高，这表明 Ca 只利于形成 +2 氧化态；与 K 和 Ca 形成明显的对比，过渡金属的电离势随离子电荷的增加并没有发生突变而只是逐渐增大，而且 $(n-1)d$ 电子与 ns 电子的能量很接近，都能起价电子的作用，因而过渡金属能表现多种氧化态；而在 K 和 Ca 中，$(n-1)p$ 电子的能量与 ns 电子的能量相差很大，所以 K 和 Ca 没有变价。

表 21-7　第 1 过渡系金属元素的电离势

元素	第一电离势 $kJ\cdot mol^{-1}$	第二电离势 $kJ\cdot mol^{-1}$	第三电离势 $kJ\cdot mol^{-1}$
K	418.9	3 051.4	4 411
Ca	589.8	1 145.4	4 912.0
Sc	631	1 235	2 389
Ti	658	1 310	2 652.5
V	650	1 414	2 828.0
Cr	652.8	1 496	2 987
Mn	717.4	1 509.1	3 251
Fe	759.4	1 561	2 957.4
Co	758	1 646	3 232
Ni	736.7	1 753.0	3 393
Cu	745.5	1 957.9	3 554

Fe^{2+} 离子的价电子构型为 $3d^6$，再失去一个电子就变成半充满的稳定结构 $3d^5$，所以 Fe^{2+} 具有比较小的电离势，亦即与周期表中位于 Fe 左右的元素相比，Fe 的第三电离势较小（见表 21-7），因此将铁直接氯化可得三氯化铁。铁以后的钴、镍、铜由于第三电离势较大，不能形成三氯化物。

从表 21-7 中的数据，我们还可以注意到，铜的第二电离势比第 1 过渡系列的任何一个元素都要大，所以 Cu^+ 离子（d^{10} 全充满）比其它过渡金属的一价离子都稳定些。Cu^{2+} 及 Ni^{2+} 难于氧化，因为它们的第三电离势比较高。但是，并不能用电离势这样一个参数来说明在水溶液（或其他介质）中离子的氧化还原性。从表 21-7 中的数据可提示，Co^{3+} 离子比 Co^{2+} 离子不稳定，这与 Co^{3+} 离子在溶液中的行为是一致的，例如在水溶液中，$[Co(H_2O)_6]^{3+}$ 离子易被还原为 $[Co(H_2O)_6]^{2+}$ 离子，可是，$[Co(NH_3)_6]^{3+}$ 离子却相当稳定，它难于被还原。事实上，某些配位体可使八面体配位化合物中的 Co^{3+} 离子稳定，其稳定化能大到足以补偿使 Co^{2+} 离子被氧

化为 Co^{3+} 离子所需要的能量。

图 21-14 绘出了第一、第二、第三过渡系金属的第一电离势的变化。从图 21-14 可以看出,第三过渡系金属的第一电离势比其他两个过渡系金属的第一电离势要高。由于镧系收缩,使第三过渡系和第二过渡系同族元素的原子半径很接近。由于在 $4f$ 轨道充满电子之后,核电荷增大较多,而 $4f$ 电子的屏蔽作用又较弱,所以作用于外层电子的有效核电荷较大,$6s$ 电子的钻穿效应增强,钻得较深,其能量较低,表现出所谓"惰性电子对效应",结果使 $6s$ 电子较难电离。因而第三过渡系金属普遍比第一,第二过渡系金属不活泼(碱金属、碱土金属刚好相反)。

从图 21-14 还可看到,第一过渡系金属和第二过渡系金属的电离势变化不规则。这种不规则现象出现的原因很多,其中较为重要的是这些元素原子的基态电子构型不同。例如,V 原子的价电子构型是 $3d^3 4s^2$,Nb 原子是 $3d^4 4s^1$,而它们的正一价离子的构型却都是 $d^4 s^0$。应当注意,第一过渡系 Cr 之后的元素第一电离势有显著增加,这是由于 Cr 原子的价电子结构为 $3d^5 4s^1$,所以其第一电离势较低。

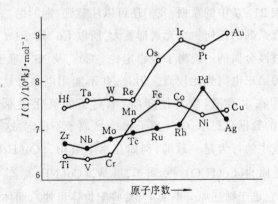

图 21-14 第一、第二、第三过渡系金属的第一电离势

3－3 过渡金属的氧化态及其稳定性

（1）过渡金属的氧化态表现以及影响其稳定性的因素

过渡金属的突出特点之一是：几乎都能够呈现若干不同的氧化态，可变氧化态的范围很宽。现将这些元素原子的价电子层结构和各种氧化态列于表 21－8 中。

表 21－8 过渡元素原子的价电子层结构和各种氧化态

第一过渡系列元素	Sc	Ti	V	Cr	Mn	Fe	Co	Ni	Cu
价电子结构	$3d^1 4s^2$	$3d^2 4s^2$	$3d^3 4s^2$	$3d^5 4s^1$	$3d^5 4s^2$	$3d^6 4s^2$	$3d^7 4s^2$	$3d^8 4s^2$	$3d^{10} 4s^1$
氧				-3	-3				
				-2	-2	-2			
			-1	-1	-1	-1	-1	-1	
			0	0	0	0	0	0	
化			$+1$	$+1$	$+1$	$+1$	$+1$	$+1$	$+1$
		$+2$	$+2$	$+2$	$+2$	$+2$	$+2$	$+2$	$+2$
	$+3$	$+3$	$+3$	$+3$	$+3$	$+3$	$+3$	$+3$	$+3$
态		$+4$	$+4$	$+4$	$+4$	$+4$	$+4$	$+4$	
			$+5$	$+5$	$+5$	$+5$			
				$+6$	$+6$	$+6$			
					$+7$				

第二过渡系列元素	Y	Zr	Nb	Mo	Tc	Ru	Rh	Pd	Ag
价电子结构	$4d^1 5s^2$	$4d^2 5s^2$	$4d^4 5s^1$	$4d^5 5s^1$	$4d^6 5s^1$	$4d^7 5s^1$	$4d^8 5s^1$	$4d^{10} 5s^0$	$4d^{10} 5s^1$
氧				-2					
			-1	-1	-1		-1		
			0	0		0	0	0	
			$+1$	$+1$			$+1$	$+1$	$+1$
化		$+2$	$+2$	$+2$		$+2$	$+2$	$+2$	$+2$
	$+3$	$+3$	$+3$	$+3$		$+3$	$+3$	$+3$	$+3$
		$+4$	$+4$	$+4$	$+4$	$+4$	$+4$	$+4$	
态			$+5$	$+5$	$+5$	$+5$			
				$+6$	$+6$	$+6$	$+6$		
					$+7$	$+7$			
						$+8$			

第三过渡系列元素	La	IIf	Ta	W	Re	Os	Ir	Pt	Au
价电子层结构	$5d^16s^2$	$5d^26s^2$	$5d^36s^2$	$5d^46s^2$	$5d^56s^2$	$5d^66s^2$	$5d^76s^2$	$5d^96s^1$	$5d^{10}6s^1$
				-2					
			-1	-1	-1		-1		
			0	0	0	0	0		
氧			$+1$	$+1$	$+1$	$+1$	$+1$		$+1$
		$+2$	$+2$	$+2$	$+2$	$+2$	$+2$	$+2$	
化	$+3$	$+3$	$+3$	$+3$	$+3$	$+3$	$+3$	$+3$	$+3$
		$+4$	$+4$	$+4$	$+4$	$+4$	$+4$	$+4$	
态			$+5$	$+5$	$+5$	$+5$	$+5$	$+5$	
				$+6$	$+6$	$+6$	$+6$	$+6$	
					$+7$	$+7$			
						$+8$			

由于过渡金属的价电子层结构为 $(n-1)d^{1-9}ns^{1-2}$，次外层的 d 轨道和最外层的 s 轨道能量相近，除 s 电子可以成键以外，d 电子也可以部分或全部参加成键，所以过渡金属有可变的氧化态，一般由 $+2$ 变到与族数相同的最高氧化态。总的看来，全部过渡金属的氧化态表现有一定的规律性，即依周期从左向右，随着原子序数的增加，或随着 $(n-1)d, ns$ 轨道中价电子数的增加，氧化态先是逐渐升高，但第 4 周期元素在锰以后，第 5 周期在钌以后，第 6 周期在锇以后，氧化态又逐渐降低，最后与 IB 铜族元素的低氧化态相同。第 5、6 周期过渡元素在氧化态的表现上，与第 4 周期的相应元素稍有不同，第 4 周期过渡元素一般容易出现低氧化态，而第 5、6 周期相应的元素则趋向于出现高氧化态，直至与族数相同的最高氧化态。虽然在强还原剂的作用下，第 5、6 周期元素可以表现低氧化态，但低氧化态的化合物并不常见。在各族中自上向下，元素氧化数的可变性趋向于减小，高氧化态趋向于稳定。

当过渡金属同羰基、亚硝基、联吡啶等配位体配合时，可呈现低氧化态 $+1, 0, -1, -2, -3$。

既然能呈显若干种氧化态是过渡金属最重要的化学特性，那么就有必要对影响氧化态稳定性的因素有所了解。这是一个很复杂的问题，在这里，只举例作某些简单的说明。

例如，第一过渡系金属的铁能生成 $FeCl_3$，而钴只能生成 CoF_3，不能生成 $CoCl_3$，作为离子型晶体，三卤化物的生成焓 $\Delta_f H^\ominus (MX_3)$ 可以用下式表示：

$$\Delta_f H^\ominus (MX_3) = \Delta_s H^\ominus (M) + \frac{3}{2}\Delta_d H^\ominus (X_2) + [I(1)$$
$$+ I(2) + I(3)](M) - 3A(X) - U(MX_3)$$

式中 I 代表电离势，A 代表电子亲和势，U 代表晶格能，$[I(1) + I(2) + I(3)](M)$ 和 $U(MX_3)$ 两项比其他各项大得多，是决定 MX_3 生成焓的主要因素。能生成 $FeCl_3$ 但不能生成 $CoCl_3$ 的主要原因是铁的第三电离势(I_3)比较小而钴的第三电离势(I_3)较大(见表 21-7)，对铁来说上式 $[I(1) + I(2) + I(3)](M)$ 项的正值比对钴来说要小些，结果使得 $FeCl_3$ 的生成是放热的，若要生成 $CoCl_3$ 则需要吸收较多的热量。至于为什么能生成 CoF_3，其主要原因是 F^- 的离子半径(136 pm)比 Cl^- 的离子半径(181 pm)小得多，$r_{Co^{3+}} + r_{F^-} < r_{Co^{3+}} + r_{Cl^-}$，结果 CoF_3 的晶格能 U 比较大，致使钴在氟化物中能呈 +3 氧化态，能生成 CoF_3。

定量的分析影响共价化合物中元素氧化态的因素是非常困难的。虽然共价化合物中的氧化数只表示形式上的电荷，但是形成金属离子所需要的总电离势，对说明金属在共价化合物中所呈现的氧化态仍是一个有用的能量标志。将 Ni 和 Pt 的前四个电离势进行比较，可以看到：形成 Ni^{2+} 比形成 Pt^{2+} 所需要的能量要少，而形成 Ni^{4+} 比形成 Pt^{4+} 所需要的能量要多。因此，Ni(Ⅱ)的化合物比 Pt(Ⅱ)的化合物稳定，而 Pt(Ⅳ)的化合物比 Ni(Ⅳ)的化合物稳定，例如 K_2PtCl_6 是大家熟知的化合物而 K_2NiCl_6 尚未制得过。

	$\dfrac{[I(1)+I(2)]}{kJ \cdot mol^{-1}}$	$\dfrac{[I(3)+I(4)]}{kJ \cdot mol^{-1}}$	总计/$kJ \cdot mol^{-1}$
Ni	2490	8800	11290
Pt	2660	6700	9360

第二、三过渡系列元素的高氧化态普遍比第一过渡系列相应元素的高氧化态稳定。

不同的配位体可以对同一元素不同的氧化态起稳定作用。表 21-9 列举了钌的一些化合物,从中可以看到这一点。从表 21-9

表 21-9 钌的氧化态

氧 化 数	化合物或离子
0	$Ru(CO)_5$
+2	$[Ru(NH_3)_6]^{2+}$
+3	$[RuCl(NH_3)_5]^{2+}$
+4	$RuCl_6^{2-}$
+5	RuF_5
+6	RuF_6
+7	RuO_4^-
+8	RuO_4

还可以看到:电负性强的氧和氟能稳定钌的高氧化态,O^{2-} 离子可以稳定钌的最高氧化态;Cl^- 离子和 NH_3 分子可以稳定其中间氧化态;CO 分子则可以稳定钌的最低氧化态。氮和氯的电负性虽然相近,但带负电荷的 Cl^- 离子比中性的 NH_3 分子能稳定钌的较高氧化态,因此,Cl^- 离子取代了 $[Ru(NH_3)_6]^{2+}$ 中的一个 NH_3 分子变为 $[RuCl(NH_3)_5]^{2+}$ 以后,使 Ru 的氧化数升高了。

(2) 过渡金属各氧化态在水溶液中的相对稳定性及其变化规律

标准电极电势 $\varphi^\ominus$ 是水溶液中氧化还原稳定性的量度标志。

$$\Delta G^\ominus = -nF\varphi^\ominus$$

氧化态-吉布斯自由能图用图解的方式直观而简明地表示出元素各种氧化态在水溶液中的相对稳定性、它们的氧化还原能力的相

对强弱以及随周期和族的递变趋势。图21-15,图21-16,图21-
17示出过渡金属在酸性溶液中的氧化态-吉布斯自由能图。

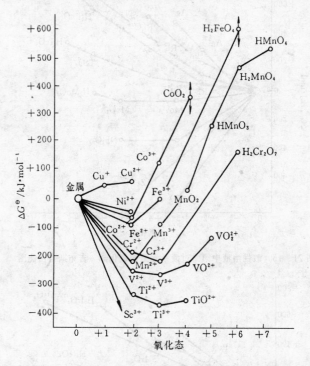

图21-15　酸性溶液中第一过渡系元素的氧化态-吉布斯自由能图

　　对比图21-15,图21-16,图21-17可以看出:第一过渡系
元素比第二、三过渡系相应元素显示较强的金属活泼性,容易出现
低氧化态,$\varphi_{M^{2+}/M}^{\ominus}$ 均为负值,一般都能从非氧化酸中置换出氢。图
21-15表明:随着原子序数的递增,第一过渡系各元素的金属活
泼性逐渐减弱,逐渐难于被氧化成 M^{2+} 态(注意锰比铬活泼,因为
锰失去两个 $4s$ 电子以后形成稳定的 $3d^5$ 价电子层结构);第一过
渡系各元素的最稳定氧化态是 +2 或 +3,吉布斯自由能为零的单
质或位于较高氧化态的质点,在反应中都有形成 +2,+3价态的

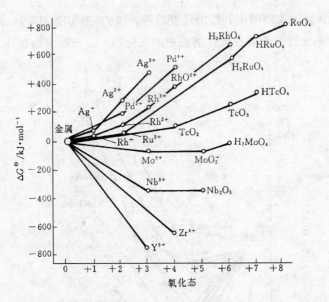

图 21-16 酸性溶液中第二过渡系元素的氧化态-吉布斯自由能图

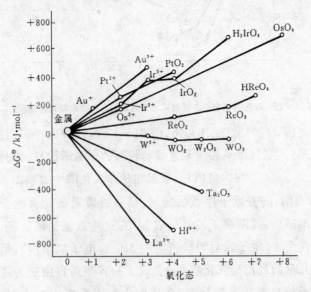

图 21-17 酸性溶液中第三过渡系元素的氧化态-吉布斯自由能图

倾向。所以,高氧化态的钴(Co^3)、铁(FeO_4^{2-})和锰(MnO_4^-)在水溶液中都是强氧化剂,而氧化态较低的钛(Ti^{2+})、钒(V^{2+})和铬(Cr^{2+})都是较强的还原剂,能从酸性溶液中置换出氢气,但由于反应相当慢,所以 Ti^{2+},V^{2+},Cr^{2+} 等离子在水溶液中仍可用作试剂。从图 21-16 还可看出,铜有 +1 氧化态,而且 Cu^+ 离子可发生歧化反应,生成 Cu 和 Cu^{2+} 离子。

第二、三过渡系元素的氧化态-吉布斯自由能图彼此特点相似而与第一过渡系元素相应的图(图 21-15)有明显差别。图 21-16 和图 21-17 之所以相似,归因于镧系收缩对第三过渡系元素性质的影响。第二、三过渡系元素的金属活泼性较差,不容易被氧化,$\varphi_{M^{2+}/M}^{\ominus}$ 一般为正值。随着原子序数的递增,这两个过渡系元素的金属活泼性进一步递减。虽然第二、三过渡系元素的金属活泼性较差,但在强氧化剂的作用下,在苛刻的条件下(例如较高的反应温度),可能呈现稳定的高氧化态直到与族数相同。

利用图 21-15,图 21-16,图 21-17 还可以对过渡金属含氧酸的氧化还原规律性进行探讨。下面就最高价含氧酸在酸性溶液中还原为单质的过程作一些比较。从上述三个图可以看出以下一些规律:

(a) 同一过渡系列元素的最高氧化态含氧酸的 $\varphi^{\ominus}$ 随原子序数的递增而增大,即氧化性随原子序数的递增而增强。这一点与同周期主族元素的情况相似。过渡金属的特殊之处表现在它们的最高氧化态含氧酸的 $\varphi^{\ominus}$ 一般偏低,特别是原子序数较大的元素。例如第三过渡系列的 Ta_2O_5、WO_3 和 ReO_4^- 的 $\varphi^{\ominus}$ 很低,依次仅为 $-0.81V$、$-0.09V$ 和 $+0.37V$,因而表现稳定。与同周期相应主族元素相比,过渡金属最高氧化态含氧酸的 $\varphi^{\ominus}$ 较低,所以较稳定,例如 MnO_4^- 比 BrO_4^- 稳定(BrO_4^- 实际上已不存在),CrO_4^{2-} 比 SeO_4^{2-} 稳定。

（b）同族过渡元素最高氧化态含氧酸的 $\varphi^{\ominus}$ 随周期数的增加而略有下降，例如 MnO_4^-、TcO_4^- 和 ReO_4^- 的 $\varphi^{\ominus}$ 依次为 $+0.741V$，$+0.47V$ 和 $+0.37V$，它们的氧化性随周期数的增加逐渐减弱，趋向于稳定。

3-4 过渡金属及其化合物的磁性

原子、离子、分子都是由原子核和电子组成的。磁与电有紧密联系，物质的磁性就起源于物质内部电子和核子的运动。过渡金属及其化合物一般都具有顺磁性，因为过渡金属一般都有未充满的 d 电子层，在它们的原子或离子中，一般都有成单的 d 电子，过渡金属及其化合物的磁性主要是由成单 d 电子的自旋运动决定的，成单 d 电子的自旋运动使其具有顺磁性。不具有成单电子的物质是反磁性的。

成单电子的存在使原子或离子的表现象一个小磁石，产生磁矩。由这样的原子或离子组成的物质就好象大量的小磁石聚集在一起，这种物质能将外加磁场的磁力线吸入并使磁力线穿过。这一现象就是通常所说的顺磁性，这样的物质叫顺磁质。当磁场加到所有电子都已成对的物质上时，原来不具磁矩的物质，在外加磁场的感应下，出现与外加磁场方向相反的微小磁矩。这一效应就是通常所说的反磁性，反磁性比顺磁性弱得多，这样的物质叫反磁质，反磁质对磁力线起排斥作用。反磁质和顺磁质在磁场中的作用如图 21-18 所示。磁场在反磁质中的强度稍小于在真空中的强度，顺磁质则使磁力线聚集。

真空　　　　　　反磁质样品　　　　　顺磁质样品

图 21-18　反磁质和顺磁质对外加磁场磁力线的影响

上述效应可用于测量物质的磁矩。古埃磁天平就是常用的测量磁矩的仪器。根据由实验求得的磁矩，可计算出未成对电子数，知道未成对电子数以后，就可以估计原子用于成键的电子的数目。例如，由于分析的错误，曾长期将 OsF_6 误认为是 OsF_8。如果是 OsF_8，那么它应该是反磁性的（Os 的价电子结构是 $5d^6 6s^2$），但磁矩的测定证明，该物质是顺磁性的并有两个未成对电子。所以，该物质应是 OsF_6 而不是 OsF_8。在研究配体场效应时，常根据磁矩的测量结果来判断某一配位化合物是高自旋还是低自旋的。

物质的磁性，主要是由成单电子的自旋运动和电子绕核运动的轨道运动所产生。量子力学的论证表明第一过渡系金属的顺磁磁矩 μ_{S+L} 由下式决定：

$$\mu_{S+L} = \sqrt{4S(S+1) + L(L+1)}\,\mu_B$$

这里 S 是自旋量子数之和，L 是轨道角动量量子数之和。

在第一过渡系金属的配位化合物中，中心体的 d 轨道受配位体场的影响较大，轨道运动对磁矩的贡献被周围配位原子的电场所抑制，发生冻结，几乎完全消失。而自旋运动不受电场影响（受磁场影响），可以认为，磁矩主要是由电子的自旋运动贡献的，取 $L=0$，只考虑自旋的磁矩公式如下：

$$\mu_S = \sqrt{4S(S+1)}\,\mu_B$$

$S = n \times m_S$，n 是成单电子数，m_S 是自旋量子数，因为自旋量子数 m_S 的值为 $\pm\dfrac{1}{2}$，所以 $S = \dfrac{n}{2}$，代入上式得

$$\mu_S = \sqrt{n(n+2)}\,\mu_B^{*}$$

当 $n=1$ 时，$\mu_S = 1.73$ B.M.；$n=2$ 时，$\mu_S = 2.83$ B.M.；

---

* 此式为近似关系式。为讨论方便，本书暂沿用波尔磁子（B.M.）作为磁矩的单位。$\mu_B = 1$ B.M. $= \dfrac{eh}{4\pi m_e} = 9.27402 \times 10^{-24} A \cdot m^2$。式中 h 为普朗克常数，e 为电子的电量，m_e 为电子的质量。

$n=3$ 时，$\mu_S=3.87\ \mathrm{B.M.}$；$n=4$ 时，$\mu_S=4.90\ \mathrm{B.M.}$。

表 21-1 列出了一些含有第一过渡系金属的化合物的磁矩，包括计算值和实验值，二者基本相符。这说明上述只考虑自旋的磁矩公式对第一过渡金属是合适的，对第二、三过渡系金属，这一公式存在较大的偏差。

表 21-10　某些过渡金属化合物的磁矩(300K)

化　合　物	d 电子构型	磁矩/B.M.实验值	成　单电子数	磁矩/B.M.计算值
$K_2Mn(SO_4)_2\cdot 6H_2O$	d^5(高自旋)	5.92	5	5.92
$[(C_2H_5)_4N]_2[MnCl_4]$	d^5(高自旋)	5.94	5	5.92
$KFe(SO_4)_2\cdot 12H_2O$	d^5(高自旋)	5.89	5	5.92
$KCr(SO_4)_2\cdot 12H_2O$	d^3	3.84	3	3.87
$(NH_4)_2Ni(SO_4)_2\cdot 6H_2O$	d^8	3.23	2	2.83
$[Mn(AcAc)_3]$	d^4(高自旋)	4.86	4	4.90
$K_2Cu(SO_4)_2\cdot 12H_2O$	d^9	1.91	1	1.73
$CsTi(SO_4)_2\cdot 12H_2O$	d^1	1.84	1	1.73
$(NH_4)V(SO_4)_2\cdot 12H_2O$	d^2	2.80	2	2.83
$(NH_4)_2Fe(SO_4)_2\cdot 6H_2O$	d^2(高自旋)	5.47	4	4.90
$(NH_4)_2Co(SO_4)_2\cdot 6H_2O$	d^7(高自旋)	5.10	3	3.87
$Cs_2[CoCl_4]$	d^7(高自旋)	4.30	3	3.87
$K_3[Fe(CN)_6]$	d^5(低自旋)	2.25	1	1.73
$K_4[Fe(CN)_6]$	d^6(低自旋)	0.35	0	0
$[Co(NH_3)_6]Cl_3$	d^6(低自旋)	0.46	0	0

在过渡金属中，还有一些铁磁质，如铁、钴、镍，它们都能被磁化。

3-5　过渡金属离子及化合物的颜色

过渡金属的一个重要特征是它们的离子和化合物一般都呈现出颜色。对过渡金属而言，呈色的原因主要是由于在可见光的激发下可以发生 $d-d$ 跃迁和电荷跃迁的缘故。电子组态的 $d^{1\sim 9}$ 的过渡金属化合物主要发生 $d-d$ 跃迁，d^{10} 电子组态的过渡金属化合物主要发生电荷跃迁。电荷跃迁强度一般比 $d-d$ 跃迁强的很多，即电荷跃迁引起的颜色变化比 $d-d$ 跃迁深。有关 $d-d$ 跃迁和电荷跃迁的规律和影响因素在20章已有详细的介绍。

3-6 配位场效应对过渡金属离子半径以及热力学性质的影响

（1）离子半径

在没有配位场效应的情况下，同一周期中相同氧化态的过渡金属离子的半径自左向右要逐渐减小，因为随着核电荷数的逐渐增加，有效核电荷也相应增加，也就是说，增加一个 d 电子，并没有完全屏蔽掉由于核电荷的增大对其它 d 电子的作用，所以 d 轨道顺着过渡金属的系列要产生收缩现象。如以离子半径对离子的 d 电子数作图，可以绘出一条规则下降的平滑曲线，如图 21-19 中的虚线所示。

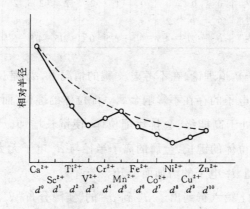

图 21-19 第一过渡系金属二价离子的相对半径
（包括 Ca^{2+} 和 Zn^{2+}）。虚线是理论曲线

但在配位化合物中，由于配体场效应的影响，离子半径随离子的 d 电子数的变化是不规则的，实际得到的是一条很不规则的曲线，即图 21-19 中的实线。这条实线是高自旋八面体配位化合物中第一过渡系金属二价离子的相对半径（以 d^0 的离子半径为 1 作标准）对它们的 d 电子数的关系图。平滑的虚线通过 $d^0(Ca^{2+})$，$d^5(Mn^{2+})$ 和 $d^{10}(Zn^{2+})$。

在配位场的影响下，八面体配位化合物中的 d 轨道分裂为低能的 $d_\epsilon(d_{xy},d_{xz},d_{yz})$ 和高能的 $d_\gamma(d_{x^2-y^2},d_{z^2})$ 两组轨道。现在试把电子当作"云"来看，如果电子云能够均匀地分布于 d_ϵ 和 d_γ 五个轨道，那么每加上一个电子，3/5 的"云"应进入 d_ϵ 轨道，2/5 应进入 d_γ 轨道。这样我们得出表 21–11 的第二和第三行的"均匀分布"的电子数值。但实际电子数是本表第四和第五行的数据（高自旋型）。

表 21–11　在八面体配位场中 d 电子的"均匀分布"和"实际分布"

电子 数		0	1	2	3	4	5	6	7	8	9	10
"均匀分布"	d_γ	0	2/5	4/5	6/5	8/5	2	12/5	14/5	16/5	18/5	4
	d_ϵ	0	3/5	6/5	9/5	12/5	3	18/5	21/5	24/5	27/5	6
"实际分布"	d_γ	0	0	0	0	1	2	2	2	2	3	4
	d_ϵ	0	1	2	3	3	3	4	5	6	6	6
d_γ"实" – d_γ"均"		0	-2/5	-4/5	-6/5	-3/5		-2/5	-4/5	-6/5	-3/5	0

根据分子轨道理论，在不考虑 π 键的情况下，d_γ 是反键电子，这意味着 d_ϵ 电子的存在不影响金属–配位体的键长，而反键轨道 d_γ 中的电子处于高能级，会排斥配位体，使键长增加。因此可以说，金属–配位体的键长，金属的离子半径与 d_ϵ 电子无大关系，它们的增值只随 d_γ 电子的增加而上升。

表 21–11 第六行列出了 d^0 到 d^{10} 的"实际分布"d_γ 电子数和"均匀分布"的 d_γ 电子数之差。首先我们看到对 d^0（Ca^{2+}），d^5（Mn^{2+}）和 d^{10}（Zn^{2+}），它们的差都是零。这是因为在 d^0 里根本没有电子，在 d^5 里五个 d 轨道各有一个电子，在 d^{10} 里五个 d 轨道各有两个电子，符合 d_γ 有 2/5 和 d_ϵ 有 3/5 电子的均匀分布原则。所以平滑虚线通过 d^0,d^5 和 d^{10}。对于其它 d^n，"实际"d_γ 电子数减去"均匀"d_γ 电子数都是负值，这表示金属–配位体键增长，金属离子半径的缩短。拿 d^2 离子 Ti^{2+} 作例，d_γ 应有 4/5 的电

子,才能达到"均匀分布"。实际上它连一个电子也没有,因此实际半径小于"均匀分布"的半径,处于虚线之下。对 d^3 离子 V^{2+},"实际"的 d_γ 电子数比"均匀"的 d_γ 电子数小 6/5 的数值,所以实际半径比虚线上应有的值小得更多。下面两个离子 Cr^{2+} 和 Mn^{2+} 的电子结构是 $d_\varepsilon^3 d_\gamma^1$ 和 $d_\varepsilon^3 d_\gamma^2$,$d_\gamma$ 轨道分别有一个和两个电子,"实际"d_γ 和"均匀"d_γ 电子数差别减小,因而半径上升,直到虚线。下一半二价金属离子(d^6 到 d^{10})在 $d_\varepsilon^3 d_\gamma^2$($Mn^{2+}$)的结构上,重复半径下降和上升的次序,如图 21-19 所示。

上面的理论,不仅可以解释配位场效应对第一过渡系金属离子半径的影响,说明其不规则变化的原因。对于第二和第三过渡系金属的离子半径的变化同样可以说明。

(2)水合热

第一过渡系金属二价离子的水合热 $\Delta H^\ominus$ 是二价离子从气体状态溶于水中所产生的热量,即下述过程所产生的热量:

$$M^{2+}(g) + \infty H_2O(1) \rightarrow [M(H_2O)_6]^{2+}(aq)$$

若把 $-\Delta H^\ominus$(实验值)对 d^n 作图,得出图 21-20 中的实线。

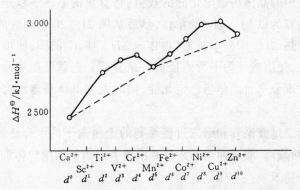

图 21-20 第一过渡系金属二价离子的水合热(包括 Ca^{2+} 和 Zn^{2+})

这个实线有两个巅峰,一点也不平滑。用晶体场稳定化能可以对这个不正常曲线进行定量解释。

第一过渡系金属二价离子和水分子形成的 $[M(H_2O)_6]^{2+}$ 都是高自旋的八面体型。表 21-12 是高自旋八面体型配离子的晶体场稳定化能。

表 21-12　高自旋八面体型配离子的晶体场稳定化能

d 电　子　数	晶体场稳定化能
0	0
1,6	$-2/5\Delta$
2,7	$-4/5\Delta$
3,8	$-6/5\Delta$
4,9	$-3/5\Delta$
5,10	0

表 21-12 指出, d^0, d^5, d^{10} 即 Ca^{2+}, Mn^{2+}, Zn^{2+} 三种离子没有晶体场稳定化能,实验测出的水合热就是它们的正常水合热。把这三点连接起来,就得出图 21-20 中的虚线。其它 d^n($n=2$,3,4,6,7,8,9)离子的水合热应出现于这条虚线上。但是实验曲线(实线)却在这条线的上面。根据光谱实验测得的 Δ 值算出表 21-12中的晶体场稳定化能的数值,将算出的晶体场稳定化能的数值换算为以 $kJ \cdot mol^{-1}$ 为单位,然后从图 21-20 中相应的 d^n 上的水合热 $\Delta H^{\ominus}$ 中一一减去,再作 $-\Delta H^{\ominus}$ 对 d^n 的图,便得出虚线上的点,使虚线变为平滑而接近一条直线。这就证明实验曲线的不正常现象来自晶体场稳定化能,同时说明晶体场理论有定量的准确性。

第二过渡系列和第三过渡系列的金属离子的水合热,也出现这种"两巅峰"实验曲线。条件是围绕着阳离子的配位体形成八面体水合物。

3-7　含有金属-金属键的过渡金属化合物

在大量过渡金属化合物的分子或离子中,含有金属-金属键,过渡金属本身之间有形成同核或异核金属－金属键的显著倾向。某些双核羰基配位化合物就是含金属－金属键的最简单例子,现以 $Mn_2(CO)_{10}$, $Co_2(CO)_8$ 为例,初步介绍金属－金属键的形成。

$Mn_2(CO)_{10}$ 是八面体型,每个锰原子除了和五个羰基连接以外,彼此还形成 Mn—Mn 键,如图 21－21 所示。OC—Mn—Mn—CO 链呈直线型,两个含羰基的平面以正方形交错排列。d^2sp^3 杂化可设想如下:

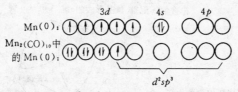

每个锰原子有五个空的 d^2sp^3 杂化轨道,可容纳来自五个羰基的孤对电子,含有成单电子的第六个轨道则与另一个锰原子的同样的轨道重叠形成 Mn—Mn 键。$Co_2(CO)_8$ 中有八个羰基,两个酮式羰基分别桥接两个钴原子。每个钴原子还和三个端基羰基相连。

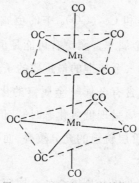

图 21－21　$Mn_2(CO)_{10}$ 的结构

因为两个钴原子之间还形成 Co—Co 键,所以钴的配位数是 6。由于 d^2sp^3 杂化轨道的不寻常的重叠方式,Co—Co 键呈弯曲形(图 21－22)。

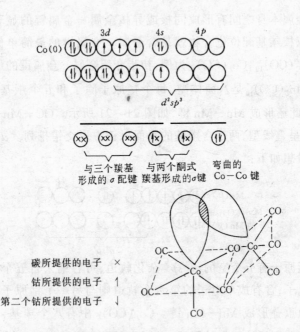

图 21 - 22   Co₂(CO)₈ 的结构

上述 $Mn_2(CO)_{10}$ 和 $Co_2(CO)_8$ 中的金属 – 金属键都是单键，在有一些化合物中，金属 – 金属键有可能是重键。

有利于形成金属 – 金属键的最重要的条件是金属必须呈现低氧化态。在绝大多数含有金属 – 金属键的化合物中，金属的氧化态是零或接近零。金属呈现低氧化态时，其价层轨道得以扩张，这样，有利于金属之间价层轨道的充分重叠，而同时金属芯体之间的排斥作用又不致过大。

含有两个以上彼此以共价键合的金属原子的化合物称为金属簇化合物。在多核金属簇化合物中，分子轨道上的电子云不是定域化的，而是属于整个簇的。随着金属原子集团的增大，非定域化程度也增加。

· 1064 ·

除羰基配位化合物以及与之有关的化合物以外,低氧化态过渡金属卤化物和氧化物往往也是金属簇化合物,如$[Mo_6Cl_8]Cl_4$。在$[Mo_6Cl_8]^{4+}$这一离子中,$Mo(Ⅱ)$原子以其四个电子与邻近的四个钼原子形成四个共价键,同时接受来自四个氯离子的配位键。上、下各有一个钼原子与四个氯离子形成的平面正方形,另外四个钼原子形成的平面正方形在中间,两个平面正方形交错排列。在$[Mo_6Cl_8]^{4+}$中,六个钼原子呈八面体排布。$[Mo_6Cl_8]^{4+}$离子的结构如图21-23所示。

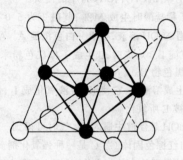

图21-23 〔Mo_6Cl_8〕$^{4+}$离子的结构

(正八面体的M_6金属簇)

近十多年来发现了各种各样的金属簇化合物。最使人感兴趣的是金属簇具有多种催化性能。对金属簇的合成及其性质的研究,不仅推动了均相催化,对多相催化的研究也很有启示。

习　题

1. 解释下列问题:

(1) 在Fe^{3+}离子的溶液中加入KSCN溶液时出现了血红色,但加入少许铁粉后,血红色立即消失,这是什么道理?

(2) 为什么Fe^{3+}盐是稳定的,而Ni^{3+}盐尚未制得?

(3) 为什么不能在水溶液中由Fe^{3+}盐和KI制得FeI_3?

(4) 当Na_2CO_3溶液作用于$FeCl_3$溶液时,为什么得到的是$Fe(OH)_3$而

不是 $Fe_2(CO_3)_3$?

(5) 变色硅胶含有什么成分? 为什么干燥时呈蓝色,吸水后变粉红色?

2. 写出与下述实验现象有关的反应式:

向含有 Fe^{2+} 离子的溶液中加入 NaOH 溶液后生成白绿色沉淀,渐变棕色。过滤后,用盐酸溶解棕色沉淀,溶液呈黄色。加入几滴 KSCN 溶液,立即变血红色,通入 SO_2 时红色消失。滴加 $KMnO_4$ 溶液,其紫色会褪去。最后加入黄血盐溶液时,生成蓝色沉淀。

3. 指出下列实验的实验现象,并写出反应式:

(1) 用浓盐酸处理 $Fe(OH)_3$、$Co(OH)_3$、$Ni(OH)_3$ 沉淀时有何现象产生?

(2) 在 $FeSO_4$、$CoSO_4$、$NiSO_4$ 溶液中加入氨水时,有何现象产生?

4. 比较 $Fe(OH)_3$、$Al(OH)_3$、$Cr(OH)_3$ 的性质。

5. 金属 M 溶于稀盐酸时生成 MCl_2,其磁矩为 5.0 B.M.。在无氧操作条件下,MCl_2 溶液遇 NaOH 溶液,生成一白色沉淀 A。A 接触空气就逐渐变绿,最后变成棕色沉淀 B。灼烧时,B 生成了棕红色粉末 C,C 经不彻底还原而生成了铁磁性的黑色物 D。

D 溶于稀盐酸生成溶液 E,它使 KI 溶液氧化成 I_2,但在加入 KI 前先加入 NaF,则 KI 将不被 E 所氧化。

若向 B 的浓 NaOH 悬浮液中通入 Cl_2 气时可得到一紫红色溶液 F,加入 $BaCl_2$ 时就会沉淀出红棕色固体 G。G 是一种强氧化剂。

试确认各字母符号所代表的化合物,并写出反应方程式。

6. 完成下列反应方程式:

(1) $FeSO_4 + Br_2 + H_2SO_4 \longrightarrow$

(2) $Co(OH)_2 + H_2O_2 \longrightarrow$

(3) $Ni(OH)_2 + Br_2 + OH^- \longrightarrow$

(4) $FeCl_3 + NaF \longrightarrow$

(5) $FeCl_3 + Ca \longrightarrow$

(6) $FeCl_3 + H_2S \longrightarrow$

(7) $FeCl_3 + KI \longrightarrow$

(8) $Co_2O_3 + HCl \longrightarrow$

(9) $Fe(OH)_3 + KClO_3 + KOH \longrightarrow$

(10) $K_4Co(CN)_6 + O_2 + H_2O \longrightarrow$

7. 已知 $\varphi_{Fe^{3+}/Fe^{2+}}^{\ominus} = +0.771$ V,$\varphi_{Fe^{2+}/Fe}^{\ominus} = -0.44$ V,试计算 $\varphi_{Fe^{3+}/Fe}^{\ominus}$ 值。

$$(\varphi_{Fe^{3+}/Fe}^{\ominus} = -1.09V)$$

8. 举出鉴别 Fe^{3+}，Fe^{2+}，Co^{2+} 和 Ni^{2+} 离子常用的方法。

9. 如何分离 Fe^{3+}，Al^{3+}，Cr^{3+} 和 Ni^{2+} 离子？

10. 欲制备纯 $ZnSO_4$，已知粗 $ZnSO_4$ 的溶液中含 $Fe(Fe^{2+}$，$Fe^{3+})0.56g \cdot dm^{-3}$，$Cu^{2+}0.63g \cdot dm^{-3}$，在不引进杂质(包括 Na^+)的情况下，如何设计此工艺？写出反应方程式。

11. 有一配位化合物，是由 Co^{3+} 离子，NH_3 分子和 Cl^- 离子所组成。从 11.67 g 该配位化合物中沉淀出 Cl^- 离子，需要 8.5 g $AgNO_3$，又分解同样量的该配位化合物可得到 4.48 dm^3 氨气(标准状态下)。已知该配位化合物的分子量为 233.3，求它的化学式，并指出其内界、外界的组成。

$$([CoCl_2(NH_3)_4]Cl)$$

12. 纯铁丝 521 mg 在惰性气氛中溶于过量的 HCl 溶液，向上述热溶液中加入 253 mg KNO_3。反应完毕后，溶液中剩余的 Fe^{2+} 离子用浓度为 16.7 $mol \cdot dm^{-3}$ $Cr_2O_7^{2-}$ 溶液进行滴定，共需重铬酸盐溶液 18.00 cm^3。试导出反应中 Fe 与 NO_3^- 间的化学计量关系。

13. 指出下列各配位化合物的磁性情况：

(1) $K_4[Fe(CN)_6]$ (2) $K_3[Fe(CN)_6]$

(3) $Ni(CO)_4$ (4) $[Co(NH_3)_6]Cl_3$

(5) $K_4[Co(CN)_6]$ (6) $Fe(CO)_5$

14. 铂系元素的主要矿物是什么？怎样从中提取金属铂？

15. 联系铂的化学性质指出在铂制器皿中是否能进行有下述各试剂参与的化学反应：

(1) HF   (2) 王水   (3) $HCl + H_2O_2$ (4) $NaOH + Na_2O_2$

(5) Na_2CO_3 (6) $NaHSO_4$ (7) $Na_2CO_3 + S$

16. 指出下列两种配合物的几何异构体数目并画出它们的结构式来：

(1) $[Pt(NO_2)Cl_2(NH_3)(en)]Cl$ (2) $[Pt(NO_2)BrCl(NH_3)(en)]Cl$

17. 填空：

(1) $Cr_2O_7^{2-}$（ 色）   (2) CrO_4^{2-}（ 色）   (3) CrO_5（ 色）

(4) MnO_4^-（ 色）   (5) MnO_4^{2-}（ 色）（6) Cu^{2+}（ 色）

(7) $Cu(NH_3)_4^{2+}$（ 色）   (8) $CuCl_4^{2-}$（ 色）（9) $Cu(CN)_4^{2-}$（ 色）

(10) $Fe(OH)_3$（ 色）   (11) $Fe(OH)_2$（ 色）（12) $Co(OH)_2$（ 色）

(13) $Zn(OH)_2$（ 色）   (14) $Cu(OH)_2$（ 色）

第二十二章　镧系元素和
锕系元素

§22-1　引　言

在目前的周期表中有两个系列的内过渡元素,即第 6 周期的镧系和第 7 周期的锕系。镧系包括从镧(原子序数 57)到镥(原子序数为 71)的 15 种元素;锕系包括从锕(原子序数 89)到铹(原子序数 103)的 15 种元素。

镧系元素(用 Ln 表示)的化学性质十分相似而又不完全相同。包括镧系元素以及与镧系元素在化学性质上相近的钪(Sc)、钇(Y),共 17 种元素总称为稀土元素(用 RE 表示)。按照稀土元素的电子层结构以及由此反映的物理、化学性质,将 La,Ce,Pr,Nd,Pm,Sm,Eu 称为铈组稀土(轻稀土);Gd,Tb,Dy,Ho,Er,Tm,Yb,Lu(Sc),Y 称为钇组稀土(重稀土)。

虽然稀土元素在地壳中的丰度很大,但是由于稀土元素在地壳中的分布比较分散性质彼此又十分相似,因此,提取和分离比较困难,使得人们对它的系统研究开始得比较晚。

从 1794 年芬兰化学家加多林(Gadolin)发现第一种稀土元素(钇),到 1972 年有人在天然铀矿中发现了钷($^{143}_{61}$Pm,半衰期 2.7 年),才确认 17 种稀土元素在自然界中均存在。它们的总量在地壳中占 0.0153%,其中丰度最大的是铈,在地壳中占 0.0046%,其次是钇、钕、镧等。铈在地壳中的含量比锡还高,钇比铅高,就是比较少见的铥,其总含量也比人们熟悉的银或汞多,所以,稀土元素并不稀少。

我国稀土矿藏遍及十多个省(区),是世界上储量最多的国家。在我国,具有重要工业意义的稀土矿物有独居石,磷钇矿、氟碳铈矿,褐钇铌矿等。

早在 1926 年就有人预测,在周期表的第七周期中存在着一个类似于稀土的系列,但这个假设在发现超铀元素之前,没有得到广泛的承认。到了 1945 年,G. T. Seaborg 提出,锕及其后面的元素组成电子依次填充 $5f$ 内层的系列。锕系元素在周期表中的位置从 89 号元素锕开始到 103 号元素铹共包括十五种元素,它们属于周期表中第 7 周期ⅢB族。通过这些元素的磁化率测量、电子自旋共振、光谱研究等数据,以及对它们化学性质的研究,进一步证明了锕系理论的正确性。104 号元素 Rf(铲)和 105 号元素 Ha(铧)合成后,对它们的价态和水溶液性质进行的研究表明它们分别是 Zr,Hf 和 Nb,Ta 的同族元素,因而锕系理论得到最后的证实。锕系元素都具有放射性。钍和铀是锕系元素中发现最早和地壳中储量较多的放射性元素。钍在地壳中占 0.001%—0.002%,独居石是钍的主要来源,铀在地壳中的含量约百万分之四,锕、镤、锔、钚也存在于自然界中,但含量极微。

§22 - 2　锕系元素的电子层结构和通性

2 - 1　锕系元素在周期表中的位置及其电子层结构

15 种锕系元素的化学性质十分相似,组成第一内过渡系,位于周期表第ⅢB族,第 6 周期的同一格内,但它们却不是同位素,同位素的原子序数是相同的,只是质量数不同。而 15 种锕系元素,不仅质量数不同,原子序数也不同。

根据电子填充的一般规律,钪的价电子层结构为 $3d^14s^2$,钇为 $4d^15s^2$;第 57—70 号元素的价电子层结构似乎应该是从 $4f^16s^2$ 到

$4f^{14}6s^2$，因为 $4f$ 的能量介于 $6s$ 和 $5d$ 之间，电子应先填满 $6s$，然后逐个加到 $4f$ 轨道上去，$4f$ 充满后再加到 $5d$ 上去。但是，作为洪特(Hund)规则的特例，第 57 号元素(La)不是 $4f^16s^2$ 而是 $4f^05d^16s^2$，即 $5d^16s^2$；第 64 号元素(Gd)不是 $4f^86s^2$ 而是 $4f^75d^16s^2$；第 58 号元素(Ce)的价电子层结构不是 $4f^26s^2$ 而是 $4f^15d^16s^2$。

对于许多镧系元素来说，它们的光谱是很复杂的，在价电子层中是否存在着 $5d$ 电子是镧系元素原子结构一个尚未解决的问题。由于 $5d$ 和 $4f$ 轨道的能量十分接近，要想区别 $5d$ 和 $4f$ 电子，是极其困难的。表 22－1 列出了镧系元素的基态电子层结构以及最外三个电子层的结构。这是目前根据原子光谱和电子束共振实验所获得的最好结果。

表 22－1　镧系元素原子的电子层结构

原子序数	元素名称	元素符号	电子层结构	最外三个电子层的结构
57	镧	La	$[Xe]5d^1\ 6s^2$	$4s^24p^64d^{10}\quad 5s^25p^65d^16s^2$
58	铈	Ce	$[Xe]4f^15d^16s^2$	$4s^24p^64d^{10}4f^15s^25p^65d^1\quad 6s^2$
59	镨	Pr	$[Xe]4f^3\ 6s^2$	$4s^24p^64d^{10}4f^35s^25p^6\quad 6s^2$
60	钕	Nb	$[Xe]4f^4\ 6s^2$	$4s^24p^64d^{10}4f^45s^25p^6\quad 6s^2$
61	钷	Pm	$[Xe]4f^5\ 6s^2$	$4s^24p^64d^{10}4f^55s^25p^6\quad 6s^2$
62	钐	Sm	$[Xe]4f^6\ 6s^2$	$4s^24p^64d^{10}4f^65s^25p^6\quad 6s^2$
63	铕	Eu	$[Xe]4f^7\ 6s^2$	$4s^24p^64d^{10}4f^75s^25p^6\quad 6s^2$
64	钆	Gd	$[Xe]4f^75d^16s^2$	$4s^24p^64d^{10}4f^75s^25p^65d^1\quad 6s^2$
65	铽	Tb	$[Xe]4f^9\ 6s^2$	$4s^24p^64d^{10}4f^95s^25p^6\quad 6s^2$
66	镝	Dy	$[Xe]4f^{10}\ 6s^2$	$4s^24p^64d^{10}4f^{10}5s^25p^6\quad 6s^2$
67	钬	Ho	$[Xe]4f^{11}\ 6s^2$	$4s^24p^64d^{10}4f^{11}5s^25p^6\quad 6s^2$
68	铒	Er	$[Xe]4f^{12}\ 6s^2$	$4s^24p^64d^{10}4f^{12}5s^25p^6\quad 6s^2$
69	铥	Tm	$[Xe]4f^{13}\ 6s^2$	$4s^24p^64d^{10}4f^{13}5s^25p^6\quad 6s^2$
70	镱	Yb	$[Xe]4f^{14}\ 6s^2$	$4s^24p^64d^{10}4f^{14}5s^25p^6\quad 6s^2$
71	镥	Lu	$[Xe]4f^{14}5d^16s^2$	$4s^24p^64d^{10}4f^{14}5s^25p^65d^1\quad 6s^2$

从表 22－1 可知，除镧原子外，其余镧系元素原子的基态电子层结构中都有 f 电子。镧虽然没有 f 电子，但它与其余镧系元素

在化学性质上十分相似。镧系元素最外两个电子层对 $4f$ 轨道有较强的屏蔽作用，尽管 $4f$ 能级中电子数不同，它们的化学性质受 $4f$ 电子数的影响很小，所以它们的化学性质很相似。例如，镧系元素常见的氧化态都是 $+3$，当它们与别的元素化合时，镧失去最外层的 2 个 s 电子，次外层的 1 个 d 电子，其余镧系元素也是失去最外层的 2 个 s 电子，次外层的 1 个 d 电子（无 $5d$ 电子时，则失去 1 个 $4f$ 电子）。

2-2 镧系收缩

表 22-2 列出了镧系元素的原子半径和离子半径，其总的趋势是随着原子序数的增大而缩小，这个现象称为"镧系收缩"（Lanthanides Contraction）。镧系收缩有两个特点：①它们的原子半径虽然随原子序数的增加而缩小但是相邻元素原子半径之差只有 1pm 左右，即在镧系内原子半径呈缓慢减少的趋势。这是因为随核电荷的增加相应增加的电子填入倒数第三层的 $4f$ 轨道（倒数第

表 22-2　镧系元素的原子半径和离子半径

原子序数	元素符号	共价半径/pm	金属原子半径 pm	离子半径/pm		
				+2	+3	+4
57	La	169	187.7		106.1	
58	Ce	165	182.4		103.4	92
59	Pr	164	182.8		101.3	90
60	Nd	164	182.1		99.5	
61	Pm	163	181.0		97.9	
62	Sm	162	180.2	111	96.4	
63	Eu	185	204.2	109	95.0	
64	Gd	162	180.2		93.8	
65	Tb	161	178.2		92.3	84
66	Dy	160	177.3		90.8	
67	Ho	158	176.6		89.4	
68	Er	158	175.7		1	
69	Tm	158	174.6	94	86.9	
70	Yb	170	194.0	93	85.8	
71	Lu	158	173.4		84.8	

一层为 $6s$ 第二层为 $5s,5p$ 轨道),它比 $6s$ 和 $5s,5p$ 轨道对核电荷有较大的屏蔽作用,因此随原子序数的增加,最外层电子受核的引力只是缓慢地增加,从而导致原子半径呈缓慢缩小的趋势。② 随原子序数的增加金属元素的原子半径虽然只缩小约 1 pm,但是经过从 La 到 Lu 14 种元素的原子半径递减的积累却减小 3 约 14 pm 之多,从而造成镧系后边 Hf 和 Ta 的原子半径和同族的 Zr 和 Nb 的原子半径极为相近的事实。

在镧系收缩中,原子半径的收缩比离子半径的收缩小得多。这是因为离子比金属原子少一电子层,镧系金属原子失去最外层 $6s$ 电子以后,$4f$ 轨道则处于倒数第二层(倒数第一层为 $5s,5p$ 轨道),这种状态的 $4f$ 轨道比原子中的 $4f$ 轨道(倒数第三层)对核电荷的屏蔽作用小,从而使得离子半径的收缩效果比原子半径明显。

由图 22-1 清楚可见,在原子半径总的收缩趋势中,铕和镱反常,它们的原子半径比相邻元素的原子半径大很多,而铈的原子半

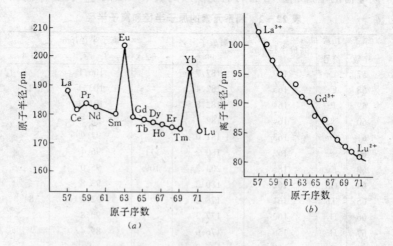

图 22-1

(a) Ln 原子半径与原子序数的关系　(b) Ln³⁺ 离子半径与原子序数的关系

径又比较小。这是因为在钆和镥的电子层结构中，分别有半充满的 $4f^7$ 和全充满的 $4f^{14}$ 的缘故。这种结构比起 $4f$ 电子层未充满的其他状态对原子核有较大的屏蔽作用。

在 Ln^{3+} 离子半径随原子序数减小的曲线中(图 22-1,(b))，Gd 离子处出现了微小的但可以察觉的不连续性。这是因为 Gd^{3+} 的电子层构型为 $4f^7$，这种半充满的电子结构屏蔽效应略有增加，有效核电荷略有减小，所以 Gd^{3+} 离子的离子半径减小程度较小。这种效应叫做钆断效应。

镧系收缩是无机化学中的一个特殊而又重要的现象。由于镧系收缩的结果，使钇(Y^{3+})离子半径(88 pm)落在铒 Er^{3+} (88.1 pm)的附近，Sc^{3+} 离子半径接近 Lu^{3+}，因而在自然界中 Y,Sc 常同镧系元素共生，成为稀土元素的成员。另外，镧系收缩使它后面各族过渡元素的原子半径和离子半径，分别与相应同族上面一个元素的原子半径和离子半径极为接近，例如：IVB 族中的 Zr^{4+} (80 pm)和 Hf^{4+} (79 pm)，VB 族中的 Na^{5+} (70 pm)和 Ta^{5+} (69 pm)，VIB 族中的 Mo^{6+} (62 pm)和 W^{6+} (62pm)，离子半径相近，化学性质相似，结果造成锆与铪、铌与钽、钼与钨、轻铂系和重铂系(即 Ru—Os. Rh—Ir、Pd—Pt)各对元素的原子半径和离子半径上极为相近，化学性质相似，造成了各对元素在分离上的困难。

2-3 镧系元素的氧化态

为了说明镧系元素的氧化态表现，表 22-3 列出了镧系元素前三级电离势之和以及在酸性介质和碱性介质中的标准电极电势。

从表 22-3 所列数据可以看到，镧系元素前三级电离势之和是比较低的，比某些 d 区过渡元素要低[如：$Cr(g) \longrightarrow Cr^{3+}(g) + 3e^-$ 需 5 136kJ·mol^{-1},$Co(g) \longrightarrow Co^{3+}(g) + 3e^-$ 需 5 636 kJ·mol^{-1}]。此外，不管是在酸性介质还是在碱性介质中，$\varphi^{\ominus}_{Ln(III)/Ln}$ 的值都比较小，镧系金属在水溶液中容易形成 +3 价离子，是较强的还原剂，其还原能力仅次于碱金属和碱土金属。所以，+3 是镧系元素的常见氧化态，特征氧化态。

表 22-3 镧系元素的电离势和标准电极电势

元素符号	电离势 /kJ·mol^{-1} Ln(g)→ Ln^{3+}(g)+3e$^-$	标准电极电势 $\varphi^{\ominus}$/V			
		Ln^{3+}+3e$^-$ $\rightleftharpoons$Ln(s)	Ln(OH)$_3$+3e$^-$ $\rightleftharpoons$Ln(s)+ 3OH$^-$	Ln^{3+}+e$^-$ $\rightleftharpoons$Ln^{2+}	Ln^{4+}+e$^-$ $\rightleftharpoons$Ln^{3+}
La	3 455	-2.52	-2.90		
Ce	3 524	-2.48	-2.87		
Pr	3 627	-2.46	-2.85		
Nd	3 694	-2.43	-2.84		
Pm	3 738	-2.42	-2.84		
Sm	3 871	-2.41	-2.83	-1.55	
Eu	4 032	-2.41	-2.83	-0.43	+1.70 (1mol·dm^{-3} HClO$_4$) +2.86
Gd	3 752	-2.40	-2.82		
Tb	3 786	-2.39	-2.79		
Dy	3 898	-2.35	-2.78		
Ho	3 920	-2.32	-2.77		
Er	3 930	-2.30	-2.75		
Tm	4 044	-2.28	-2.74		
Yb	4 193	-2.27	-2.73	-1.21	
Lu	3 886	-2.26	-2.72		

Ln 代表镧系元素

镧系中有些元素还存在着除 +3 以外的稳定氧化态,即 Ce,Pr,Tb,Dy 常呈现出 +4 氧化态,而 Sm,Eu,Tm,Yb 则显示 +2 氧化态。这是因为它们的离子电子结构保持或接近半充满或全充满状态。从表 22-3 中有关的标准电极电势数据还可以看出:Eu^{2+}($4f^7$)和 Yb^{2+}($4f^{14}$)比 Sm^{2+}($4f^6$)稳定,即 Eu^{2+} 和 Yb^{2+} 的还原性比 Sm^{2+} 弱;Ce^{4+}($4f^0$)比 Pr^{4+}($4f^1$)稳定,即 Ce^{4+} 的氧化性不如 Pr^{4+}。

Ce^{2+}($4f^2$),Nb^{2+}($4f^4$),Sm^{2+}($4f^6$),Tm^{2+}($4f^{13}$),Pr^{4+}($4f^1$),Nd^{4+}($4f^2$),Dy^{4+}($4f^8$)等 +2 或 +4 氧化态的存在,除

结构因素外,还同离子的水合能等热力学因素有关。

有关镧系元素的水合能和电离能数据列于表 22-4 中。从表 22-4 可以看出:由于镧系收缩的原因,故水合能的数据随原子序数的增加变化较平稳。

表 22-4　镧系元素的水合能和电离能

Ln	$\Delta H^{\ominus}_{\text{水}}/\text{kJ} \cdot \text{mol}^{-1}(\text{Ln}^{2+})$	$\Delta H^{\ominus}_{\text{水}}/\text{kJ} \cdot \text{mol}^{-1}(\text{Ln}^{3+})$	$\Delta H^{\ominus}_{\text{水}}/\text{kJ} \cdot \text{mol}^{-1}(\text{Ln}^{4+})$	$I_3/\text{kJ} \cdot \text{mol}^{-1}$	$I_4/\text{kJ} \cdot \text{mol}^{-1}$
La	1 460	3 293		1 851	4 819
Ce	1 410	3 302	6 309	1 949	3 547
Pr	1 390	3 336	6 360	2 087	3 761
Nd	1 416	3 371	6 430	2 132	3 898
Pm	1 430	3 407	6 490	2 152	3 966
Sm	1 444	3 441	6 550	2 258	3 995
Eu	1 450	3 479	6 620	2 405	4 110
Gd	1 560	3 520	6 660	1 991	4 245
Tb	1 505	3 548	6 704	2 114	3 839
Dy	1 528	3 584	6 740	2 200	4 001
Ho	1 535	3 623	6 770	2 204	4 101
Er	1 550	3 655	6 800	2 194	4 115
Tm	1 555	3 693	6 840	2 285	4 119
Yb	1 594	3 724	6 870	2 415	4 320

镧系元素第三电离能随原子序数的增加起伏很大,因此,可以认为镧系的 $\varphi^{\ominus}(\text{Ln}^{3+} \rightarrow \text{Ln}^{2+})$ 值主要由第三电离能(I_3)所决定。I_3 的数值以 Eu 和 Yb 最大,其次为 Tm 和 Sm,故这些元素的 +2 价态相对地比较稳定。

$\text{Ln}^{4+} + \text{e}^- \rightleftharpoons \text{Ln}^{3+}$ 标准电极电势的变化规律见图 22-2(a)。从图 22-2(a)可以看出,Ce^{4+} 相对地比较稳定,其次是 Tb^{4+} 和 Pr^{4+}。因此,研究 Ln^{4+} 的性质时也多以 Ce^{4+} 为例。为什么它们的 +4 价态比较稳定?

从图 22-2 不难看出:镧系的 $\varphi^{\ominus}(\text{IV}—\text{III})$ 值的变化规律主要

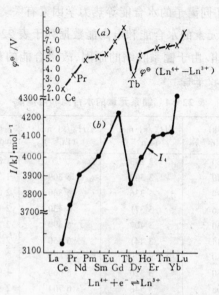

图 22 - 2 标准电极电势变化规律

表 22 - 5 镧系元素的氧化态和电子构型

元素符号	氧化态和电子构型(例子)			
	0	+2	+3	+4
La	$5d^1 6s^2$		$4f^0 (La^{3+})$	
Ce	$4f^1 5d^1 6s^2$	$4f^2 (CeCl_2)$	$4f^1 (Ce^{3+})$	$4f^0 (Ce^{4+})$
Pr	$4f^3 \quad 6s^2$		$4f^2 (Pr^{3+})$	$4f^1 (PrO_2, PrF_4, K_2PrF_6)$
Nd	$4f^4 \quad 6s^2$	$4f^4 (NdI_2)$	$4f^3 (Nd^{3+})$	$4f^2 (Cs_3NdF_7)$
Pm	$4f^5 \quad 6s^2$		$4f^4 (Pm^{3+})$	
Sm	$4f^6 \quad 6s^2$	$4f^6 (Sm^{2+})$	$4f^5 (Sm^{3+})$	
Eu	$4f^7 \quad 6s^2$	$4f^7 (Eu^{2+})$	$4f^6 (Eu^{3+})$	
Gd	$4f^7 5d^1 6s^2$		$4f^7 (Gd^{3+})$	
Tb	$4f^9 \quad 6s^2$		$4f^8 (Tb^{3+})$	$4f^7 (TbO_2, TbF_4, Cs_3TbF_7)$
Dy	$4f^{10} \quad 6s^2$		$4f^9 (Dy^{3+})$	$4f^8 (Cs_3DyF_7)$
Ho	$4f^{11} \quad 6s^2$		$4f^{10} (Ho^{3+})$	
Er	$4f^{12} \quad 6s^2$		$4f^{11} (Er^{3+})$	
Tm	$4f^{13} \quad 6s^2$	$4f^{13} (TmI_2)$	$4f^{12} (Tm^{3+})$	
Yb	$4f^{14} \quad 6s^2$	$4f^{14} (Yb^{2+})$	$4f^{13} (Yb^{3+})$	
Lu	$4f^{14} 5d^1 6s^2$		$4f^{14} (Lu^{3+})$	

由 I_4 所决定。I_4 的数值以 Ce 最小，其次是 Pr 和 Tb。因此，这些元素 +4 价态相对地比较稳定。

现将镧系元素的氧化态和电子构型列于表 22-5 中。

表 22-5 中所有 Ln^{3+} 离子和 Sm^{2+}，Eu^{2+}，Yb^{2+}，Ce^{4+} 离子都能存在于溶液中。镧系元素的 +2 价和 +4 价化合物只存在于固体中，当它们溶解时，立即发生氧化或还原作用。例如 $CeCl_2$，NdI_2，TmI_2，PrO_2，K_2PrF_6，Cs_3NdF_7，TbO_2，TbF_4，Cs_3DyF_7 等，溶解时都能发生氧化还原反应。

§22-3　镧系元素离子和化合物

3-1　镧系元素离子和化合物的颜色

$4f$ 亚层未充满的镧系元素离子，其颜色主要是由 $4f$ 亚层中的电子跃迁所引起，即 $f-f$ 跃迁所引起。除 La^{3+} 和 Lu^{3+} 的 $4f$ 亚层为全空或全满外，其余 +3 价镧系元素离子的 $4f$ 电子可以在 7 个 $4f$ 轨道之间任意配布，从而产生多种多样的电子能级，不但比主族元素的电子能级多，而且比 d 区过渡元素的电子能级也多。因此，+3 价镧系元素离子可以吸收从紫外、可见到红外光区的各种波长的电磁辐射。

表 22-6 列出了 +3 价镧系元素离子在晶体或水溶液中的颜色以及主要吸收谱线。

从表 22-6 可以看到下列特点：具有 f^0 和 f^{14} 结构的 La^{3+} 离子和 Lu^{3+} 离子在 200~1 000 nm 区域（可见光区域在内）无吸收，故无色；具有 f^7，f^1，f^6，f^8 的离子，其吸收峰全部或大部分在紫外区，所以无色或略带淡粉红色；具有 f^{13} 的离子，其吸收峰在红外区，所以无色；具有 f^x 和 f^{14-x}（$x=0,1,2,\cdots,7$）的离子显示的颜色是相同的或者是相近的。但是，f 电子构型相同的 +3 价离子与

非＋3价离子虽属等电子离子(其核外电子数相等的两种离子)，

表 22−6　＋3 价镧系元素离子在晶体或水溶液中的颜色

离子	成单 f 电子数	主要吸收谱线 nm	颜色	主要吸收谱线 nm	成单 f 电子数	离子
La^{3+}	$0(4f^0)$	—	无	—	$0(4f^{14})$	Lu^{3+}
Ce^{3+}	$1(4f^1)$	210,222, 238,252	无	975	$1(4f^{13})$	Yb^{3+}
Pr^{3+}	$2(4f^2)$	444,469, 482,588	绿	360,683, 780	$2(4f^{12})$	Tm^{3+}
Nb^{3+}	$3(4f^3)$	354,522, 574,740, 742,798, 803,868	淡红	364,379, 487,523, 652 287,361,	$3(4f^{11})$	Er^{3+}
Pm^{3+}	$4(4f^4)$	548,568, 702,736	粉红 淡黄	416,451 537,641	$4(4f^{10})$	Ho^{3+}
Sm^{3+}	$5(4f^5)$	362,374, 402	黄	350,365, 910	$5(4f^9)$	Dy^{3+}
Eu^{3+}	$6(4f^6)$	376,394	无*	284,350, 368,487	$6(4f^8)$	Tb^{3+}
Gd^{3+}	$7(4f^7)$	273,275, 276	无	273,275, 276	$7(4f^7)$	Gd^{3+}

* 或略带淡粉红色

颜色却不相似(Ce^{4+} $4f^0$ 橙红，Sm^{2+} $4f^6$ 浅红，Eu^{2+} $4f^7$ 草黄，Yb^{2+} $4f^{14}$ 绿)。

　　如果金属处于高氧化态而配位体又具有还原性的话，就能产生配位体到金属的电荷迁移跃迁。如 Ce^{4+} $(4f^0)$ 离子的橙红色就是由电荷迁移跃迁所引起，而不是由 $f-f$ 跃迁所引起。

3−2　镧系元素离子和化合物的磁性

　　顺磁性物质和铁磁性物质都含有未成对电子，所以都有磁矩，而反磁性物质没有未成对电子，它们的磁矩等于零。$4f^0$ 构型的离子 La^{3+} 和 Ce^{4+} 以及 $4f^{14}$ 构型的离子 Yb^{2+} 和 Lu^{3+}，没有未成对电子，因此都是反磁性的，而 f^{1-13} 构型的原子或离子都是顺磁性的。

镧系元素的磁性与 d 区过渡元素的磁性有着根本的不同。d 区过渡元素的磁矩主要是由未成对电子的自旋运动产生的,因为 d 轨道受晶体场的影响较大,轨道运动对磁矩的贡献被周围配位原子的电场所抑制,几乎完全消失。而镧系元素,内层 $4f$ 电子受晶体场的影响较小,轨道运动对磁矩的贡献并没有被周围配位原子的电场所抑制,因此,在计算磁矩时,既要考虑自旋运动的贡献,又要考虑轨道运动的贡献。图 22-3 表示 +3 价镧系元素离子和化合物的磁矩,虚线是只考虑自旋运动的计算值,实线是既考虑自旋运动,又考虑轨道运动的计算值。实线与 300K 时的实验值符合得很好。

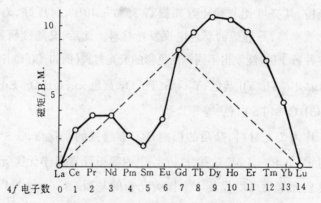

图 22-3　+3 价镧系元素离子和化合物在 300K 时的顺磁磁矩。虚线表示只考虑自旋运动的计算值,实线是同时考虑自旋运动和轨道运动的计算值

镧系元素原子中核外不成对电子数多,加上电子轨道磁矩对顺磁性的贡献,它们可以作为良好磁性材料的基础,把它们制成稀土合金后可作为永磁材料。过去使用的永磁材料是 $AlNiCo$,$PtCo_5$,70 年代用 $SmCo_5$,80 年代又开发了第二代钐钴材料 Sm_2Co_7,同时,找到了铁钕硼第三代磁性材料,性能越来越好。

稀土－钴永磁材料目前主要用于示波管中电子束聚焦环、立体声喇叭磁铁、电子手表中的马达转子、无摩擦磁轴承、磁体阀门以及磁疗机械等。

3-3 镧系元素的发光材料

分子在 X 射线、电子射线或紫外线的照射下，从基态跃迁到激发态，然后由激发态返回较低能级的同时，发射出不同波长的可见光，这种发射光现象称做"荧光"。另外，分子在直流、交流或脉冲电场的作用下，也可以有类似于上述发生荧光的现象，这称为场致发光。1964 年，美国首创以氧化钇（Y_2O_3）或硫氧化钇（Y_2O_2S）为基质的掺有铕的荧光粉（Y_2O_3:Eu；Y_2O_2S:Eu），均可作为红色发光粉，其亮度比非稀土红粉提高 35% ～40%，耐压好，寿命长，发光效率高，是理想的彩色电视发光材料。此后，又陆续研制出含有各种稀土的、能发出不同鲜艳色彩的荧光材料（例如，Gd_2O_2S:Tb 绿色；LaOBr:Tb:Yb 蓝色；Y_2O_2S:Tb:Dy 黄色；$SrHgP_2O_4$:Eu 紫色；$(YGd)_2O_2S$:Tb 白色；等等）。

作为荧光材料，杂质的影响是不容忽视的。就 Y_2O_2S:Eu 而言，La^{3+}、Gd^{3+}、Lu^{3+} 这些 f^0、f^7、f^{14} 的稀土元素属于无害元素，甚至这些元素还可以代替 Y^{3+} 作荧光粉的基质。Ge^{3+} 和 Nd^{3+} 等的存在极为有害，含量必须在百分之十以下，杂质对荧光材料的影响很复杂，目前尚不清楚。

稀土元素不但能把波长短于 400 nm 的紫外线、X 射线等转换成 400～760 nm 范围内的可见光，也可以把红外线转变为可见光。这种使波长变短（即增强光能）的转换称之为"上转换"。在民用方面，可利用稀土材料的"上转换"功能将钨丝灯泡所产生的红外线热能转换成可见光，从而大大提高发光效率。在军用方面，利用稀土"上转换"材料，能在夜间将红外线转变为可见光，从而探清目标方位等。具有这方面功能的材料有:掺有 Yb^{3+} 和 Er^{3+} 的 $BaYF_5$ 及掺有 Yb^{3+} 和 Er^{3+} 的 LaF_3 和掺有 Yb^{3+} 和 Tm^{3+} 的 GdF_3 等。

§22-4 镧系元素的重要化合物和镧系金属

镧系金属易形成 +3 价态离子(由表 22-3 可以看出),在形成 Ln^{3+} 离子时 f 层(倒数二层)的电子也参于成键,与碱土金属相比 Ln^{3+} 电荷高,半径稍小(Be, Mg 除外)。从软硬酸碱理论看,它们都属硬酸,易同硬碱 O^{2-}、OH^- 和 X^- 结合,形成难溶于水的氧化物、氢氧化物。与碱土金属不同,可溶性 Ln^{3+} 盐易于水解。Ln^{3+} 因 $4f$ 亚层未充满(La, Lu 除外)可发生 $f-f$ 跃迁而显色,$4f$ 亚层具有单电子而表现顺磁性,而碱土金属离子无此性质。

4-1 氧化数为 +3 的化合物

(1) 氧化物

镧系金属在高于 453K(Sc 为 773 K)时,能被空气迅速氧化,与氧化合时放出大量的热,生成 Ln_2O_3 型的氧化物。Ln_2O_3 难溶,并且具有很高的熔点。现将 Ln_2O_3 的晶型、颜色、熔点、标准生成热列于表 22-7 中。

将氢氧化物、草酸盐、碳酸盐、硝酸盐、硫酸盐在空气中灼烧,或将镧系金属直接氧化(在 423—453 K 灼烧),都可以制得氧化物 Ln_2O_3。但 Ce, Pr, Tb 除外,Ce 生成白色的 CeO_2,Pr 生成棕黑色的 Pr_6O_{11},Tb 生成暗棕色的 Tb_4O_7,将这些较高价态的氧化物还原,则得 Ce、Pr、Tb 的 +3 价氧化物。镧系元素用各种方法进行分离后,总是先使之转化为难溶的草酸盐,然后灼烧制成氧化物保存。

Ln_2O_3 难溶于水或碱性介质中,但易溶于强酸中,即使经过灼烧的 Ln_2O_3 也易溶于强酸,除非强酸的阴离子与 Ln^{3+} 生成沉淀。Ln_2O_3 在水中发生水合作用而形成水合氧化物,从空气中吸收二

表 22-7　Ln$_2$O$_3$ 的某些性质

Ln$_2$O$_3$	晶型	颜色	熔点/K	$\Delta_f H^{\ominus}_{298K}$/kJ·mol^{-1}
La$_2$O$_3$	A	白	2 573	-1 793.7
Ce$_2$O$_3$	A	白	—	-1 802.9
Pr$_2$O$_3$	A	黄绿	2 569	-1 823.4
Nd$_2$O$_3$	A	淡蓝	2 583	-1 809.0
Sm$_2$O$_3$	B	淡黄	2 593	-1 815.4
Eu$_2$O$_3$	BC	淡玫瑰	2 603	-1 641.4
Gd$_2$O$_3$	BC	白	2 668	-1 815.6
Tb$_2$O$_3$	BC	白	2 663	-1 864.4
Dy$_2$O$_3$	BC	白	2 664	-1 869.4
Ho$_2$O$_3$	BC	棕	2 669	-1 880.7
Er$_2$O$_3$	BC	淡玫瑰	2 673	-1 897.8
Tm$_2$O$_3$	BC	淡绿	—	-1 888.7
Yb$_2$O$_3$	BC	白	2 684	-1 814.5
Lu$_2$O$_3$	、BC	白	—	-1 878.2

A=六方　　B=单斜　　C=立方

氧化碳生成碱式碳酸盐。草酸盐只有在温度超过 1073 K 于空气中灼烧才能得到纯的氧化物。

(2) 氢氧化物

镧系元素的氢氧化物按其碱性的强度来说,近似碱土金属的氢氧化物,但溶解度却比碱土金属氢氧化物小得多。即使在 NH$_4$Cl 存在下,加入氨水也能产生 Ln(OH)$_3$ 的沉淀,在相同条件下,Mg(OH)$_2$ 不能沉淀。

在镧系元素的盐溶液中加入氨水即可得到氢氧化物沉淀。莫勒(Moeller)等考察过镧系氢氧化物沉淀过程中碱的加入量与溶液 pH 值之间的关系。考查中发现,镧系元素的氢氧化物 Ln(OH$_3$) 开始沉淀的 pH 值和溶度积常数列于表 22-8 中。

Ln(OH)$_3$ 的碱性随着 Ln^{3+} 离子半径的递减而有规律的减弱。

这是因为中心离子对 OH$^-$ 吸引力随着半径的减小而增强,氢氧化物的电离度也逐渐减小的缘故。

表 22 - 8　Ln(OH)$_3$ 开始沉淀的 pH 和溶度积

Ln^{3+} 离子	相对碱度	开始沉淀的 pH*	Ln(OH)$_3$ 的 K_{sp}(298K)
La^{3+}		7.82	1.0×10^{-19}
Ce^{3+}		7.60	1.5×10^{-20}
Pr^{3+}	相对碱度减小	7.35	2.7×10^{-22}
Nd^{3+}		7.31	1.9×10^{-21}
Sm^{3+}		6.92	6.8×10^{-22}
Eu^{3+}		6.91	3.4×10^{-22}
Gd^{3+}		6.84	2.1×10^{-22}
Tb^{3+}		—	2.0×10^{-22}
Dy^{3+}		—	1.4×10^{-22}
Ho^{3+}		—	5×10^{-23}
Er^{3+}		6.76	1.3×10^{-23}
Tm^{3+}		6.40	3.3×10^{-24}
Yb^{3+}		6.30	2.9×10^{-24}
Lu^{3+}		6.30	2.5×10^{-24}

* 　在 298K,硝酸体系中,用电位滴定法测定,以 0.1mol·dm^{-3}NaOH 滴定 40cm^{3}0.1mol·dm^{-3}Ln^{3+} 离子溶液。

在 + 3 价镧系元素的氢氧化物中,除 Yb(OH)$_3$ 和 Lu(OH)$_3$ 外,其余 Ln(OH)$_3$ 不溶于过量的氢氧化钠溶液中,将 Yb(OH)$_3$ 和 Lu(OH)$_3$ 在高压釜中与浓氢氧化钠溶液一起加热,结果生成 Na$_3$Yb(OH)$_6$ 和 Na$_3$Lu(OH)$_6$。Ln(OH)$_3$ 的溶解度随温度的升高而降低。

通过测定不同 pH 条件下的溶解度试验,证明镧系离子的浓度与氢氧根之间不是简单的 1:3,这表明 Ln(OH)$_3$ 可能不是以单一的 Ln(OH)$_3$ 形式存在。

(3) 卤化物

镧系元素的卤化物中,比较重要的是氟化物和氯化物。LnF$_3$

与其它 LnX_3 在溶解度上有明显差别,即使在含 $3mol \cdot dm^{-3} HNO_3$ 的 Ln^{3+} 溶液内加氢氟酸或 F^- 离子,得到的仍是 LnF_3 沉淀。人们有时利用这一特性进行分离。这一方法也可用来鉴定 Ln^{3+} 离子。在镧系元素卤化物中,研究得最多的是氯化物。

制备无水氯化物 $LnCl_3$ 的最好方法是将 Ln_2O_3 和 NH_4Cl 固体混在一起加热到 573 K 时,便可发生如下反应:

$$Ln_2O_3 + 6NH_4Cl \xrightarrow{573K} 2LnCl_3 + 3H_2O + 6NH_3$$

无水 $LnCl_3$ 熔点高,在熔融状态易导电,这说明它们具有离子型化合物的特征。水合氯化物 $LnCl_3 \cdot nH_2O$ 含 6 或 7 个分子结晶水,如 $LaCl_3 \cdot 7H_2O, NdCl_3 \cdot 6H_2O$。无水和水合氯化物都容易吸水而潮解,都易溶于水,它们的溶解度随着温度的升高而猛增,如 $LaCl_3 \cdot 7H_2O$ 在 298 K 时为 284.4 g/100 g 水,而在 353 K 时为 683 g/100 g 水。

在 Ln 的氢氧化物、氧化物或碳酸盐中加入盐酸即可得氯化物,由于氯化物的溶解度很大,仅仅用蒸发浓缩的方法很难将水合氯化物结晶出来。在其氯化物溶液中通入氯化氢气体并使达饱和时,冷却浓溶液,可析出水合氯化物晶体。

La,Ce,Pr,Nd,Sm,Gd 的水合氯化物在 328—363 K 时开始脱水:

$$LnCl_3 \cdot nH_2O \Longrightarrow LnCl_3 + nH_2O$$

脱水的同时,发生水解反应:

$$LnCl_3 + H_2O \Longrightarrow LnOCl + 2HCl$$

在 603—613 K 范围内,脱水完毕。在 718—953 K 范围内,除 $CeCl_3$ 外,完全水解成 $LnOCl$。$CeCl_3$ 在 823 K 时水解的最后产物不是 $CeOCl$ 而是 CeO_2。Ln^{3+} 离子的碱度越小,越容易发生水解而形成 $LnOCl$。碱度大的 $LnCl_3 \cdot nH_2O$,脱水后形成的无水盐几乎是纯的,当 Ln^{3+} 离子的碱度降低时,脱水后形成的无水盐 $LnCl_3$ 所含的 $LnOCl$ 量也在逐步增加。

在稀土工业中,矿石几经处理可得水合混合氯化稀土,脱去结晶水,则得无水混合氯化稀土,它是电解制取混合稀土金属的原料。由于在脱水的过程中,同时发生水解作用,得不到纯无水氯化物,所以在生产上脱水时,必须设法抑制水解反应的发生,一般采取以下两方面的措施:

首先是降低脱水温度。因为水解与温度有关,温度越高,水解反应越易进行。在一定的真空度中,于减压的条件下进行脱水,不仅能降低脱水温度,而且能及时将水蒸汽抽出。这样,一方面能抑制水解作用,另一方面又能加快脱水过程的进行。

其次是使用某些物质作为脱水剂,抑制水解反应的进行。常用的脱水剂有两种,一种是氯化氢气流,即在脱水过程中通入氯化氢,可得较好结果。另一种是在水合混合氯化稀土中掺入 NH_4Cl 固体,然后加热进行脱水,也可得较好效果。因为 NH_4Cl 在加热时,很容易分解为 HCl 气体和 NH_3 气,其中的 HCl 即起上述 HCl 气流一样的作用。由于在水合混合氯化稀土中已含有一定量的 NH_4Cl 固体,所以脱水时不需要再另外加脱水剂。水合混合氯化稀土中为什么含有 NH_4Cl 呢? 这是因为在生产过程中,曾用氨水调节混合氯化稀土料液的酸度来除去 Fe^{3+}、Th^{4+} 等杂质,在调节酸度时,氨与氯化稀土料液中的盐酸生成了 NH_4Cl。

(4) 硫酸盐

最常见的是水合硫酸盐。除硫酸铈为 9 水合物外,其余的都是 8 水合物 $Ln_2(SO_4)_3 \cdot 8H_2O$。无水硫酸盐和水合硫酸盐都溶于水,它们的溶解度随着温度的升高而下降。

水合硫酸盐在继续加热时,一般说来发生下列三步反应:

(a) 水合硫酸盐脱水:

$$Ln_2(SO_4)_3 \cdot nH_2O =\!=\!= Ln_2(SO_4)_3 + nH_2O$$

(b) 无水硫酸盐分解为碱式盐：

$$Ln_2(SO_4)_3 \rightleftharpoons Ln_2O_2SO_4 + 2SO_2 + O_2$$

(c) 碱式盐分解为氧化物：

$$Ln_2O_2SO_4 \rightleftharpoons Ln_2O_3 + SO_2 + \frac{1}{2}O_2$$

$Ln_2(SO_4)_3 \cdot n H_2O$ 的脱水温度在 428—533 K 之间。无水硫酸盐分解为碱式盐 $Ln_2O_2SO_4$ 在 1 128—1 219 K 范围内比较明显,碱式盐分解为氧化物的最低温度在 1 363—1 523 K 之间(Pr 和 Tb 除外)。

碱式盐的稳定性随 Ln^{3+} 离子半径减小而下降,Yb,Lu,Sc 的碱式盐极不稳定,只能短暂的存在,因此可以认为 Yb,Lu,Sc 的硫酸盐直接分解为氧化物。

稀土无水硫酸盐的溶解度比水合硫酸盐小(见表 22-9)而且它们的溶解度随着温度的升高而下降(例如无水硫酸镧的溶解度,

表 22-9　稀土硫酸盐的溶解度(298 K)

离　子	$Ln_2(SO_4)_3$ $S/g \cdot (100gH_2O)^{-1}$	$Ln_2(SO_4)_3 \cdot 8H_2O$ $S/g \cdot (100gH_2O)^{-1}$
Sc^{3+}	40.00(298 K)	—
Y^{3+}	7.47(298 K)	—
La^{3+}	2.142	3.8
Ce^{3+}	5.063	23.8
Pr^{3+}	10.880	12.74
Nd^{3+}	5.591	7.00
Sm^{3+}	1.488	2.67
Eu^{3+}	—	2.56
Gd^{3+}	3.299	2.89
Tb^{3+}		3.56
Dy^{3+}	—	5.07
Ho^{3+}	6.705	8.18
Er^{3+}	15.19	16.00
Tm^{3+}	36.01	—
Yb^{3+}		34.78
Lu^{3+}		47.27

在 273 K 时为 3.0 g/100 g 水,287 K 时为 2.6 g/100 g 水,373 K 时为 0.7 g/100 g 水),影响重结晶。所以在浸取用硫酸分解的稀土矿熔融物时,最好使用冰水。

稀土硫酸盐和碱金属硫酸盐反应生成稀土硫酸复盐,反应式如下:

$$x Ln_2(SO_4)_3 + y M_2 SO_4 + z H_2O = x Ln_2(SO_4)_3 \cdot y M_2 SO_4 \cdot z H_2O$$

式中 M 为:K^+,Na^+,NH_4^+;Ln 代表稀土。在不同条件下,x,y,z 的数值是不同的,一般当碱金属硫酸盐溶液的浓度较低时,x,y,z 通常为 1,1,2 或者 1,1,4。

稀土硫酸复盐的溶解度随原子序数的增大而增大,即从镧到镥依次增大,而且按 NH_4^+—Na^+—K^+ 的顺序而降低。此外,稀土硫酸复盐的溶解度也随温度的上升而下降。

(5) 草酸盐

镧系元素和草酸能生成既难溶于水,又难溶于酸的 $Ln_2(C_2O_4)_3 \cdot n H_2O$ 型的草酸盐,一般 $n = 10$,但也有 $n = 6,7,9$ 和 11 的盐。其反应式可写为:

$$2LnCl_3 + 3H_2C_2O_4 + n H_2O \longrightarrow Ln_2(C_2O_4)_3 \cdot n H_2O + 6HCl$$
$$2Ln(NO_3)_3 + 3H_2C_2O_4 + n H_2O \longrightarrow Ln_2(C_2O_4)_3 \cdot n H_2O + 6HNO$$

由于草酸盐在酸性溶液中也难溶,所以,可以使镧系元素离子以草酸盐的形式析出而同其它许多金属离子分离开来。因而镧系元素草酸盐具有特殊的重要性。

在硝酸盐或氯化物的溶液中,加入 6 mol·dm⁻³ 硝酸和草酸溶液,可得到草酸盐沉淀。从溶液析出的草酸盐,经过灼烧,最后得到的是相应的氧化物。

水合草酸盐开始脱水的温度为 313—333 K,继续加热,经过中间水合物的形成以及无水物的分解,最后在 633—1073 K 范围内得到氧化物。除 CeO_2，$PrO_x(1.5 < x < 2)$，以及 Tb_4O_7 外，其余均为 Ln_2O_3。

对轻镧系元素(Eu 例外)来说，在无水物转变为氧化物的过程中，还产生某些中间物，反应如下：

$$Ln_2(C_2O_4)_3 \longrightarrow Ln_2(C_2O_4)(CO_3)_2 + 2CO\uparrow$$
$$Ln_2(C_2O_4)(CO_3)_2 \longrightarrow Ln_2(CO_3)_3 + CO\uparrow$$
$$Ln_2(CO_3)_3 \longrightarrow Ln_2O(CO_3)_2 + CO_2\uparrow$$
$$Ln_2O(CO_3)_2 \longrightarrow Ln_2O_3 + 2CO_2\uparrow$$

$Eu_2(C_2O_4)_3$ 在空气中的分解步骤，同其它轻镧系元素的草酸盐相比要复杂些，如

$$Eu_2(C_2O_4)_3 \longrightarrow 2EuC_2O_4 + 2CO_2\uparrow$$
$$4EuC_2O_4 + O_2 \longrightarrow 2(EuC_2O_4)_2O$$
$$(EuC_2O_4)_2O \longrightarrow (EuCO_3)_2O + 2CO\uparrow$$
$$(EuCO_3)_2O \longrightarrow (EuO)_2CO_3 + CO_2\uparrow$$
$$(EuO)_2CO_3 \longrightarrow Eu_2O_3 + CO_2\uparrow$$

对于重镧系元素来说，分解步骤比较简单，如 Er、Yb 和 Lu 的草酸盐先分解为碳酸盐或碱式碳酸盐，然后再分解为氧化物，反应如下：

$$Ln_2(C_2O_4)_3 \longrightarrow Ln_2(CO_3)_3 + 3CO\uparrow$$
$$Ln_2(CO_3)_3 \longrightarrow Ln_2O_3 + 3CO_2\uparrow \qquad (Er\ 和\ Lu)$$
$$Yb_2(C_2O_4)_3 \longrightarrow (YbO)_2CO_3 + 3CO\uparrow + 2CO_2\uparrow$$
$$(YbO)_2CO_3 \longrightarrow Yb_2O_3 + CO_2\uparrow$$

总之，镧系元素草酸盐热分解的最后产物都是氧化物。

(6) 硝酸盐

将 Ln_2O_3 溶于硝酸，蒸发浓缩后，可结晶出硝酸盐。除离子半径较小的 Tm^{3+}，Yb^{3+}，Lu^{3+} 和 Sc^{3+} 的硝酸盐是五水[或四水，如 $Sc(NO_3)_3 \cdot 4H_2O$]合物外，其余的硝酸盐都带有 6 个结晶水。它们不但易溶于水，并且能溶于醇、酮、酯和胺中。在 373 K 以下烘干

脱水,可得到无水盐。灼烧时,先分解为碱式盐,然后转变成氧化物。硝酸盐的分解速度随离子半径减小而逐渐加快,利用这种差异进行分级热分解,可以达到分离的目的。

轻稀土(铈组)硝酸盐能与碱金属、铵、镁、锌、镍、锰的硝酸盐形成复盐,如 $2M(I)NO_3 \cdot Ln(NO_3)_3 \cdot xH_2O$,$2NH_4NO_3 \cdot Ln(NO_3)_3 \cdot 4H_2O$,$3M(II)(NO_3)_2 \cdot 2Ln(NO_3)_3 \cdot 24H_2O$ 这些复盐溶解度都很小,且随稀土离子半径的减小而增大。同一元素的复盐溶解度又随温度升高而增大。它们的稳定性,随离子半径的减小而减小。因此,重稀土元素(除铈外)几乎不形成硝酸复盐。利用这种性质,可用分级结晶法来分离铈组元素。

4-2 氧化数为 +4 和 +2 的化合物

(1) +4 价铈

在 +4 价的镧系元素中,只有 +4 价铈既能存在于水溶液中,又能存在于固体中。

纯 CeO_2 为白色。将 $Ce(OH)_3$,$Ce_2(CO_3)_3$,$Ce_2(C_2O_4)_3$,$Ce(NO_3)_3$ 或 $Ce_2(SO_4)_3$ 在空气或氧气中灼烧即得 CeO_2。CeO_2 是惰性的,不溶于酸或碱,只有在还原剂(如 H_2O_2,等)存在的条件下,才溶于酸生成 Ce^{3+} 的溶液。

在 +4 价铈盐溶液中加碱,析出黄色胶状的水合二氧化铈 $CeO_2 \cdot nH_2O$ 沉淀,它能溶于酸。水合二氧化铈溶于硝酸或高氯酸中,不发生还原作用,生成相应的 +4 价铈盐;溶于盐酸中得到的是 $CeCl_3$ 并放出 Cl_2 气;溶于硫酸得到 +4 价铈和 +3 价铈硫酸盐的混合物并放出氧气。

常见的 +4 价铈盐有硫酸铈 $Ce(SO_4)_2 \cdot 2H_2O$ 和硝酸铈 $Ce(NO_3)_4 \cdot 3H_2O$。这些盐能溶于水,还能形成复盐,如 $2NH_4NO_3 \cdot Ce(NO_3)_4$ 和 $2(NH_4)_2SO_4 \cdot Ce(SO_4)_2 \cdot 2H_2O$,复盐比相应的简单盐

稳定。经研究证明,硝酸复盐是一个配位化合物,它的分子式应当是$(NH_4)_2[Ce(NO_3)_6]$,在$Ce(NO_3)_6^{2-}$中,NO_3^-离子起双基配位体的作用,配位氧原子在铈原子周围呈正二十面体的排布。硝酸复盐$(NH_4)_2[Ce(NO_3)_6]$是一种分析基准物。

几乎所有的快速分离铈的方法其原理都在于首先将+3价铈氧化成+4价,然后再利用+4价铈在化学性质上与其它+3价镧系元素的显著差别,用其它化学方法将铈分离出来。

Ce^{4+}的离子势很大,碱度很小,极易水解,$CeO_2 \cdot H_2O$在pH为0.7~1.0时就能沉淀析出,而其它Ln^{3+}则要在pH为6~8时才能沉淀析出。此外,Ce^{4+}生成配位化合物的倾向很大,这些特性都与其它Ln^{3+}有很大差别,因此,利用这些特性,采用氧化分离的方法可以将铈快速而有效地分离出来。

将铈氧化的方法很多,可用空气氧化、氯气氧化、臭氧氧化,也可用各种氧化剂(如过氧化氢、过硫酸铵、铋酸钠、高锰酸钾、过氧化铅、溴酸钾等)氧化,还可采用电解方法来氧化。

在工业生产中,广泛采用简单方便成本较低的空气氧化法进行铈的氧化分离。这种方法是利用空气中的氧作氧化剂,在一定条件下,将+3价混合稀土氢氧化物中的$Ce(OH)_3$氧化成$Ce(OH)_4$。然后利用$Ce(OH)_4$碱性弱,难溶于稀硝酸的性质,通过控制稀硝酸的pH值(控制pH值在2.5),使$Ln(OH)_3$溶解,进入溶液,而$Ce(OH)_4$仍留在沉淀物中[$Ce(OH)_4$的溶度积为0.74×10^{-49}],结果+4价铈与+3价稀土得以分离。空气氧化按下面的反应式进行:

$$2Ce(OH)_3 + \frac{1}{2}O_2 + H_2O = 2Ce(OH)_4$$

Ce^{4+}离子极易水解,黄橙色水合离子$[Ce(H_2O)_n]^{4+}$只存在于象高氯酸$HClO_4$这样的非配合性的强酸性溶液中。Ce^{4+}离子配合的倾向很大,虽然在 $HClO_4$ 介质中,Ce^{4+} 不形成配离子,但在 HNO_3,H_2SO_4 或 HCl 介质中,则不同程度的形成配离子。

(2) +2 价铕

在一定条件下,Sm^{3+},Eu^{3+},Yb^{3+} 可以被还原为 +2 价离子。镧系金属的 +2 价离子 Sm^{2+},Eu^{2+},Yb^{2+},同碱土金属的 +2 价离子 Mg^{2+},Ca^{2+} 特别是 Sr^{2+},Ba^{2+} 在某些性质上较为相似,例如 $EuSO_4$ 和 $BaSO_4$ 的溶解度都很小,而且是类质同晶。

如果找到一个合适的还原剂,它只能把 Eu^{3+} 还原为 Eu^{2+} 而不能还原 Sm^{3+} 和 Yb^{3+},那么,不但可使铕同其它稀土元素分离,而且还可使铕同钐、镱分离。锌便是符合这个要求的还原剂。从下面列出的有关电极反应的标准电极电势数据可以看出,Zn 能将 Eu^{3+} 还原为 Eu^{2+},却不能将 Sm^{3+}、Yb^{3+} 还原为 Sm^{2+}、Yb^{2+}。

电极反应	$\varphi^{\ominus}$/V
$Zn^{2+} + 2e^- \Longrightarrow Zn$	-0.76
$Eu^{3+} + e^- \Longrightarrow Eu^{2+}$	-0.43
$Sm^{3+} + e^- \Longrightarrow Sm^{2+}$	-1.55
$Yb^{3+} + e^- \Longrightarrow Yb^{2+}$	-1.21

4-3 配位化合物

(1) 配合能力及键型

镧系元素和 d 区过渡元素的差异,在它们的配位化学方面表现得尤为明显。

基态 Ln^{3+} 离子具有惰性气体原子的外层电子构型($5s^2 5p^6$),内层 $4f$ 轨道与外部原子的扰动隔绝,受外部原子的影响很小。因此,$4f$ 轨道同配位体轨道之间的相互作用很弱,$4f$ 轨道难以参与成键。Ln^{3+} 离子参与成键的是那些能量较高的外层轨道。Ln^{3+} 离子与配位体之间的相互作用以静电作用为主,所形成的配位键主要是离子性的,键的方向性很不明显,稳定化能也很小,因此镧系配位化合物的稳定性较低。

按其配合能力,一般来说,比典型的过渡元素弱,但由于它们带电荷高,因此配位能力大于碱土金属。例如,比较 EDTA(缩写成 Y^{4-})与某些离子的配合物的稳定常数就可了解它们各自的稳定性

$$\lg K_{稳,[CaY]^{2-}} = 10.56$$
$$\lg K_{稳,[BaY]^{2-}} = 7.77$$
$$\lg K_{稳,[LaY]^{-}} = 15.50$$
$$\lg K_{稳,[LuY]^{-}} = 19.83$$
$$\lg K_{稳,[FeY]^{-}} = 25.07$$
$$\lg K_{稳,[CoY]^{-}} = 36.0$$

Ln^{3+} 离子属于"硬酸",所以,在形成配位化合物时,Ln^{3+} 离子优先同"硬碱"氟、氧配位原子成键。在水溶液中,以氮、硫或卤素(F^- 除外)作为配位原子的配位化合物是不稳定的,因为这些原子竞争不过水分子,它们的配位化合物必须在非水介质中合成。只有强配体,特别是有螯合作用的强配体,才能与 Ln^{3+} 离子生成热力学上稳定的,可以分离出来的配合物。

(2) 配位数

Ln^{3+} 离子电荷高,半径又较大(106—85 pm),比一些过渡元素的离子半径大得多(例如:Cr^{3+} 为 64 pm,Fe^{3+} 为 60 pm),而且镧

表 22-10　某些不同配位数的稀土配合物

氧化数	配位数	示　　例	氧化数	配位数	示　　例
+3	6	$[Er(NCS)_6]^{3-}$	+4	6	Cs_2CeCl_6,
	7	$Y(acac)_3 \cdot H_2O$		8	$(NH_4)_2CeF_6$
	8	$Y(acac)_3 \cdot 3H_2O$			$Ce(acac)_4$
		$La(acac)_3(H_2O)_2$		10	$Ce(NO_3)_4(OPph_3)$
	9	$[Nd(H_2O)_9]^{3+}$		12	$(NH_4)_2[Ce(NO_3)_6]$
		$La_2(SO_4)_3 \cdot 9H_2O$			
	10	$[Ce(NO_3)_5]^{2-}$			
	12	$[Ce(NO_3)_6]^{3-}$			

系元素离子外层空的原子轨道多($5d$,$6s$ 和 $4f$ 轨道),导致 Ln^{3+} 离子的配位数一般比较大,最高可达 12,常显示出特殊的配位几何形状。例如:在 $HLnY \cdot 4H_2O$ 配合物中,$Ln(Ⅲ)$ 的配位数为 10;$KLnY \cdot 8H_2O$ 中稀土离子 Tb^{3+} 的配位数为 8,La^{3+} 为 9;在 $La_2(CO_3)_3 \cdot 8H_2O$ 中,La^{3+} 的配位数为 10;在 $Nd(BrO_3)_3 \cdot 9H_2O$ 中,Nd^{3+} 的配位数是 9 等。表 22-10 中列出某些不同配位数的稀土配合物。

现将镧系元素 +3 价离子和 d 区过渡元素 +3 价离子形成配位化合物的成键情况和配位性质对比于表 22-11 中。

表 22-11　4f 和 3d 金属离子的对比

	镧系元素离子	第一过渡系金属离子
轨道	4f	3d
离子半径	106—85pm	75—60pm
配位数	6,7,8,9,10,12	4,6
典型的配位多面体	三角棱柱体 四方反锥体 十二面体	平面正方形 正四面体 正八面体
键型	金属配位体轨道间的相互作用很弱	金属配位体轨道间的相互作用强
键的方向	键的方向性不明显	键的方向性很强
键的强度	单价配位体所形成的键,其强度按照配位体电负性的次序:F^-,OH^-,H_2O,NO_3^-,Cl^- 减弱	键的强度由轨道间相互作用的大小决定,一般是按照配位体场强的次序:CN^-,NH_3,H_2O,OH^- 减弱
溶液中的配合物	离子型,配位体交换快	常常是共价型,配位体交换慢

(3) 配合物的类型

稀土配合物主要的类型可分以下几种:

(a) 离子缔合物　稀土离子与无机配体主要形成离子缔合

物,稳定性不高,仅存在于溶液中。各种无机配体与稀土配合,稳定顺序大致如下:

$$PO_4^{3-} > CO_3^{2-} > F^- > SO_4^{2-} > SCN^- > NO_3^- \approx Cl^- > Br^- > I^-$$
$$> ClO_4^-。$$

(b) 不溶的加合物　不溶的加合物,或称不溶的非螯合物类。这类配合物中仅有安替比林衍生物的稀土配合物在水中稳定,其它如氨或胺类稳定性均弱。用磷酸三丁酯(TBP)溶剂萃取稀土时,在有机相中生成 $Ln(NO_3)_3 \cdot 3TBP$ 中性配合物。

(c) 螯合物　螯合物因形成环状结构,比其它类型配合物稳定。分子型螯合物难溶于水,易溶于有机溶剂。这类螯合剂主要为,β-二酮类(如 PMBP,TTA 等)及 8-羟基喹啉,在稀土萃取分离中,得到广泛应用。

Ln^{3+} 离子同各种氨基多羧酸生成组成为 1:1 的螯合物。同乙二胺四乙酸(EDTA)生成螯合物的反应广泛应用于镧系元素的分离和分析。由于乙二胺四乙酸在水中的溶解度小,实际上常用的是它的二钠盐,化学式以 Na_2H_2Y 表示,Y^{4-} 代表 EDTA 酸根

$$\begin{bmatrix} CH_2-N(CH_2COO)_2 \\ | \\ CH_2-N(CH_2COO)_2 \end{bmatrix}^{4-}$$

。Na_2H_2Y 同 Ln^{3+} 离子的螯合反应如下:

$$[Ln(H_2O)_n]^{3+} + H_2Y^{2-} \Longrightarrow$$
$$[LnY(H_2O)_m]^- + (n-m)H_2O + 2H^+$$

生成的螯合物易溶于水,螯合离子的稳定性随溶液酸度的增大而减低,随 Ln^{3+} 离子碱度的减小(原子序数的增加)而增大。

4-4　镧系金属单质

镧系元素是典型的金属元素。表 22-12 列出了镧系金属的某些物理性质。

表 22-12　镧系金属的某些物理性质

金属	金属原子半径 pm	晶格类型	密　度 g·cm^{-3}	熔点/K	沸点/K
L	187.7	六方紧堆 面心立方	6.166	1 193±5	3 727
Ce	182.4	六方紧堆 面心立方	6.773	1 071±3	3 530
Pr	182.8	六方紧堆 面心立方	6.475	1 204±4	3 485
Nd	182.1	六方紧堆	7.003	1 283	3 400
Pm	181.0	六方紧堆	7.2	～1 353	2 733(?)
Sm	180.2	六方紧堆	7.536	1 345±5	2 051
Eu	204.2	体心立方	5.245	1 095±5	1 870
Gd	180.2	六方紧堆	7.886	1 584±1	3 506
Tb	178.2	六方紧堆	8.253	1 633±4	3 314
Dy	177.3	六方紧堆	8.559	1 682	2 608
Ho	176.6	六方紧堆	8.78	1 743	2 993
Er	175.7	六方紧堆	9.045	1 795	2 783
Tm	174.6	六方紧堆	9.318	1 818±15	2 000
Yb	194.0	面心立方	6.972	1 097±5	1 466
Lu	173.4	六方紧堆	9.84	1 929±5	3 588

镧系金属的密度、熔点除 Eu 和 Yb 外,基本上随着原子序数的增加而增加,Eu 和 Yb 的密度、熔点比它们各自左右相邻的两种金属都小。这是由于它们的 $4f$ 轨道处于 $4f^7$ 半充满和 $4f^{14}$ 全充满状态,使屏蔽效应增大,有效核电核降低,导致核对 $6s$ 电子的引力减小,使它们的原子半径突然增大,以致落在碱土金属原子半径的范围中,如 Ba(217 pm),Sr(213 pm),Eu(204.2 pm),Ca(196 pm),Yb(194 pm)。基于这一原因,Eu 和 Yb 的性质同 Ca,Sr,Ba 相近,它们都能溶于液氨形成深蓝色溶液。

镧系金属一般较软,随原子序数的增加而渐渐变硬,新切开的金属表面具有银白色的光泽。镧系金属具有延展性,但抗拉强度低。除 Yb 外,所有镧系金属的顺磁性都相当强,Gd 在 298K 以下是磁性的。

由表 22 - 3 的 $\varphi_{Ln^{3+}/Ln}^{\ominus}$ 来看,镧系金属的还原性同金属镁相近。在 17 种稀土元素中,金属活泼性按钪、钇、镧递增,由镧到镥递减,以镧最活泼。稀土金属在空气中慢慢被氧化,与冷水缓慢作用,与热水作用较快,可置换氢。为了避免与潮湿空气接触时被氧化,稀土金属需要保存在煤油中。稀土金属易溶于稀酸,但不溶于碱。

轻稀土金属的燃点很低,铈为 438K,镨为 563K,Nd 为 345K,在燃烧时放出大量的热。当以铈为主的混合轻稀土金属在不平的表面上摩擦时,其细末就会自然,因此可用来制造民用的打火石和军用的引火合金。例如含 Ce50%,La 和 Nd 44%,Fe、Al、Ca、C、Si 等 6%的稀土引火合金可用于制造子弹和炮弹的引信与点火装置。稀土金属,特别是铈之所以能作为引火合金材料是由于它的燃点和活泼性正适合于这一用途。比它不活泼的金属在空气中的燃点高,不易发火,比它更活泼的碱金属和碱土金属燃点又太低,如金属钠在常温就能自然,不能用作打火石。

由于还原性强,稀土金属的制备一般用熔盐电解法。譬如,以脱水后的无水混合氯化稀土 $LnCl_3$ 和精制的氯化钾为原料,按一定比例配合,经熔化后,通以直流电,在阴极可得到混合稀土金属。加入一定量的氯化钾,是为了降低混合稀土的熔点,使电解在较低的温度下进行(电解温度为 1173±20K)。

近年来,稀土金属获得了广泛的应用。"混合稀土金属"(45%—50% Ce,22%—25% La,18% Nd,5% Pr,1% Sm,少量其它稀土金属)是一种稀土金属合金,在冶金中用作强还原剂。

我国机械工业部门已经在铸造工艺上应用稀土。一些机械零件采用加稀土球墨铸铁,可以达到或超过钢的性能。例如,用加稀土的镁球墨铸铁代替锻钢作柴油机曲轴,其耐磨性能比锻钢还好。

实践证明,钢水中加入稀土,有利于脱氧、脱硫、除去气体,减少有害元素的影响,提高钢的质量。在一些钢件中加进适量的稀土,能显著提高钢的韧性、耐磨性、抗腐性,并能改善钢的焊接性能和低温性能。加稀土改善钢性能的办法,不但可以用在许多普通钢中,而且也可以用在一些高级合金钢和有色金属合金中。

稀土金属及其合金具有吸收大量气体的非凡能力。因此,在电子工业中可用作产生高真空的吸气材料。对于氢的吸收能力尤其大,例如,1 kg 镧镍合金($LaNi_5$)在室温和 $2.533 \times 10^5 Pa$ 可吸收氢 15 g(相当于标准状态下的 170 dm^3 氢气)。由于稀土合金吸收和放出氢的反应是可逆的,而且速度很快,因此可作氢气储存器。若将储存中的氢作为燃料源,可制造出一种无污染的内燃发动机。

稀土钴永磁体是现代已发现的最好的永磁材料。目前常用的是 $SmCo_5$,和 Sm_2Co_7。

§22-5 锕系元素的电子层结构和通性

5-1 锕系元素在周期表中的位置及其电子层结构

组成第二内过渡系的 15 种锕系元素,在周期表中位于镧系元素的下面,即位于第ⅢB族,第 7 周期的同一格内。

超铀元素被发现以前,锕 Ac、钍 Th、镤 Pa、铀 U 分别被认为是ⅢB,ⅣB,ⅤB,ⅥB族的最后一个成员。化学上的根据是:铀与钼、钨相似,最稳定的氧化态为 +6;钍与锆、铪相似,氧化态几乎总是 +4;锕(Ⅲ)盐则与镧(Ⅲ)盐类质同晶。

超铀元素相继被合成以后,人们对从锕 Ac(89 号)到铹 Lr(103 号)这 15 种元素的性质进行了全面的,规律性的考查。越来越明显地看到,这 15 种元素确实是密切相关的一个系——锕系,而且锕系同镧系在很多方面相似,例如:

(1)虽然锕系元素的前一半容易显示高氧化态,但 +3 价离子的稳定性随着原子序数的增加而增加,而 +3 是锕系元素的特征氧化态。

(2) 锕系元素的三氯化物,二氧化物以及许多盐与相应的镧系元素化合物类质同晶。

(3) 与镧系收缩相似,随着原子序数的递增,锕系元素的离子半径递减。

(4) 与镧系元素的吸收光谱相似,表现出 $f-f$ 吸收的特征。

锕系与镧系之间的周期性是同类型电子构型再现的结果。这两个内过渡系列的电子都是填充内层的 $(n-2)f$ 能级,但有时也填入 $(n-1)d$ 能级。

表 22-13 列出了锕系元素的基态价电子层结构,这是根据目前的实验数据所得到的最可能的结果,同镧系元素的价电子层结构相比,大同小异。

表 22-13

原子序数	元素名称	元素符号	价电子层结构	离子半径	
				M^{3+}, r/pm	M^{4+}, r/pm
89	锕	Ac	$[Rn]\ \ 6d^1 7s^2$	111	—
90	钍	Th	$[Rn]\ \ 6d^2 7s^2$	108	99
91	镤	Pa	$[Rn]\ 5f^2 6d^1 7s^2$	105	96
92	铀	U	$[Rn]\ 5f^3 6d^1 7s^2$	103	93
93	镎	Np	$[Rn]\ 5f^4 6d^1 7s^2$	101	92
94	钚	Pu	$[Rn]\ 5f^6 \ \ \ 7s^2$	100	90
95	镅	Am	$[Rn]\ 5f^7 \ \ \ 7s^2$	99	89
96	锔	Cm	$[Rn]\ 5f^7 6d^1 7s^2$	98.5	88
97	锫	Bk	$[Rn]\ 5f^9 \ \ \ 7s^2$	98	
98	锎	Cf	$[Rn]\ 5f^{10} \ \ 7s^2$	97.7	
99	锿	Es	$[Rn]\ 5f^{11} \ \ 7s^2$		
100	镄	Fm	$[Rn]\ 5f^{12} \ \ 7s^2$		
101	钔	Md	$[Rn]\ 5f^{13} \ \ 7s^2$		
102	锘	No	$[Rn]\ 5f^{14} \ \ 7s^2$		
103	铹	Lr	$[Rn]\ 5f^{14} 6d^1 7s^2$		

锕系元素的 5f 轨道相对于 6s 和 6p 轨道比镧系元素的 4f 轨道相对于 5s 和 5p 轨道在空间伸长得较多,因而在配位化合物中锕系元素显示出某种比镧系元素较大的共价性。例如,计算确认,二茂铀和二茂钍的 5f 轨道参与了共价键的生成。锕系元素形成配位化合物的倾向比镧系元素大。

5－2 锕系元素的氧化态、离子半径和配位数

(1) 锕系元素的氧化态

氧化态的多样性是锕系元素与镧系元素的主要区别。除锕和钍外,锕系前半部分元素的显著特点是在水溶液中具有几种不同的氧化态。这是由锕系元素电子壳层的结构决定的,锕系前半部元素中的 5f 电子与核的作用比镧系元素的 4f 电子弱,因而不仅可以把 6d 和 7s 轨道上的电子作为价电子给出,而且也可以把 5f 轨道上的电子作为价电子参与成键,形成高价稳定态。随着原子序数的递增、核电荷增加,5f 电子与核间作用增强,使 5f 和 6d 能量差变大,5f 能级趋于稳定,电子不易失去,这样就使得从镅(原子序数为 95)开始,+3 氧化态成为稳定价态。

现将锕系元素在溶液或固体化合物中的各种氧化态汇列于表 22－14 中。

表 22－14　锕系元素的氧化态

Ac	Th	Pa	U	Np	Pu	Am	Cm	Bk	Cf	Es	Fm	Md	No	Lr
						(2)			2	2	2	2	2	
<u>3</u>	(3)	3	3	3	3	3	3	3	3	3	3	3	3	3
	<u>4</u>	4	4	4	4	4	4	4	4					
		<u>5</u>	5	5	5	5								
			<u>6</u>	6	6	6								
				(7)	(7)									

说明:(　)只存在于固体中。印有黑短线者表示最稳定的氧化态。

Ac,Th,Pa,U 的最稳定氧化态分别是 +3,+4,+5,+6,表现

这些氧化态时,所有的价电子都用于成键。虽然有 + 7 价的 Np,但由于它的强氧化性而不能稳定存在,Np 的最稳定氧化态是 + 5。Pu 可以显示从 + 3 到 + 7 的各种氧化态,但以 + 4 价最稳定。Am 的氧化态范围从 + 2 到 + 6。现已发现重锕系元素都有二价状态,而 102 号锘的二价为它的最稳定状态,只有用强氧化剂如 Ce(Ⅳ) 才能将它氧化成 No(Ⅲ)。在萃取和离子交换实验中发现,锘的化学行为与碱土元素类似。从电子构型来看,它的 5f 层是全充满结构。Lr(Ⅲ)也如此,因而导致了它们与碱土金属相似性。70 年代前后,陆续发现了七价态的镎、钚和镅。U, Np, Pu, Am 在水溶液中的多种不同的氧化态,在生产上有着重要的实际意义。分离锕系元素的问题基本上和分离稀土元素的问题类似,一般用的方法、手段同分离稀土元素一样,如萃取、离子交换。但是必须解决放射性污染和防护问题。价态的多样化以及这些元素的电极电势的差别使问题变得较容易解决。氧化还原反应在 U, Np, Pu, Am 的化学和工艺学中的意义是很大的。

现将 U, Np, Pu, Am 的元素电势图以及氧化态 - 吉布斯自由能图列在下面。必须指出:+ 5 和 + 6 氧化态的 U, Np, Pu, Am 分别以 MO_2^+ 和 MO_2^{2+} 离子的形式存在于溶液中,其余氧化态的离子是单原子离子。

铀、镎、钚、镅的氧化还原性质是相当复杂的。从元素电势图可以看出,铀的离子中没有一种是强氧化剂。$\varphi^{\ominus}_{UO_2^{2+}/U^{4+}} = +0.32V$ 而 $\varphi^{\ominus}_{Fe^{3+}/Fe^{2+}} = +0.771\ V$,所以 Fe^{3+} 可以把 U^{4+} 氧化为 UO_2^{2+}:

$$2Fe^{3+} + U^{4+} + 2H_2O \Longrightarrow UO_2^{2+} + 2Fe^{2+} + 4H^+$$

这一反应进行得很完全,因此,被广泛地用于铀矿石的处理过程。

从元素电势图和氧化态 - 吉布斯自由能图还可以看出,UO_2^+ 离子能够发生歧化反应:

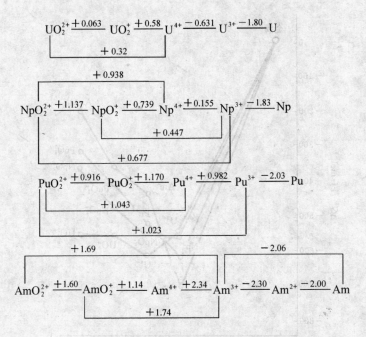

图 22-4　铀、镎、钚、镅的元素电势图

$$2UO_2^+ + 4H^+ \rightleftharpoons U^{4+} + UO_2^{2+} + 2H_2O$$

由于这一歧化反应进行得很完全,UO_2^+ 离子在溶液中是不稳定的。对铀来说,在溶液中铀酰离子 UO_2^{2+} 和 U^{4+} 离子是稳定的离子,但 U^{4+} 离子的还原性相当强。只有这两种铀的氧化态在工艺中有实际意义。

由于钚的各离子对的 $\varphi^{\ominus}$ 值很接近,所以钚的离子在水溶液中可以以四种价态(从 +3 到 +6)同时存在,钚表现出独特的氧化还原性,这在周期系各元素中是唯一的。

(2) 锕系元素的离子半径

由于 $5f$ 电子对原子核的屏蔽作用比较弱,随着原子序数的递增,有效核电荷增加,锕系元素的离子半径也有与镧系收缩类似的"锕系收缩"现象(见表 22-13,图 22-6)。由图 22-6 可见,锕系

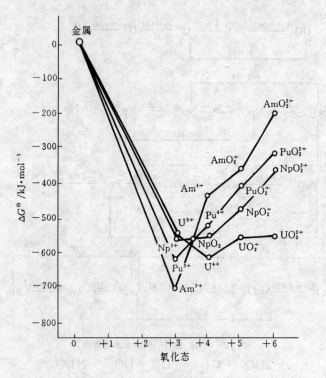

图 22-5 铀、镎、钚、镅在酸性溶液中的氧化态－吉布斯自由能图

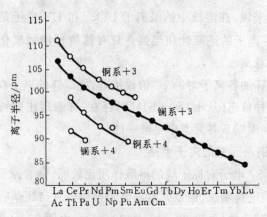

图 22-6 锕系元素和镧系元素的离子半径

元素 +3 价和 +4 价离子的半径比相应的镧系元素离子的半径略大。

(3) 锕系元素的配位数

锕系元素和镧系元素相似,在化合物中的配位数主要是 6 或 8。+4 价特征配位数为 8 或 10,锕系酰基离子(Actinyl ions)的配位数主要是 6,7,8。除了常见配位数为 6(八面体或三棱柱排列)和 8(主要为立方、四角反棱柱或六方棱柱围绕着金属原子)以外,许多锕系元素的离子还有较高的配位数,如 10,11 或 12。更有意思的是,配位数为 7 和 9 在其它配合物中少见,但在锕系元素化合物中却经常出现。

某些锕系元素离子的配位数实例列于表 22-15 中。

表 22-15　锕系元素的 +3 和 +4 价离子的配位数

价态	配位数	几何排列	实　　　例
Ⅲ	6	八面体	$M(CH_3COCHCOCH_3)_3$,MCl_6^{3-}
	8		$PuBr_3$ 型
	9		UCl_3 型;$MF_3(LaF_3$ 型$)$
	12	二十面体	$UD_3(D:{}_1^2H)$
Ⅳ	6	八面体	UCl_6^{2-};$PuBr_6^{2-}$
		三角棱柱	$\beta\text{-}ThI_2$
	7	五方	Na_3UF_7
		双锥	
	8	立方	MO_2
		四方	$(NH_4)_4UF_8$;UCl_4 型
		反棱柱	$Th(C_5H_{10}NS_2)_4$
	9		$(NH_4)_4ThF_8$;Li_4UF_8;$KTh_2(PO_4)_3$
	10		$U(CH_3COO)_4$;$Th(TTA)_4 \cdot 1,1'$-联吡啶
	11		$[Th_2(OH)_2(NO_3)_6(H_2O)_6]$
	12	二十面体	$MgTh(NO_3)_6 \cdot 8H_2O$

5-3 锕系离子的颜色及磁性

锕系元素离子在溶液中的颜色列于表 22-16 中,其中 Ac^{3+},Th^{4+},Pa^{3+} 和 Cm^{3+} 离子无色,其余离子均显色。f 电子对光吸收的影响,对镧系和锕系元素表现得十分相似。例如,La^{3+} ($4f^0$) 和 Ac^{3+} ($5f^0$),Ce^{4+} ($4f^1$) 和 Th^{4+} ($5f^0$)、Pa^{4+} ($5f^2$)、Gd^{3+} ($4f^7$) 和 Cm^{3+} ($5f^7$) 都无色。Nd^{3+} ($4f^3$) 和 U^{3+} ($5f^3$) 均显淡红色。

表 22-16 锕系离子在水溶液中的颜色

	M^{3+}	M^{4+}	MO_2^+	MO_2^{2+}
Ac	无色	—	—	—
Th	—	无色	—	—
Pa	—	无色	无色	—
U	浅红	绿	—	黄
Np	紫	黄绿	绿	粉红
Pu	蓝	黄褐	红紫	黄橙
Am	粉红	粉红	黄	浅棕
Cm	无色	—	—	—

由于锕系元素的 $5f$ 轨道比镧系元素的 $4f$ 轨道伸长得较多,致使轨道运动对磁矩的贡献多少受到配位体电场的抑制,与镧系离子相比,锕系离子的磁性表现得比较复杂并难以解释。

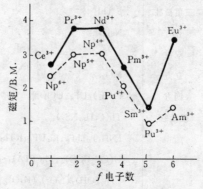

图 22-7 +3 价镧系离子和 f 电子数相同的某些锕系离子的顺磁磁矩

如果所选的离子适当，某些锕系离子的磁矩与 f 电子数相同的 +3 价镧系离子的磁矩之间呈现周期性的变化，有显著的平行关系，如图 22-7 所示。

5-4 锕系元素的氧化还原反应

锕系元素(Ⅳ-Ⅲ)的氧化还原电位随着原子序数的增加而增大。锕、铀、镎、钚、镅和锔都是还原剂，其中以锕的还原性为最强。此外，二价锕系元素的稳定性从锕至锘是不断增加的。MO_2^{2+} 的氧化性则依 $Am>Np>Pu>U$ 的顺序降低。

锕系元素的 +4 和 +5 氧化态离子在溶液中会发生自身氧化还原反应，即发生歧化反应：

$$3M^{4+} + 2H_2O \Longrightarrow 2M^{3+} + MO_2^{2+} + 4H^+$$

$$2MO_2^+ + 4H^+ \Longrightarrow M^{4+} + MO_2^{2+} + 2H_2O$$

歧化反应的倾向可用歧化势来量度，+4 氧化态离子的歧化势为：

$$\varphi_{歧化} = \overset{\ominus}{\varphi}_{Ⅳ/Ⅲ} - \overset{\ominus}{\varphi}_{Ⅵ/Ⅳ}$$

+5 氧化态离子的歧化势为：

$$\varphi_{歧化} = \overset{\ominus}{\varphi}_{Ⅴ/Ⅳ} - \overset{\ominus}{\varphi}_{Ⅵ/Ⅴ}$$

歧化势愈大，该离子发生歧化反应的倾向就愈大。表 22-17 和表 22-18 列出了 U，Np，Pu 和 Am 的歧化势和若干歧化反应的平衡常数。由此可知，U^{4+} 和 Np^{4+} 不易发生歧化反应，而 Am^{4+} 的歧化倾向则较大。在氧化态为 5 的离子中 UO_2^+ 和 PuO_2^+ 的歧化反应倾向大，而 NpO_2^+ 则是稳定的。

表 22-17 部分锕系离子的歧化势

元　　素	$3M(Ⅳ) \Longrightarrow 2M(Ⅲ) + M(Ⅵ)$	$2M(Ⅴ) \Longrightarrow M(Ⅳ) + M(Ⅵ)$
U	− 0.969	0.550
Np	− 0.783	− 0.398
Pu	− 0.064	0.254
Am	0.96	—

表 22 – 18   锕系离子在水溶液中的歧化反应平衡常数(298K)

元　素	歧　化　反　应	$\lg K$
U	$2UO_2^+ + 4H^+ \rightleftharpoons U^{4+} + UO_2^{2+} + 2H_2O$	9.30
Np	$2NpO_2^+ + 4H^+ \rightleftharpoons Np^{4+} + NpO_2^{2+} + 2H_2O$	− 6.72
Pu	$2PuO_2^+ + 4H^+ \rightleftharpoons Pu^{4+} + PuO_2^{2+} + 2H_2O$	4.29
	$3PuO_2^+ + 4H^+ \rightleftharpoons Pu^{3+} + 2PuO_2^{2+} + 2H_2O$	5.40
	$3Pu^{4+} + 2H_2O \rightleftharpoons 2Pu^{3+} + PuO_2^{2+} + 4H^+$	− 2.08
Am	$3Am^{4+} + 2H_2O \rightleftharpoons 2Am^{3+} + AmO_2^{2+} + 4H^+$	32.5
	$2Am^{4+} + 2H_2O \rightleftharpoons Am^{3+} + AmO_2^+ + 4H^+$	19.9

§22 – 6   钍和铀的化合物

6 – 1   钍的化合物

钍的最稳定氧化态是 + 4。Th^{4+} 离子既能存在于固体中,又能存在于溶液中。在稀溶液中存在水合离子 $[Th(H_2O)_n]^{4+}$。Th^{4+} 离子比其它 + 4 价离子较难水解,但在 pH 大于 3 时,发生剧烈水解,形成的产物是配离子,配离子的组成取决于 pH 值、浓度和阴离子的性质。在高氯酸溶液中,主要离子为 $[Th(OH)]^{3+}$,$[Th(OH)_2]^{2+}$,$[Th_2(OH)_2]^{6+}$,$[Th_4(OH)_8]^{8+}$,最后的水解产物为六聚物 $[Th_6(OH)_{15}]^{9+}$,当然,所有这些离子都是水合离子。

Th^{4+} 离子的电荷多,半径较大,有利于形成配位数高的配位化合物,如 $(NH_4)_4[ThF_8]$,$K_4[Th(C_2O_4)_4] \cdot 4H_2O$ 和 $Ca[Th(NO_3)_6]$。在 $Ca[Th(NO_3)_6]$ 中,NO_3^- 离子是双基配位体,Th^{4+} 的配位数是 12。

往 Th^{4+} 离子的溶液中加 NaOH,生成 $Th(OH)_4$ 的白色沉淀。$Th(OH)_4$ 的晶体是以 $Th(OH)_2^{2+}$ 为单元重复形成的链:

$$\text{(Th structure diagram)}$$

灼烧氢氧化钍或钍的含氧酸盐或在空气中灼烧金属钍都能得到二氧化钍 ThO_2。二氧化钍为白色粉末，熔点高(3493K)，除了能溶于 HNO_3 和 HF 所组成的混合酸中以外，呈化学惰性。含有 $1\% CeO_2$ 的二氧化钍受热时强烈发光，可用于制作白炽煤气灯罩。

硝酸钍 $Th(NO_3)_4 \cdot 5H_2O$ 是最重要的钍盐，它易溶于水、醇、酮和酯中，常用于制取钍的其它化合物。

钍的无水卤化物可由干法制得，如：

$$ThO_2 + 4HF(g) \xrightarrow{873K} ThF_4 + 2H_2O$$

$$ThO_2 + CCl_4 \xrightarrow{873K} ThCl_4 + CO_2$$

它们都是高熔点的白色晶体。除 ThF_4 以外，都可在真空中于 773－873 K 升华。ThX_4 在潮湿空气中水解生成 $ThOX_2$。

6-2 铀的化合物

铀是一种活泼金属，能溶于酸，并能与氧、卤素、氢等许多元素反应生成相应的化合物。

（1）氧化物

铀的氧化物很复杂。常常是非化学计量的。主要氧化物有棕黑色的 UO_2（存在于沥青铀矿中），墨绿色的 U_3O_8 和橙黄色的 UO_3。某些有关的反应如下：

$$UO_2(NO_3)_2 \cdot 2H_2O \xrightarrow{623K} UO_3 \xrightarrow{CO\ 623K} UO_2$$
$$\underset{\text{硝酸铀酰}}{}$$

$$UO_3 \xrightarrow{973K}$$

$$U + O_2 \xrightarrow{\text{加热}} U_3O_8$$

$$2UO_2(NO_3)_2 \xrightarrow{623K} 2UO_3 + 4NO_2 + O_2$$

$$3UO_3 \xrightarrow{973K} U_3O_8 + \frac{1}{2}O_2$$

$$UO_3 + CO \xrightarrow{623K} UO_2 + CO_2$$

（2）硝酸铀酰

上述铀的氧化物 UO_2，U_3O_8 和 UO_3 都能溶于酸生成铀酰离子 UO_2^{2+}，溶于硝酸则生成硝酸铀酰，如：

$$UO_3 + 2HNO_3 = UO_2(NO_3)_2 + H_2O$$

UO_2^{2+} 离子呈黄绿色并带荧光，能水解，在 298 K 时，水解产物主要是 UO_2OH^+，$(UO_2)_2(OH)_2^{2+}$ 和 $(UO_2)_3(OH)_5^+$。二水合硝酸铀酰 $UO_2(NO_3)_2 \cdot 2H_2O$ 具有一种独特的 8-配位结构，这种结构如图 22-8 所示，直线型的 UO_2 基垂直于六个氧原子组成的六角形平面（有四个氧原子来自两个双基配位体 NO_3^- 离子，两个氧原子来自两个 H_2O 分子）。

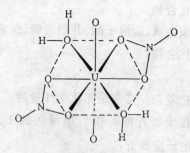

图 22-8　二水合硝酸铀酰 $UO_2(NO_3)_2 \cdot 2H_2O$ 的结构

往硝酸铀酰溶液中加碱，或将 UO_3 溶于碱即析出黄色的重铀酸钠 $Na_2U_2O_7 \cdot 6H_2O$，加热脱水，得无水盐，叫做"铀黄"。

（3）卤化物

铀的主要卤化物以及它们的颜色列于表 22-19。

某些有关氟化物的反应如下：

$$UO_2 \xrightarrow{HF} UF_4 \xrightarrow{F_2 513K} UF_5 \xrightarrow{HF} [UF_6]^- 和 [UF_8]^{3-}$$

UF$_3$ 由 UF$_4$ 经 Al 1173K 还原生成；UF$_4$ 经 F$_2$ 673K 生成 UF$_6$；UO$_3$ 经 SF$_4$ 573K 生成 UF$_6$ $(UO_3 + 3SF_4 = UF_6 + 3SOF_2)$；UF$_6$ 经 HBr 338K 生成 UF$_5$。

表 22-19 铀的卤化物

氧化态	氟 化 物	氯 化 物	溴 化 物	碘 化 物
+3	UF$_3$ 绿	UCl$_3$ 红	UBr$_3$ 红	UI$_3$ 黑
+4	UF$_4$ 绿	UCl$_4$ 绿	UBr$_4$ 棕	UI$_4$ 黑
+5	UF$_5$ 白蓝	U$_2$Cl$_{10}$ 红棕		
+6	UF$_6$ 白	UCl$_6$ 黑		
	U$_2$F$_9$ 黑			
	U$_4$F$_{14}$ 黑			
	U$_5$F$_{22}$ 黑			

UF$_6$ 和 UCl$_6$ 是八面体型,而所有其它卤化物都是聚合物并且有高配位数。卤化物都能水解,六卤化物水解生成 UO$_2^{2+}$ 离子,如:

$$UF_6 + 2H_2O \longrightarrow UO_2F_2 + 4HF$$

UO$_2^{2+}$ 离子在强酸中是稳定的,但当 pH 值较高时,发生水解并通过氢氧桥而聚合:

$$\begin{array}{c} H \quad\quad H \\ | \quad\quad | \\ O \quad\quad O \\ / \backslash / \backslash / \backslash \\ UO_2 \quad UO_2 \quad UO_2 \\ \backslash / \backslash / \\ O \quad\quad O \\ | \quad\quad | \\ H \quad\quad H \end{array}$$

UF$_6$ 是一种强氧化剂,UF$_5$ 可歧化为 UF$_4$ 和 UF$_6$,UF$_4$ 是最稳定的。UF$_6$ 还具有挥发性,利用 ^{238}UF$_6$ 和 ^{235}UF$_6$ 蒸气扩散速度的差别,可使铀 238 和铀 235 分离,达到富集核燃料 ^{235}U 的目的。

（4）氢化物

在 523 K,铀与氢反应生成 UH_3。UH_3 很活泼,用于制取铀的其它化合物:

$$UH_3 + H_2O \longrightarrow UO_2$$
$$UH_3 + Cl_2 \longrightarrow UCl_4$$
$$UH_3 + HCl \longrightarrow UCl_3$$

习　题

1. 按照正确顺序写出镧系元素和锕系元素的名称和符号,并附列它们的原子序数。

2. 镧系元素的特征氧化态为 +3,为什么铈、镨、铽、镝常呈现 +4 氧化态,而钐、铕、铥、镱却能呈现 +2 氧化态?

3. 解释镧系元素在化学性质上的相似性。

4. 什么叫做"镧系收缩"? 讨论出现这种现象的原因和它对第 6 周期中镧系后面各个元素的性质所发生的影响。

5. 为什么镧系元素彼此之间在化学性质上的差别比锕系元素彼此之间要小得多?

6. 为什么镧系元素形成的配位化合物多半是离子型的? 试讨论镧系配位化合物稳定性的规律及其原因。

7. 有一含铀样品重 1.600 0 g,可提取 0.400 0 g 的 U_3O_8(相对分子质量为842.2),该样品中铀(相对原子质量为 238.1)的质量分数是多少? (21.2%)

8. 水合稀土氯化物为什么要在一定的真空度下进行脱水? 这一点和其它哪些常见的含水氯化物的脱水情况相似?

9. 完成并配平下列反应方程式

（1）$EuCl_2 + FeCl_3 \longrightarrow$

（2）$CeO_2 + HCl \longrightarrow$

(3) $UO_2(NO_3)_2 \xrightarrow{\triangle}$

(4) $UO_3 \xrightarrow{\triangle}$

(5) $UO_3 + HNO_3 \longrightarrow$

(6) $UO_3 + HF \longrightarrow$

(7) $UO_3 + NaOH \longrightarrow$

(8) $UO_3 + SF_4 \longrightarrow$

10. 用硝酸浸取氢氧化铈（IV）和氢氧化稀土（Ⅲ）的混合物时，若将溶液的酸度控制在 pH＝2.5，氢氧化稀土进入溶液，而氢氧化铈仍留在沉淀中，通过计算说明。

11. 简述从独居石中提取混合稀土氯化物的原理。

12. 为什么用电解法制备稀土金属时，不能在水溶液中进行？

13. 稀土金属主要是以（Ⅲ）氧化态的化合物形式存在，经富集后，通常可以通过熔融电解法制备纯金属或混合金属，一般采用什么化合物做电解质？

14. 锕系元素和镧系元素同处一个副族（ⅢB），为什么锕系元素的氧化态种类较镧系多？

15. 钍的卤化物有什么特点？

第二十三章 原子核化学

§23-1 历史的回顾

原子核化学与原子核物理学这两门学科紧密地交织在一起，成为原子能科学技术的基础。原子核化学是一门研究各种化学元素的核转变规律的学科，它的研究范围涉及原子核的反应、性质、结构、分离和鉴定等等。

转变化学元素的企图在古代就产生了。到中世纪的炼丹术时期，"点石成金"成了当时化学最重要的实践任务之一。炼丹术士们花费了很多精力去寻找由较贱的金属制取金子的"点金石"，结果白费心思。他们失败的原因在于不懂得原子的结构，而只是采取一般化学方法来企图实现这个目的，那当然办不到。

1896 年，贝克勒尔(Becquerel)发现铀的化合物能使附近包在黑纸里面的照相底片感光，从而发现铀的放射性。天然放射性物质的发现，成功地证实了元素的转变。人们第一次知道在自然界中有一些元素的原子核会自动放出 α 和 β 粒子同时转变成另一种元素。

这些科学的事实吸引着科学家们重新去追求人类多少世纪以来的美丽幻想——点石成金。他们试验过各种办法，想改变原子核里微粒的组成，把一种稳定的元素转变成另一种元素。他们曾经在水银的蒸汽里进行高压放电，或用阴极射线去打击氮气，想使核发生人为的转变。但是一切努力还是枉然，那些稳定元素的原子核是那么坚固，以致使用当时实验室所能做到的各种物理、化学

· 1112 ·

的方法都不能改变它们。

科学家终于想到用天然放射性物质放出的具有极高速度的 α 粒子作为"炮弹"去轰击原子核。1919 年,卢瑟福(Rutherfold)用钍的同位素 RaC' 所放出的速度达 19 200 $km \cdot s^{-1}$ 的 α 粒子作为"炮弹"去轰击氮的原子核,成功地把氮转变成氧,第一次人为地实现了人类多年的幻想——转变元素。这个核反应如下:

$$^{14}_{7}N + ^{4}_{2}He \longrightarrow ^{17}_{8}O + ^{1}_{1}H$$

以后,许多人试着用 α 粒子去轰击各种原子核,就在这些研究中,发现了原子核中放出的另一种新粒子——中子。1932 年,查德威克(Chadwick)在用 α 粒子轰击铍、硼的实验中,首先发现了中子:

$$^{9}_{4}Be + ^{4}_{2}He \longrightarrow ^{12}_{6}C + ^{1}_{0}n$$

中子的发现对核物理的发展起了巨大的作用。发现中子以后,有人立刻提出原子核是由质子和中子组成的理论。这个理论不久就获得了普遍的承认。质子和中子统称核子。中子不带电,易于进入原子核内部,因此在原子核物理和原子核化学的研究中,常利用中子来引起核反应。

1934 年,约里奥·居里夫妇(M. Curie;P. Curie)发现了一个意义非常重大的现象,即人工放射性。当他们在研究铝受 α 粒子轰击所引起的核反应时发现,在这个核反应中,除了中子以外,还发射出正电子。并且发现,在照射开始了几分钟以后,正电子才发射出来,而当照射完毕以后,正电子还继续发射若干时间。定量的测量证明,正电子辐射遵循放射性的衰变规律。发射出正电子的原子是上述核反应中人工获得的放射性磷的原子,即天然磷的同位素。核反应如下:

$$^{27}_{13}Al + ^{4}_{2}He \longrightarrow ^{30}_{15}P + ^{1}_{0}n$$

$$^{30}_{15}P \longrightarrow ^{30}_{14}Si + ^{0}_{+1}e$$

发现了人工放谢性并且实现了在中子作用下的核反应之后,

现代核化学获得迅速发展,新的核反应和放射性同位素频繁发现。

43号元素锝 Tc 是佩里埃(Perrier)和西格雷(Segre)在1937年用氘核长期照射钼时发现的。在30—40年代,利用人工核反应又相继合成了在自然界中从未找到过的87号元素钫 Fr,85号元素砹 At 以及61号元素钷 Pm。至此,周期表上从1号到92号的所有元素全部被发现。

1940年,麦克米伦(Macmillan)和艾贝尔森(Abelson)从中子照射铀核的产物中分离出了第一种超铀元素——93号元素镎 Np,并且研究了它的性质。从1940到1982年先后合成了由93号到109号的17种超铀元素。102号以后的超铀元素的合成越来越困难,因为产额下降到每小时一个原子,甚至每天小于一个原子其寿命短至千分之一秒。超铀元素的合成揭示了周期系理论发展的远景。

利用核转变合成了周期表中很多新元素和各种各样的放射性同位素。它们在各种科学部门,在医学、工业和农业上都得到了广泛的应用。

自1939年初发现了中子使铀裂变的事实以后,原子核物理和原子核化学的发展开始了一个新阶段。铀-235在受到热中子轰击时就能分裂,铀原子核吸收了一个中子后分裂成两个质量相近的碎片,同时放出两三个中子,这些中子又能引起其它铀核的裂变,因而反应具有链式的特点,在这个链式反应的同时还放出巨大的能量,例如,1 g 铀中所有的铀原子全部分裂时将放出 8.4×10^{10} J 的能量。因此,铀裂变的发现使人类掌握了功率巨大的能源——原子能。

还在裂变现象发现以前,物理学家就已知道:某些很轻的原子核能相互聚合为较重的原子核并放出巨大的能量。

例如 $^2_1\text{H} + ^3_1\text{H} \longrightarrow ^4_2\text{He} + ^1_0\text{n} + 17.6\text{MeV}$

由于核都带正电,相互间受到静电力的排斥,因此在一般条件下,发生聚变的几率很小,聚变过程只有在极高的温度下才能够自动持续进行,并放出巨大能量。在极高温度下氢原子核聚变的过程叫做热核反应。可控制的热核反应是目前自然科学研究的重点问题之一,一旦研究成功,人类将从水中的重氢(氘)获得无限丰富的新能源。

为了大规模地实现核反应,必须有比天然放射性元素的 α 粒子能量更高的粒子。加速器可利用来产生高速带电粒子,作为轰击原子核的“炮弹”。原子核在这些“炮弹”的轰击下会发生变化。科学家就从这些核反应来研究原子核。利用加速器能实现和研究各种各样的核反应,因此各种类型加速器的建立促进了原子核化学的发展,使人们有可能确立这门学科的基本规律。

§23-2 核 结 构

已知原子核是带正电的质子和中子紧密的结合体。原子核只占原子总体积极小的一部分,直径不及原子直径的万分之一只有 $10^{-13} \sim 10^{-12}$ cm,但原子核占有原子质量的绝大部分。因此原子核的密度极高,实验事实表明,所有元素的核几乎具有同样的密度,约 2.44×10^{14} g·cm^{-3}。某元素“X”的原子核,常用符号 ^A_ZX 表示。Z 代表该原子核的质子数(即核电荷数),也就是该元素的原子序数;A 代表核子的总数,称为质量数,例如 $^4_2$He 和 $^{16}_8$O 等。

二十世纪初期,当卢瑟福提出原子有核模型时,科学家们对带正电的质子(和不带电的中子)能紧密堆积在一起以及无放射性的核不能自发分解,这种情况感到迷惑不解。为了解释这种现象,物理学家从核反应产物中检测到许多寿命极短的逊原子微粒(除了质子、中子和电子以外)。有上百种已被确认,而且每年都发现几种。现在认为它们在克服质子间库伦排斥力以及核力的形成方面起着重要的作用。

2-1 核模型

为了解释某些实验事实,建立了一些原子核的简化模型,每种核模型都是根据部分已知事实拟定的。目前最重要的有液滴模型、壳层模型等。液滴模型是根据各种原子核的密度差不多相等,在各种原子核内部各核子所具有的平均结合能和所占体积都很接近的事实,把各种原子核看成是由不可压缩,且有很大表面张力的特种"液体"凝成的大小不同的"液滴"。质子之间的斥力有使液滴破裂的趋势,而表面张力的效应和核力的凝聚作用却与此相反。由于核力的力程很短,只有 2×10^{-13} cm 到 3×10^{-13} cm,比原子核的半径小得多(至少比较重的原子核是如此),所以每一个核子在原子核中平均只与几个相邻的核子起作用,因而核子能够在原子核内运动,就象液体中的粒子那样。用液滴模型可以解释原子核的裂变等现象。

还有另一种核模型,即所谓的壳层模型,它的根据是核性质的周期性。根据壳层模型,中子和质子可各自独立地填充核壳层,好象原子中的电子填充电子壳层一样,中子和质子充满壳层的核具有最稳定的结构。相当于满壳层的质子数与中子数称为"幻数"。在周期表里铀以前的元素的核中,质子或中子的幻数分别都是 2,8,20,28,50 和 82。在这个区间中子数为 126 也是一个重要的幻数。也就是说,包含 2,8,20,28,50 和 82 个质子或中子以及 126 个中子的核具有特殊的稳定性。质子数为 82,中子数为 126 的铅-208,由于它是一个具有双幻数的,具有球形对称饱和结构的核,因而特别稳定。我们已知原子序数为偶数的元素比奇数元素稳定且丰度高;偶数元素的同位素种类多,从不少于三种;奇数元素的同位素往往只有一种并且从不多于两种,这些事实与核的壳层模型相符。这说明核子在核中也有成对的趋势,核子也是自旋的,也是按能级高低排布的。

上述两种核模型并不相互排斥,它们各自描述不同能量状态下的核的性质。壳层模型基本上可以描述处于非激发或者弱激发状态下的核的性质(如发射 γ 射线)。而液滴模型可解释处于激发状态下的核的性质(如裂变)。

2-2 核力

质子都带正电,彼此间静电排斥力很大,那么为什么会紧密地结合在小小的原子核里面呢?

核子间除了有质子与质子间的静电排斥力外,还存在一种很强的具引力性质的力,即核力。对稳定的原子核而言,核力克服了静电斥力而使核子(中子、质子)得以紧紧地结合在一个小体积(核)里。

核力很大,比分子中维系原子的力要大得多。与静电力不同,核力作用所能达到的空间距离很短,即力程很短,当两个核子间的距离小于 3×10^{-13} cm 时,它们之间有很强的作用力,比静电力强得多,但是当距离大过 3×10^{-13} cm 后,作用力就很快地减到接近零,而静电力则随着两个带电质点间距离的增大减弱得比较慢。中子与中子间,中子与质子间,以及质子与质子间的核力大致是相等的。此外,因为原子核的半径比核力的力程大得多,所以每一个核子在原子核中平均只与几个相邻的核子起作用,又因为各种原子核的密度大致都相等,所以对于每一个核子起作用的核子的平均数目也大致是一定的,因此,核力和化学力一样还具有饱和性。

为什么核子间有核力呢? 这和介子有着密切联系,核力是由于核子间交换 π 介子而产生的,核内核子之间的联系是以 π 介子交换的方式来实现的,π 介子是核力的媒介,一个核子发射它,另一个就吸收它。π^+ 介子带一个单位正电荷,π^- 介子带一个单位负电荷,π^+ 和 π^- 介子的质量是电子质量的 273 倍,π^0 介子不带电,π^0 介子的质量是电子质量的 264 倍。π^- 和 π^+ 介子的交换导致中子和质子之间产生结合能,同时也导致使中子转变为质子或使质子转变为中子的电荷迁移。在质子与质子间,中子与中子间交换

的是 π^0 介子。原子核中带电粒子的数目从统计角度来说为一常数,但核中的质子和中子却在不断的变化着。在稳定的原子核中,两种变化处于平衡状态。

$$\left(\left.\begin{matrix}n\\p\end{matrix}\right)\pi^-\rightarrow\begin{matrix}p\\n\end{matrix}\right)\quad\left.\begin{matrix}p\\n\end{matrix}\right)\pi^+\rightarrow\begin{matrix}n\\p\end{matrix}\right)$$

$$\left(\left.\begin{matrix}p\\p\end{matrix}\right)\pi^0\rightarrow\begin{matrix}p\\p\end{matrix}\right)\quad\left.\begin{matrix}n\\n\end{matrix}\right)\pi^0\rightarrow\begin{matrix}n\\n\end{matrix}\right)$$

2-3 核的稳定性

原子核是由中子和质子组成的,原子核中的中子数和质子数是否可以任意呢? 实践指出稳定的核内,中子数和质子数之间有着一定的比例。对于原子序数比较小的元素(原子序数到 20),当中子数 N 与质子数 P 相等时,即 $N/P=1$ 时,核最稳定。对于原子序数比较大的元素,质子之间的斥力增加,引进中子比引进质子有利,因为引进中子能

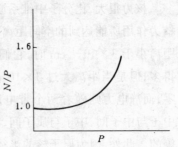

图 23-1 稳定核中 N/P 的比值

增大引力而不增大斥力。所以当原子序数增加时,稳定的核内中子数就逐渐比质子数多,N/P 值逐渐增大,最重的稳定核内,N/P 值约等于 1.6,大于 1.6 时,原子核就要发生自发裂变。

原子序数比 84 小的每一种元素(锝、钷除外)都有一个或几个稳定的同位素。凡是原子序数在钋以上的原子核,以及质子或中子过多的原子核都不稳定。

由此,人们提出了稳定岛的假设,内容为:由稳定同位素所组成的稳定同位素区犹如被"海洋"所包围的"孤岛"或"山脉","海洋"是由不稳定同位素所组成的(见图 23-2)。图中横坐标表示中子数,纵坐标表示质子数,原子序数 1—93 号元素中,凡中子数

和质子数为幻数者都比较稳定,尤其是双幻数者最稳定,在图中以"山脉"或"山峰"来示意。在原子序数为 105 和 106 号元素附近开始进入"海洋",这时核中虽增加中子数也不稳定,只有越过这个不稳定"海洋"进入稳定岛时,才能出现稳定的新元素。这个岛的山峰位置处就是质子数为 114、中子数为 184 的元素,岛的范围可能是 $Z = 110 \sim 126$。

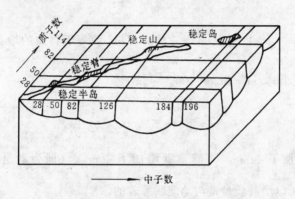

图 23 - 2 "稳定岛"示意图

2 - 4 质能转换、核的结合能

质量和能量都是物质固有的属性。任何物质同时既具有质量,又具有能量,而且它们之间存在一定的关系。这就是物理学家爱因斯坦(Einstein)从相对论得出的质量 - 能量相互联系的规律。与核反应有关的能量可借助于爱因斯坦质能关系求得。质能关系式为:

$$E = mc^2 \qquad\qquad (23 - 1)$$

方程中,E 为能量,m 为质量,c 为光速($3.00 \times 10^8 \text{m} \cdot \text{s}^{-1}$)。这一关系式表明,物质的质量与能量成比例,物体的质量大,则能量也大。因为方程中,比例常数 c 很大。质量发生微小的变化,就会引起能量上很大的变化。但对化学反应来说,因反应质量改变甚小,以至于不能觉察,因此,对在化学反应中质量守恒的说法是可行的。而对于静止不动的物质来说,物质的能量是难以觉察的,因为这能量深深地蕴藏在原子核的内部,没有表现出来。如果物质以速度 $v(\mathrm{cm \cdot s^{-1}})$ 运动,那么,严格说来,它的质量就增加了。运动着的物质的动质量 m 和它的静质量 m_0 之间有一定的关系,即

$$m = \frac{m_0}{\sqrt{1 - \dfrac{v^2}{c^2}}}$$

因为 $1 - \dfrac{v^2}{c^2} < 1$,所以 $m > m_0$,$m - m_0$ 就等于物质的增益质量。

但 v 很小时,$m - m_0 \approx \dfrac{1}{2} m_0 \dfrac{v^2}{c^2}$,故

$$E - E_0 = (m - m_0)c^2 = \frac{1}{2} m_0 v^2$$

质量增加了 $\dfrac{1}{2} m_0 \dfrac{v^2}{c^2}$,能量就增加了 $\dfrac{1}{2} m_0 v^2$(即为动量的表示式)。所以增益质量是与动能联系着的。

在核反应中,质能变化关系比在化学反应中大得多,400g 的铀核分裂释放出的能量大约相当于 $1.5 \times 10^5\mathrm{kg}$ 的煤燃烧所释放的能量。

利用质量和能量相互联系的规律,可以计算核的结合能的大小。例如氦核的静质量是 4.001 50u(1u $= 1.660 540 2 \times 10^{-24}\mathrm{g}$),1 个质子的质量是 1.007 28u,1 个中子静质量是 1.008 67u.2 个质子和 2 个中子静质量的总和为 4.031 90u.氦核的静质量比 2 个质子和 2 个中子的静质量总和少 0.030 40u.这个质量差叫质量亏损,失去的质量以能量的形式放出。

2 个质子和 2 个中子结合为氦核所放出的能量可由质量亏损求得:

$$\Delta E = \Delta m \cdot c^2 = -0.030\ 40\mathrm{u} \times 1.660\ 53 \times 10^{-27}\mathrm{kg \cdot u^{-1}}$$
$$\times (2.997\ 93 \times 10^8\mathrm{m \cdot s^{-1}})^2$$
$$= -4.536\ 9 \times 10^{-12}\mathrm{kg \cdot m^2 \cdot s^2} = -4.536\ 9 \times 10^{-12}\mathrm{J}$$

由质子和中子结合成 1mol 氦核产生的能量为：

$$6.022\ 17\times10^{23}\times4.536\ 9\times10^{-12}=2.732\ 2\times10^{12}\text{J}\cdot\text{mol}^{-1}$$

由计算可知，打破一个氦核成为质子和中子需要 $4.536\ 9\times10^{-12}$J 的能量。因此，从质量亏损计算的能量是衡量核分解成单独核子倾向性大小的标志。

结合能＝(组成原子核所有的中子和质子的静质量之和－原子核本身的静质量)×(光速)^2

任何一种核的结合能都可以从它的质量和从分解核成为核子的质量计算。比较不同核的一个核子的结合能就能看出核的相对稳定性。表 23-1 列出了三种核的质量差和结合能。

表 23-1　三种核的质量差和结合能

核	核的质量 u	核子的质量 u	质量差 u	结合能/J	核子的结合能/J
$^4_2$He	4.001 50	4.031 90	0.030 4	$4.536\ 9\times10^{-12}$	1.13×10^{-12}
$^{56}_{26}$Fe	55.920 66	56.449 38	0.528 72	$7.890\ 62\times10^{-11}$	1.41×10^{-12}
$^{238}_{92}$U	238.000 3	239.935 6	1.935 3	$2.888\ 24\times10^{-10}$	1.22×10^{-12}

从上述例子看出，原子核的静质量减少了(实际上，总的质量并未减少，只是静质量减少了)。这部分减少的静质量有时转化为光子的质量，光子离开核而放出；有时转化为核反应产物的增益质量，核反应产物以与增益质量相应的动能而运动。

原子核的结合能除以组成该原子核的核子的总数 A(即原子质量数)，就得到每个核子在原子核中的平均结合能，核子平均结合能的大小可以表示该原子核结合的紧密程度，平均结合能越大，结合愈紧密。

$$每个核子的平均结合能＝\frac{总结合能}{核子数}$$

图 23-3 表示各种原子核的每一个核子的平均结合能和原子

质量数 A 的关系。

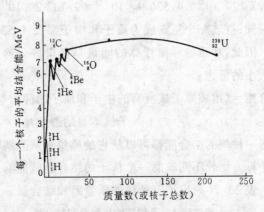

图 23-3 质量数(或核子总数)平均结合能曲线

从图 23-3 可以看到,质量数小的核,每一个核子的平均结合能比较小,并且变化甚大,有四个峰值出现在 $_2^4$He,$_4^8$Be,$_6^{12}$C,$_8^{16}$O 处。当质量数大于 20 后,每一个核子的平均结合能变化比较小,从 8MeV 缓慢地增大至 8.6MeV 左右,然后又逐渐减低。当质量数为 238 时,每一个核子的平均结合能约为 7.5MeV。所谓原子能的释放就是使平均结合能低的核转变成平均结合能高的核,在转变的过程中,增加的结合能被释放了出来。有两种方法能够达到这个目的。第一种方法是利用重核分裂成为两个质量中等的核,例如铀或钚反应堆能量的获得就属于此类。另一种方法是将两个或数个轻的核聚合成一个较重的核,例如 $_1^2$H 和 $_1^3$H 相作用可产生 $_2^4$He 和中子并释放出能量。太阳上能量的来源可以认为是由于氢核经过几道核反应后变成氦而放出的能量。

§23－3 核 反 应

实现原子核的转变有两种方式：一种是自发发生的核转变称为核衰变。另一种是因受外因而引起的核转变，如利用中子或其它核的轰击等，称之为诱导核反应。

3－1 核衰变

核的衰变方式是多种多样的，有 α 衰变，β^- 衰变，β^+ 衰变或电子俘获，γ 衰变等。下面分别加以说明。

(1) α 衰变

这是不稳定的重原子核（和少数较轻的核）自发放射出一种 α 粒子而转变为另一种核的过程。α 粒子实际上就是氦原子核（^4_2He）。凡是 α 衰变的放射性同位素在衰变之后，它的原子质量数 A 降低 4 个单位，原子序数 Z 降低 2 个单位，例如：

$$^{226}_{88}\text{Ra} \longrightarrow {}^{222}_{86}\text{Rn} + {}^4_2\text{He}$$

α 衰变时往往有 γ 辐射伴随发生。

(2) β^- 衰变

这是放射性原子核放射出电子和中微子而转变为另一种核的过程，β^- 衰变基本上是中子过多的核所特有的，对于所有的元素来说，发生 β^- 衰变的一般是这些元素的最重的同位素。在 β^- 衰变过程中，核内一个中子转变为质子，此时核电荷增加一个单位，而质量数仍旧不变。中子转变为质子的同时放出一个电子和一个中微子：

$$^1_0\text{n} \longrightarrow {}^1_1\text{p} + {}^{\ 0}_{-1}\text{e} + {}^0_0\text{v}$$

^0_0v 代表中微子。中微子是一种静质量极小的（比电子还轻得多）中性的粒子。它不存在于核内，而是在 β^- 衰变时同电子一起从核内产生的。下面是 β^- 衰变的例子：

$$^{14}_6\text{C} \longrightarrow {}^{14}_7\text{N} + {}^{\ 0}_{-1}\text{e} + {}^0_0\text{v}$$

$$^{141}_{56}\text{Ba} \xrightarrow{\beta^-} {}^{141}_{57}\text{La} \xrightarrow{\beta^-} {}^{141}_{58}\text{Ce} \xrightarrow{\beta^-} {}^{141}_{59}\text{Pr}$$

（3）β^+ 衰变

这是放射性原子核放射出正电子和中微子而转变为另一种核的过程。β^+ 衰变是质子过多，中子不足的核所特有的，发生 β^+ 衰变的一般是元素的最轻的同位素。有些用人工方法制得的放射性同位素，在一定条件下，就有可能发生 β^+ 衰变。正电子质量和电子一样，但所带电荷的符号相反。在 β^+ 衰变过程中，核内一个质子转化为中子，此时核电荷减少一个单位，而质量数跟 β^- 衰变时的情况一样，没有变化。质子转变为中子的同时释放出一个正电子和一个中微子：

$$^1_1\text{p} \longrightarrow {}^1_0\text{n} + {}^0_{+1}\text{e} + {}^0_0\nu$$

此处 ${}^0_{+1}\text{e}$ 代表正电子。纯 β^+ 衰变要比 β^- 衰变少得多。β^+ 衰变基本上也只是周期表的前一半元素的同位素才具有。在最重的元素中，几乎找不到这种情况。下面是 β^+ 衰变的例子：

$$^{19}_{10}\text{Ne} \longrightarrow {}^{19}_9\text{F} + {}^0_{+1}\text{e} + {}^0_0\nu$$

$$^{11}_6\text{C} \longrightarrow {}^{11}_5\text{B} + {}^0_{+1}\text{e} + {}^0_0\nu$$

中子的质量是 1.008 665u，质子是 1.007 276u，电子是 0.000 548 59u。中子的质量比质子和电子的质量之和还大（中微子的质量可以略去不计）。很明显，中子转化为质子和电子时，多出的一部分静质量就转化为电子等的增益质量。因此自由中子是不稳定的。但是反过来，要质子转化为中子和正电子，只有当它能够从核的其余部分取得一部分质量来补足时才可能，因此自由质子是稳定的。

（4）电子俘获

这是原子核从核外电子壳层（通常是内层）中俘获一个电子的过程。结果使核内一个质子变成中子（核的电荷数将因之减少 1），同时放出一个中微子：

$$^1_1\text{p} + {}^0_{-1}\text{e} \longrightarrow {}^1_0\text{n} + {}^0_0\nu$$

最内层(K 壳层)的电子最容易被俘获,称为"K 俘获"。K 俘获也是中子不足的同位素所特有的,大多是周期表前一半元素的轻同位素。下面是 K 俘获的例子:

$$_4^7\text{Be} + _{-1}^0\text{e} \longrightarrow _3^7\text{Li} + _0^0\text{v}$$

$$_{19}^{40}\text{K} + _{-1}^0\text{e} \longrightarrow _{18}^{40}\text{Ar} + _0^0\text{v}$$

(5) γ 辐射和伦琴射线的发射

γ 辐射是一切已知辐射中波长最短的电磁辐射。因为 γ 量子没有静质量,所以它的发射并不引起元素的转变。上述各种衰变形式经常要伴有 γ 辐射的发射。但是,放射性核也常常不发射 γ 量子,而把它的能量转移到离核最近的那一壳层的电子,这时电子从原子中释出,但这并不引起核转变,这个现象称为内变换。在内变换情况下,将产生特征伦琴射线的次级辐射,这是由于离核较远的壳层上的电子跃迁到在内变换电子释出之后所造成的空位置上而产生的。在 K 俘获的情况下也观察到了同样的现象。现将在衰变过程中的放射辐射和它们的性质汇集于表 23-2 中。

表 23-2 放射物质发射的类型

类型和符号	特 性	电荷	速率	穿透性
$\beta(\beta^-, {}_{-1}^0\beta, {}_{-1}^0\text{e})$	电 子	-1	$v \leqslant 90\% c$	低或中等依赖于能量
正电子$({}_{+1}^0\beta, {}_{+1}^0\text{e})$	正电荷电子	$+1$	$v \leqslant 90\% c$	低或中等与能量有关
α 粒子$(\alpha, {}_2^4\alpha, {}_2^4\text{He})$	氦 核	$+2$	$v \leqslant 10\% c$	低
质子$({}_1^1\text{p}, {}_1^1\text{H})$	质子,氢核	$+1$	$v \leqslant 10\% c$	低或中等与能量有关
中子$({}_0^1\text{n})$	中 子	0	$v \leqslant 10\% c$	非常高
γ 射线$({}_0^0\gamma)$	高能电磁辐射类似 X 射线	0	$v = c$	高

表中 c 为光速

3-2 原子核衰变的规律

(1) 衰变定律和半衰期

任何放射性元素的原子不会一下子全部衰变掉。假如现在有 N_0 个某一种放射性原子，那么，t 秒以后，由于衰变的结果，就剩下 N 个了。科学家们发现，N 和 N_0 之间有如下的关系，即所谓衰变定律：

$$N = N_0 e^{-\frac{0.693}{T} \times t}$$

T 对于一定的放射性元素是一个常数（不同元素的 T 不同），T 叫做半衰期，是该元素的一种特性。它的物理意义是：一定量的某种元素衰变一半的量所需要的时间，称为该元素的半衰期。例如，$^{90}_{38}Sr$ 的半衰期是 28 年，10g 的 Sr-90 经过 28 年仅剩下 5g。另外的 5g Sr-90 转变成 Y-90：

$$^{90}_{38}Sr \longrightarrow {}^{90}_{39}Y + {}^{0}_{-1}e$$

剩余的 5g Sr-90 再经过 28 年仅剩 2.5g，依此类推。Sr-90 衰变量与时间的关系表示在图 23-4 中。

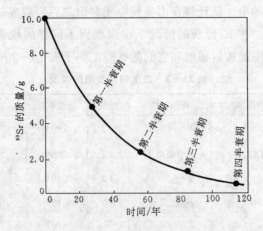

图 23-4　10.0g$^{90}_{38}$Sr 的衰变（半衰期 $T_{1/2}=28$ 年）

有的天然放射性物质的半衰期长达几百亿年，而有的短到几万分之一秒。现将某些重要的放射性同位素和它们的半衰期列于表 23-3 中。

表 23 - 3　一些重要的放射性同位素的半衰期和衰变类型

	同 位 素	半 衰 期	衰变类型
天然放射	$^{238}_{92}U$	4.5×10^9 年	α 粒子
性同位素	$^{235}_{92}U$	7.1×10^8 年	α 粒子
	$^{232}_{90}Th$	1.4×10^{10}年	α 粒子
	$^{40}_{19}K$	1.3×10^9 年	α 粒子
	$^{14}_{6}C$	5 700 年	β 粒子
	$^{239}_{94}Pu$	24 000 年	α 粒子
人造放射	$^{137}_{55}Cs$	30 年	β 粒子
性同位素	$^{90}_{38}Sr$	28 年	β 粒子
	$^{131}_{53}I$	8.1 天	β 粒子

（2）位移规律

一个原子核经 α 衰变以后,核电荷减少 2,即原子序数减少 2,在周期表内左移两格,质量数减少 4。一个原子核经 β^- 衰变以后,核电荷增加 1,即原子序数增加 1,在周期表内右移一格,而质量基本上没有什么变化。一个原子核经 β^+ 衰变或电子俘获以后,核电荷减少 1,即原子序数减少 1,在周期表内左移一格,而质量基本上没有什么变化。这样的规律就叫位移规律。

当原子核放出 γ 射线时,因为光子的电荷是零,所以原子核仍是原来的同种原子核。只是能量小一些而已。也就是说原子核有多余的能量可以光子形式放出而转变为稳定状态。

（3）放射性衰变系列

科学家们研究的结果证明:所有地球上现存的天然放射性重元素都是由原始的原子经过衰变而成的,如 U - 238 放射 α 射线后生成 Th - 234,Th - 234 又放射 β 射线衰变成 Pa - 234,这个核也不稳定,又继续衰变下去,直到形成稳定的 Pb - 206 为止(图

23-5)。核反应系列是由不稳定的核开始到稳定核终止,这一过程叫做放射系列或核衰变系列。由 U-238 经衰变到 Pb-206 的

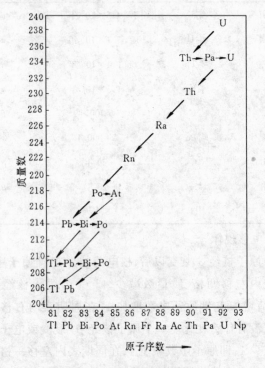

图 23-5　U-238 的衰变系列

放射系列,称为铀放射系(简称铀系)。在自然界中除了有从 U-238 开始到 Pb-206 为止的天然放射系以外,还有从 U-235 到 Pb-207 和从 Th-232 到 Pb-208 两个放射系列,分别称为 U-235 系和钍系。自 1940 年人工合成第一种超铀元素镎(Np)以来,又发现了镎系,这几个放射系列的衰变过程如下:

钍系

$$^{232}_{90}\text{Tn} \xrightarrow{\alpha} {}^{228}_{88}\text{Ra} \xrightarrow{\beta} {}^{228}_{89}\text{Ac} \xrightarrow{\beta} {}^{228}_{90}\text{Tr} \xrightarrow{\alpha} {}^{224}_{88}\text{Ra} \xrightarrow{\alpha} {}^{220}_{86}\text{Rn} \xrightarrow{\alpha} {}^{216}_{84}\text{Po}$$

$$\alpha\ {}^{242}_{84}\text{Po}\ \beta \qquad \alpha\ {}^{216}_{85}\text{At}\ \beta$$
$$^{208}_{82}\text{Pb} \longleftarrow {}^{212}_{83}\text{Bi} \longleftarrow$$
$$\beta\ {}^{208}_{81}\text{Tl} \qquad\qquad \beta\ {}^{2}\text{Pb}\ \alpha$$

锕系

$$^{241}_{94}\text{Pu} \xrightarrow{\beta} \quad {}^{241}_{95}\text{Am}\ \alpha$$
$$\qquad\qquad\quad {}^{237}_{93}\text{Np} \xrightarrow{\alpha} {}^{233}_{91}\text{Pa} \longrightarrow {}^{233}_{92}\text{U} \longrightarrow {}^{229}_{90}\text{Th} \longrightarrow {}^{225}_{88}\text{Ra}$$
$$\qquad\qquad {}^{237}_{92}\text{U}\ \beta \qquad\qquad\qquad\qquad\qquad\qquad\qquad\qquad \beta$$

$$\alpha\ {}^{213}_{84}\text{Po}\ \beta$$
$$^{209}_{83}\text{Bi} \xleftarrow{\beta} {}^{209}_{82}\text{Pb} \longleftarrow {}^{213}_{83}\text{Bi} \xleftarrow{\alpha} {}^{217}_{85}\text{At} \longleftarrow {}^{221}_{87}\text{Fr} \longleftarrow {}^{225}_{89}\text{Ac}$$
$$\beta\ {}^{209}_{81}\text{Tl}\ \alpha$$

铀系(II)

$$\qquad\qquad\qquad\qquad\qquad\qquad\qquad\qquad \beta\ {}^{227}_{90}\text{Th}\ \alpha$$
$$^{235}_{92}\text{U} \xrightarrow{\alpha} {}^{231}_{90}\text{Th} \xrightarrow{\beta} {}^{231}_{91}\text{Pa} \xrightarrow{\alpha} {}^{227}_{89}\text{Ac} \qquad {}^{223}_{88}\text{Ra} \xrightarrow{\alpha} {}^{219}_{86}\text{Rn}$$
$$\qquad\qquad\qquad\qquad\qquad\qquad\qquad \alpha\ {}^{223}_{87}\text{Fr}\ \beta \qquad\qquad\qquad\qquad \alpha$$
$$\alpha\ {}^{211}_{84}\text{Po}\ \beta \qquad\qquad \alpha\ {}^{215}_{85}\text{At}\ \beta$$
$$^{207}_{82}\text{Pb} \longleftarrow \qquad {}^{211}_{83}\text{Bi} \longleftarrow \qquad {}^{215}_{84}\text{Po}$$
$$\beta\ {}^{207}_{81}\text{Tl}\ \alpha \qquad \beta\ {}^{211}_{82}\text{Pb}\ \alpha$$

3－3　诱导核反应

产生诱导核反应的方法是多种多样的。最简单的方法是利用天然放射性的 α 射线来对其它元素的核进行轰击。由于天然放射性的 α 射线的能量比较小,只能使原子序数低的元素产生核反应。若利用天然放射性和粉状金属铍所制成的中子源(如镭铍中子源)来对各种元素进行照射,亦可得到一系列的由于中子的轰击作用而产生的核反应。但是由于中子源强度的限制,用这样的方法所产生的核反应一般是比较弱的。1930 年以后,人们开始设计各种各样的加速器,用来产生加速的离子,以代替天然放射性的 α 射线来进行各种核反应的研究工作。1940 年以后,开始有了反应堆,因而得到比普通镭、铍强好多倍的中子源。这样强的中子源可以用来进行那些和中子相作用的核反应研究工作,也可以用来产生放射性同位素。到了今天,加速器和反应堆差不多已经成为原子核科学所不可缺少的设备。

按照不同的轰击方法,诱导核反应可分为下述几种类型。

(1) 经带电粒子轰击而引起的核反应

早在 1919 年,卢瑟福用钍的同位素 RaC′ 的 α 射线做实验时发现,如果在放射源的周围放进氮时,粒子的射程要增长好多。后来知道这是因为氮核被 α 射线轰击时,核内起了变化而放出质子,长的射程是质子所产生的。可用下面的核反应方程式表示:

$$^{14}_{7}\mathrm{N} + ^{4}_{2}\mathrm{He} \longrightarrow ^{17}_{8}\mathrm{O} + ^{1}_{1}\mathrm{H} \quad Q = 1.198\ \mathrm{MeV}$$

这里,1.198MeV 是反应能量,又称 Q 值,表明这个反应吸收能量。上面的核反应方程式也可以简写作:$^{14}_{7}\mathrm{N}(\alpha, \mathrm{p})^{17}_{8}\mathrm{O}$,称为 $\alpha - \mathrm{p}$ 反应。其它天然放射性物质的 α 射线也可以产生同样的核反应。利用天然放射性物质的 α 射线轰击而产生的核反应还有好多种。

天然放射性物质的 α 射线能量并不高,一般只有 4—8MeV,用它来轰击原子序数较大的核,并不能发生核反应。在这种情况下,为了诱发核反应,与靶核碰撞的粒子必须具有足够大的动能,使之克服它们彼此间的斥力相互碰撞,发生核反应。这种高能粒子是怎么产生的呢? 人们利用强大的磁场和静电场产生高速粒子,这种装置有回旋加速器、同步加速器和线性加速器等。在此我们只简单介绍其中的一种——回旋加速器(图 23-6)。回旋加速器是由 2 个中空的口形电极所组成。将发射粒子引到回旋加速器的真空室内。通过使 D 形电极正、负电交替来加速粒子。磁体放置在上方和下方,D 形电极使运动的粒子以螺旋式的途径前进直至它们最终离开回旋加速器而射出穿透靶物质。在加速器内可以把质子、氘核、氦核或其它带电粒子的能量加大到比天然放射性 α 粒子大好多倍,因而可以得到各种各样的核反应。

加速的氦核作为轰击粒子的核反应,主要有下列几种:

$\alpha - \mathrm{n}$ 反应,例:

$$^{7}_{3}\mathrm{Li} + ^{4}_{2}\mathrm{He} \longrightarrow ^{10}_{5}\mathrm{B} + ^{1}_{0}\mathrm{n}$$

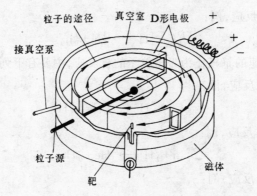

图 23-6 回旋加速器的图解表示

$$^{209}_{83}\text{Bi} + ^{4}_{2}\text{He} \longrightarrow ^{211}_{85}\text{At} + 2^{1}_{0}\text{n}(\text{合成砹})$$

$$^{239}_{94}\text{Pu} + ^{4}_{2}\text{He} \longrightarrow ^{242}_{96}\text{Cm} + ^{1}_{0}\text{n}(\text{合成锔})$$

$$^{241}_{95}\text{Am} + ^{4}_{2}\text{He} \longrightarrow ^{243}_{97}\text{Bk} + 2^{1}_{0}\text{n}(\text{合成锫})$$

$$^{242}_{96}\text{Cm} + ^{4}_{2}\text{He} \longrightarrow ^{245}_{98}\text{Cf} + ^{1}_{0}\text{n}(\text{合成锎})$$

$$^{253}_{99}\text{Es} + ^{4}_{2}\text{He} \longrightarrow ^{256}_{101}\text{Md} + ^{1}_{0}\text{n}(\text{合成钔})$$

$\alpha - p$ 反应,例:

$$^{26}_{12}\text{Mg} + ^{4}_{2}\text{He} \longrightarrow ^{29}_{13}\text{Al} + ^{1}_{1}\text{H}$$

$\alpha - D$ 反应,例:

$$^{32}_{16}\text{S} + ^{4}_{2}\text{He} \longrightarrow ^{34}_{17}\text{Cl} + ^{2}_{1}\text{H}$$

用加速的质子作为轰击粒子的核反应,主要有下列几种:

$p - \alpha$ 反应,例:

$$^{10}_{5}\text{B} + ^{1}_{1}\text{H} \longrightarrow ^{7}_{4}\text{Be} + ^{4}_{2}\text{He}$$

$p - \gamma$ 反应,例:

$$^{12}_{6}\text{C} + ^{1}_{1}\text{H} \longrightarrow ^{13}_{7}\text{N} + \gamma$$

$p - D$ 反应,例:

$$\ce{_4^9Be + _1^1H -> _4^8Be + _1^2H}$$

p - n 反应,例:

$$\ce{_6^{13}C + _1^1H -> _7^{13}N + _0^1n}$$

用加速的氘核作为轰击粒子的核反应,主要有下列几种:

D - p 反应,例:

$$\ce{_{29}^{63}Cu + _1^2H -> _{29}^{64}Cu + _1^1H}$$

D - α 反应,例:

$$\ce{_3^7Li + _1^2H -> _2^5He + _2^4He}$$

D - n 反应,例:

$$\ce{_4^9Be + _1^2H -> _5^{10}B + _0^1n}$$

$$\left.\begin{array}{l}\ce{_{92}^{238}U + _1^2H -> _{93}^{238}Np + 2_0^1n}\\[4pt]\ce{_{93}^{238}Np -> _{94}^{238}Pu + _{-1}^0e}\end{array}\right\}\text{合成钚}$$

用加速的多电荷"重"离子(如硼到氖的重离子)作为轰击粒子的核反应,可以合成原子序数比起始元素高 5 到 10 的超铀元素,如:

$$\ce{_{92}^{238}U(_7^{14}N,6n)_{99}^{246}Es(锿)}, \ce{_{92}^{238}U(_8^{16}O,4n)_{100}^{250}Fm(镄)}$$

$$\ce{_{96}^{246}Cm(_6^{12}C,6n)_{102}^{252}No(锘)}, \quad \ce{_{94}^{241}Pu(_8^{16}O,5n)_{102}^{252}No(锘)},$$

$$\ce{_{98}^{252}Cf(_5^{11}B,5n)_{103}^{258}Lr(铹)},$$

$$\ce{_{94}^{242}Pu(_{10}^{22}Ne,4n)_{104}^{260}Rf(铲)}, \quad \ce{_{98}^{249}Cf(_6^{12}C,4n)_{104}^{257}Rf(铲)}$$

$$\ce{_{95}^{243}Am(_{10}^{22}Ne,4(5)n)_{105}^{261}Ha(铧)}, \ce{_{105}^{260}Ha(铧)}, \ce{_{98}^{249}Cf(_7^{15}N,4n)_{105}^{260}Ha(铧)}$$

$$\ce{_{98}^{249}Cf(_8^{18}O,4n)_{106}^{263}Unh} \qquad 还有 \ce{_{83}^{209}Bi(_{24}^{54}Cr,n)_{107}^{262}Uns}.$$

当加速粒子的能量甚大时,被轰击的靶核有散裂作用发生,即靶核同时放出数目甚多的轻粒子,例如:

$$\ce{_{33}^{75}As(D,9p\ 12n)_{25}^{56}Mn}$$

在一次核反应中放出 9 个质子和 12 个中子。

(2) 经中子轰击引起的核反应

在医学和科研上使用的计量同位素就是利用中子做发射体轰

击靶核得到的。因为中子不带电与核无排斥作用,因此它们不需加速,就会引起核反应。例如,用在放射治疗癌症的 Co－60,就是利用中子俘获产生的。它是将 Fe－58 放在核反应器内,用中子轰击,发生连续反应得到的。

$$\ce{^{58}_{26}Fe} + \ce{^{1}_{0}n} \longrightarrow \ce{^{59}_{26}Fe} \longrightarrow \ce{^{59}_{27}Co} + \ce{^{0}_{-1}e}$$

$$\ce{^{59}_{27}Co} + \ce{^{1}_{0}n} \longrightarrow \ce{^{60}_{27}Co}$$

$\ce{^{60}_{27}Co}$ 继续衰变放出 β 粒子,半衰期为 5.3 年。

通常在中子能量不大[慢中子(能量介于 $100eV \sim 0.025\ eV$ 之间)和热中子(能量小于 $0.025eV$)]时,俘获中子的核反应产生的几率较大。

当快中子与氢、氘、氧或石蜡中的 C 原子碰撞后减速产生慢中子,利用慢中子轰击核引起中子俘获反应。E. M. McMillan 1940 年利用慢中子轰击 U－238 合成了第一种超铀元素镎:

$$\ce{^{238}_{92}U} + \ce{^{1}_{0}n} \longrightarrow \ce{^{239}_{92}U} + \ce{^{0}_{0}v}$$

$$\ce{^{239}_{92}U} \longrightarrow \ce{^{239}_{93}Np} + \ce{^{0}_{-1}\beta}$$

靶核俘获中子后,一般放射出 γ 射线,这样的核反应就是最常见的 n－γ 反应。

n－γ 反应,例:

$$\ce{^{1}_{1}H} + \ce{^{1}_{0}n} \longrightarrow \ce{^{2}_{1}H} + \gamma$$

$$\ce{^{23}_{11}Na} + \ce{^{1}_{0}n} \longrightarrow \ce{^{24}_{11}Na} + \gamma$$

$$\left.\begin{array}{l} \ce{^{238}_{92}U} + \ce{^{1}_{0}n} \longrightarrow \ce{^{239}_{92}U} + \gamma \\[2mm] \ce{^{239}_{92}U} \longrightarrow \ce{^{239}_{93}Np} + \ce{^{0}_{-1}e} + \gamma \end{array}\right\}\text{合成镎}$$

$$\left.\begin{array}{l} \ce{^{239}_{94}Pu} + 2\ce{^{1}_{0}n} \longrightarrow \ce{^{241}_{94}Pu} + \gamma \\[2mm] \ce{^{241}_{94}Pu} \longrightarrow \ce{^{241}_{95}Am} + \ce{^{0}_{-1}e} + \gamma \end{array}\right\}\text{合成镅}$$

此外,俘获中子的核反应也有少数是别的类型,如:

n－p 反应,例:

$$^{14}_{7}\text{N} + ^{1}_{0}\text{n} \longrightarrow ^{14}_{6}\text{C} + ^{1}_{1}\text{H}$$

$$^{35}_{17}\text{Cl} + ^{1}_{0}\text{n} \longrightarrow ^{35}_{16}\text{S} + ^{1}_{1}\text{H}$$

$n - \alpha$ 反应,例:

$$^{10}_{5}\text{B} + ^{1}_{0}\text{n} \longrightarrow ^{7}_{3}\text{Li} + ^{4}_{2}\text{He}$$

$$^{6}_{3}\text{Li} + ^{1}_{0}\text{n} \longrightarrow ^{3}_{1}\text{H} + ^{4}_{2}\text{He}$$

利用快速中子作为轰击粒子,也可以产生核反应,主要的快中子核反应有如下几种:

$n - 2n$ 反应

$$^{12}_{6}\text{C} + ^{1}_{0}\text{n} \longrightarrow ^{11}_{6}\text{C} + 2^{1}_{0}\text{n}$$

$n - p$ 反应

$$^{27}_{13}\text{Al} + ^{1}_{0}\text{n} \longrightarrow ^{27}_{12}\text{Mg} + ^{1}_{1}\text{H}$$

$n - \alpha$ 反应

$$^{34}_{16}\text{S} + ^{1}_{0}\text{n} \longrightarrow ^{31}_{14}\text{Si} + ^{4}_{2}\text{He}$$

产生这种反应所用的快速中子源,是由 D-n 或 α-n 反应提供的,更方便的方法是利用反应堆里所产生的中子(快中子、慢中子、热中子)。

(3) 经高能光子照射而引起的核反应

高能量的 γ 射线(或 X 射线),由于它和核子之间有电磁相互作用,因而也能引起核反应,但效果不如质子、中子等那样高。最普通的反应是 (γ, n),例如 $^{9}_{4}\text{Be}(\gamma, n)^{8}_{4}\text{Be}$。其它的反应 (γ, p),(γ, α),(γ, n, p),$(\gamma, 2n)$ 和 (γ, α, n) 等都曾发现过。

§23-4 核能的释放

核结构发生变化时放出的能量叫原子核能,简称原子能或核能。在实用上指重核裂变和轻核聚变时所放出的巨大能量。物质所具有的原子核能要比化学能大几百万倍以至上千万倍。每一个铀-235 的核在裂变时能放出约 200 MeV 的能量。在利用裂变所放出的能量方面已取得很大进展,现已建成各种类型的原子核反应堆和原子能发电站。轻核聚变时放出的能量要比同质量重核裂变时大几倍。聚变能量是太阳等恒星能量的重要部分。但聚变反应目前无法控制,所以人工控制聚变反应以利用其能量的研究正在积极进行。

4－1　核裂变能

从理论上讲,使平均结合能小的核转变成平均结合能大的核就可能获得原子核能。从图 23－3 可以看到,中等质量的核比重核具有较高的平均结合能,因此,当较重的核,例如 $^{235}_{92}U$ 分裂成较轻的核时,会释放出能量。当铀－235 吸收了一个慢中子时,它的核将发生裂变,分裂成两个质量中等的核和几个快速中子,同时释放出能量。这些快速中子经过慢化后,又被其它铀－235 吸收,而引起同样的变化,形成链式反应,使能量不断释放而最终放出巨大的能量。

1946 年,我国科学家钱三强,何泽慧发现,铀吸收中子后有时还会分裂成三块或四块碎片,但这种机会比两分裂小得多。

一般地说,铀核的裂变产物(碎片)可能有三、四十种之多,铀核裂变时产生的碎片(质量中等的核)有许多种可能的情况,下面的裂变反应式是其中的三种。

$$^{235}_{92}U + ^{1}_{0}n \left\{ \begin{array}{l} ^{139}_{54}Xe + ^{95}_{38}Sr + 2^{1}_{0}n \\ ^{143}_{56}Ba + ^{90}_{36}Kr + 3^{1}_{0}n \\ ^{135}_{53}I + ^{97}_{39}Y + 4^{1}_{0}n \end{array} \right.$$

为使链式反应正常进行,必须保证由原子核裂变所产生的中子能补偿为引起核反应(裂变的和不裂变的)或逸出反应堆而损耗的中子,这条件只有在反应堆(或铀块)具有一个最低限度的体积时才能实现,这个最低限度的体积叫做临界体积。

天然铀中含有三种同位素$^{238}_{92}$U(99.28%)，$^{235}_{92}$U(0.714%)和$^{234}_{92}$U(0.006%)，其中能起链式反应的，主要是铀-235。当铀-235俘获一个具有任何能量的中子时，都将发生裂变而放出2—3个中子。铀-238则只是在俘获能量大于1.1MeV的中子时，才会发生裂变。如果中子的能量小于1.1MeV，则虽被俘获，但不产生裂变。可是在裂变产生的中子中，能量大于1.1MeV的并不是很多。这样，如果用铀-238和铀-235混在一起，链式反应是很难进行的，因为大部分中子将被铀-238"吃掉"，而使中子的数目越来越少。链式反应得以进行的条件却要求中子的数目起码是维持不变或有微小的增加。要做到这一点有两种办法。一种办法是从天然铀中将铀-235分离出来。从天然铀中分离出铀-235的最有效的方法是热扩散法，利用$^{238}_{92}$UF$_6$和$^{235}_{92}$UF$_6$蒸气扩散速度的差别，使这两种蒸气通过多孔的障碍物，结果铀-238和铀-235得以分离，达到富集铀-235的目的。第一颗原子弹就是由$^{235}_{92}$U构成的。另一种办法是使中子减速。实验事实指出，铀-238吸收中子的能力随着中子的能量而改变。当中子的能量为几十电子伏特时，铀-238对它的吸收能力非常强烈，这时，铀-235无法和它竞争。但当中子的能量低到只有0.025 eV时（即热中子），铀-238吸收中子的能力只有铀-235的1/190。换句话说，如果能够把裂变所产生的中子的能量迅速降低到0.025 eV左右，同时增加铀-235对于铀-238的相对含量，就有很大可能使铀-235裂变所产生的中子仍然被铀-235所吸收，使链式反应能够继续进行。这说明了减速剂在原子核反应堆中的重要性。

为什么铀-235吸收任意能量的中子都能引起裂变，而铀-238只有吸收能量大于1.1MeV的中子才引起裂变？

用液滴模型可以解释上述问题。液滴模型将原子核看作球状液滴，其中质子和中子在不断地运动着，这种运动使原子核在某一瞬间会变成不规则的形状，但核力的凝聚作用立刻使原子核恢复球体的形状。在不太重的核中,静电斥力不大,核力的凝聚作用总是能使核恢复球状。但在一些较重的核中,由于静电斥力影响较大,如果发生较大的不规则变动,使原子核形状的改变超过一定的临界程度,则静电斥力的作用便突破核力的凝聚作用,原子核就不能再恢复成球状,这时原子核就发生裂变。既然在这些核里(如铀的核)静电斥力的影响已经很大,这些原子核就有自发裂变的可能,但是发生自发裂变的机会很小。

如果设法增加核子的动能(也就是加剧它们的不规则运动),那么就会增加使原子核的不规则变化超过临界形状机会,也就是增加核裂变的机会。中子的作用正是这样。当原子核吸收了一个中子组成一个新的结合体时,因为中子和核有很大的结合能(例如对于铀,约等于几兆电子伏特),这结合能和中子原来所有的动能使核剧烈扰动,以致核的形状的改变有可能超过一定的临界形状,这就增加了裂变的机会。如果这个能量超过了一定值,那么原子核就非常容易发生裂变。

中子打进铀-235以后形成铀-236,可以放出 6.4 MeV 的结合能,而中子打进铀-238以后形成铀-239,只能放出 4.8 MeV 的结合能。在铀-235的情况下,所放出的结合能已能引起铀-236剧烈扰动而使形状的改变超过一定的临界形状,因此铀-235不管吸收多大动能的中子都会引起核裂变,而慢中子在核附近逗留时间长,引起核裂变的机会也就更大。在铀-238的情况下,当中子能量较小时,铀-238吸收了中子后所形成的铀-239也发生扰动,因为不够剧烈,裂变的机会很小,不过,随着中子动能的增加,裂变机会增大。当然很难确切地说清中子的动能究竟有多大才开始使铀-238发生裂变,一般取中子能量为 1.1MeV 作为能引起铀-238裂变的最低能量。

慢中子除能引发 $^{235}_{92}U$ 的核裂变以外,还能引发 $^{233}_{92}U$ 和 $^{239}_{94}Pu$ 的核裂变。$^{235}_{92}U$ 和 $^{239}_{94}Pu$ 是当前最常用的核燃料。$^{239}_{94}Pu$ 可通过若干

核反应从 $^{238}_{92}\text{U}$ 制得：

$$^{238}_{92}\text{U} + ^{1}_{0}\text{n} \longrightarrow ^{239}_{92}\text{U} + \gamma$$

$$^{239}_{92}\text{U} \longrightarrow ^{239}_{93}\text{Np} + ^{0}_{-1}\text{e}$$

$$^{239}_{93}\text{Np} \longrightarrow ^{239}_{94}\text{Pu} + ^{0}_{-1}\text{e}$$

4-2 核聚变能

轻原子核相遇时聚合为较重的原子核并放出巨大能量的过程称为核聚变。从图 23-3 可以看到，氦核的结合能比它附近的一些轻核的结合能要大。因此，轻核反应最后如果能形成氦核，一般地说总会放出能量。如果 4 个氢核能起作用形成氦核，那末就会释放出约 26 MeV 的能量。在自然界中，只有在太阳等恒星内部，因温度极高，轻核才有足够动能克服斥力，而能自动发生持续的聚变。太阳等恒星内部所进行着的正是氢核生成氦核的聚变过程。这个过程很复杂，需经过许多中间阶段。一个可能的过程是质子－质子循环，另一个可能的过程是碳－氮循环。

质子－质子循环：

$$^{1}_{1}\text{H} + ^{1}_{1}\text{H} \longrightarrow ^{2}_{1}\text{H} + ^{0}_{+1}\text{e} + ^{0}_{0}\nu$$

$$^{2}_{1}\text{H} + ^{1}_{1}\text{H} \longrightarrow ^{3}_{2}\text{He} + \gamma$$

$$^{3}_{2}\text{He} + ^{3}_{2}\text{He} \longrightarrow ^{4}_{2}\text{He} + 2^{1}_{1}\text{H}$$

碳－氮循环：

$$^{12}_{6}\text{C} + ^{1}_{1}\text{H} \longrightarrow ^{13}_{7}\text{N} + \gamma$$

$$^{13}_{7}\text{N} \longrightarrow ^{13}_{6}\text{C} + ^{0}_{+1}\text{e} + ^{0}_{0}\nu$$

$$^{13}_{6}\text{C} + ^{1}_{1}\text{H} \longrightarrow ^{14}_{7}\text{N} + \gamma$$

$$^{14}_{7}\text{N} + ^{1}_{1}\text{H} \longrightarrow ^{15}_{8}\text{O} + \gamma$$

$$^{15}_{8}\text{O} \longrightarrow ^{15}_{7}\text{N} + ^{0}_{+1}\text{e} + ^{0}_{0}\nu$$

$$^{15}_{7}\text{N} + ^{1}_{1}\text{H} \longrightarrow ^{12}_{6}\text{C} + ^{4}_{2}\text{He}$$

两个循环总的结果都是由 4 个质子形成一个氦核：

$$4 {}^{1}_{1}\text{H} \longrightarrow {}^{4}_{2}\text{He} + 2 {}^{0}_{+1}\text{e} + 2 {}^{0}_{0}\text{v} + (2-3)\gamma$$

循环的总结果所放出来的能量约为 26 MeV。

人工的聚变目前只能在氢弹爆炸或由加速器产生的高能粒子碰撞中实现。氢弹的爆炸是利用 ${}^{235}_{92}\text{U}$ 或 ${}^{239}_{94}\text{Pu}$ 在裂变时发生的爆炸所造成的极高温度,从而使内部的轻原子核发生剧烈而不可控制的聚变反应。最初的氢弹中所进行的聚变反应是:

$$ {}^{3}_{1}\text{H} + {}^{2}_{1}\text{H} \longrightarrow {}^{4}_{2}\text{He} + {}^{1}_{0}\text{n}$$

同样质量的核燃料,聚变反应会比裂变反应放出更多的能量,此外,氢弹不受临界体积的限制,所以,氢弹的爆炸力可能比原子弹大千百倍。

可控制的热核反应目前尚未实现,科学家们正在积极进行探索研究。

§23-5　核化学成就的重要意义

原子核化学与原子核物理的迅速发展,为人工合成新元素和开辟新能源展示出广阔的前景。

5-1　揭示了合成新元素的可能性,发展了周期系

超铀元素的成功合成,扩大了周期表的范围。科学家们为进一步合成原子序数更高的元素,正在紧张地工作着。可以推测,合成新元素的最大希望是利用重离子核反应。有许多方法值得考虑。

前面曾经提到,用加速的多电荷"重"离子作轰击粒子的核反应可以合成出原子序数从 99 到 109 的超铀元素。将这种核反应引伸到原子序数更高的起始物质,可能会合成原子序数直到 110 的新元素,例如:

$$ {}^{254}_{99}\text{Es} + {}^{18}_{8}\text{O} \longrightarrow {}^{272-x}_{107}\text{Uns} + x\text{n}$$

$$ {}^{252}_{98}\text{Cf} + {}^{22}_{10}\text{Ne} \longrightarrow {}^{274-x}_{108}\text{Uno} + x\text{n}$$

在用 $^{242}_{94}\text{Pu}(^{22}_{10}\text{Ne},4\text{n})^{260}_{104}\text{Ku}$ 反应合成 104 号元素时,平均每照射 5 小时合成一个原子。合成 105 号元素的速度甚至还要低,每天一个原子。合成 107 到 110 号元素时,或许将需要连续照射几个星期或几个月,甚至可能几年才生成一个原子。根据现有知识,提高产额的途径是提高入射粒子强度和延长照射时间。此外,新元素的原子序数越大,核的寿命越短。如 105 号元素的半衰期只有几秒钟。所以,进一步合成原子序数更高的元素需要克服很多困难。

关于很重的、尚未发现的超重元素核稳定性理论大约 20 年以前就发展起来了。壳层模型是核稳定性理论的基础。这个理论认为,在铀后元素的核中,质子的幻数是 114 和 164,中子的幻数是 184,196,228,272 和 318。于是下一个双幻数核是 $^{298}114$,经计算,这种核的自发裂变半衰期为 10^{16} 年,α 衰变半衰期为 10 年,这是一种特别稳定的核。再往后,又一个双幻数核是 $^{482}164$。在 $^{298}114$ 和 $^{482}164$ 的周围,各有一批稳定核。

由于过剩大量的中子,双幻数核 $^{298}114$ 和 $^{482}164$ 的合成会比较困难。就合成 $^{298}114$ 来说,即使使最富有中子的核聚变,例如 $^{244}_{94}\text{Pu}(^{48}_{20}\text{Ca},4\text{n})^{288}114$,能得到的质量数也只有 $A=288$,即 $N=174$。

合成 $^{298}114$ 及其附近的核,有人建议用铀轰击铀,或用其它重粒子(例如 $^{136}_{54}\text{Xe}$)轰击铀:

$$^{238}_{92}\text{U} + ^{238}_{92}\text{U} \longrightarrow ^{298}114 + ^{170}_{70}\text{Yb} + 8^1_0\text{n}$$

$$^{238}_{92}\text{U} + ^{136}_{54}\text{Xe} \longrightarrow ^{298}114 + ^{72}_{32}\text{Ge} + 4^1_0\text{n}$$

考虑到用重离子轰击的各种合成方法在理论上最终得出的结论是,靶子和入射粒子均用最重的核可能获得高质量数。如:

$$^{238}_{92}\text{U} + ^{238}_{92}\text{U} \longrightarrow ^{476-x}184 + x\text{n}$$

$$^{257}_{100}\text{Fm} + ^{257}_{100}\text{Fm} \longrightarrow ^{514-x}200 + x\text{n}$$

怎样制备 $^{482}164(N=318)$ 及其附近的核还不清楚,因为难以得到这么高的中子数。在最重的离子和最重的入射粒子的反应中,例如$^{248}_{96}$Cm + $^{238}_{92}$U 或 $^{257}_{100}$Fm + $^{257}_{100}$Fm,为了获得^{482}164 及其附近的核,必须"蒸发出",即放出许多质子。

合成新的超铀元素和超重元素是核化学家奋斗目标之一。这些新元素的合成不仅将填满 32 种元素的第 7 周期,而且还将建造起 50 种元素的超长周期——第 8 周期和第 9 周期。

现在根据已有知识来推论,如果按照每一周期末尾应有一个类似稀有气体的元素来推算,稀有气体的原子序和每周期的元素数有如下的规律:

稀有气体的原子序 = $2(1^2 + 2^2 + 2^2 + 3^2 + 3^2 + 4^2 + 4^2 + 5^2 + 5^2 +)$

累计的原子序:	2	10	18	36	54	86	118	168	218
对应的稀有气体:	He	Ne	Ar	Kr	Xe	Rn			
对应的周期号数:	1	2	3	4	5	6	7	8	9
各周期的元素数:	2	8	8	18	18	32	32	50	50
已知电子亚层:	s	p	d	f	g				
对应的轨道数:	1	3	5	7	9				
轨道充满的电子数:	2	6	10	14	18(=50)				

由上知,第七、八、九周期末尾的未知的稀有气体的同类元素的原子序应分别是 118,168,218。这些单质究竟应该是气体、液体还是金属固体,难以定论。

若按填充$(n-1)d$ 电子(从 $n=4$ 开始)的,叫过渡元素;填充$(n-2)f$ 电子(从 $n=6$ 开始)的,叫内过渡元素;则填充$(n-3)g$ 电子(从 $n=8$ 开始)的,似乎应该叫"更内过渡元素"(待定),当然,在目前已知的 109 种元素中还没有填充$(n-3)g$ 电子的。既然第六、第七周期分别是包含 $4f,5f$ 轨道和 32 种元素的长周期,则第八、第九周期似应为分别包含 $5g$、$6g$ 轨道和 50 种元素的超长周期。而第八、第九周期分别对应的组态似应为 $8s\ 5g\ 6f\ 7d$

図 periodic table (rotated)

H																	He
Li	Be									B	C	N	O	F	Ne
Na	Mg									Al	Si	P	S	Cl	Ar
K	Ca	Sc	Ti	V	Cr	Mn	Fe	Co	Ni	Cu	Zn	Ga	Ge	As	Se	Br	Kr
Rb	Sr	Y	Zr	Nb	Mo	Tc	Ru	Rh	Pd	Ag	Cd	In	Sn	Sb	Te	I	Xe
Cs	Ba	La	Hf	Ta	W	Re	Os	Ir	Pt	Au	Hg	Tl	Pb	Bi	Po	At	Rn
Fr	Ra	Ac	Rf	Ha	106	107	108	109	110	111	112	113	114	115	116	117	118
119	120	121	154	155	156	157	158	159	160	161	162	163	164	165	166	167	168

镧系: Ce Pr Nd Pm Sm Eu Gd Tb Dy Ho Er Tm Yb Lu (4f)

锕系: Th Pa U △Np △Pu △Am △Cm △Bk △Cf △Es △Fm △Md △No △Lr (5f)

超锕系: 122 123 124 ‖ 153 (5g,6f)

图 23 - 7 推论的有八个周期的周期表

注:元素符号顶部有△者为人工合成的超铀元素

$8p$ 和 $9s\,6g\,7f\,8d\,9p$。从而 118 元素的电子层结构应为：

2，8，18，32，32，18，8

168 元素的电子层结构应为：

2，8，18，32，50，32，18，8

218 元素的电子层结构应为：

2，8，18，32，50，50，32，18，8

这种大为扩充了的周期表的形式列于图 23-7 中。

锕后元素 104(Rf) 和 105(Ha) 已经证实是 Hf 和 Ta 的同族元素并在 $6d$ 轨道中填充电子。这就反证了锕系是填充 $5f$ 电子的元素。118 号应与氡同族，第七周期至此结束。第八周期开始的 119，120，121 三元素应当分别属于 ⅠA，ⅡA，ⅢB 族。前两种应该具有 $8s^1$ 和 $8s^2$ 的组态。如果后继的元素与其前面的较轻的同族元素有平行关系，可以预料 121 号(类锕)应有 $7d^18s^2$ 的组态。从 122 号开始应当填充 $5g$ 或 $6f$ 电子，而第八周期的填充顺序似应为 $8s\,5g\,6f\,7d\,8p$ 等等，但我们不知道这一顺序能否遵守。计算表明，这些能级非常接近，而其"混合的"组态(类似于镧系中发现的 $5d^14f^n$)可以存在。由于这个原因，似乎不宜于推论 $5g^{18}$ 和 $6f^{14}$ 亚层的分立存在。西博格(G. T. Seaborg)曾建议将 $5g$ 和 $6f$ 两个亚层组合成一个较大的 32 种元素的系列，称为"超锕系"。在"超锕系"之后从 154—162 号为假想的填充 $7d$ 电子的元素，163—168 号为填充 $8p$ 电子的元素。同理，第九周期将是包含 $6g$—$7f$ 轨道的"新超锕系"(图中未列出)。

5-2　为获得新能源指明了方向

寻求新能源是人类的基本任务。为掌握核转变的能量，人们花费了很大的精力。在慢中子作用下铀核裂变的可控制链式反应的实现是伟大的成就，人们已经能把这种反应所放出的巨大能量转变为电能供工业和民用。目前自然科学研究的重点问题之一是可控制的热核反应的实现,热核反应的能量一旦被掌握,人类将从水中的重氢获得无限丰富的新能源。

根据现有知识,人类最有希望加以利用的聚变反应有下列几种:

(1) $_1^2H + _1^2H \longrightarrow _2^3He + _0^1n$

(2) $_1^2H + _1^2H \longrightarrow _1^3H + _1^1H$

(3) $_1^2H + _1^3H \longrightarrow _2^4He + _0^1n$

(4) $_1^2H + _2^3He \longrightarrow _2^4He + _1^1H$

(5) $_1^2H + _3^6Li \longrightarrow 2_2^4He$

(6) $_1^1H + _3^7Li \longrightarrow 2_2^4He$

(7) $_1^1H + _3^6Li \longrightarrow _2^4He + _2^3He$

(8) $_1^2H + _3^7Li \longrightarrow 2_2^4He + _0^1n$

聚变反应会比裂变反应放出更多的能量。在上述反应中,1,2和3是人们最感兴趣的。这是因为1,2反应中所用的$_1^2H$在自然界中含量是非常丰富的,而反应3发生的几率最大,也就是说它比较容易实现。反应3中的$_1^3H$可用中子轰击锂得到:

$$_3^6Li + _0^1n \longrightarrow _2^4He + _1^3H$$

由于在自然界中不存在$_1^3H$,制备$_1^3H$的过程很不合算,$_1^3H$的价格还很贵,所以目前正集中力量试图建立用纯氘($_1^2H$)工作的热核反应堆。在地球上,水是大量存在的,水中含有氢,每6 000份氢中约有1份氘,1 dm^{3}普通水的能量与400 dm^{3}石油的能量相等。假如海水中所有的氘都能利用发生聚变反应,那么它所产生的能量就可以供人类使用一二百亿年!因此,受控热核反应的实现,热核反应堆的建立将使人类不必再为能源的问题担忧,它将把人类社会的生产力推向更高峰。

习　　题

1. 核聚变为什么只能在非常高的温度下才能发生?

2. 为什么 α 粒子需要加速才能引起核反应,而中子不需加速就能引起核反应呢?

3. 解释为什么锂和氢核间聚变温度比 H_2 和 H_2 核间聚变温度高?

4. 解释为什么在铀矿中不能发生爆炸性的链反应?

5. Th - 232 转变成 Pb - 208 要放射出多少个 α 粒子和多少个 β 粒子?

6. 确定在下面各种情况下产生的核?

$(a)_{33}^{75}\mathrm{As}(\alpha,n)$____;$(b)_{3}^{7}\mathrm{Li}(p,n)$____;$(c)_{15}^{31}\mathrm{P}(_1^2\mathrm{H},p)$____

7. 计算燃烧 1 mol 的 CH_4 所损失的质量? 在这个过程中,体系放出 890 kJ 的能量。
$\hfill(9.89\times10^{-12}\,\mathrm{kg})$

8. 1 mol Co - 60 经 β 衰变后,它失去或得到多少能量? $\left(_{27}^{60}\mathrm{Co}\longrightarrow _{-1}^{0}\mathrm{e}\right.$ $+_{28}^{60}\mathrm{Ni}$,$_{27}^{60}\mathrm{Co}$ 核的质量是 59.938 1 u,$_{28}^{60}\mathrm{Ni}$ 核的质量是 59.934 4 u;$_{-1}^{0}\mathrm{e}$ 的质量是 0.000 549 u)。

$\hfill(-2.9\times10^{8}\,\mathrm{kJ})$

9. Co - 60 的半衰期是 5.3 年,1 mg 的 Co - 60 15.9 年后还剩下多少?

$\hfill(0.125\,\mathrm{mg})$

10. 某一铀矿含 4.64 mg 的 U - 238 和 1.22 mg 的铅 - 206,估算一下这个矿物的年代? U - 238 的半衰期 $T_{1/2}=4.51\times10^{9}$ 年。

$\hfill(1.70\times10^{9}\text{ 年})$

11. 用氦核轰击 Al - 27 核时,得到 P - 30 和一个中子,写出这个核反应的平衡关系式。

12. 写出下列转变过程的核平衡方程式:

(a) Pu - 241 经 β 衰变;　　　(b) Th - 232 衰变成 Ra - 228;

(c) Y - 84 放出一个正电子;　(d) Ti - 44 俘获一个电子;

(e) Am - 241 经 α 衰变;　　　(f) Th - 234 衰变成 Pr - 234;

(g) Cl - 34 衰变成 S - 34。

13. 完成并配平下列核反应式

(1) $^{81}_{36}\text{Kr} \longrightarrow ^{0}_{-1}\text{e} + ?$

(2) $^{56}_{26}\text{Fe} + ^{0}_{-1}\text{e} \longrightarrow ?$

(3) $^{53}_{24}\text{Cr} + ^{4}_{2}\text{He} \longrightarrow ^{1}_{0}\text{n} + ?$

(4) $? \longrightarrow ^{24}_{12}\text{Mg} + ^{0}_{-1}\text{e}$

(5) $^{235}_{92}\text{U} \longrightarrow ^{4}_{2}\text{He} + ?$

(6) $^{64}_{29}\text{Cu} \longrightarrow ^{0}_{1}\text{e} + ?$

(7) $^{24}_{12}\text{Mg} + ^{1}_{0}\text{n} \longrightarrow ^{1}_{1}\text{H} + ?$

(8) $^{9}_{4}\text{Be} + ^{1}_{1}\text{H} \longrightarrow ^{6}_{3}\text{Li} + ?$

(9) $^{235}_{92}\text{U} + ^{1}_{0}\text{n} \longrightarrow ^{99}_{40}\text{Sr} + ^{135}_{52}\text{Te} + ?$

(10) $? \longrightarrow ^{0}_{-1}\text{e} + ^{7}_{5}\text{B}$

14. 将下列表示式写成平衡方程式:

(a) $^{14}_{7}\text{N}(\text{n},\text{p})^{14}_{6}\text{C}$; (b) $^{15}_{7}\text{N}(\text{p},\alpha)^{12}_{6}\text{C}$; (c) $^{35}_{17}\text{Cl}(\text{n},\text{p})^{35}_{16}\text{S}$

15. 某一放射性同位素在 5.0 年内衰变了 75%,该元素的半衰期为多少?

(2.5 年)

第二十四章　生物无机化学简介

§24-1　生物无机化学研究的内容

生物无机化学作为一门新兴的边缘学科,自70年代以来,获得了迅速的发展,它不仅与传统的无机化学和生物化学有关,而且与医疗化学、环境化学和营养化学有密切联系。长期以来,人们把绝大多数碳的化合物称为有机化合物,它们主要由碳、氢、氧、氮、卤素、硫、磷等元素组成,而把其余的化合物都划入无机化合物的范畴。现在,人们已经认识到很多生命过程都与过去认为"没有生命"的元素有关。很多金属元素和非金属元素它们不仅对于维持生物大分子的结构至关重要,而且广泛参与各种生命过程,在物质输送、信息传递、生物催化和能量转换中都起着十分关键的作用。这些元素在生物体内的状态和功能当然就成为生物化学家和无机化学家共同感兴趣的课题。

生物化学在本世纪后半叶发展到分子水平,可以用分子和电子观点解释生命过程中的一些现象。生物大分子的分离、纯化和分析,在60年代以后已经成为困难不大的常规工作。X射线衍射技术、核磁共振(NMR)、顺磁(ESR)、外延X射线精细结构(EXAFS)等物理实验技术的广泛应用,也使生物大分子结构的研究在多层次上取得进展。高度发展的无机化学,特别是理论和方法日臻完善的配位化学已成为研究生物体内的金属元素状态与功能的有力武器。

在生物无机化学的研究领域里,生物化学家和无机化学家的角度不同。生物化学家依靠生物化学理论和新技术、结合物理和无机化学的理论和方法,研究生物体中的元素和化合物,更多地侧重从生物学的角度研究这些物质对生物体的生理和病理作用。无机化学家则用他们熟悉的化学理论和方法研究无机分子在生物体中的功能和作用。

生物无机化学主要采用模拟的方法研究生物体内无机离子与各种酶的

关系和相互作用。而最常用的模拟方法有三种:① 用大小相近、配位类型相似的金属离子取代生物体系中的金属离子,这些取代离子常被称为生物探针。② 用一些简单的金属配合物作为生物原型的模型化合物,它们可以在一定程度上反映生物原型的某些特征。例如对卟啉的铁配合物等人工氧载体的研究,大大加深了对血红蛋白载氧机制的认识。③ 用化学方法再现生物体系的某种功能。现已成功地选用合适的配体模拟酶蛋白中联结金属元素的原子簇,例如,用二(丁二酮二肟)合钴(Ⅲ)配合物模拟维生素 B_{12} 辅酶,即为其中突出的一例。

生物无机化学,对医学的贡献更为突出。因为生命活动所必需的金属元素,受机体中激素和酶的调节控制,在不同的组织和体液中保持着严格一定的浓度范围,缺乏或过量都将对机体产生不良的影响。在分子水平上研究这些元素和其它元素的致病机制,并提出有效的治疗方法,都将为人类健康带来福音。已经确知,绝大多数的重金属解毒药物都具有良好的螯合性能,某些铂的配合物具有显著的抗癌活性,金的络盐能治疗风湿性关节炎,以及铜、铁的 8-羟基喹啉配合物具有抗菌活性等。因此,对有关生物无机化学规律的深入认识和掌握,必将对医学和生命科学的发展产生有益的影响。

§24-2 生物体中的元素及其生理作用

2-1 生命元素

元素周期表中约有 90 种稳定元素。在天然条件下,地球表面或多或少都有它们的踪迹。尽管生物界种类繁多,千差万别,但它们都有一个共同点,就是都处于地球表面的岩石圈、水圈和大气圈所构成的环境中,与环境进行物质交换,以维持生命活动。但在漫长的进化历程中,生物体配备并逐步改善自身的一套控制系统,只选择了一部分元素来构成自身的机体和维持生存。

人们把维持生命所需要的元素称为生物体的必需元素(essential elements),也叫生命元素。

(1) 大量元素和微量元素

根据元素在生物体内含量的不同,分成两类。一类是大量元素,另一类是微量元素。

表24-1 生命必需元素在周期表中的分布

周期＼族	I A	II A	III B	IV B	V B	VI B	VII B	VIII			I B	II B	III A	IV A	V A	VI A	VII A
1	H																
2	(Li)												B	C	N	O	F
3	Na	Mg											(Al)	Si	P	S	Cl
4	K	Ca		(Ti)	V	Cr	Mn	Fe	Co	Ni	Cu	Zn		(Ge)	As	Se	Br
5	(Rb)	(Sr)				Mo								Sn			I

上表中元素符号为照黑体字者属大量营养元素,其余则为微量营养元素,括号内的元素为有文献报道而尚未确证的潜在的生命必需元素。

大量元素是指占生物体总质量万分之一以上的元素,如碳、氢、氧、氮、磷、硫、氯、钾、钠、钙和镁,这些元素统称为大量元素。其中,碳、氢、氧、氮、磷和硫是组成生物体蛋白质、脂肪、碳水化合物和核糖核酸的主要元素;钠、钾、氯是组成体液的重要成分;钙是骨骼的主要组成部分。这 11 种元素共占人体总质量的 99.95%。

凡含量只占生物体总质量的万分之一以下的元素称为微量元素,如铁、铜、锌、锰、铬、硒、碘、钼和硅等。这些微量元素,共占人体总质量的 0.05% 左右。微量元素在生物体内的含量虽少,但它们在生命活动过程中的作用都是十分重要的。

(2) 必需元素和有害元素

根据元素在生物体内的生物学作用的不同,大体上又可将其分成必需元素和有害元素两大类。60 年代,有些科学家提出必需元素要具有以下特征:① 存在于正常的组织中,直接影响生物功能,并参予代谢过度;② 在各物种中有一定的浓度范围;③ 如果缺乏这种元素,将会引起生理或结构变态,这种变态会伴随特殊的生物化学变化出现,重新引入这种元素之后,上述变态将可以消除。

按照上述的说法,根据目前掌握的材料,多数科学家比较一致的意见是,生命必需的元素共有 28 种。它们在周期表中的分布情况如表 24-1 所示。

由表 24-1 可见,绝大多数生命必需元素处于第 1—4 周期中,具有明显生物活性而原子序数大于 35 的元素,就目前所知只有钼、锡和碘。

所谓有害元素是指那些存在于生物体内时,会阻碍生物机体的正常代谢过程和影响生理功能的元素,如铍、镉、汞、铅等。

必需元素和有害元素的界限不是绝对的,往往同一微量元素,它既是生命体的必需元素,又是能损害生命机体的有害元素。例如,铁是人体内重要的微量元素,正常人体内的铁几乎全部被限制在特定的生物大分子结构(如蛋白质)包围的封闭状态之中,使之能起正常的生理作用。如果一旦铁离子逃逸或解脱封闭,自由铁离子会催化过氧化反应,使体内产生过氧化氢和一些自由基,这些产物会损伤细胞代谢和分裂,影响生长发育等,甚至引起癌症或致死。

2-2 生物体内元素的生理功能

生物无机化学研究的是宏量元素和所有微量元素的生物功能。这些元素在生物体内所发挥的生理和生化作用主要有如下几个方面。

(1) 结构材料

这里所说的结构材料,指的是组成骨骼和牙齿的结构材料。作为结构材料的元素有钙、磷、氟等。其中钙和磷是大量元素,氟是微量元素。

正常成年人体内含氟 2.6 g,占人体内微量元素含量的第三位,仅次于铁和硅。氟对牙齿及骨骼的形成和结构,以及钙和磷的代谢均有重要作用。适量的氟能被牙釉质中的羟磷灰石吸附,形成坚硬致密的氟磷灰石表面保护层,它能抗酸性腐蚀、抑制嗜酸细菌的活性,并拮抗某些酶对牙齿的不利影响,发挥防龋作用。

(2) 运载作用

人体对某些金属和物质的吸收、输送,以及它们在体内的传递,往往不是简单的扩散或渗透过程,而需要有载体。金属离子或它们所形成的一些配合物在这个过程中担负着重要的作用。例如血红蛋白执行运输氧的功能;含有钴的甲基钴胺素作为辅酶催化甲基转移反应。

(3) 组成金属酶或作为酶的激活剂

酶是生物体内一类非常重要的化学物质。它是一类由活细胞产生的,具有催化活性和高度专一性的特殊蛋白质,它参与并控制着生命体内的一切代谢过程。

有的酶除含蛋白质外,还含有非蛋白质,称为结合蛋白酶,其蛋白质部分称为酶蛋白,非蛋白部分称辅酶或辅基。辅基与酶蛋白结合紧密,不易分离。辅酶与酶蛋白结合疏松,用透析方法即可透析掉。

人体内有四分之一的酶的活性与金属有关。有的酶参予酶的固定组成,这样的酶称为金属酶。金属构成酶的组分并处于酶的活性中心。如含铁的铁氧化还原蛋白(ferredoxin)、过氧化氢酶(catalase)、过氧化物酶(peroxidase);含钼和铁的黄嘌呤氧化酶(xanthine oxidase);含锌的乙醇脱氢酶(alcohol dehydrogenase)、羧基肽酶(carboxypeptidase)等都属于含金属酶类。

还有一些酶只有在金属离子存在时才能被激活,发挥它的催化功能,这些酶称为金属激活酶。例如,亮氨酸氨肽酶(leucine aminopeptidase)需要镁及锰激活;甘(氨酰)甘(氨酸)肽酶(glycylglycinepeptidase)需要锰及钴激活;精氨酸酶(arginase)需要锰激活。K^+, Na^+, Ca^{2+}, Zn^{2+} 和 Fe^{2+} 等金属离子可作为酶的激活剂。除金属离子以外,H^+, Cl^-, Br^- 等离子也可作为激活剂,如动物

唾液中 α – 淀粉酶 (α – amylase) 需 Cl^- 激活。

(4) "信使"作用

生物体需要不断地协调机体内各种生化过程,这就要求有各种传递信息的系统。通过化学信使传递信息就是其中的一种方式。人体中最重要的化学信使是 Ca^{2+}。

(5) 影响核酸的物理化学性质

金属离子对核酸的作用可包括两个方面:

(a) 金属离子可以通过酶的作用而影响核酸的复制转录和翻译过程。不少脱氧核糖核酸 (DNA) 聚合酶必须在有金属离子参与时才能完成其复制机能。例如,脊椎动物细胞中的 DNA 聚合酶 α 需要 Mg^{2+},Mn^{2+},K^+ 离子的激活,DNA 聚合酶 β 亦需要 Mg^{2+} 和 Mn^{2+} 离子的激活。同样,在转录过程中,由 DNA 指导合成信息核糖核酸 (mRNA) 时,RNA 聚合酶需要 Mg^{2+},Mn^{2+} 的激活,而 tRNA 在翻译遗传信息时,也需要 Mg^{2+} 的参予。

(b) 金属离子可以直接影响核酸的物理化学性质和生物活性。实验证实了金属离子对于维持核酸的双螺旋结构和核蛋白体的结构起重要作用。例如,Mg^{2+} 和 Ca^{2+} 与核酸中的磷酸酯氧结合,使双螺旋结构稳定化;而过渡金属离子则与嘌呤、嘧啶反应,大都阻碍核酸中的氢键使其不稳定化。

(6) 调节体液的物理化学特性

体液主要是由水和溶解于其中的电解质等所组成。一般分为细胞内液和细胞外液二部分。细胞外液是血浆和细胞间液的总称。生物体的大部分生命活动是在体液中进行的。为保证体内正常的生理、生化活动和功能,需要维持体液中水、电解质平衡和酸碱平衡。承担这个任务的是存在于体液中的一些无机离子,主要是 Na^+,K^+,Cl^- 等。

2 – 3　有害元素

目前在人体组织中发现的元素数目多达七十余种,仅在血液中就含有三十多种元素。除了上述二十八种必需元素以外,其余的元素是随着自然资源的开发利用和大工业发展而进入环境,它们通过大气、水源和食物等途径而侵入体内,成为人体中的"污染"元素。大部分污染元素为金属离子,它们在体内的积累,往往会干扰正常的代谢活动,对健康产生不良的影响,甚至引起病变。

污染金属离子对机体的危害比农药残毒所引起的后果要严重得多,因为许多有机物能被降解而减低毒性,而污染金属离子在体内是不能生物降解的,它们常被积累在特定的器官组织中,构成了在体内长期起作用的致病因子。重金属的积累与机体衰老和细胞老化均有密切关系。污染金属离子在生物组织中的有效富集,其根本原因在于这些金属能与构成生物大分子的氨基酸或碱基等活性组分形成稳定的配合物。主要污染元素对机体的危害见表 24 - 2。

表 24 - 2　污染元素对人体的危害

元素	危　　害	最小致死量[①] $(mg \cdot kg^{-1})$
Be	致癌[②]	4
Cr	损害肺,可能致癌	400
Ni·	肺癌,鼻窦癌	180
Zn	胃癌	57
As	损害肝、肾及神经,致癌[③]	40
Se	慢性关节炎,浮肿等	3.5
Y	致癌	—
Cd	气肿,肾炎,骨痛病,高血压,致癌	0.3—6
Hg	脑炎,损害中枢神经及肾脏	16
Pb	贫血,损害肾脏及神经	50

① 根据动物试验所得的非肠道摄入最小致死量。

② Be^{2+} 的毒性在于与 DNA 聚合酶结合而引起基因表达的紊乱[D. N. Skil leter, *Chem . Br .*, 26.26 1990]。

③ 砷可促进胆汁排硒,从而消除了后者清扫体内自由基的作用,这可能是砷的致癌机制。

2 - 4　微量元素和地方病

十几年来,由于环境地球化学的发展,精确测定了不同地区人体中化学元素的结果证明,地壳中现存的各种化学元素,在人体中几乎都能找到,而且人体中这些元素平均含量的相对大小,也和地壳内的情况十分相似,变化趋势也很吻合(图 24 - 1)。

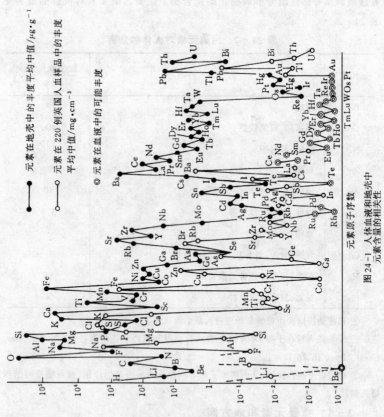

图 24-1 人体血液和地壳中元素含量的相关性

可见,在人和自然环境中存在着某种本质的联系。这种本质联系的物质基础就是自然界中的化学元素。人类在地球表面生息繁衍,因而在进化过程中同周围环境保持着极为密切的关系,这种关系使人和生物同地壳物质始终保持着一定的动态平衡。当一个地区的某种元素缺乏或过多时,这种动态平衡就遭到破坏,人体就要发生某种病变,这就叫地方病。例如,在一些缺碘的地区,流行着甲状腺肿大,患有这种病的妇女所生的婴儿常为先天痴呆或智力发育不全。世界各缺锌地区的妇女分娩的婴儿,发生先天性畸形的相当普遍。再如,微量元素铊含量较高的地区,铊在人体内积累到一定限度,就会发生一种叫做"鬼剃头"的怪病,一夜之间,头发可以全部脱光。因此,很长时期无法得到解释的所谓"水土病"或带有区域性的怪病往往可以从微量元素过量或缺乏之中找到答案。

人类在生活的过程中也会对环境施加影响,这种影响有时会大到足以改变周围环境状况的程度,这种环境的变化又会发生反馈作用,影响人体的健康。一方面是某些微量元素,特别是有害元素的过多而造成环境污染;另一方面则是某些必需微量元素的减少而引起病变。微量元素是通过饮水和食物进入人体的。因此,对食物的人为加工在很大程度上会影响微量元素在人体内的含量。例如,三价铬是生命必需的微量元素。铬是胰岛素正常工作不可缺少的物质,直接干预人体内糖和脂肪的代谢。人体缺铬,会产生糖尿病的症状。据研究,缺铬也是人体动脉硬化的重要原因。最近的调查表明西方国家人体内铬含量远比第三世界居民铬含量低,这是现代文明生活中"食不厌精"的结果。面粉精制要丢失小麦中铬含量的 90%,而白糖的精制则可丢失红糖中 92% 的铬。

§24-3 重要的生物配体及其金属配合物

在大多数情况下,金属元素在生物体内不以自由离子形式存在,而是与配体形成生物金属配合物。这些在生物体内与金属配位并具有生物功能的配位体称为生物配体(biological ligand)。按照相对分子质量大小,生物配体大致分两类:大分子配体包括蛋白质、多糖、核酸等,相对分子量从几千到数百万;小分子配体包括氨基酸、羧酸、卟啉、咕啉等。生物配体与金属结合一般遵循软酸碱规则。

3-1 生物体内的配位体

(1) 氨基酸

氨基酸(amino acids)是蛋白质的基本结构单位。已发现自然界有一百多种氨基酸,但从蛋白质水解产物中分离出来的氨基酸通常只有 20 种,见表 24-3。除脯氨酸外,这些氨基酸在结构上的共同点是与羧基相邻的 α-碳原子上都有一个氨基,因此称为 α-氨基酸。

$$R-\underset{\underset{NH_2}{|}}{\overset{\overset{H}{|}}{C}}-COOH$$

α-氨基酸都是白色的晶体,各有特殊的结晶形状,熔点较高,一般在 200℃ 以上,大多数可溶于水中。

表 24-3　常见天然 α-氨基酸的分类

普通名称 (化学名称)	中英文 简称	结　构　式	等电点*
① 非极性 R 基氨基酸			
丙氨酸 Alanine (α-氨基丙酸)	丙 Ala	$CH_3-\underset{\underset{NH_3^+}{\mid}}{CH}-COO^-$	6.00
缬氨酸 Valine (α-氨基异戊酸)	缬 Val	$\underset{H_3C}{\overset{H_3C}{>}}CH-\underset{\underset{NH_3^+}{\mid}}{CH}-COO^-$	5.96
亮氨酸 Leucine (α-氨基异己酸)	亮 Leu	$\underset{H_3C}{\overset{H_3C}{>}}CH-CH_2-\underset{\underset{NH_3^+}{\mid}}{CH}-COO^-$	5.98
异亮氨酸 Isoleucine (α-氨基 β-甲基戊酸)	异亮 Iso	$CH_3-CH_2-\underset{\underset{CH_3\ NH_3^+}{\mid}}{CH}-\underset{}{CH}-COO^-$	6.02
脯氨酸 Proline (四氢吡咯[2]羧酸)	脯 Pro	$\underset{\overset{+}{N}H_2}{\square}-COO^-$	6.30
苯丙氨酸 Phenylalanine (α-氨基 β-苯基丙酸)	苯 Phe	$\bigcirc-CH_2-\underset{\underset{NH_3^+}{\mid}}{CH}-COO^-$	5.48

普通名称 (化学名称)	中英文 简称	结　构　式	等电点*
色氨酸 Tryptophan (α-氨基 β-吲哚丙酸)	色 Try	—CH_2—CH—COO^- 　　　　　　$\overset{|}{NH_3^+}$	5.89
蛋氨酸(甲硫氨酸) Methionine (α-氨基 γ-甲硫基丁酸)	蛋 Met	CH_3—S—CH_2—CH_2—CH—COO^- 　　　　　　　　　　$\overset{|}{NH_3^+}$	5.74
② 不带电荷的极性 R 基氨基酸			
甘氨酸 Glycine (氨基乙酸)	甘 Gly	H_3N^+—CH_2—COO^-	5.97
丝氨酸 Serine (α-氨基 β-羟基丙酸)	丝 Ser	HO—CH_2—CH—COO^- 　　　　　$\overset{|}{NH_3^+}$	5.68
苏氨酸 Threonine (α-氨基 β-羟基丁酸)	苏 Thr	CH_3—CH—CH—COO^- 　　　$\overset{|}{OH}$ $\overset{|}{NH_3^+}$	6.16
半胱氨酸 Cysteine (α-氨基 β-疏基丙酸)	半胱 Cys	HS—CH_2—CH—COO^- 　　　　　$\overset{|}{NH_3^+}$	5.07
酪氨酸 Tyrosine (α-氨基 β-对羟苯基丙酸)	酪 Tyr	HO——CH_2—CH—COO^- 　　　　　　　　　　$\overset{|}{NH_3^+}$	5.66
天冬酰胺 Asparagine (α-氨基 β-酰胺丙酸)	天胺 Asp	$\overset{\displaystyle O}{\underset{\displaystyle H_2N}{C}}$—$CH_2$—CH—$COO^-$ 　　　　　　$\overset{|}{NH_3^+}$	5.41
谷氨酰胺 Glutamine (α-氨基 γ-酰胺丁酸)	谷胺 Glu	$\overset{\displaystyle O}{\underset{\displaystyle H_2N}{C}}$—$CH_2$—$CH_2$—CH—$COO^-$ 　　　　　　　　　　$\overset{|}{NH_3^+}$	5.65
③ 在 pH7 带正电荷的 R 基氨基酸			
赖氨酸 Lysine (α,β-二氨基己酸)	赖 Lys	H_3N^+—$(CH_2)_4$—CH—COO^- 　　　　　　　　$\overset{|}{NH_3^+}$	9.74
精氨酸 Arginine (α-氨基胍基戊酸)	精 Arg	H_2N—C—N—H$(CH_2)_3$—CH—COO^- 　　　$\overset{|}{\underset{+}{NH_2}}$　　　　　　$\overset{|}{NH_3^+}$	10.76

普通名称 （化学名称）	中英文 简称	结　构　式	等电点*
组氨酸 Histidine （α-氨基 β-咪唑丙酸）	组 His	（咪唑环）—CH_2—$\overset{\underset{NH_3^+}{\mid}}{CH}COO^-$	7.59
④ 在 pH=7 带负电荷的 R 基氨基酸			
天冬氨酸 Aspaartic acid （α-氨基丁二酸）	天 Asp	^-OOC—CH_2—$\overset{\underset{NH_3^+}{\mid}}{CH}$—$COO^-$	2.77
谷氨酸 Glutamic acid （α-氨基戊二酸）	谷 Glu	^-OOC—CH_2—CH_2—$\overset{\underset{NH_3^+}{\mid}}{CH}$—$COO^-$	3.22

　　* 氨基酸是一个两性电解质,它在溶液中的带电情况,随溶液的 pH 值而变化,改变溶液的 pH 值,可以使氨基酸带正电,也可以使其带负电或不带电。如果氨基酸不带净电荷,那么,它在电泳系统中,就不会发生向正极或负极移动。在这种状态下,溶液的 pH 值称为该氨基酸的等电点,以 PI 表示。

　　(2) 蛋白质

　　蛋白质是动物、植物和微生物细胞中最重要的有机物质之一。它除含有碳、氢、氧、氮外,还含有少量硫,有些蛋白质还含有磷、铁、锌、铜、锰和碘。不同来源的蛋白质含氮有一定的比例,这是一个重要的特点。一般蛋白质含氮在(15~17.6)%,其平均值为 16%。

　　蛋白质是由氨基酸构成的,氨基酸彼此以肽键结合成肽链,再由一条或多条肽链按特殊方式组合成蛋白质分子。肽键是由一个氨基酸的氨基与另一个氨基酸的羧基缩合失去一分子水而成。例如:

$$H_2N—CH_2—\overset{\underset{O}{\|}}{C}—OH + H—\overset{\underset{H}{\mid}}{N}—\overset{\underset{CH_3}{\mid}}{CH}—\overset{\underset{O}{\|}}{C}—OH \xrightarrow{-H_2O}$$

甘氨酸　　　　　丙氨酸

$$H_2N—CH_2—\boxed{\overset{\underset{O}{\|}}{C}—\overset{\underset{H}{\mid}}{N}}—\overset{\underset{CH_3}{\mid}}{CH}—\overset{\underset{O}{\|}}{C}—OH$$

肽键

多个氨基酸以这种方式首尾相接则形成肽链。肽链中的氨基酸已不是原来完整的分子,因此称它为氨基酸残基。超过 10 个残基的肽称为多肽。肽链带自由氨基的一端称为氨基末端或 N-末端,带有自由羧基的一端称羧基末端或 C-末端。

$$\begin{array}{ccccccc} & R & & O & & R & & O & & R & & O & & H & R \\ & | & & \| & & | & & \| & & | & & \| & & | & | \\ NH_2-CH-C-(N-CH-C)_n-N-CH-COOH \end{array}$$

$\underbrace{\qquad}_{N\text{-末端}}$ $\underbrace{\qquad}_{C\text{-末端}}$

蛋白质的相对分子质量可高达 10^6，小的也在 10^4 以上。蛋白质结构十分复杂，以各种氨基酸按一定的顺序排列构成的肽键骨架是蛋白质的基本结构，称为蛋白质的一级结构。在蛋白质多肽链中，一个肽键的羰基氧可能和另一个肽键的亚胺氢形成氢键，即：

$$\begin{array}{ccccc} & \delta_+ & \delta_- & & \delta_+ & \delta_- \\ & \diagup & & & \diagup & \diagup \\ & C=O & \cdots\cdots & H-N & \end{array}$$

靠这种氢键的相互作用可使多肽链形成稳定的三维的空间立体结构。所谓蛋白质的二级结构，就是指靠氢键形成的多肽链的空间排布，即指多肽链主干的构象。二级结构一般有两种不同的结构：α-螺旋结构和 β-折皱结构。

α-螺旋结构是由同一多肽链上形成许多分子内氢键而组成的有序结构，它的多肽主链卷曲成右手螺旋，每 3.6 个氨基酸残基构成螺旋的完整一圈，螺距为 540 pm，直径为 1 000—1 100 pm，残基上的侧链伸向螺旋的外部。这种有规律的结构主要是靠为数众多的和螺轴平行的分子内氢键稳定下来的。

β-折皱层状结构是许多肽链并列的排成一束彼此紧密接触，并借助分子间的氢键而形成一种结构。为了使肽链间能有最多的氢键数，多肽的长度比完全伸展的状态稍短，结果使肽链主干形成皱缩，类似褶板的形状。

除一级、二级结构以外，蛋白质还有更复杂的三级、四级结构，这里就不再介绍了。

氨基酸、肽和蛋白质均可以和金属离子形成配合物。氨基酸和金属离子配位时，一方面利用分子中的—COO^- 基氧原子与金属发生共价结合；另一方面是由—NH_2 基中的氮原子提供孤电子对与金属离子形成配键。但在丝氨酸、苏氨酸和酪氨酸中的—OH 基也能进行配位。另外，组氨酸的咪唑基，半胱氨酸的—SH 基以及蛋氨酸的—C—S—C—(硫醚)基都是重要的配位基团。

肽与金属离子配位时，一般以肽分子中的 O 或 N 原子作为配位原子。例如，由二个甘氨酸组成的二肽（Gly·Gly）作配体与铜离子配位生成 $[Cu(Gly\cdot Gly)_2\cdot 2H_2O]$ 时，它的配位情况是：

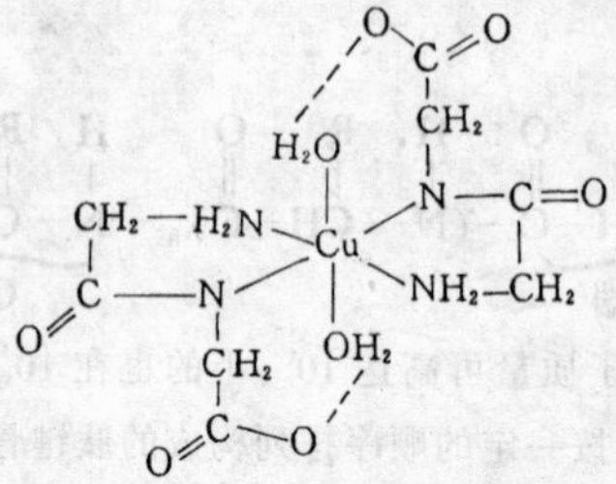

蛋白质与金属离子结合,显然与氨基酸或短肽链有所不同。在金属蛋白质分子中,二个配位原子之间往往隔着数目很多的氨基残基。起配位作用的氨基酸残基有:半胱氨酸、蛋氨酸、酪氨酸、谷氨酸、天冬氨酸、赖氨酸、精氨酸和组氨酸。

（3）核苷、核苷酸和核酸

嘌呤碱或嘧啶碱与戊糖结合形成核苷,因戊糖的不同可分为核糖核苷和脱氧核糖核苷。核苷再与磷酸结合就成为核苷酸。核苷酸亦分为核糖核苷酸和脱氧核糖核苷酸。图 24-2 表示了腺苷酸（或腺苷－磷酸）的形成过程。

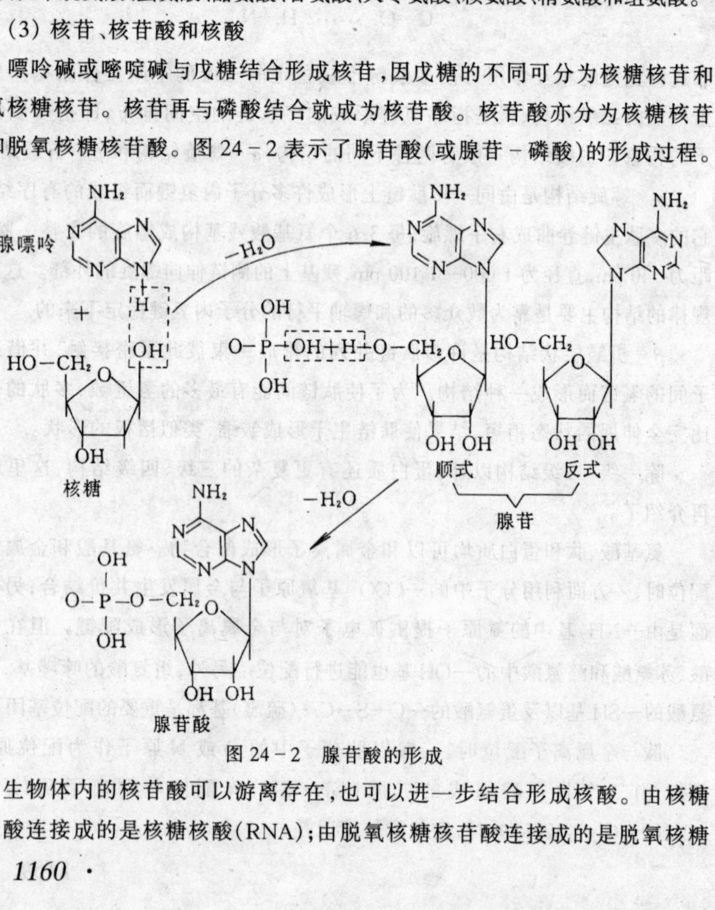

图 24-2 腺苷酸的形成

生物体内的核苷酸可以游离存在,也可以进一步结合形成核酸。由核糖核苷酸连接成的是核糖核酸(RNA);由脱氧核糖核苷酸连接成的是脱氧核糖核酸(DNA)。实验证明,RNA 和 DNA 分子中核苷酸之间的连接均是磷酸二酯键,而且是由一个核苷酸的核糖或脱氧核糖第 5′位的磷酸与另一核苷酸的核糖或脱氧核糖第 3′位的—OH 基相互连成 3′,5′- 磷酸二酯键。

DNA 是生物遗传的物质基础,这种物质具有一种特定的双螺旋结构,即两条多核苷酸链以相反方向环绕同一长轴盘旋扭曲成直径 2 000pm 的螺旋结构。螺旋体中碱基朝内,两条多核苷酸链的碱基之间以氢键相连;而磷酸根向外,一般呈离子化而带负电。

核苷酸作为配体时,组成核苷酸的碱基、戊糖和磷酸根,都可能与金属离子配位。一般情况下以碱基与金属离子的配合能力最强,糖基的配合能力最弱,磷酸根的配合能力介于碱基和糖基之间。5′- 腺苷酸(5′- AMP)与 Ni(Ⅱ)离子形成的配合物就是通过碱基氮原子配位的。

另外,核苷酸中的碱基还可通过大 π 键与金属离子配位,M(Ⅱ)胞嘧啶核苷酸即是如此。

核酸与金属离子的配位情况研究得比较少。由于核酸中含有多个可供配位的碱基,特别是腺嘌呤和鸟嘌呤,提供了一个有利于形成五元环的空间位置。因而,核酸也是一类重要的生物配体。例如,铁-核酸化合物可能有如下结构:

$$H_2N \longrightarrow Fe^{2+}$$

(铁-腺嘌呤)

$$HO \longrightarrow Fe^{2+}$$

(铁-鸟嘌呤)

应当指出:生物体系是一个复杂的体系,在生物体内存在着许多微量金属元素,如 Fe, Cu, Co, Zn, Mo 等。它们往往处于浓度较高的多种生物配体的环境之中,除了可以生成单一型的配合物以外,一种金属离子常与两种以上的配体形成混配配合物。例如:血清中的 Cu^{2+} 离子既可以同氨基酸生成 Cu^{2+} - 组氨酸、Cu^{2+} - 谷氨酰胺和 Cu^{2+} - 苏氨酸等单一型的氨基酸配合物,同时还发现有 Cu^{2+} - 组氨酸 - 天冬酰胺和 Cu^{2+} - 组氨酸 - 谷氨酰胺等混配配合物。这些混配配合物在组织和血液之间起着交换 Cu^{2+} 离子的载体作用。因此,在研究生物体内金属离子同生物配体相互作用时,应充分注意混配配合物的形成和它在生物效应中的作用。

§24-4 铁蛋白和含铁酶

铁是生物体内含量最多的微量元素,在哺乳动物体内约有 70% 铁是以卟啉配合物形式存在的。这些含有血红素(图 24-3(b))结构单元的蛋白质,总称为血红素蛋白(hemoprotein),它们有着以下不同的生理功能:氧分子的输送和贮存(如血红蛋白和肌红蛋白);电子载体(如细胞色素);催化 O^2 或 H_2O_2 的氧化作用(如某些含氧酶及过氧化物酶等)。此外,铁还包含于非血红素铁蛋白中(如铁硫蛋白和蚯蚓血红蛋白等)。

4-1 血红蛋白和肌红蛋白

卟啉的基本骨架是卟吩(porphin)[图 24-3(a)]。当卟吩环的 1 号至 8 号碳原子上的氢,部分或全部被其它基团取代后所得的衍生物称为卟啉(porphyrin)[图 24-3(b)];而当卟吩环的 9 号至 12 号次甲基(—CH=)的氢被其它基团

(如苯基)取代后,则仍称卟吩衍生物。卟啉分子基本上呈平面形,但其中两个吡咯环略向上翘,另外两个环略为下倾,因此,严格地说,四个 N 原子并非处于同一平面内。当有大体积取代基存在时,可进一步引起环的折皱。吡咯 N 至环中心的距离为 204 pm。卟啉环 N 上的两个质子易被金属离子取代而形成金属卟啉,不同的金属卟啉,M(金属)—N 的键长略有变化,如 Fe(Ⅲ)卟啉为 210 pm,Ni(Ⅱ)卟啉为 195 pm。自然界中广泛存在的一种卟啉衍生物为原卟啉Ⅸ[见图 24 - 3(b)],它是肌红蛋白、血红蛋白和细胞色素 c 中辅基的组成部分。

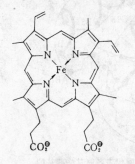

图 24 - 3 (a)卟吩及(b)原卟啉 IX 的结构式

肌红蛋白(myoglobin,简写为 Mb),相对分子质量为 17.500,由含 152 个残基的单一多肽链(珠蛋白)和血红素(heme)所组成,而血红素则为 Fe(Ⅱ)与原卟啉Ⅸ的配合物,结构式见图 24 - 4。随着物种的不同,珠蛋白的一级结构稍有差异。肌红蛋白的生物功能是为肌肉组织贮存氧,以供细胞呼吸的需要。

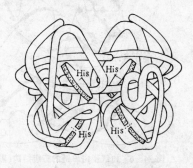

图 24 - 4 血红素 b(辅基)的结构式   图 24 - 5 血红蛋白的四级结构(图中圆环代表血红素辅基)

血红蛋白分子(hemoglobin,简写 Hb)由四个亚单元组成,每个亚单元包

含一条多肽链和一个血红素辅基。其中的多肽链可分为 α 和 β 两种,α 链由
141 个氨基酸组成,c-端基为精氨酸;β 链由 146 个氨基酸组成,c-端基为
组氨酸。血红蛋白分子实际上是由两条 α 链和两条 β 链所组成的含 Fe(II)
金属蛋白,相对分子质量为 64 500。图 24-5 为血红蛋白的四级结构。根据
Mb 与 Hb 的 X 射线晶体结构分析结果,确定两者具有十分相似的二级和三
级结构。图 24-6 为血红蛋白 β 链的三级结构,其中血红素刚好埋藏于卷曲
的珠蛋白所构成的凹槽(或"口袋")中,血红素与靠近的疏水残基(缬氨酸和
苯丙氨酸等)间有范德华力。血红素借 Fe(II)与近侧 F_8 组氨酸的咪唑基氮
原子以配位键相结合。因此 Fe(II)处在近似四方锥形的五配位状态,可利

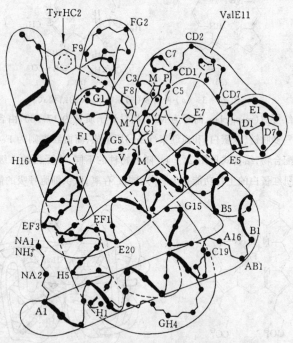

图 24-6 血红蛋白 β 链的三级结构(黑圆圈代表各氨基酸残基的
α 碳原子,α 链的构象与 β 链很相似,只是某些残基有所差异)
E,F 分别代表血红蛋白三级结构中不同的 α 螺旋肽段,字母后
的数字表示相应残基在该肽段中的序号。

用其轴向的第六个配位位置与氧分子结合。根据磁性和顺磁的测定,血红蛋白显顺磁性($s=2$),因此,其中的铁是具有四个不成对电子的高自旋 Fe(II)。但氧合血红蛋白(HbO$_2$)则显出反磁性。且由 X 射线结构分析指出,氧合后,分子构型发生变化;原在卟啉平面上 75 pm 处的 Fe(II)进入卟啉面中。1976年 M. F. Perutz 研究这一现象认为,氧合时 Fe(II)自旋状态变化引起半径变小,Fe(II)的半径减小约 17 pm,所以氧合血红素中 Fe—N 键距约为 201 pm,铁原子正好紧贴在原卟啉的空腔中。

氧合作用中铁原子位置移动 75 pm,迫使轴向配体咪唑基相应地移动。这将带动肽链作相当大的移动而引起亚基间的结合断裂,四聚体结构变得松散,使血红素的第六配位位置较为暴露而促使了血红蛋白的氧合作用。因此有一个亚基结合氧后,血红蛋白的氧合能力迅速提高,这种效应称为亚基间的合作效应。图 24 - 7 所示血红蛋白的氧合曲线呈横 s 形。肌红蛋白为单体蛋白,没有合作效应,氧合程度与氧分压间具有正常关系,氧合曲线呈抛物线形。

比较血红蛋白和肌红蛋白的氧合曲线看出,在较低氧分压下,血红蛋白比肌红蛋白的氧合程度低,所以在肌肉组织中(p_{O_2} 较小时),有利于氧从氧合血红蛋白转移到肌红蛋白,将氧输入组织细胞中,即下列平衡右移:

$$HbO_2 \xrightleftharpoons[\text{氧分压高时(肺中)}]{\text{氧分压低时(组织中)}} Hb + O_2$$

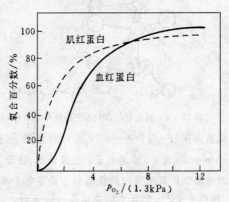

图 24 - 7　血红蛋白和肌红蛋白的氧合曲线

血红蛋白中铁的第六个配位位置也可为其他配体所占据。如 CO 和 CN⁻ 具有比 O_2 更大的结合力,血红蛋白和 CO 的结合力比氧大 200~250 倍,因此可造成煤气中毒现象。

4-2 铁硫蛋白

铁硫蛋白是一类组成中不含血红素辅基的铁蛋白,在这类金属蛋白中与铁配位的是两类性质不同的含硫配体,即半胱氨酸(Cys)残基提供的巯基和无机 S^{2-} 离子(红氧还蛋白中只含 Cys)。铁硫蛋白参与许多生命过程的氧化还原反应,包括植物的光合作用,细菌固氮和线粒体的呼吸活动。下面我们简单介绍两种铁硫蛋白:细菌氧还蛋白和高电位铁硫蛋白 $[Fe_4S_4(Cys)_4]$。

细菌型铁氧还蛋白相对分子质量较小,约 6 000~14 400。多粘杆菌铁氧还蛋白只有一个 $Fe_4S_4(Cys)_4$ 中心,是单电子传递体。产气小球菌铁氧还蛋白分子有两个 $Fe_4S_4(Cys)_4$ 中心,是双电子传递体。

从酒色着色菌分离出的铁硫蛋白的相对分子质量约为 9 600,X 射线测定其分子中含 1 个 $Fe_4S_4(Cys)_4$ 活性中心,如图 24-8 所示。4 个 Fe 和 4 个 S 交替连接形成立方烷结构,每个 Fe 再和 1 个 Cys 巯基结合,它的氧化还原电势高达 0.35V,因此称为高电位铁硫蛋白。

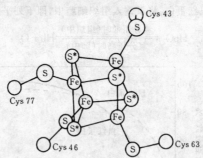

图 24-8 酒色着色菌 HiPIP 活性中心结构

高电位铁硫蛋白按 $(Fe_4S_4) \underset{\longleftarrow}{\overset{-e^-}{\longrightarrow}} (Fe_4S_4)^-$ 传递电子,细菌型铁氧还蛋白按 $(Fe_4S_4)^- \underset{\longleftarrow}{\overset{-e^-}{\longrightarrow}} (Fe_4S_4)^{2-}$ 传递电子。已经证实,还原态的高电位铁硫蛋白和氧化态的细菌型铁氧还蛋白的铁硫中心是等电子体,4 个 Fe 的氧化态是两个 Fe^{3+} 和两个 Fe^{2+};氧化态的高电位铁硫蛋白是三个 Fe^{3+} 和一个 Fe^{3+};还原态的细菌型铁氧还蛋白是一个 Fe^{3+} 和三个 Fe^{2+}。这两类蛋白质

的氧还电势相差 0.75 V。高电位铁硫蛋白还原时是三个 Fe^{3+} 接受电子,细菌型铁氧还蛋白还原时是二个 Fe^{2+} 接受电子,前者显然比较容易,氧还电势也就高得多。在具有两个 Fe^{3+} 和两个 Fe^{2+} 结构的铁硫蛋白中,含有偶数电子,从而使铁硫中心呈反磁性。具有三个 Fe^{3+} 和一个 Fe^{2+} 及一个 Fe^{3+} 和三个 Fe^{2+} 结构的铁硫蛋白中,含有奇数电子,使铁硫中心显顺磁性。

§24-5 铜 蛋 白

铜是生物体中含量较多的微量金属元素之一,仅次于铁和锌而居第三位,铜与蛋白质结合在一起形成铜蛋白或含铜酶,参与一系列电子转移、载氧作用及各种有机底物(胺类、多酚和糖类等)的生物氧化过程。人体内大约有12 种含铜酶,血红细胞中的铜 60% 以上以铜蛋白即血球铜蛋白的形式存在,血球铜蛋白即超氧化物歧化酶(SOD)。

一种常见的铜蛋白是血蓝蛋白(hemocyanin,简写为 Hc)它是一种多铜蛋白,组成中不含血红素辅基。天然血蓝蛋白具有特大的相对分子质量,约 $7 \sim 9 \times 10^6$,其大小仅次于病毒蛋白。处于活化状态的血蓝蛋白为无色,呈抗磁性,其中铜的氧化态为 +1,与氧加合后呈特征的深蓝色。软体和节肢动物血液呈蓝色就是这个原因。血蓝蛋白和脊椎动物的血红蛋白一样与氧分子相结合,发挥氧载体的作用。实验证明,血蓝蛋白的活性部位是两个铜原子分别与蛋白质的三个组氨酸(His)残基的咪唑 N 联接,与氧结合时,每个氧分子以过氧桥基的形式与两个 Cu(II)成键。

铜的氧化态为 +2 和 +1,因此,绝大多数铜蛋白酶主要具有氧化还原的生物功能,如细胞色素氧化酶等。

§24-6 含 锌 酶

锌是所有生命体所必需的微量金属元素,它在人体内的含量仅次于铁而居第二位。人体内的锌主要是参与多种酶的组成或作为酶的激活剂。现在已知有 80 多种酶的活性与锌的存在有关。这些酶主要属水解酶类。人体内所有的水解酶中,含锌酶占多数。以下简单介绍碳酸酐酶的催化作用:

碳酐酶广泛分布于动植物体及某些细菌中。1940 年 Keilin 等从哺乳动物红血球中首先分离出来，并证明为锌酶。其重要的功能是催化 CO_2（碳酐）的水合作用。这一反应对呼吸作用极为重要。通常这一反应的速率很低，有酶存在时，可提高 10^6 倍。碳酐酶也催化醛的水化和酯的水解，但催化效率不很高。

人体血红细胞中的碳酐酶相对分子质量约 30 000，每分子中含 1 个锌原子，酶蛋白由 260 多个残基组成。X 射线结晶分析结果表明，整个分子呈椭圆形（$4 \times 4.5 \times 5.5$ nm），分子中有袋形空腔，空腔中的 Zn^{2+} 与肽链的三个组氨酸（93，95，118）的咪唑基配位，第四个配位位置上为水或羟基（图 24-10）。

碳酐酶与底物 CO_2 的复合物很难从溶液中结晶析出。1968 年 M. E. Riepe 等曾用红外光谱法研究，测出 30% 牛碳酐酶水溶液（pH = 5.5，CO_2 压力下）的 ν_{CO_2} 为 2 341 cm^{-1}，与相应 CO_2 水溶液的 ν_{CO_2} 2 343.5 cm^{-1} 相近，这表明 CO_2 不与 Zn^{2+} 直接键合。锌酶的催化活性和 Zn^{2+} 配位的水分子有密切的关系，其催化机理如图 24-10 所示。Zn^{2+} 与 CO_2 形成复合物 $Zn(OH)-CO_2$，由于 CO_2 处在空腔中其他基团的氢键作用下，CO_2 的碳原子受到与 Zn^{2+} 键合的 OH^- 的亲核进攻，而形成 HCO_3^-：

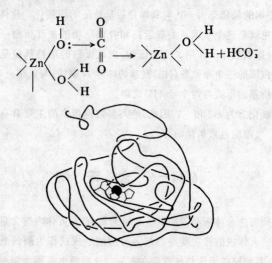

图 24-9　碳酐酶的分子结构

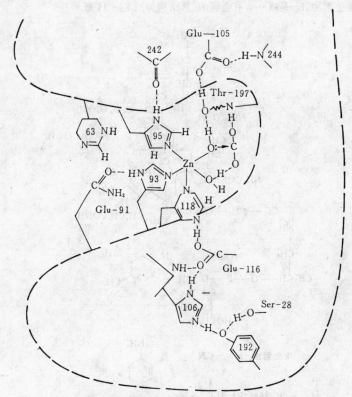

图 24-10　碳酐酶活性部位在催化时的结构

Zn^{2+} 在空腔中处于五配位状态。这是因为在反应过程中,进入基团 H_2O 占有离去基团 OH^- 相邻的配位位置,从而使配位数增加到 5。

锌酶的一个重要特点是 Zn^{2+} 和 Co^{2+} 的互代性,在锌酶的结构和反应机理的研究中,这是很重要的。因为 Co^{2+} 有 $d-d$ 光谱和顺磁信号,所以通常用 Co^{2+} 作为研究锌酶的一种探针。

§24-7　维生素 B_{12} 和 B_{12} 辅酶

维生素 B_{12}(V_{B12})也称氰钴胺素,它是 Co^{3+} 的一种复杂配合物。在已知的维生素中，B_{12} 是唯一含有金属的，其结构如图 24 – 11 所示：

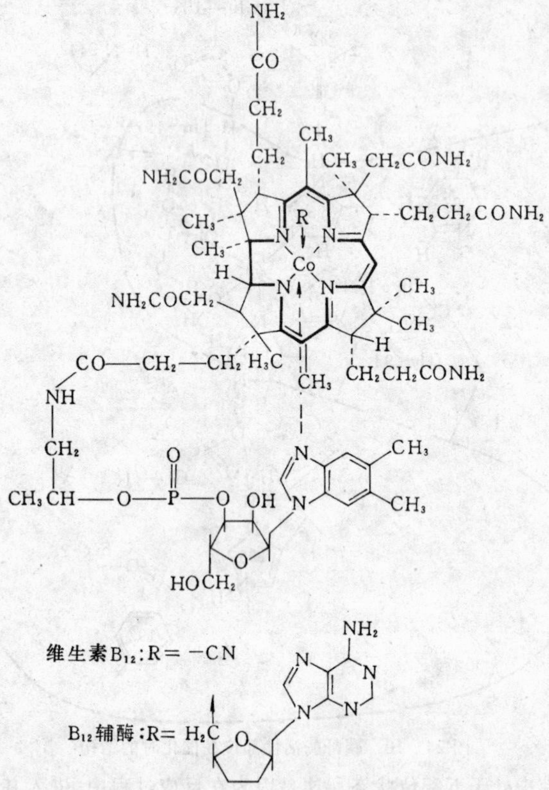

图 24 – 11　维生素 B_{12} 和 B_{12} 辅酶的结构

在维生素 B_{12} 中，Co^{3+} 位于一个咕啉环（图中粗线所表示的环状结构）的中心，平面上的四个配位原子是咕啉环上的氮原子，平面的上方和下方分别是侧链上的氮原子和氰基，构成 Co^{3+} 周围的八面体配位。氰钴胺素中的 CN 基如被 $5'$ – 脱氧腺苷基（图 24 – 11 的 R）取代，称为 B_{12} 辅酶。

在 B_{12} 辅酶中含有 Co—C 键，这是在生命系统中发现的第一种有机金属化合物，在自然界中是罕见的。

血液中维生素 B_{12} 的含量很少，人体平均含有 2—5 $mgV_{B_{12}}$，主要集中在肝脏里。在自然界，$V_{B_{12}}$ 都是由微生物合成的，人体肠道中的细菌虽可以合成 $V_{B_{12}}$，但不能被人体吸收，因而人体中的 $V_{B_{12}}$，主要从食物中获得。

维生素 B_{12} 和 B_{12} 辅酶参与许多机体的生化反应，主要是参与 DNA 和血红蛋白的合成、氨基酸代谢、氢和甲基的体内转移和红细胞的成熟，缺少它会产生恶性贫血病。

$V_{B_{12}}$ 可以发生 1 电子或 2 电子还原，分别生成 $Co(II)$（$V_{B_{12r}}$）和 $Co(I)$（$V_{B_{12s}}$）配合物，$Co^{(I)}$ 配合物为强亲核性，在 $V_{B_{12}}$ 的生理功能中起重要作用，它容易通过氧化加成进行甲基化，如：

$$\{V_{B_{12}}[Co(I)]\} + CH_3I \longrightarrow \{V_{B_{12}}[Co(II)]—CH_3\}^+ + I^-$$

$V_{B_{12}}(Co^I)$ 与三磷酸腺苷（ATP）反应，可以在腺苷和钴之间形成 Co—C 或 Co—R 键，即生成 B_{12} 辅酶。

B_{12} 辅酶在某些特殊酶的存在下，可以催化某些异构化反应，如：

$$\begin{array}{c} \text{OH H H} \\ | \ | \ | \\ \text{H—C—C—OH} \\ | \ | \\ \text{H H} \end{array} \xrightarrow{V_{B_{12}}} \left[\begin{array}{c} \text{H OH H} \\ | \ | \ | \\ \text{H—C—C—OH} \\ | \ | \\ \text{H H} \end{array} \right] \longrightarrow \begin{array}{c} \text{H} \\ | \\ \text{H—C—CHO} + H_2O \\ | \\ \text{H} \end{array}$$

也可以催化某些相邻碳原子之间的取代基交换反应，如哺乳动物体内在 B_{12} 辅酶协助下的甲基丙二酰辅酶 A 转变为丁二酰辅酶 A 的反应，就是一个典型的例子：

$$\begin{array}{c} \text{H H} \\ | \ | \\ \text{HOOC—C—H} \\ | \\ \text{H—C—S—(辅酶 A)} \\ \| \\ \text{O} \end{array} \rightleftharpoons \begin{array}{c} \text{H H} \\ | \ | \\ \text{HOOC—C—H} \\ | \\ \text{(辅酶 A)—S—C—H} \\ \| \\ \text{O} \end{array}$$

丁二酰辅酶 A　　　　　　　　　甲基丙二酰辅酶 A

这种催化反应可概括为：

$$\begin{array}{c} \text{H H} \\ | \ | \\ \text{—C}_1\text{—C}_2\text{—} \\ | \ | \\ \text{R H} \end{array} \longrightarrow \begin{array}{c} \text{H H} \\ | \ | \\ \text{—C}_1\text{—C}_2\text{—} \\ | \ | \\ \text{H R} \end{array}$$

即相邻两个 C 间的 R 与 H 交换。

§24-8 钠、钾、钙的生物功能

8-1 钠、钾的生物功能

钠、钾都是生命必需元素,在传递神经信号、维持体液渗透压和酸碱平衡以及对酶的激活等方面都具有重要的作用。

Na^+ 和 K^+ 在体内的分布不是随机的,而是高度有序的。由于 Na^+ 和 K^+ 同磷酸蛋白质形成复合物的稳定性不同,从而使得 K^+ 主要集中在细胞内,而 Na^+ 则集中于细胞外。为了维持平衡,K^+ 有由膜内流向膜外,Na^+ 有由膜外流向膜内的倾向。一般情况下,细胞膜的"钾通道"开启,对 K^+ 有更大的通透性,致使膜外带正电,膜内带负电,形成膜电势。当神经或肌肉组织兴奋时,"钠通道"开启,这时 Na^+ 有更大通透性,因而膜外带负电,膜内带正电。如果以未兴奋部位的膜电势为零的话,则兴奋部位有更高的膜电势,这种电势则对神经传递信号以及肌肉对刺激的反应起支配作用。

体液酸碱性的相对恒定,对保证正常的物质代谢和生理机能有十分重要的意义。体液的酸性物质和碱性物质,任何一类过多都会导致酸碱平衡失调。通过血液中的缓冲体系可以维持体液酸碱平衡。如在 $NaHCO_3 - H_2CO_3$ 缓冲体系中,当酸进入血液时,发生下列反应:

$$HA + NaHCO_3 \longrightarrow H_2CO_3 + NaA$$
$$\longmapsto CO_2 \uparrow + H_2O$$

产生的 CO_2 由肺部排出体外;当碱性物质过量时,碱同 H_2CO_3 反应生成 $NaHCO_3$,过量的 $NaHCO_3$ 可由肾脏排出体外。除了上述缓冲体系外,还有 Na^+ 和 K^+ 参与的缓冲体系。在血浆中有:$Na-$ 蛋白质 $-H-$ 蛋白质;$Na_2HPO_4-NaH_2PO_4$,在红细胞中有:$KHCO_3 - H_2CO_3$;$K_2HPO_4 - KH_2PO_4$ 等。

Na^+ 和 K^+ 的无机化学特性很相似,但在许多代谢过程中生理活性很不相同,甚至起对抗作用。例如,K^+ 是丙酮酸酶的激活剂,能加速蛋白质合成速度和肌肉组织的呼吸作用,而 Na^+ 对这两种过程起阻化作用。

K^+ 和 Na^+ 对维持和调节体液渗透压有重要作用。细胞膜可近似看作是半透膜,蛋白质和很多无机离子不能随意通过。由于无机离子产生的晶体渗透压远大于蛋白质产生的胶渗压。因而决定细胞内外水转移的主要因素是晶体渗透压。当细胞外离子浓度升高时,水由胞内转移到胞外,引起细胞皱缩;相反水由胞外移至胞内,引起细胞肿胀。

8-2 钙的生物功能——"信使"作用

Ca^{2+}有多方面的生物功能。除参与骨骼和牙齿的构成外,还可作为酶的激活剂或抑制多种酶促反应。

Ca^{2+}最重要的生物功能是"信使"作用。

生物体为了进行生命活动,其细胞间必须彼此联系,它们联系的方式是:通过细胞间的直接接触、电流脉冲或化学信使所提供的信号。细胞本身又分隔成各个不同的区间,包罗种种亚细胞器,它们之间也必须互相沟通。任何信号的传递都必须要有接受器。化学信号的接受器是蛋白质,它能辨认到达的信使,借以调节细胞的适当活动。在细胞中功能最多的信使是Ca^{2+},它的主要受体就是广泛分布于生物界的钙媒介蛋白。钙媒介蛋白是由148个氨基酸组成的单肽链蛋白质,相对分子质量为16 700。其中三分之一的氨基酸是谷氨酸和天门冬氨酸,这些氨基酸具有酸性侧链,提供带有负电荷的羧基COO^-,主要是这些羧基与Ca^{2+}结合。蛋白质分子折叠成四个大致相同的区域,每个区域都有一个与Ca^{2+}结合的部位。因此,每个钙媒介蛋白分子最多可结合四个Ca^{2+}(图24-12)。

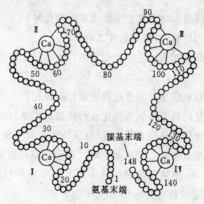

图24-12 钙媒介蛋白分子示意图

钙媒介蛋白与Ca^{2+}结合而被活化,活化后的钙媒介蛋白可调节多种酶的活力。在这里,Ca^{2+}起传递某种生命信息的作用。其信使作用如下:

一切生命体内都有丰富的Ca^{2+},其所以能作为信使,部分原因是它在细胞外液的浓度比细胞内高出1 000~10 000倍。通常情况下膜外的Ca^{2+}很难进入膜内。当细胞受电脉冲或其它信号刺激时,细胞膜对 Ca^{2+} 的通透性暂时增加,使 Ca^{2+} 内流,作为一种信息。现通过环腺苷酸分解成 $5'-$腺苷酸的过程来说明 Ca^{2+} 的信使作用。细胞内有一种物质,叫做环腺苷酸磷酸二酯酶(简称 PDE),它能催化环腺苷酸(CAMP)分解成 $5'-$腺苷酸($5'-$AMP)。

缺乏钙媒介蛋白时,PDE 没有活力;同样,钙媒介蛋白缺乏 Ca^{2+} 也没有活力。当 Ca^{2+} 的流入量增加,使细胞内 Ca^{2+} 浓度高于某一阈值时,每个钙媒介蛋白结合 4 个 Ca^{2+},分子构象变为紧密,呈激活状态。激活后的钙媒介蛋白与无活力的 PDE 相互作用,增加了 PDE 的催化活性,随即起动 CAMP 分解为 $5'-$AMP 的反应。当刺激终止时,Ca^{2+} 的浓度因排出或被亚细胞器吸收而降至稳态水平,钙媒介蛋白释放 Ca^{2+},回到无活性状态,由 Ca^{2+} 起动的反应便终止了。

归纳如上过程:刺激 → Ca^{2+} 流入 → 钙媒介蛋白激活 → 增加 PDE 活性 → 催化 CAMP 分解。

问 题

1. 举例说明何为生命元素? 生命元素分哪几种?

2. 存在于体内的铬,对机体有什么影响?

3. 铁是人体必需元素? 它有什么功能? 铁以什么形式存在时对人体健康有害?

4. Ca^{2+} 离子在机体生长发育过程中起什么作用?

5. 为什么等量的污染金属离子比农药残毒对机体的危害更严重?

6. 广泛摄取食物和挑剔食物的人,健康情况有何差异?

7. 通常金属螯合物中二个或多个配位原子相距较近才能形成稳定的螯合物,为什么 Cu－Zn 超氧化物歧化酶中二个配位原子相距 57 个氨基酸残基,但仍可形成稳定的整合大环?

8. CO_2 是从体内排出的气体,是否可以认为 CO_2 对人体生理作用无贡献?

9. 人体内主要水解酶是哪种金属酶?

10. 人体内缺乏 Na^+、K^+、Ca^{2+} 离子可能引起什么病变?

索　引

十三画

郑 重 声 明

高等教育出版社依法对本书享有专有出版权。任何未经许可的复制、销售行为均违反《中华人民共和国著作权法》,其行为人将承担相应的民事责任和行政责任,构成犯罪的,将被依法追究刑事责任。为了维护市场秩序,保护读者的合法权益,避免读者误用盗版书造成不良后果,我社将配合行政执法部门和司法机关对违法犯罪的单位和个人给予严厉打击。社会各界人士如发现上述侵权行为,希望及时举报,本社将奖励举报有功人员。

反盗版举报电话:(010) 58581897/58581896/58581879

传　　真:(010) 82086060

E－mail: dd@hep.com.cn

通信地址:北京市西城区德外大街 4 号

　　　　　　高等教育出版社打击盗版办公室

邮　　编:100120

购书请拨打电话:(010)58581118